訪問診療・訪問看護のための

在宅
診療報酬

2024-25年版

付 訪問看護療養費Q&A

医学通信社

はじめに

1992年に最初の老人訪問看護ステーションがオープンしてから30余年が経ちました。その間，1994年10月には，健康保険法改正により，訪問看護の対象が一般の患者さんにも広げられ，高齢者だけでなく，難病患者，重度障害者，精神障害者などを含む在宅患者への訪問診療，訪問看護が行われるようになりました。2000年４月からは介護保険制度が施行され，要支援・要介護の認定者は介護保険で，医療依存度の高い患者さんは医療保険でという２本立ての請求になり，その複雑さは現場の方々にとって頭の痛いところと思われます。

しかし，診療報酬や療養費に関する疑問，点数算定上の問題などに答える専門書は，今でもあまり多くはないように思われます。在宅に関する様々なご質問は，小社にも数多く寄せられ，そのたびに関係方面へ照会をするなどしてお答えしてきました。

本書は，そのようなことから，在宅医療・訪問看護に携わる方々のために，在宅医療・訪問看護の保険請求のすべてが１冊でわかる本をつくりたいと企画されたものです。これまでの読者からのご質問や，点数改定時の質疑応答や疑義解釈をすべて集め，項目ごとに分類し，点数や算定方法の概説を付け，編集しています。

今版は，2024年度診療報酬改定に準拠して改訂していますが，在宅診療報酬の理解をより深めるために『診療点数早見表』も併せてご活用くださるようお願いいたします。

なお，編集にあたっては，永高会蒲田クリニック顧問・栗林令子氏，株式会社ＡＳＫ梓診療報酬研究所所長・中林梓氏に内容の検証をお願いしました。誌上を借りて厚くお礼申しあげます。

高齢社会の本格化，また政策面や医療の高度化に伴って，在宅医療は，今後さらに変化していくに違いありません。そして，本書もまだまだ十分な内容を収載し尽くしているとはいえません。お気づきの点などありましたら，ぜひご教示くださいますようお願い申しあげます。逐次，改訂を重ね，使いやすい有用な本を目指したいと考えています。

2024年８月　　医学通信社編集部

【出典】（一部改編したものもあります）

〈厚〉　厚労省事務連絡「疑義解釈資料の送付について」など
2010年３月29日，４月13日，４月30日，６月４日，６月11日，７月28日
2012年３月30日，４月20日，４月27日，５月18日，６月７日，６月21日，７月３日，８月９日，９月21日，2013年６月14日
2014年３月31日，４月４日，４月10日，４月23日，５月１日，５月７日，６月２日，７月10日，９月５日
2016年３月31日，４月25日，６月14日，６月30日
2018年３月30日，４月25日，５月25日，７月10日，７月30日，10月９日
2020年３月31日（その１），４月16日（その５），５月７日（その９）
2022年３月31日（その１），７月26日（その19）
2024年３月28日（その１），４月12日（その２），４月26日（その３），５月10日（その４），５月17日（その５），５月31日（その７），６月18日（その８），６月20日（その９），８月23日

〈保〉　全国保険医団体連合会『新点数運用Ｑ＆Ａレセプトの記載』月刊保団連臨時増刊号No.1031　2010年４月21日
『新点数・介護報酬Ｑ＆Ａ』月刊保団連臨時増刊号No.1097　2012年４月27日
『在宅医療点数の手引2016年度改定版』月刊保団連臨時増刊号No.1226　2016年10月11日

〈東〉　東京保険医協会「東京保険医新聞」掲載Ｑ＆Ａ　10年４月５日

〈神〉　神奈川県保険医協会「神奈川県保険医新聞」掲載Ｑ＆Ａ　10年４月５日，４月15日，４月25日

〈京〉　京都府保険医協会「京都保険医新聞」掲載Ｑ＆Ａ，08年３月31日，４月21日，４月28日，５月５・12日

〈日事〉　日本医療事務協会「平成24年度診療報酬改定セミナーＱ＆Ａ」2012年４月３日，５月７日

〈読〉　『月刊／保険診療』読者相談室

〈オ〉　『月刊／保険診療』オールラウンドＱＡ，オールラウンドＱＡえとせとら

◆出典マークのないものは，その他団体より入手し医学通信社で再編したものです。

◆本書で『早見表』p.000と示されているものは2024年度版『診療点数早見表』（医学通信社）を指します。

目　次

第３章　訪問看護ステーションＱ＆Ａ（医療保険）　211

第1章
在宅医療の診療報酬

1　在宅診療報酬のポイント

在宅医療では，患者が要介護・要支援の認定を受けているか，主病がどんな疾患か，療養場所はどこか――等によって算定できる点数が異なります（**図表１**）。まずはその要点について見ていきましょう。

1．在宅診療報酬の特徴をつかむ

在宅診療報酬には，以下のような特徴があります。

(1)　患家に出向くことを評価した点数（往診，訪問診療）が設定されている

在宅医療は患家など患者が居住しているところまで出向く必要があることから，入院外の点数を基本に出向く手間と時間を評価した点数が設定されています。出向くことを評価した点数としては，患家からの求めに応じて出向く「往診料」と，患者の同意を得たうえで計画的に訪問診療を行う「在宅患者訪問診療料」があります。患家に出向くという点では共通していますが，算定方法等は異なります。

(2)　１人の患者に同一の医療機関の複数の職員が同一日に訪問した場合は主たるもののみ算定する

図表１　在宅医療点数の算定方法フローチャート

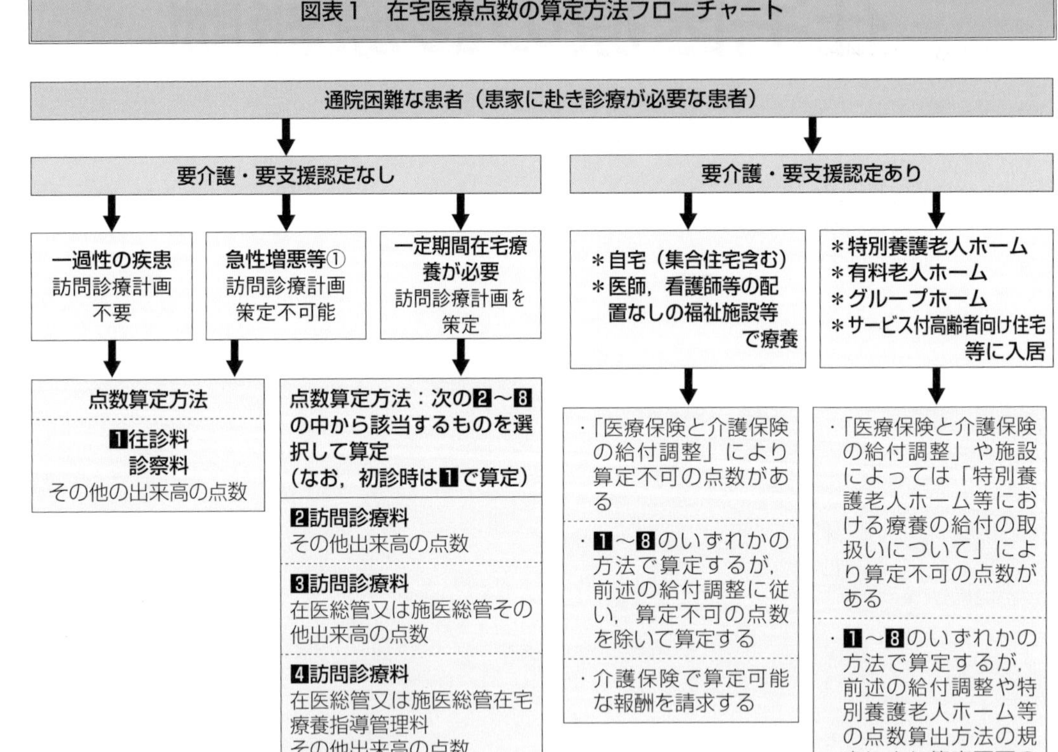

注1）要介護認定の有無等により算定可能な点数を例示したものであり，詳細は『診療点数早見表2024年度版』を確認して下さい。

注2）支援診・病院（機能強化型も含む）は24時間体制をとって患者を管理しますが，その他の医療機関より高めの点数が算定できるものがあります。

注3）在医総管，施医総管，在医総，在宅療養指導管理料のうち，在宅血液透析指導管理料等は地方厚生局長（窓口は各都道府県事務所）に届出が必要です。

注4）薬剤や特定保険医療材料は別に算定できます（一部算定不可の場合あり）。また院外処方が可能な薬剤や材料があります。

同一医療機関の複数の職員（医師，看護師，薬剤師，管理栄養士）が同一日に訪問をした場合，いずれかの点数を算定した日は他のものを算定できません。

ただし，訪問診療（p.44），訪問看護等を行った後，患者の病状の急変等により往診を行った場合の往診料は算定できます。また，同一日であっても医療保険で訪問診療を行い，介護保険で訪問看護を行う場合は両方の報酬が算定可能です。

さらに患者が要介護・要支援認定を受けている場合は，それぞれの職員の訪問が介護報酬算定可能な範囲（区分支給限度額の範囲内で計画されている等）で行われている場合は，診療報酬と介護報酬の両方を算定できる場合があり，逆に「医療保険と介護保険の給付調整」により算定不可の場合もあります。

(3)　在宅医療の包括点数，包括部分が重なっていなければ両方とも算定可

在宅医療点数にはいくつかの診療行為をまとめて評価し，包括した点数があります。

これらの点数は，包括範囲が重複している，あるいは併算定不可とされている場合，主たる点数のみの算定または一部に算定制限が生じます。

したがって，包括範囲が重なっておらず，併算定不可の算定要件が設定されていなければ，両方の点数が算定できます。例えば，「訪問診療料と在医総管」「在医総管と在宅療養指導管理料（寝たきり患者処置指導管理料を除く）」などは併算定が可能です。

(4)　在宅での自己処置，自己注射等の指導管理をした場合の算定

患者の症状によって自己注射や自己処置などが必要な場合，その方法や留意点を主治医が指導したうえで，必要な薬剤や器材，治療材料を提供し自己注射等の管理をします。この場合，在宅療養指導管理料（在宅自己注射指導管理料，在宅寝たきり患者処置指導管理料等）のほか在宅療養指導管理材料加算，薬剤料，特定保険医療材料を算定します。

(5)　急性増悪時は特例の算定方法がある

訪問診療や訪問看護は週３日を限度に算定しますが，急性増悪の診断をした場合，診断日から14日間に限って必要な回数だけ訪問することができます。また，訪問看護を訪問看護ステーションに依頼する場合は，特別指示書を交付します。特別指示期間中は２カ所のステーションに依頼することができます。

さらに，介護保険の要介護・要支援認定患者には介護保険の訪問看護が行われますが，特別指示期間中は医療保険に切り替えて訪問看護を行います。

そのほかにも急性増悪時の取扱いが設定されているものがありますので，留意してください。

(6)　末期がん患者にも特例の算定方法がある

訪問診療や訪問看護は週３日を限度に算定するとされていますが，末期がん（末期悪性腫瘍）の場合は特に算定制限が設けられておらず，必要な回数だけ訪問できます。さらに訪問看護ステーションに訪問看護を依頼する場合は，３カ所の訪問看護ステーションに訪問看護を依頼することができます。

特別養護老人ホームの入所者については，末期がん患者のみ，訪問診療料や訪問看護・指導料が算定できます。

末期がん以外の厚生労働大臣の定める疾患（多発性硬化症等）の患者などにも特例の取扱いが設定されているので，留意してください。

(7)　医療機関や施設等との連携を評価した点数がある

在宅医療点数には在宅患者連携指導料や在宅患者緊急時等カンファレンス料といった連携を評価する点数が設定されています。

このほか，訪問看護・指導料の在宅患者連携指導加算，緊急時等カンファレンス加算など，連携を評価した加算点数も設定されています。

(8)　薬剤や医療器材を使用した場合の取扱い

前述のように，自己処置や自己注射・自己処置用に投与している場合の薬剤は，基本的に在宅医療の薬剤として算定します。

また，器材や医療材料を使用した場合は，①在宅医療の特定保険医療材料として算定するもの，②在宅療養指導管理料材料加算として算定するもの，③所定点数に含まれるもの――があります。また院外処方できるものもあり，この場合は薬局から保険請求します。

(9)　情報通信機器を用いた指導管理

情報通信機器を用いた在宅自己注射指導管理料は，情報通信機器を用いた診療の届出をしたうえで行うことができます。詳細は『診療点数早見表 2024年度版』を参照してください。

2.「在宅療養支援診療所」「在宅療養支援病院」「在宅療養後方支援病院」とは

「**在宅療養支援診療所**」とは，24時間体制で患者からの連絡受付，往診，訪問看護が可能であること等の体制を整えた，施設基準の届出診療所を指します。

また「**在宅療養支援病院**」とは，200床未満（医療資源の少ない地域では280床未満）または半径４km以内に診療所が存在しない病院で，24時間の往診・訪問看護が可能な体制等を整えた，施設基準の届出病院を指します。

これらの支援診，支援病では，その他の医療機関よりも高い診療報酬（往診料の夜間，休日，深夜加算，ターミナルケア加算等）が算定できるほか，在医総等の届出要件にもなっています。

2012年改定では，それまでの在宅療養支援診療所・病院の要件を満たしたうえで，さらに機能を強化した「機能強化型」の類型が新設され，さらに2014年改定では，住宅患者の後方受入れを担う施設として，「**在宅療養後方支援病院**」も新設されました（p.29）。

3. 医療保険と介護保険の給付調整について

　要介護・要支援の患者について，介護保険と医療保険に同一の報酬が設定されている場合には，**優先的に介護保険から給付**されます。現在，訪問看護・指導，訪問リハビリ，訪問薬剤指導，訪問栄養指導は介護保険が優先適用となりますので，介護保険に請求します。訪問看護は訪問看護療養費，訪問リハビリは訪問リハビリテーション費，その他は居宅療養管理指導費として介護保険に請求します。

　なお訪問看護は，末期悪性腫瘍等厚生労働大臣が定める疾患等の患者や急性増悪の患者（14日間限度）には，例外的に医療保険の訪問看護の点数を算定します。医師の居宅療養管理指導は介護方法の指導やケアマネージャー（介護支援専門員）への情報提供をした場合に算定できます。

　そのほかにも，医療保険と介護保険の給付が重複するなどの理由で，要介護・要支援の患者には算定不可とされている点数があるので，留意してください。

　また，特別養護老人ホーム，有料老人ホーム，グループホーム等の施設入居者についても，その大半が要介護・要支援の認定を受けており，「医療保険と介護保険の給付調整」による算定方法となります。それに加え，「特別養護老人ホーム等における療養の給付の取扱いについて」などが適用され，それらの施設で行うサービスと重複するものは算定不可となります。特に，看護師が配置されている施設に入居している場合は算定不可となる点数が多くなります。

2 在宅診療報酬の構成と算定方法

1. 在宅医療の基本構成

1　在宅医療は，第1節［**在宅患者診療・指導料**］，第2節［**在宅療養指導管理料**］，第3節［**薬剤料**］，第4節［**特定保険医療材料料**］から構成されます。

第1節 在宅患者診療・指導料…医師や看護師等が患家を訪問して行う診療や指導，多職種や他施設との連携を評価したものです。在宅患者訪問診療料や在宅時医学総合管理料等がありますが，算定要件が異なるので注意が必要です（**図表3**）。

第2節 在宅療養指導管理料…訪問診療や患者が来院した際に，患者自身で行う個々の在宅療養などについて，医師が指導管理を行った場合に算定するものです。第1款「在宅療養指導管理料」と第2款「在宅療養指導管理材料加算」に分かれ，両者を合算して算定します。

第3節 薬剤料／第4節 特定保険医療材料料…第1節の「在医総管・施医総管」，第2節の「在宅療養指導管理」と合算して算定します。

　なお，「医師の訪問日等以外に，医師の指示により看護師が点滴・処置等を行った場合」にあたって，規定の薬剤・特定保険医療材料を使用した場合に算定するものです（ただし，医師による訪問診療，往診時の在宅療養指導管理に含まれる処置・注射の薬剤料，特定保険医療材料は算定不可です。その他の処置，注射に使用した場合は，点数表の「在宅医療」の部ではなく，要件を満たす場合に限り，「投薬」「注射」「処置」等の部の薬剤料・特定保険医療材料料として算定します）。

2　在宅医療は，第1節～第4節の点数を合わせて算定します。基本的な組合せは3通りです。

①［在宅患者診療・指導料］

②［在宅療養指導管理料（＋在宅療養指導管理材料加算）］＋薬剤料＋特定保険医療材料料

③［在宅患者診療・指導料］＋［在宅療養指導管理料（＋在宅療養指導管理材料加算）］＋薬剤料＋

図表2　在宅医療の基本構成

第1節 在宅患者診療・指導料		医学管理	医師	・在宅時医学総合管理料(在医総管)，施設入居時等医学総合管理料(施医総管)
		末期医療診療･管理	医師 看護師	・在宅がん医療総合診療料 など
		訪問診療及び指導	医師	・在宅患者訪問診療料（Ⅰ)(Ⅱ）など
			看護師 薬剤師など	・在宅患者訪問看護・指導料 ・同一建物居住者訪問看護・指導料 ・在宅患者訪問薬剤管理指導料 ・在宅患者緊急時等カンファレンス料 など
		往診	医師	・往診料
第2節 在宅療養指導管理料	第1款 在宅療養指導管理料	指導管理	医師	・在宅自己注射指導管理料 ・在宅酸素療法指導管理料 ・在宅中心静脈栄養法指導管理料 ・在宅寝たきり患者処置指導管理料 など
	第2款 在宅療養指導管理材料加算			・血糖自己測定器加算，注入器加算，輸液セット加算 など
第3節 薬剤料				合計薬価15円超の場合に，10円で除して得た点数(端数5捨5超入)を算定
第4節 特定保険医療材料料				材料価格基準の価格を10円で除して得た点数（端数4捨5入）を算定

図表３　在宅患者訪問診療料（Ⅰ）「1」と在医総管，施医総管の算定要件（加算除く）の比較

	在宅患者訪問診療料（Ⅰ）「1」	在医総管，施医総管
開始時必須事項①	①対象は，寝たきりまたはそれに準ずる者で，自力では通院できない者。 ②在宅療養計画を立てて計画的な訪問をする。	
開始時必須事項②	訪問診療計画を立てて患者から同意書をもらう。	緊急時の連絡先等のお知らせ文書を交付する。
カルテ記載	訪問診療を行った日，診療時間（開始と終了の時刻），訪問診療の場所を記載する。	在宅療養計画を作成し，患者または家族に説明し，それらの要点を記載する。
算定要件① 基本的な事項	計画的に訪問し，診療した場合に算定。	月１回または月２回以上の訪問診療〔在宅患者訪問診療料（Ⅰ）「1」または在宅患者訪問診療料（Ⅱ）（「注１」イ）〕を行い，総合的な管理を行った場合に算定。
算定要件② 患者の重症度	患者の重症度にかかわらず，所定点数を算定する。	厚生労働大臣が定める重症者，（「別表８の２」の該当者）に月２回以上の訪問をした場合に，高めの点数が算定できる。
算定要件③ 集合住宅・施設の入居者の点数	同一建物居住者〔集合住宅，居住系施設には基本的に在宅患者訪問診療料（Ⅰ）１の口を算定するが，訪問診療当日に１人のみを診た場合は，訪問診療料（Ⅰ）１のイを算定する（同一患家を除く）〕。	通知で定められた施設の入居者には施医総管を，その他の施設・集合住宅の入居者には在医総管を算定する。したがって，小規模多機能型施設（入所者のみ），複合型サービス（入所者のみ），ケアハウスは，算定要件を満たした場合に在医総管が算定できる。
算定要件④ 訪問人数の数え方	訪問診療日の当日の同一建物の訪問人数を数えて，２人以上であれば訪問診療料（Ⅰ）１の口を算定する。	単一建物（集合住宅，施設）の月ごとの在医総管，施医総管の算定患者数に応じた点数を算定する。
算定要件⑤ 訪問人数の数え方の特例	同一日の同一建物居住者訪問診療の患者数は以下の者を除外して数える。 ①往診をした患者 ②末期悪性腫瘍で訪問診療開始60日以内の患者 ③死亡日からさかのぼって30日以内の患者 ・①は往診料，②③は訪問診療料（Ⅰ）１のイを算定。 ・患者数から除外される患者とその他の患者を同一日に訪問診療した場合，それ以外の患者が１人の場合は訪問診療料（Ⅰ）１のイを，２人以上の場合は訪問診療料（Ⅰ）１の口を算定する。	・当該建築物において当該保険医療機関が在医総管，施医総管の算定患者数が，当該建築物の戸数の10%以下の場合，および当該建築物の戸数が20戸未満であって，当該保険医療機関で在宅医学管理を行う患者が２人以下の場合には，それぞれ「単一建物診療患者が１人の場合」を算定する。 ・ユニット数が３以下の認知症対応型共同生活介護の対象施設については，それぞれのユニットにおいて，施医総管を算定する人数を，単一建物診療患者の人数とみなす。
算定要件⑥ 同一患家の算定方法	同一患家の２人以上の患者に訪問診療を行った場合，１人目は訪問診療料（Ⅰ）１の口，２人目以降は再診料を算定する。	１つの患家に同居する同一の世帯の算定対象患者が２人以上いる場合は，患者ごとに「単一建物診療患者数が１人の場合」を算定する。
レセプト記載	記載要領に基づき記載する。2018年改定により，同一建物居住者に係る「別紙様式14」とそれに基づく患者の要介護度，訪問診療が必要な理由など５項目の記載は廃止。	記載要領に基づき記載する。記載要領のなかで，訪問人数の特例により点数を算定した場合は，その状況をレセプトに記載するなどの記載事項がある。

特定保険医療材料料

3　在宅患者診療・指導料の算定の原則が以下のように通知されています。

【在宅患者診療・指導料】

(1)　同一の患者について，C000往診料，C001在宅患者訪問診療料（Ⅰ），C001-2在宅患者訪問診療料（Ⅱ），C005在宅患者訪問看護・指導料，C005-1-2同一建物居住者訪問看護・指導料，C006在宅患者訪問リハビリテーション指導管理料，C008在宅患者訪問薬剤管理指導料，C009在宅患者訪問栄養食事指導料またはI012精神科訪問看護・指導料（以下「訪問診療料等」という）のうち，いずれか１つを算定した日は，他のものを算定できない。ただし，訪問診療等を行った後，患者の急変等により往診を行った場合の往診料については，この限りではない。

(2)　１つの保険医療機関が訪問診療料等のいずれか１つを算定した日については，当該医療機関と特定の関係にある他の保険医療機関は訪問診療料等を算定できない。ただし，訪問診療等を行った後，患者の急変等により往診を行った場合の往診料については，この限りではない。

(3)　保険医療機関と特別の関係にある訪問看護ステーションが，当該医療機関の医師から訪問看護指示書の交付を受けた患者について訪問看護療養費を算定した日は，当該医療機関は訪問診療料等を算定できない。ただし，当該訪問看護を行った後，患者の急変等により往診を行った場合の往診料については，この限りではない。

また，I016精神科在宅患者支援管理料の「1」を算定する保険医療機関と連携する訪問看護ステーションのそれぞれが，同一日に訪問看護を実施した場合における精神科訪問看護・指導料（作業療法士又は精神保健福祉士による場合に限る）及び精神科訪問看護基本療養費の算定については，この限りでない。

4　各在宅医療料の併算定の可否は，p.22の「併算定マトリックス」を参照してください。

5　介護保険の要介護・要支援認定を受けた患者の訪問診療，訪問看護，訪問リハビリテーションの報酬を算定する場合の留意事項は以下のとおりです。

【在宅医療と介護保険の報酬算定上の留意事項】

(1)　要介護者・要支援者に対する訪問看護，訪問リハビリテーション，訪問薬剤管理指導，訪問栄養食事

指導については，介護保険が優先し医療保険では算定できない。ただし，訪問看護等において次の患者については，医療保険により算定する。

①**訪問看護**

ア　**末期の悪性腫瘍，その他厚生労働大臣が定める疾患等の患者**

末期の悪性腫瘍，多発性硬化症，重症筋無力症，スモン，筋萎縮性側索硬化症，脊髄小脳変性症，ハンチントン病，進行性筋ジストロフィー症，パーキンソン病関連疾患〔進行性核上性麻痺，大脳皮質基底核変性症，パーキンソン病（ホーエン・ヤールの重症度分類がステージ３以上であって生活機能障害度がⅡ度又はⅢ度のものに限る）〕，多系統萎縮症（線条体黒質変性症，オリーブ橋小脳萎縮症，シャイ・ドレーガー症候群），プリオン病，亜急性硬化性全脳炎，ライソゾーム病，副腎白質ジストロフィー，脊髄性筋萎縮症，球脊髄性筋萎縮症，慢性炎症性脱髄性多発神経炎，後天性免疫不全症候群，頸髄損傷の患者，人工呼吸器を装着している患者

イ　**急性増悪等により一時的に頻回の訪問看護が必要ある旨の特別指示があった場合**（指示期間中のみ）

②　要介護者・要支援者以外の患者に対する訪問看護，訪問リハビリテーション，訪問薬剤管理指導，訪問栄養食事指導については，医療保険により算定する。なお，訪問リハビリテーションについて，患者の症状が急性増悪の場合，要介護・要支援者でも６カ月に１度に限り医療保険に請求する。

⑵　医師が行う診療に係る点数（往診料，訪問診療料等）は，すべて医療保険により算定する。なお，介護保険の居宅療養管理指導費（医師による）も別に算定できる。

⑶　介護保険の訪問看護に係る指示料は，医療保険の訪問看護指示料により算定する。ただし，介護老人保健施設からの退所時又は介護医療院からの退院時に係る指示料は，介護保険の各施設サービス費の訪問看護指示加算により算定する。

⑷　医療保険または介護保険の訪問看護・指導を行っている患者に週３回以上の看護師等による訪問点滴を行った場合は，医療保険の在宅患者訪問点滴注射管理指導料と薬剤料が算定できる。

⑸　居住系施設，特定施設（特別養護老人ホーム，有料老人ホーム，サービス付高齢者向け住宅，ケアハウス等）の入居（所）者に対する在宅患者訪問診療料，施医総管は，「医療保険と介護保険の給付調整」「特別養護老人ホーム等入所者の医療」等の通知により，算定不可になる点数がある。

（編注）在宅療養指導管理料の概要については，第２章第２節の在宅療養指導管理料のQ&Aをご参照ください。

2. 在宅医療の［薬剤］

（第２節在宅療養指導管理にあたって使用）

1　「在宅医療」の部の［薬剤］は，合計薬価が15円超の場合にのみ，10円で除して得た点数（端数五捨五超入）で算定します。

2　「在宅医療」の部の自己注射や自己処置用の［薬剤］として算定した場合は，外来診療での「投薬」や「注射」などとは別扱いとなります。したがって，「投薬」が包括される点数項目（「在医総管」「施医総管」など）を算定した場合でも，在宅での総合的な医学管理に当たって必要な薬剤（投薬に係るものを除く），在宅療養指導管理の自己注射，自己処置用としてあらかじめ患者に投与した薬剤料は算定可能です。ただし，在宅の薬剤のみを処方した場合は調剤料，処方料，処方箋料，調剤技術基本料，注射手技料などは算定できません。

また，往診や訪問診療時に医師が在宅療養指導管理に含まれる処置や注射を行ったときに使用した薬剤の薬剤料は算定できません。

注）在医総管，施医総管には「投薬の費用」が含まれますが，これは点数表の「第２章第５部投薬」を指し，第２部在宅医療の第３節薬剤料は含みません。

【在宅療養指導管理に伴う薬剤の範囲（主なもの）】

《厚生労働大臣の定める注射薬》

在宅自己注射，在宅自己腹膜灌流，在宅血液透析，在宅中心静脈栄養法，在宅悪性腫瘍患者，在宅肺高血圧症患者等の指導管理に使用する薬剤

《その他の在宅療養用薬剤》

⑴　在宅成分栄養経管栄養法指導管理または在宅寝たきり患者処置指導管理に係る鼻腔栄養等にあたって使用する人工栄養剤

⑵　在宅寝たきり患者処置指導管理に係る創傷処置，皮膚科軟膏処置，膀胱洗浄，導尿にあたって使用する処置用薬剤

3. 在宅医療の［特定保険医療材料］

（第２節在宅療養指導管理にあたって使用）

1　特定保険医療材料とは，厚生労働大臣が定める医療材料のことです。これを使用した場合は，その費用を保険請求することができます。在医総管等を算定する場合でも算定できます。ただし，往診や訪問診療時に医師が在宅療養指導管理に含まれる処置や注射を行ったときに使用した特定保険医療材料は算定できません。

2　在宅医療の部の［特定保険医療材料］は，別に厚生労働大臣の定める価格を10円で除して得た点数（端数四捨五入）で算定します。

3　特定保険医療材料以外の医療材料は，当該材料を使用する手技料の所定点数または材料加算に含まれ，別にその費用を請求することはできません。ただし，治療を目的としない材料（日常生活用品や介護用品など）については，別途，患者へ自費請求することができます。なお，使った材料が在宅療養指導管理料材料加算の対象とされている場合は，材料加算が算定できます。

4．在宅療養支援診療所・在宅療養支援病院

高齢者ができる限り住み慣れた家庭や地域で療養しながら生活をして，また，身近な人に囲まれて在宅での最期を迎えることも選択できるよう，診療報酬上の制度として**在宅療養支援診療所**と**在宅療養支援病院**が設けられています。2012年の改定では，これまでの類型に加え，新たに実績要件が追加された**機能強化型の在宅療養支援診療所・病院**が設けられ，C002在宅時医学総合管理料等で高い点数が設定されました。

主な届出要件等は**図表４**のとおりです。また，届出時と毎年７月に実績報告を行います。

5．病診連携と診療情報提供料等

病診連携を目的として，保険医療機関等の間で診療情報を患者の同意を得て提供し患者を紹介した場合，紹介した側の保険医療機関において，「診療情報提供料（Ⅰ）」が算定できます（在宅療養支援診療所，在宅がん医療総合診療料等の連携医療機関との情報交換は除く）。なお在宅患者であっても患者または家族からセカンドオピニオンを得るための情報提供を求められた場合は，診療情報提供料（Ⅱ）が算定できます。

B009　診療情報提供料（Ⅰ）　250点

1．保険医療機関──→別の保険医療機関
（診療状況を示す文書を添えて紹介した場合）紹介先医療機関ごとに患者１人につき月１回算定。

2．保険医療機関──→市町村，保健所，精神保健福祉センター，指定居宅介護支援事業者，地域包括支援センター，指定特定相談支援事業者等
（保健福祉サービス，介護保険に必要な情報を提供した場合）患者１人につき月１回算定。介護保険の居宅療養管理指導とは併算定不可。

3．保険医療機関──→保険薬局
（在宅患者訪問薬剤管理指導に必要な情報を提供した場合）患者１人につき月１回算定。

4．保険医療機関──→精神障害者施設，介護老人保健施設（併設除く）
（「入所している患者」について医療機関での診療に基づき，社会復帰の促進に必要な情報を提供した場合）患者１人につき月１回算定。

5．保険医療機関──→介護老人保健施設（併設除く），介護医療院
（「入所等」のため，診療状況を示す文書を添えた紹介を行った場合）患者１人につき月１回算定。

6．保険医療機関──→認知症疾患医療センター
（認知症の鑑別診断，治療方針の選定等のため紹介を行った場合）患者１人につき月１回算定。

7．保険医療機関──→保育所，幼稚園，小学校，中学校，義務教育学校，高等学校，中等教育学校，特別支援学校，高等専門学校，専修学校の学校医等
（診療状況を示す文書を添えて，当該患者が学校生活を送るに当たり必要な情報を提供した場合）患者１人につき月１回算定。

- ●医療機関と「特別の関係」にある機関又は同一開設主体への情報提供は算定不可。
- ●医療機関Ａに検査・画像診断の設備がなく，医療機関Ｂに診療状況の文書を添えて検査・画像診断を依頼した場合も算定可。医療機関Ｂが判読も含めて依頼され，その結果を医療機関Ａに文書で回答した場合には，医療機関Ｂにおいても算定可。

B010　診療情報提供料（Ⅱ）　500点

保険医療機関──→患者

治療法の選択等に関して当該保険医療機関以外の医師の意見（セカンドオピニオン）を求めることを要望している患者が対象となります。

治療計画，検査結果，画像診断に係る画像情報その他の別の医療機関において必要な情報を添付し，診療状況を示す文書を提供することで，患者が当該保険医療機関以外の医師の助言を得るための支援を行った場合に，患者１人につき月１回算定。

C014　外来在宅共同診療料

外来担当医（600点）↔　在宅担当医（400点）

外来担当医と在宅担当医が連携して指導等を行った場合に算定する。

C015　在宅がん患者緊急時医療情報連携指導料　200点

保険医療機関──→連携保険医療機関を含む当該患者に関わる医療関係職種及び介護関係職種等

在宅療養を行う悪性腫瘍の末期患者の病状急変時に，ICT活用によって医療従事者等の間で共有されている人生の最終段階における医療・ケアに関する情報を踏まえ，医師が指導を行った場合に，月１回算定。

6．在宅医療に関連する医学管理等

在宅医療に移行する患者の入院中から退院時にかけての様々な医学管理の点数，あるいは在宅患者の容体急変に伴って緊急入院した際の医学管理等に関する点数があります。

図表４　在宅療養支援診療所（支援診）・在宅療養支援病院（支援病）の施設基準一覧

<table>
<tr><th rowspan="2">施設基準</th><th rowspan="2">従来型(機能強化型以外)の支援診・支援病</th><th colspan="2">機能強化型の支援診・支援病</th></tr>
<tr><th>【単独型】</th><th>【連携型】（※１）</th></tr>
<tr><td>施設要件</td><td colspan="3">【支援診】診療所であること
【支援病】① 200 床未満（「医療資源の少ない地域の医療機関」では 280 床未満）の病院，②半径４km以内に診療所が存在しない病院――のいずれかであること</td></tr>
<tr><td>常勤医師</td><td>――</td><td>在宅医療を担当する常勤医師３名以上</td><td>連携医療機関との合算で，在宅医療を担当する常勤医師３名以上</td></tr>
<tr><td>24 時間連絡体制</td><td colspan="3">【支援診】24 時間連絡を受ける保険医又は看護職員を予め指定し，その連絡先（【連携型】では連絡先を一元化）を文書で患家に提供
【支援病】24 時間連絡を受ける担当者を予め指定し，その連絡先（【連携型】では連絡先を一元化）を文書で患家に提供</td></tr>
<tr><td rowspan="2">24 時間往診体制</td><td>（自院において，又は別の医療機関との連携により）</td><td>（自院において）</td><td>（連携医療機関との連携により）</td></tr>
<tr><td colspan="3">24 時間往診が可能な体制を確保し，往診担当医の氏名，担当日等を文書により患家に提供している（※２）</td></tr>
<tr><td rowspan="2">24 時間訪問看護体制</td><td>（自院において，又は別の医療機関・訪問看護ステーションとの連携により）</td><td>（自院において，又は別の医療機関・訪問看護ステーションとの連携により）</td><td>（自院において，又は連携医療機関・訪問看護ステーションとの連携により）</td></tr>
<tr><td colspan="3">24 時間訪問看護の提供が可能な体制を確保し，訪問看護の担当者氏名，担当日等を文書により患家に提供</td></tr>
<tr><td rowspan="2">緊急入院受入体制</td><td>【支援診】（自院において，又は別の医療機関との連携により）</td><td>【支援診】（有床診療所は自院において，無床診療所は別の医療機関との連携により）</td><td>【支援診】（自院又は連携医療機関において，いずれも無床の場合は別の医療機関との連携により）</td></tr>
<tr><td colspan="3">【支援診】緊急時に在宅療養患者が入院できる病床を常に確保し，受入医療機関の名称等を予め届け出ている
【支援病】緊急時に在宅療養患者が入院できる病床を常に確保している</td></tr>
<tr><td>連携先への情報提供</td><td colspan="3">他の医療機関又は訪問看護ステーションと連携する場合，予め患家の同意を得て，緊急対応に必要な診療情報を文書（電子媒体含む）により随時提供している</td></tr>
<tr><td>診療記録管理体制</td><td colspan="3">患者に関する診療記録管理を行うにつき必要な体制が整備されている</td></tr>
<tr><td rowspan="2">保健医療・福祉サービスとの連携</td><td colspan="3">当該地域において，他の保健医療サービス及び福祉サービスとの連携調整を担当する者と連携している</td></tr>
<tr><td>――</td><td colspan="2">在宅療養移行加算の算定診療所との往診・連絡体制の構築協力等が望ましい</td></tr>
<tr><td rowspan="2">看取り数等の報告</td><td colspan="3">年１回，在宅看取り数・地域ケア会議等への出席状況等を地方厚生（支）局長に報告している（様式 11 の３）</td></tr>
<tr><td>――</td><td>――</td><td>年１回，連携医療機関全体の在宅看取り数等を地方厚生（支）局長に報告（様式 11 の４）</td></tr>
<tr><td rowspan="2">緊急往診の実績</td><td rowspan="2">――</td><td>【支援診】過去１年間の緊急往診実績：10 件以上</td><td>【支援診】過去１年間の緊急往診実績：連携医療機関と合算で 10 件以上，自院で４件以上</td></tr>
<tr><td colspan="2">【支援病】単独型・連携型それぞれに，①上記の往診実績，②後方ベッド確保と緊急入院患者受入実績：年間 31 件以上，③地域包括ケア病棟入院料（入院医療管理料）１又は３の届出――のいずれかを満たすこと</td></tr>
<tr><td>看取りの実績</td><td>――</td><td>過去１年間の①在宅看取り実績（※３），② 15 歳未満の超・準超重症児への在宅医療実績（※４）――のいずれかが４件以上</td><td>⑴　連携医療機関との合算による過去１年間の在宅看取り実績（※３）：４件以上
⑵　自院の①過去１年間の在宅看取り実績，② 15 歳未満の超・準超重症児への在宅医療実績（※４）――のいずれかが２件以上
〔※⑴と⑵の両方を満たすこと〕</td></tr>
<tr><td>在宅患者の割合が 95％以上（※５）の医療機関における要件</td><td colspan="3">上記基準に加え，以下の要件⑴～⑷のいずれも満たすこと
⑴　直近１年間に，５以上の病院又は診療所から文書による紹介を受けて訪問診療を開始した実績がある
⑵　過去１年間の，①在宅看取り実績 20 件以上，② 15 歳未満の超・準超重症児への在宅医療実績（※４）10 件以上――のいずれかを満たす
⑶　直近１カ月の，〔C002 在宅時医学総合管理料又は C002-2 施設入居時等医学総合管理料の算定患者〕のうち，〔C002-2 の算定患者〕の割合が７割以下
⑷　直近１カ月の，〔C002 在宅時医学総合管理料又は C002-2 施設入居時等医学総合管理料の算定患者〕のうち，〔要介護３以上又は別表第８の２の状態の患者〕の割合が５割以上</td></tr>
<tr><td>意思決定支援</td><td colspan="3">自院において，適切な意思決定支援に関する指針を作成していること</td></tr>
<tr><td>訪問栄養食事指導</td><td colspan="3">【支援病】自院の管理栄養士による訪問栄養食事指導の体制を有していること（支援診では努力目標）</td></tr>
<tr><td>訪問診療の回数</td><td>――</td><td colspan="2">各年度５～７月の訪問診療の回数が 2100 回以上の場合，在宅データ提出加算の届出が必要</td></tr>
</table>

※１　**連携型**：他の医療機関と地域における在宅療養の支援に係る連携体制――診療所又は許可病床 200 床未満（「医療資源の少ない地域の医療機関」では 280 床未満）の病院により構成されたものに限る――を構築している医療機関。連携する医療機関数は，自院を含めて 10 未満とする。連携医療機関間において月１回以上の定期的なカンファレンスを実施する。

※２　医療資源の少ない地域では，看護師等といる患者に対するオンライン診療が 24 時間可能な体制でも可。

※３　**在宅看取り実績**：自院又は緊急入院受入医療機関で７日以内の入院を経て死亡した患者に対して，当該入院日を含む直近６月間に訪問診療を実施していた場合―― C001 在宅患者訪問診療料（Ⅰ）の「１」，C001-2 在宅患者訪問診療料（Ⅱ）「注１」の「イ」，C003 在宅がん医療総合診療料を算定している場合に限る――も含めることができる。

※４　**在宅医療実績**：３回以上の訪問診療を行い，C002 在宅時医学総合管理料又は C002-2 施設入居時等医学総合管理料を算定する場合。

※５　直近１カ月に〔初診・再診・往診・訪問診療を実施した患者〕のうち，〔往診・訪問診療を実施した患者〕の割合が 95％以上。

B001 「13」在宅療養指導料　170点

第２部第２節の在宅療養指導管理料を算定すべき指導管理を受けている患者，器具（人工肛門，人工膀胱，気管カニューレ，留置カテーテル，ドレーン等）を装着しており，その管理に配慮を要する患者または退院後１月以内の慢性心不全の患者に対して，医師の指示に基づき看護師，助産師または保健師が療養上必要な指導を個別に（１回の指導は30分以上，患者のプライバシーに配慮した指導ができる医療機関内の場所で）行った場合に，患者１人につき１月に１回（初回の指導を行った月にあっては１月に２回）を限度に算定します。患家において行った場合は算定できません。

B004 退院時共同指導料１

１　在宅療養支援診療所の場合	1,500点
２　１以外の場合	900点
特別管理指導加算	200点

保険医療機関に入院中の患者について，地域においてその患者の退院後の在宅療養を担う保険医療機関の保険医又は保険医の指示を受けた看護師・薬剤師等（保健師・助産師・看護師・准看護師・薬剤師・管理栄養士・理学療法士・作業療法士・言語聴覚士・社会福祉士）が，その患者の入院している保険医療機関に赴いて，患者の同意を得て，退院後の在宅での療養上必要な説明および指導を，入院医療機関の保険医又は看護師・薬剤師等と共同で行ったうえで，文書により情報提供した場合に，入院中１回に限り（別に厚生労働大臣が定める疾病等の患者については，入院中２回まで算定できる），地域においてその患者の退院後の在宅療養を担う保険医療機関において算定します。

初診料，再診料，外来診療料，開放型病院共同指導料（Ⅰ），往診料，在宅患者訪問診療料は別に算定できません。

B005 退院時共同指導料２　400点

入院中の保険医療機関の医師又は看護師・薬剤師等（保健師・助産師・看護師・准看護師・薬剤師・管理栄養士・理学療法士・作業療法士・言語聴覚士・社会福祉士）が入院中の患者に対して，患者の同意を得て，退院後の在宅での療養上必要な説明および指導を，地域においてその患者の退院後の在宅療養を担う保険医療機関の医師又は看護師・薬剤師等と共同して行ったうえで，文書により情報提供した場合にその患者が入院している保険医療機関において，入院中に１回に限り算定します（別に厚生労働大臣が定める疾病等の患者については，入院中２回まで算定できる）。

患者が入院している医療機関の医師と，退院後の在宅療養を担う医師が共同して行った場合は，所定点数に**300点**を加算します（対３者以上の共同指導との併算定は不可）。

患者が入院している医療機関の医師又は看護師等と，退院後の在宅療養を担う以下のうちの対３者以上が共同して行った場合は，多機関共同指導加算として所定点数に**2000点**を加算します。

B006-3 退院時リハビリテーション指導料　300点

退院時に患者またはその家族等に対して，退院後の在宅での基本的動作能力若しくは応用的動作能力または社会的適応能力の回復を図るための訓練等に必要な指導を行った場合に，当該入院中１回に限り退院日に算定します。

B007 退院前訪問指導料　580点

入院期間が１月を超えると見込まれる患者の円滑な退院のため，患家を訪問し，その患者，家族等に対して，退院後の療養上の指導を行った場合に，当該入院中１回（入院後早期に退院前訪問指導の必要があると認められる場合は２回）に限り退院日に算定します。

B007-2 退院後訪問指導料　580点

円滑な在宅療養への移行・継続のために，患家等へ訪問し，患者・家族に在宅療養上の指導を行った場合に，退院から起算して１月以内に５回を限度として算定します。

3　在宅医療点数一覧表

◆届印は，厚生労働大臣が定める施設基準に適合している旨，地方厚生（支）局長へ届け出る必要があるもの
なお，本一覧表には省略した加算等があるので，診療点数早見表を参照されたい。

《第１節　在宅患者診療・指導料》

【通則】 ⑴　**下記項目の同一日の併算定は不可**（「特別の関係」にある他の医療機関においても併算定不可。ただし，訪問診療等のあとの病状急変による往診の場合は算定可）

C000 往診料
C001 在宅患者訪問診療料（Ⅰ）
C001-2 在宅患者訪問診療料（Ⅱ）
C005 在宅患者訪問看護・指導料
C005-1-2 同一建物居住者訪問看護・指導料
C006 在宅患者訪問リハビリテーション指導管理料
C008 在宅患者訪問薬剤管理指導料
C009 在宅患者訪問栄養食事指導料
I 012 精神科訪問看護・指導料

⑵　「在宅療養患者」とは，医療機関・介護老人保健施設・介護医療院で療養を行っている患者以外の患者。
⑶　患家訪問に要した交通費は患家の負担とする。
⑷　医師の指示に基づき訪問看護ステーション等の看護師等が点滴・処置等を実施した場合，薬剤・特定保険医療材料の費用は，在宅医療の部の薬剤料・特定保険医療材料料により，当該医療機関において算定する。

㊤は『診療点数早見表2024年度版』の頁

加算項目	点数	要　件
通則５ **外来感染対策向上加算**	＋６点	◆届出診療所（Ａ234-2感染対策向上加算を届け出ていないこと）で月１回算定可 ◆感染防止対策部門の設置，院内感染管理者の配置，マニュアル作成等が要件
発熱患者等対応加算	＋20点	◆発熱その他感染症を疑わせる患者の場合にさらに算定可
通則６ **連携強化加算**	＋３点	◆届出診療所で，「通則５」外来感染対策向上加算を算定する場合に月１回算定可 ◆Ａ234-2感染対策向上加算１の届出医療機関との連携体制などが要件
通則７ **サーベイランス強化加算**	＋１点	◆届出診療所で，「通則５」外来感染対策向上加算を算定する場合に月１回算定可 ◆地域や全国のサーベイランスに参加していることなどが要件
通則８ **抗菌薬適正使用体制加算**	＋５点	◆届出診療所で，「通則５」外来感染対策向上加算を算定する場合に月１回算定可 ◆①抗菌薬使用状況をモニタリングするサーベイランスに参加，②直近６か月に使用した抗菌薬のうちAccess抗菌薬の使用比率が60％以上又は①のサーベイランス参加診療所全体の上位30％以内――が要件

※　外来感染対策向上加算は，C001在宅患者訪問診療料（Ⅰ），C001-2在宅患者訪問診療料（Ⅱ），C005在宅患者訪問看護・指導料，C005-1-2同一建物居住者訪問看護・指導料，C005-2在宅患者訪問点滴注射管理指導料，C006在宅患者訪問リハビリテーション指導管理料，C008在宅患者訪問薬剤管理指導料，C009在宅患者訪問栄養食事指導料，C011在宅患者緊急時等カンファレンス料――を算定した場合に算定可
※　以下の一覧表において，「**通則５**」～「**通則８**」の対象に〔感染〕と表記

項　目	点　数	要　件
C000 往診料	720点	◆患者・家族等から医療機関に電話等で直接往診を求め，医療機関の医師が往診の必要性を認めて可及的速やかに患家に赴き診療を行った場合に算定する（定期的・計画的に訪問する場合は対象外）
●緊急，夜間・休日，深夜往診加算		◆往診・訪問診療後，患者・家族等が単に薬剤を取りに来た場合，再診料・外来診療料は算定不可
イ　在支診・在支病（機能強化型）		◆16km超・海路の往診は，別に厚生労働大臣が定める（㊤p.357）
⑴　病床を有する場合		◆「**在支診**」は在宅療養支援診療所（㊤p.1322）の略，「**在支病**」は在宅療養支援病院（㊤p.1335）の略（以下同）
①緊急往診加算	＋850点	◆**緊急，夜間・休日・深夜往診加算「イ」「ロ」「ハ」は，「厚生労働大臣が定める患者」**（①往診医療機関で訪問診療等を行う患者，②往診医療機関と連携する他医療機関で訪問診療等を行う患者，③往診医療機関の外来で継続的に診療を受ける患者，④往診医療機関と連携体制を構築する介護保険施設等の入所患者――のいずれかに該当する患者）が対象。
②夜間・休日往診加算	＋1700点	◆「**緊急に行う往診**」とは，概ね午前８時～午後１時の間の診療時間内に緊急往診するもので，急性心筋梗塞・脳血管障害・急性腹症等が予想される場合，医学的に終末期であると考えられる患者などが対象となる
③深夜往診加算	＋2700点	◆「**夜間の往診**」とは，夜間（午後６時～午前８時までの時間から深夜を除いた時間帯＝午後６時～10時，午前６時～８時）に往診するもの
⑵　病床を有しない場合		◆「**休日の往診**」とは，日曜日及び国民の祝日をいう。１月２日，３日，12月29日～31日は休日として扱う
①緊急往診加算	＋750点	◆「**深夜の往診**」とは，深夜（午後10時～午前６時）に往診するもの
②夜間・休日往診加算	＋1500点	◆上記の夜間・深夜の時間帯が標榜時間に含まれる場合，夜間・休日往診加算，深夜往診加算は算定不可
③深夜往診加算	＋2500点	
ロ　在支診・在支病（イを除く）		
⑴　緊急往診加算	＋650点	
⑵　夜間・休日往診加算	＋1300点	
⑶　深夜往診加算	＋2300点	
ハ　在支診・在支病以外		
⑴　緊急往診加算	＋325点	
⑵　夜間・休日往診加算	＋650点	
⑶　深夜往診加算	＋1300点	
二　厚生労働大臣が定める患者以外		
⑴　緊急往診加算	325点	
⑵　夜間・休日往診加算	405点	
⑶　深夜往診加算	485点	

項目	点数	算定要件等
●患家診療時間加算（診療時間が１時間を超えた場合，30分又はその端数を増すごとに算定）	＋100点	◆同一患家等で２人以上の患者を診察した場合は，２人目以降は往診料ではなく初診・再診料等を算定。その場合において，２人目以降の各患者の診療時間が１時間を超えた場合，この診療時間加算を算定可
●在宅ターミナルケア加算 「イ」⑴～⑶，「ロ」⑴～⑶ ●在宅緩和ケア充実診療所・病院加算(届) ●在宅療養実績加算１(届) ●在宅療養実績加算２(届) ●酸素療法加算(届) ●看取り加算 ●死亡診断加算	＋6500点 ～3500点 ＋1000点 ＋750点 ＋500点 ＋2000点 ＋3000点 ＋200点	◆**在宅ターミナルケア加算**：在宅で死亡した患者（往診後24時間以内に在宅以外で死亡した患者を含む）に対して，その死亡日及び死亡日前14日以内に，B004退院時共同指導料１を算定し，かつ往診を実施した場合に算定 ◆上記以外は，C001在宅患者訪問診療料（Ⅰ）における加算の点数・算定方法・施設基準と同じ（(点)p.360参照）
●在宅緩和ケア充実診療所・病院加算(届)	＋100点	◆機能強化型の在支診・在支病で，緊急往診が年15件以上かつ看取りが年20件以上の実績がある場合にさらに算定可（(点)p.354，(点)p.1339参照）
●在宅療養実績加算１(届)	＋75点	◆機能強化型でない在支診・在支病で，緊急往診が年10件以上かつ看取りが年４件以上の実績がある場合にさらに算定可（(点)p.354，(点)p.1339参照）
●在宅療養実績加算２(届)	＋50点	◆機能強化型でない在支診・在支病で，緊急往診が年４件以上かつ看取りが年２件以上の実績がある場合にさらに算定可（(点)p.354，(点)p.1339参照）
●往診時医療情報連携加算	＋200点	◆在宅療養支援診療所・病院以外の他医療機関が訪問診療を行う患者に対し，在宅療養支援診療所・病院が当該他医療機関と連携体制を構築したうえで往診を行った場合に算定
●介護保険施設等連携往診加算(届)	＋200点	◆介護保険施設等の入所者の病状急変時に，当該施設等と連携体制を構築している協力医療機関の医師が往診を行った場合に算定
C001 在宅患者訪問診療料（Ⅰ）（１日につき）〔感染〕 １　在宅患者訪問診療料１ イ　同一建物居住者以外の場合 ロ　同一建物居住者の場合 ２　在宅患者訪問診療料２ イ　同一建物居住者以外の場合 ロ　同一建物居住者の場合 ◆「１」について，患者１人当たり直近３月の訪問診療回数平均が12回未満とする基準に適合しなくなった場合，その直近１カ月は，同一患者の５回目以降の訪問診療料を100分の50で算定 ◆往診日とその翌日については，在支診又は在支病を除き，算定不可 ●乳幼児（６歳未満）加算	 888点 213点 884点 187点 ＋400点	◆「１」は，医師が計画的に訪問診療を行った場合（初診日の訪問診療，併設有料老人ホーム等への訪問診療を除く），**週３回**（「イ」と「ロ」を併せて算定する場合も同じ）を限度に１日１回算定〔末期悪性腫瘍や難病等の患者（告示④別表第７，(点)p.364）は週７回算定可〕。急性増悪等で頻回の訪問診療が必要な場合は，１月１回，診療後14日以内に14日を限度に算定可 ◆「２」は，C002，C002-2，C003の算定要件を満たす他の医療機関の依頼を受けて訪問診療を行った場合に，６月以内に限り〔末期悪性腫瘍や難病等の患者（(点)p.364）は制限なし。他の医療機関と情報共有し，医学的必要性等の要件を満たす場合も６月を超えて算定可〕，月１回に限り算定 ◆「ロ」は，同一日に同一建物の複数の患者に訪問診療を行った場合に，患者１人につき算定。患者１人だけに訪問診療を行った場合は「イ」を算定 ◆**①往診をした患者，②末期悪性腫瘍で訪問診療開始60日以内の患者，③死亡日から遡って30日以内の患者**――は，「同一建物居住者の場合」には該当しない（①については往診料，②③については「イ」を算定する） ◆初診料・再診料・外来診療料・往診料との併算定不可 ◆16km超・海路による訪問診療については，別に厚生労働大臣が定めるところ（(点)p.357）により算定
●患家診療時間加算	＋100点	◆C000と同じ。診療時間１時間超で，30分又はその端数を増すごとに算定
●在宅ターミナルケア加算 イ　有料老人ホーム等入居患者以外 ⑴　在支診･在支病（機能強化型） ①　病床を有する場合 ②　病床を有しない場合 ⑵　在支診・在支病〔⑴を除く〕 ⑶　在支診・在支病以外 ロ　有料老人ホーム等入居患者 ⑴　在支診･在支病（機能強化型） ①　病床を有する場合 ②　病床を有しない場合 ⑵　在支診・在支病〔⑴を除く〕 ⑶　在支診・在支病以外	 ＋6500点 ＋5500点 ＋4500点 ＋3500点 ＋6500点 ＋5500点 ＋4500点 ＋3500点	◆「１」を算定する場合に限り，在宅で死亡した患者（往診又は訪問診療後24時間以内に在宅以外で死亡した患者を含む）に対して，その死亡日及び死亡日前14日以内に，往診又は訪問診療を２回以上実施した場合，あるいはB004退院時共同指導料１を算定かつ訪問診療を実施した場合に算定 ◆ターミナルケアの実施については，厚生労働省「人生の最終段階における医療の決定プロセスに関するガイドライン」等を踏まえて対応する ◆**「有料老人ホーム等入居患者」**は以下のとおり ①養護老人ホーム・軽費老人ホーム（A型）・特別養護老人ホーム・有料老人ホーム・サービス付き高齢者向け住宅・認知症対応型共同生活介護事業所に入所・入居している患者 ②短期入所生活介護・介護予防短期入所生活介護の利用者 ③障害福祉サービス施設・事業所又は福祉ホームの入居者 ④小規模多機能型居宅介護・複合型サービスの宿泊サービスの利用者
●在宅緩和ケア充実診療所・病院加算(届)	＋1000点	◆在宅ターミナルケア加算の算定にあたり，機能強化型の在支診・在支病で緊急往診が年15件以上かつ看取りが年20件以上の場合，さらに加算
●在宅療養実績加算１(届)	＋750点	◆在宅ターミナルケア加算の算定にあたり，機能強化型でない在支診・在支病で緊急往診が年10件以上かつ看取りが年４件以上の場合，さらに加算
●在宅療養実績加算２(届)	＋500点	◆在宅ターミナルケア加算の算定にあたり，機能強化型でない在支診・在支病で緊急往診が年４件以上かつ看取りが年２件以上の場合，さらに加算
●酸素療法加算(届) ◆同一月にC103，C107等は算定不可	＋2000点	◆在宅ターミナルケア加算の算定にあたり，がん患者に対して死亡月に在宅酸素療法を行った場合，さらに加算。
●看取り加算（「１」のみの加算）	＋3000点	◆往診又は訪問診療を行い，在宅で患者を看取った場合に算定
●死亡診断加算（「１」のみの加算）	＋200点	◆死亡日に往診又は訪問診療を行い，死亡診断を行った場合に算定 ◆上記の看取り加算を算定する場合は算定不可
●在宅医療DX情報活用加算(届)	＋10点	◆電子請求，電子資格確認，電子処方箋，電子カルテ情報共有サービス活用，医療DX推進体制の掲示，ウェブサイト掲載等が要件。月１回算定

C001-2 在宅患者訪問診療料（Ⅱ）（1日につき）〔感染〕	150点	◆以下の「イ」又は「ロ」のいずれかに該当する場合に算定 ◆「イ」：C002，C002-2の要件を満たす医療機関が，併設有料老人ホーム等の入居患者に訪問診療を行った場合に，**週3回**に限り算定〔末期悪性腫瘍や難病等の患者は（㊄p.364）週7回算定可〕。急性増悪等で頻回の訪問診療が必要な場合は，1月1回，診療後14日以内に14日を限度に算定可 ◆「ロ」：C002，C002-2，C003の要件を満たす他の医療機関の依頼を受けて訪問診療を行った場合に，6月以内に限り〔末期悪性腫瘍や難病等の患者（㊄p.364）は制限なし。他の医療機関と情報共有し，医学的必要性等の要件を満たす場合も6月を超えて算定可〕，月1回に限り算定 ◆「イ」について，患者1人当たり**直近3月の訪問診療回数平均が12回未満**とする基準に適合しなくなった場合，その直近1カ月は，同一患者の**5回目以降**の訪問診療料を**100分の50**で算定 ◆「有料老人ホーム等の入居患者」に該当する患者はC001と同じ ◆乳幼児加算，患家診療時間加算，在宅ターミナルケア加算，在宅緩和ケア充実診療所・病院加算，在宅療養実績加算1・2，酸素療法加算，看取り加算，死亡診断加算，在宅医療DX情報活用加算――の算定方法・施設基準については，C001と同じ（「1」を「イ」と読み替える）
●在宅ターミナルケア加算		
イ　在支診・在支病（機能強化型）		
(1)　病床を有する場合	＋6200点	
(2)　病床を有しない場合	＋5200点	
ロ　在支診・在支病（イを除く）	＋4200点	
ハ　在支診・在支病以外	＋3200点	
●乳幼児（6歳未満）加算	＋400点	
●患家診療時間加算	＋100点	
●在宅緩和ケア充実診療所・病院加算㊞	＋1000点	
●在宅療養実績加算1㊞	＋750点	
●在宅療養実績加算2㊞	＋500点	
●酸素療法加算㊞	＋2000点	
●看取り加算	＋3000点	
●死亡診断加算	＋200点	
●在宅医療DX情報活用加算㊞	＋10点	

項目	点数 C002	点数 C002-2	要件
C002 在宅時医学総合管理料（月1回）㊞ **C002-2 施設入居時等医学総合管理料**（月1回）㊞			◆届出医療機関（診療所・在宅療養支援病院・許可病床200床未満病院）にて，**C001在宅患者訪問診療料**（Ⅰ）（「1」）又は**C001-2在宅患者訪問診療料**（Ⅱ）（「注1」の「イ」）を月1回以上算定した場合に，月1回に限り算定 ◆単一建物において医学管理を実施している人数に応じて算定する ◆同一の患家で2人以上の患者を診療した場合に，2人目以降の患者について初診料・再診料・外来診療及び特掲診療料を算定した場合においては，C001・C001-2在宅患者訪問診療料（Ⅰ）（Ⅱ）を算定したものとみなす ◆左欄「別に定める状態の患者」は以下のとおり（告示④別表第8の2，㊄p.377） (1)　①末期悪性腫瘍，②スモン，③指定難病，④後天性免疫不全症候群，⑤脊髄損傷，⑥真皮を越える褥瘡――の患者 (2)　①在宅自己連続携行式腹膜灌流，②在宅血液透析，③在宅酸素療法，④在宅中心静脈栄養法，⑤在宅成分栄養経管栄養法，⑥在宅自己導尿，⑦在宅人工呼吸，⑧植込型脳・脊髄刺激装置による疼痛管理，⑨肺高血圧症でプロスタグランジンI_2製剤投与，⑩気管切開，⑪気管カニューレ使用，⑫ドレーンチューブ又は留置カテーテル使用，⑬人工肛門又は人工膀胱設置――の状態の患者 ◆Ⅰ002通院・在宅精神療法及びC001在宅患者訪問診療料（Ⅰ）「1」を算定している場合は，①上記(1)(2)（別表第8の2），②要介護2以上又はこれに準ずる状態，③訪問診療・訪問看護において処置を受けている状態，④がん治療を受けている状態――等の患者（別表第8の4）に限り算定可 ◆施設基準要件は，①介護支援専門員（ケアマネジャー），社会福祉士等の在宅医療の調整担当者が1名以上配置されていること，②在宅医療担当の常勤医が1名以上いること――など 【**包括**】B000特定疾患療養管理料，B001「4」小児特定疾患カウンセリング料，同「5」小児科療養指導料，同「6」てんかん指導料，同「7」難病外来指導管理料，同「8」皮膚科特定疾患指導管理料，同「18」小児悪性腫瘍患者指導管理料，同「27」糖尿病透析予防指導管理料，同「37」慢性腎臓病透析予防指導管理料，B001-3生活習慣病管理料（Ⅰ），B001-3-3生活習慣病管理料（Ⅱ），C007「注4」衛生材料等提供加算，C109在宅寝たきり患者処置指導管理料，Ⅰ012-2「注4」衛生材料等提供加算，J000創傷処置やJ119消炎鎮痛等処置など処置の一部（㊄p.374），投薬の費用（同一月の外来での投薬の費用も算定不可）
1　在支診・在支病（機能強化型）			
イ　病床を有する場合			
(1)　別に定める状態の患者に月2回以上訪問診療			
①　単一建物診療患者が1人	5385点	3885点	
②　同・2人以上9人以下	4485点	3225点	
③　同・10人以上19人以下	2865点	2865点	
④　同・20人以上49人以下	2400点	2400点	
⑤　①～④以外	2110点	2110点	
(2)　月2回以上訪問診療〔(1)以外〕			
①　単一建物診療患者が1人	4485点	3185点	
②　同・2人以上9人以下	2385点	1685点	
③　同・10人以上19人以下	1185点	1185点	
④　同・20人以上49人以下	1065点	1065点	
⑤　①～④以外	905点	905点	
(3)　月2回以上訪問診療／1回以上情報通信機器			
①　単一建物診療患者が1人	3014点	2234点	
②　同・2人以上9人以下	1670点	1250点	
③　同・10人以上19人以下	865点	865点	
④　同・20人以上49人以下	780点	780点	
⑤　①～④以外	660点	660点	
(4)　月1回訪問診療			
①　単一建物診療患者が1人	2745点	1965点	
②　同・2人以上9人以下	1485点	1065点	
③　同・10人以上19人以下	765点	765点	
④　同・20人以上49人以下	670点	670点	
⑤　①～④以外	575点	575点	
(5)　月1回訪問診療／2月に1回情報通信機器			
①　単一建物診療患者が1人	1500点	1110点	
②　同・2人以上9人以下	828点	618点	
③　同・10人以上19人以下	425点	425点	
④　同・20人以上49人以下	373点	373点	
⑤　①～④以外	317点	317点	
ロ　病床を有しない場合（略。上記と点数区分の構成は同じ。㊄p.367参照）			
2　在支診・在支病（1を除く）（略。㊄p.368参照）			
3　在支診・在支病以外（略。㊄p.368参照）			
◆「3」（在支診・在支病以外）において，「**在宅医療を専門に実施する診療所**」（往診・訪問診療の患者割合95%以上）である場合，**100分の80**で算定 ◆「1」「2」の単一建物診療患者③10人以上19人以下，④20人以上49人以下，⑤50人以上の場合において，基準（直近3月の訪問診療算定回数が2100回未満など）を満たさない場合，**100分の60**で算定 ◆C003在宅がん医療総合診療料と同一月併算定不可			

●処方箋を交付しない場合	＋300点	＋300点	◆院外処方箋交付が月内に一度でもあれば算定不可
●在宅移行早期加算	＋100点	＋100点	◆退院後に在宅療養を始めた患者に，3月を限度に1月1回算定可（退院から1年以内）
●頻回訪問加算　①初回 ②2回目以降	＋800点 ＋300点	＋800点 ＋300点	◆末期悪性腫瘍患者等（点p.377）に，月4回以上の往診又は訪問診療を行った場合に1回に限り算定
●在宅緩和ケア充実診療所・病院加算届 ①単一建物診療患者が1人 ②同・2人以上9人以下 ③同・10人以上19人以下 ④同・20人以上49人以下 ⑤　①～④以外	 ＋400点 ＋200点 ＋100点 ＋85点 ＋75点	 ＋300点 ＋150点 ＋75点 ＋63点 ＋56点	◆機能強化型の在支診・在支病で，緊急往診が年15件以上かつ看取りが年20件以上の実績がある場合に算定
●在宅療養実績加算1届　①単一建物診療患者が1人 ②同・2人以上9人以下 ③同・10人以上19人以下 ④同・20人以上49人以下 ⑤　①～④以外	＋300点 ＋150点 ＋75点 ＋63点 ＋56点	＋225点 ＋110点 ＋56点 ＋47点 ＋42点	◆機能強化型でない在支診・在支病で，緊急往診が年10件以上かつ看取りが年4件以上の実績がある場合に算定
●在宅療養実績加算2届　①単一建物診療患者が1人 ②同・2人以上9人以下 ③同・10人以上19人以下 ④同・20人以上49人以下 ⑤　①～④以外	＋200点 ＋100点 ＋50点 ＋43点 ＋38点	＋150点 ＋75点 ＋40点 ＋33点 ＋30点	◆機能強化型でない在支診・在支病で，緊急往診が年4件以上かつ看取りが年2件以上の実績がある場合に算定
●在宅療養移行加算1　（単独型） ●在宅療養移行加算2　（単独型） ●在宅療養移行加算3　（連携型） ●在宅療養移行加算4　（連携型）	＋316点 ＋216点 ＋216点 ＋116点	＋316点 ＋216点 ＋216点 ＋116点	◆在宅療養支援診療所・病院以外の医療機関が，4回以上の外来受診後に訪問診療に移行した患者に対して，往診・連絡体制を構築した場合に算定 ◆「1」「3」は定期的なカンファレンス又はICT等で連携医療機関に診療情報提供
●包括的支援加算	＋150点	＋150点	◆要介護3以上，認知症高齢者で日常生活自立度Ⅲ以上などの患者に訪問診療を行う場合に算定
●在宅データ提出加算届	＋50点	＋50点	◆診療報酬の請求状況や診療データを継続して厚生労働省に提出している場合に算定
●在宅医療情報連携加算届	＋100点	＋100点	◆連携する他医療機関等の関係職種がICTを用いて記録した診療情報等を活用したうえで医学管理を行った場合に，月1回算定

項　目	点　数	要　件
C003 在宅がん医療総合診療料（1日につき）届 1　在支診・在支病（機能強化型） イ　病床を有する場合 (1)　院外処方箋交付 (2)　処方箋交付なし ロ　病床を有しない場合 (1)　院外処方箋交付 (2)　処方箋交付なし 2　在支診・在支病（1を除く） イ　院外処方箋交付 ロ　処方箋交付なし	 1798点 2000点 1648点 1850点 1493点 1685点	◆在宅療養支援診療所・病院にて末期の悪性腫瘍患者に対して，①**週4日以上の訪問診療又は訪問看護**（同一日に訪問診療と訪問看護を行った場合であっても1日とする），②**週1回以上の訪問診療と訪問看護**，③**他の医療機関との連携により往診・訪問看護の24時間体制等を確保**――の場合に，1週（暦週）を単位に1日につき算定 ◆診療に係る費用は，以下を除き包括（＝以下は算定可） (1)　週3回以上訪問診療を行った場合で，訪問診療を行わない日に緊急往診を行った場合の**往診料（「緊急・夜間・休日・深夜往診加算」，「患家診療時間加算」含む）**（週2回限度） (2)　C001在宅患者訪問診療料（Ⅰ）「注6」，C001-2在宅患者訪問診療料（Ⅱ）「注5」に規定する**「在宅ターミナルケア加算」「在宅緩和ケア充実診療所・病院加算」「在宅療養実績加算1・2」「酸素療法加算」** (3)　C001「注7」，C001-2「注6」に規定する**「看取り加算」** (4)　第14部「その他」の費用
●死亡診断加算	＋200点	◆在宅患者の死亡日に往診又は訪問診療を行い，死亡診断を行った場合に算定
●在宅緩和ケア充実診療所・病院加算届	＋150点	◆機能強化型の在支診・在支病で，緊急往診が年15件以上かつ看取りが年20件以上の実績がある場合に算定
●在宅療養実績加算1届	＋110点	◆機能強化型でない在支診・在支病で，緊急往診が年10件以上かつ看取りが年4件以上の実績がある場合に算定
●在宅療養実績加算2届	＋75点	◆機能強化型でない在支診・在支病で，緊急往診が年4件以上かつ看取りが年2件以上の実績がある場合に算定
●小児加算	＋1000点	◆15歳未満（小児慢性特定疾病医療支援対象者は20歳未満）の患者に対して，週1回を限度に算定
●在宅データ提出加算届	＋50点	◆診療報酬の請求状況や診療データを厚生労働省に提出している場合に算定
●在宅医療DX情報活用加算届	＋10点	◆電子請求，電子資格確認，電子処方箋，電子カルテ情報共有サービス活用，医療DX推進体制の掲示，ウェブサイト掲載等が要件。月1回算定
●在宅医療情報連携加算届	＋100点	◆連携する他医療機関等の関係職種がICTを用いて記録した診療情報等を活用したうえで医学管理を行った場合に，月1回算定
C004 救急搬送診療料	1300点	◆患者を救急自動車等で搬送する際，医師が同乗して診療を行った場合に算定
●新生児加算	＋1500点	◆生後28日未満の新生児の場合に加算
●乳幼児加算	＋700点	◆6歳未満の乳幼児（新生児を除く）の場合に加算
●長時間加算	＋700点	◆診療時間が30分を超えた場合に加算

項目	点数	算定要件等
●重症患者搬送加算㊨	＋1800点	◆人工心肺補助装置や人工呼吸器などを装着した集中治療を要する重篤な患者を，重症患者搬送チームが搬送した場合に算定
C004-2 救急患者連携搬送料㊨ 1　入院外の患者 2　入院初日の患者 3　入院２日目の患者 4　入院３日目の患者	 1800点 1200点 800点 600点	◆第３次救急医療機関など救急搬送受入れ実績を有する届出医療機関で，救急外来の受診患者又は入院３日目までの患者について，医師，看護師又は救急救命士が同乗して連携医療機関に転院搬送する場合に算定 ◆救急患者連携搬送料を算定した転院患者については，急性期一般入院料１等の施設基準における在宅復帰率の計算から除外される
C005 在宅患者訪問看護・指導料（１日につき）〔感染〕 1　保健師・助産師・看護師 イ　週３日目まで ロ　週４日目以降 2　准看護師 イ　週３日目まで ロ　週４日目以降 3　悪性腫瘍の緩和ケア，褥瘡ケア又は人工肛門ケア及び人工膀胱ケアの専門研修を受けた看護師㊨ 【以下（※）はC005-1-2と共通】	 580点 680点 530点 630点 1285点	◆「１」「２」は，〔C005-1-2（３を除く）又はＩ012を算定する日と合わせて〕**週３日を限度**〔末期悪性腫瘍や難病等の患者，在宅療養指導管理等を受けている患者（告示④別表第７，第８，㊟p.392）は制限なし〕に算定 ◆「１」「２」について，**急性増悪等**により頻回の訪問看護・指導が必要な場合は，**月１回**（気管カニューレ使用又は真皮を越える褥瘡の患者は月２回）に限り，**週７日**（当該診療日から14日以内の期間に限る）を限度に算定可 ◆「３」は，①悪性腫瘍の鎮痛療法又は化学療法を行っている患者，②真皮を越える褥瘡の患者，③人工肛門又は人工膀胱を造設している者で管理が困難な患者――に対して，専門研修を受けた看護師を訪問させ，他院や訪問看護ステーションの看護師等と共同して同一日に看護・療養指導を行った場合に，患者１人につき，それぞれ月１回を限度に算定 ◆C005-1-2又はＩ012精神科訪問看護・指導料との併算定不可
●難病等複数回訪問加算　２回 ３回以上	＋450点 ＋800点	◆①末期悪性腫瘍や難病等の患者（別表第７），②在宅療養指導管理等を受けている患者（別表第８），③頻回の訪問看護・指導が必要な急性増悪等の患者に１日２回以上訪問看護・指導を行った場合に加算（「１」「２」のみ）
●緊急訪問看護加算　月14日まで（※） 月15日以降	265点 200点	◆診療所又は在宅療養支援病院の医師の指示により，医療機関の看護師等が緊急に訪問看護・指導を実施した場合に１日につき加算（「１」「２」のみ）
●長時間訪問看護・指導加算（※）	＋520点	◆①15歳未満の超重症児・準超重症児，②特別な管理が必要な患者（㊟p.393），③頻回の訪問看護・指導が必要な患者等に２時間超の訪問看護・指導を行った場合に週１日（①②の患者は週３日）加算（「１」「２」のみ）
●複数名訪問看護・指導加算 イ　保健師・助産師・看護師と訪問 ロ　准看護師と訪問 ハ　その他職員と訪問（「ニ」以外） ニ　その他職員と訪問（末期悪性腫瘍等の患者の場合） (1)　１日に１回 (2)　１日に２回 (3)　１日に３回以上	 ＋450点 ＋380点 ＋300点 ＋300点 ＋600点 ＋1000点	◆末期悪性腫瘍，難病，特別な管理を要する患者（告示④第４・４の２，㊟p.393）などに対し，同時に複数の看護師等又は看護補助者がその他職員と訪問した場合に算定（「１」「２」のみ）。イ・ロは週１回，ハは週３回まで算定可 ◆「**ニ　その他職員と訪問（末期悪性腫瘍等の患者の場合）**」とは，①**別表第７**（㊟p.392）（末期悪性腫瘍，難病等），②**別表第８**（㊟p.393）（在宅悪性腫瘍等患者指導管理・在宅気管切開患者指導管理・在宅自己腹膜灌流指導管理等を受けている状態，気管カニューレ・留置カテーテルを使用している状態，人工肛門・人工膀胱を設置している状態，真皮を越える褥瘡の状態など），③**急性増悪等により頻回の訪問看護・指導を行う場合**――を対象とする
●乳幼児加算（※） ◆厚生労働大臣が定める者	＋130点 ＋180点	◆６歳未満の乳幼児に訪問看護・指導を行った場合に算定（「１」「２」のみ） ◆**厚生労働大臣が定める者**：超重症児・準超重症児，**別表第７・８**の患者
●在宅患者連携指導加算（※）	＋300点	◆保健師・助産師・看護師が，歯科訪問診療を行う医療機関又は訪問薬剤管理指導を行う薬局と文書等で情報共有して療養指導を行った場合に月１回算定（「１」「２」のみ）
●在宅患者緊急時等カンファレンス加算（※） ◆１者以上が患家に赴く場合，その他はビデオ通話機器を用いて参加可	＋200点	◆保健師・助産師・看護師が，①他医療機関の医師等，②歯科訪問診療を行う医療機関の歯科医師等，③訪問薬剤管理指導を行う薬局の薬剤師，④介護支援専門員，⑤相談支援専門員――と共同で患家に赴き，カンファレンスに参加し，共同で療養指導を行った場合に月２回算定（「１」「２」のみ）
●在宅ターミナルケア加算（※） イ　在宅での死亡患者・特別養護老人ホーム等での死亡患者（看取り介護加算等を算定していない） ロ　特別養護老人ホーム等での死亡患者（看取り介護加算等を算定）	 ＋2500点 ＋1000点	◆死亡日及び死亡日前14日以内の計15日間に在宅患者訪問看護・指導を２回以上実施し，ターミナルケアを行った場合に算定（「１」「２」のみ） ◆イ・ロともに，ターミナルケア実施後，24時間以内に在宅以外又は特別養護老人ホーム等以外で死亡した患者を含む ◆「**特別養護老人ホーム等**」：①指定特定施設（有料老人ホーム，軽費老人ホーム等），②指定認知症対応型共同生活事業所，③特別養護老人ホーム
●在宅移行管理加算（※） （重症度等の高い患者の場合）	＋250点 ＋500点	◆特別な管理が必要な患者〔**別表第８**（㊟p.393）〕に対して訪問看護・指導に関する計画的管理を行った場合に，１回に限り加算（「１」「２」のみ） ◆「重症度の高い患者」とは**別表第８の「１」**（㊟p.393）の患者
●夜間・早朝訪問看護加算（※） ●深夜訪問看護加算（※）	＋210点 ＋420点	◆夜間は午後６～10時，早朝は午前６～８時，深夜は午後10時～午前６時 ◆緊急訪問看護加算と併算定可（「１」「２」のみ）
●看護・介護職員連携強化加算（※）	＋250点	◆看護師又は准看護師が，介護職員等の「喀痰吸引等」に対して必要な支援を行った場合に月１回算定（「１」「２」のみ）
●特別地域訪問看護加算（※）	100分の50加算	◆離島等（告示④第４・４の３の３，㊟p.1347）に居住する患者に対する訪問看護，または離島等に所在する医療機関の看護師等による訪問看護の場合で，**患家までの移動に１時間以上かかる場合に**，所定点数に**100分の50**を加算
●訪問看護・指導体制充実加算㊨（※）	＋150点	◆①24時間訪問看護体制，②訪問看護・指導料「３」や乳幼児加算，ターミナルケア加算等の実績要件を満たす医療機関で月１回算定
●専門管理加算㊨（※） イ　専門研修を受けた看護師が計画的管理 ロ　特定行為研修を修了した看護師	 ＋250点 ＋250点	◆「イ」は，①悪性腫瘍の鎮痛・化学療法，②真皮を越える褥瘡，③人工肛門・人工膀胱の皮膚障害その他合併症――の患者に対して，緩和ケア，褥瘡ケア，人工肛門ケア，人工膀胱ケアに係る専門研修を受けた看護師が，月１回以上の訪問看護と計画的管理を行った場合に月１回算定

が計画的管理		◆「ロ」は，特定行為の管理対象となる患者に対して，特定行為研修を修了した看護師が，月１回以上の訪問看護と計画的管理を行った場合に月１回算定
●訪問看護DX情報活用加算（届）（※）	＋５点	◆電子請求，電子資格確認，医療DX推進体制の掲示，ウェブサイト掲載等が要件。月１回算定
●遠隔死亡診断補助加算（届）（※）	＋150点	◆C001・C001-2の死亡診断加算及びC005・C005-1-2の在宅ターミナルケア加算を算定する患者（離島等の居住者に限る）に対して，看護師が情報通信機器を用いて医師の死亡診断補助を行った場合に算定
C005-1-2 同一建物居住者訪問看護・指導料（１日につき）〔感染〕 １　保健師・助産師・看護師 イ　同一日２人　週３日目まで 週４日目以降 ロ　同一日３人以上　週３日目まで 週４日目以降 ２　准看護師 イ　同一日２人　週３日目まで 週４日目以降 ロ　同一日３人以上　週３日目まで 週４日目以降 ３　悪性腫瘍の緩和ケア，褥瘡ケア又は人工肛門ケア及び人工膀胱ケアの専門研修を受けた看護師（届）	 580点 680点 293点 343点 530点 630点 268点 318点 1285点	◆「１」「２」は，同一建物居住者の患者に対して〔C005（３を除く）又はI012を算定する日と合わせて〕**週３日**を限度に算定〔末期悪性腫瘍や難病の患者等（告示④別表第７，第８，（点）p.392）は制限なし〕 ◆「１」「２」について，**急性増悪等**により頻回の訪問看護・指導が必要な場合は，月１回（気管カニューレ使用又は真皮を越える褥瘡の患者は月２回）に限り**週７日**（当該診療日から14日以内の期間に限る）を限度に算定可 ◆「３」は，①悪性腫瘍の鎮痛療法又は化学療法を行っている患者，②真皮を越える褥瘡の患者，③人工肛門又は人工膀胱を造設している者で管理が困難な患者――に対して，専門研修を受けた看護師を訪問させ，他院や訪問看護ステーションの看護師等と共同して同一日に看護・療養指導を行った場合に，患者１人につき，それぞれ月１回を限度に算定 ◆C005又はI012精神科訪問看護・指導料との併算定不可 ●**C005の加算準用**〔C005の（※）の加算〕：緊急訪問看護加算，長時間訪問看護・指導加算など（「在宅患者」を「同一建物居住者」等と読み替え）
●難病等複数回訪問加算 イ　１日に２回の場合 (1)　同一建物内１人又は２人 (2)　同一建物内３人以上 ロ　１日に３回以上の場合 (1)　同一建物内１人又は２人 (2)　同一建物内３人以上	 ＋450点 ＋400点 ＋800点 ＋720点	◆①末期悪性腫瘍や難病等の患者（**告示④別表第７**），②在宅療養指導管理等を受けている患者（**告示④別表第８**），③頻回の訪問看護・指導が必要な急性増悪等の患者――に１日２回以上訪問看護・指導を実施した場合に，同一建物内の患者数に応じて加算（「１」「２」のみ）
●複数名訪問看護・指導加算 イ　他の保健師，助産師又は看護師と同時に行う場合 (1)　同一建物内１人又は２人 (2)　同一建物内３人以上 ロ　他の准看護師と同時に行う場合 (1)　同一建物内１人又は２人 (2)　同一建物内３人以上 ハ　その他職員と同時に行う場合（末期悪性腫瘍等の患者以外） (1)　同一建物内１人又は２人 (2)　同一建物内３人以上 ニ　その他職員と同時に行う場合（末期悪性腫瘍等の患者） (1)　１日に１回の場合 ①同一建物内１人又は２人 ②同一建物内３人以上 (2)　１日に２回の場合 ①同一建物内１人又は２人 ②同一建物内３人以上 (3)　１日に３回以上の場合 ①同一建物内１人又は２人 ②同一建物内３人以上	 ＋450点 ＋400点 ＋380点 ＋340点 ＋300点 ＋270点 ＋300点 ＋270点 ＋600点 ＋540点 ＋1000点 ＋900点	◆同時に複数の看護師等又は看護補助者による訪問看護・指導が必要な者に対し，所定点数を算定する看護師等がその他職員――**「イ」**は他の保健師・助産師・看護師，**「ロ」**は他の准看護師，**「ハ」「ニ」**はその他職員――と同時に訪問看護・指導を行った場合に，同一建物内の患者数に応じて加算（**「１」「２」**のみ） ◆**「イ」「ロ」**は週１日，**「ハ」**は週３日を限度に加算（**「ニ」**は制限なし） ◆**「イ」「ロ」の対象患者**：①末期悪性腫瘍や難病等の患者（告示④別表第７），②在宅療養指導管理等を受けている患者（告示④別表第８），③頻回の訪問看護・指導が必要な急性増悪等の患者，④暴力行為・迷惑行為・器物破損行為等が認められる患者，⑤身体的理由から１人の看護師等による訪問看護・指導が困難な患者，⑥上記のいずれかに準ずる患者 ◆**「ハ」の対象患者**：①暴力行為・迷惑行為・器物破損行為等が認められる患者，②身体的理由から１人の看護師等による訪問看護・指導が困難な患者，③上記「イ」「ロ」の対象患者のいずれかに準ずる患者 ◆**「ニ」の対象患者**：①末期悪性腫瘍や難病等の患者（告示④別表第７），②在宅療養指導管理等を受けている患者（告示④別表第８），③頻回の訪問看護・指導が必要な急性増悪等の患者
C005-2 在宅患者訪問点滴注射管理指導料（１週につき）〔感染〕 ◆C104，C108，C108-2，C108-3と併算定不可	100点	◆週３日以上の点滴注射を訪問を行う看護師又は准看護師（介護保険からの訪問看護も含む）等に指示し，それを実施した場合に３日目に算定 ◆回路等の費用は所定点数に含まれるが，薬剤料は別に算定可
C006 在宅患者訪問リハビリテーション指導管理料（１単位）〔感染〕 １　同一建物居住者以外の場合 ２　同一建物居住者の場合	 300点 255点	◆理学療法士，作業療法士又は言語聴覚士が訪問してリハビリ指導（20分以上＝１単位）を行った場合，「１」と「２」を合わせて**週６単位**（退院日から３月以内は週12単位）を限度（末期悪性腫瘍患者除く）に算定 ◆急性増悪等により頻回の訪問リハビリ指導管理を行った場合は，６月に１回に限り，当該診療日から14日以内において，14日を限度に１日４単位算定可
C007 訪問看護指示料 ◆I012-2と併算定不可	300点	◆診療担当医療機関の医師が訪問看護ステーション等に訪問看護指示書（有効期間最大６カ月）を交付した場合に，患者１人につき月１回算定
●特別訪問看護指示加算	＋100点	◆急性増悪等による週４回以上の訪問看護を行う旨の指示書を訪問看護ステーション等に交付した場合に，月１回〔別に厚生労働大臣が定める者（点）p.1347）については月２回〕に限り加算
●手順書加算	＋150点	◆医療機関の医師が，特定行為の必要を認め，訪問看護ステーション等の看護師に手順書を交付した場合に**６月に１回**算定

●衛生材料等提供加算	＋80点	◆衛生材料・保険医療材料を提供した場合に月１回算定。C002，C002-2，C003，C005-2，在宅療養指導管理料を算定した場合は算定不可
C007-2 介護職員等喀痰吸引等指示料	240点	◆医師が，居宅サービス事業者・地域密着型サービス事業者等に対して介護職員等喀痰吸引等指示書を交付した場合に，３月に１回に限り算定
C008 在宅患者訪問薬剤管理指導料 １　単一建物診療患者が１人の場合 ２　同患者が２人以上９人以下の場合 ３　１及び２以外の場合	〔感染〕 650点 320点 290点	◆薬剤師が訪問して薬学的管理を行った場合に，月４回（末期悪性腫瘍の患者・中心静脈栄養法の対象患者は週２回かつ月８回）算定可。間隔は６日以上。「１」～「３」を合わせて薬剤師１人につき週40回に限り算定 ◆単一建物における当該指導料の算定患者数に応じて算定。１つの患家に２人以上いる場合は，患者ごとに「単一建物診療患者が１人の場合」を算定する ◆算定患者数が全戸数の10％以下，または当該建物が20戸未満で算定患者が２人以下の場合は，それぞれ「単一建物診療患者が１人の場合」を算定する
●麻薬管理指導加算	＋100点	
●乳幼児加算	＋100点	
C009 在宅患者訪問栄養食事指導料 １　在宅患者訪問栄養食事指導料１ イ　単一建物診療患者が１人の場合 ロ　同２人以上９人以下の場合 ハ　イ及びロ以外の場合 ２　在宅患者訪問栄養食事指導料２ イ　単一建物診療患者が１人の場合 ロ　同２人以上９人以下の場合 ハ　イ及びロ以外の場合	〔感染〕 530点 480点 440点 510点 460点 420点	◆在宅療養患者であって，①特別食（㊟p.402）が必要な患者，②がん患者，③摂食機能又は嚥下機能が低下した患者，④低栄養状態の患者に，管理栄養士が患家を訪問して栄養管理指導を30分以上行った場合に，月２回に限り算定 ◆単一建物診療患者の取扱いはC008と同じ ◆「１」は，当該医療機関の管理栄養士が訪問指導を行った場合に算定 ◆「２」は，診療所の医師の指示に基づき，栄養ケア・ステーション又は他の医療機関の管理栄養士が訪問指導を行った場合に当該診療所において算定
C010 在宅患者連携指導料 ◆初診料算定日・退院日から１月以内は算定不可 ◆B000，B001「８」は包括	900点	◆訪問診療を行う診療所・在宅療養支援病院・許可病床200床未満の病院の保険医が，歯科訪問診療を行う保険医療機関，訪問薬剤管理指導を行う薬局，訪問看護ステーションと情報共有・療養指導を行った場合に月１回算定 ◆B001「１」，同「６」，同「７」，同「12」，B009，C002，C002-2，C003との併算定不可
C011 在宅患者緊急時等カンファレンス料〔感染〕 ◆１者以上が患家に赴く場合，その他はビデオ通話機器を用いて参加可	200点	◆訪問診療を行う医師が，患者の急変等に伴い，①歯科訪問診療を行う歯科医師等，②訪問薬剤管理指導を行う薬局の保険薬剤師，③訪問看護ステーションの保健師・助産師・看護師・理学療法士・作業療法士・言語聴覚士，④介護支援専門員・相談支援専門員――と共同で患家に赴き，カンファレンスを実施あるいは参加し，共同で療養指導を行った場合に月２回に限り算定
C012 在宅患者共同診療料 １　往診 ２　訪問診療（同一建物居住者以外） ３　訪問診療（同一建物居住者）	 1500点 1000点 240点	◆許可病床400床未満の在宅療養後方支援病院㊞が，連携医療機関の医師と共同で往診・訪問診療を行った場合に算定 ◆「１」～「３」までのいずれかを最初に算定した日から１年以内に，「１」～「３」までを合わせて２回〔別に厚生労働大臣が定める疾病等（難病等）（告示③別表第13，㊟p.1288）の患者については12回〕に限り算定
C013 在宅患者訪問褥瘡管理指導料㊞ ◆１者以上が患家に赴く場合，その他はビデオ通話機器を用いて参加可	750点	◆常勤医師，看護師等，管理栄養士の各１名からなる在宅褥瘡対策チーム（在宅褥瘡管理者１名）を設置して，褥瘡ハイリスクの在宅患者を共同管理している場合に，初回カンファレンスから６月以内に３回に限り算定 ◆C001，C001-2，C005，C009は併算定不可
C014 外来在宅共同指導料 １　外来在宅共同指導料１ ２　外来在宅共同指導料２	 400点 600点	◆継続して４回以上外来受診している患者の在宅移行に当たり，患家等において，外来担当医と在宅担当医が連携して指導等を行った場合に，在宅医療機関が「１」を，外来医療機関が「２」を１回に限り算定
C015 在宅がん患者緊急時医療情報連携指導料	200点	◆在宅療養を行う末期悪性腫瘍患者の病状急変時に，ICT活用により医療従事者等の間で共有されている人生の最終段階における医療・ケアに関する情報を踏まえ医師が療養指導を行った場合に，月１回算定

《第2節　在宅療養指導管理料》

第１款　在宅療養指導管理料

【通則】１．特に規定する場合を除き月１回に限り算定する。

２．C101～C121の同月内の併算定不可（主たる指導管理を算定）。ただし第２款の材料加算は算定可。

３．在宅療養支援診療所・病院から紹介を受けた医療機関で，在宅療養支援診療所・病院と異なる在宅療養指導管理を行った場合及び在宅療養後方支援病院が連携保険医療機関と異なる在宅療養指導管理を行った場合は，紹介月に限りそれぞれの医療機関でC101～C121の区分を算定できる（ただし，関連性の高い組み合わせは併算定不可。㊟p.410参照）。

４．退院時に行った指導管理は算定できる。この場合，退院日の属する月に行った指導管理は当該医療機関では算定できないが，他医療機関で行った当該月の指導管理は算定可（明細書に算定理由を記載）。

項目	点数	要件
C100 退院前在宅療養指導管理料	120点	◆入院患者の在宅療養に備えた外泊に当たり指導管理を行った場合に外泊初日に算定 ◆同一月に他の在宅療養指導管理料と併算定可（同一日は併算定不可）
●乳幼児加算	＋200点	◆６歳未満の乳幼児に指導管理を行った場合に加算
C101 在宅自己注射指導管理料 （青色点数は情報通信機器を用いた場合の点数）㊞ １　複雑な場合	 1230点	◆インスリン製剤等（告示④別表第９，㊟p.412）の自己注射を行っている患者に対して指導管理を行った場合に医師の指示した注射の回数に応じて月１回算定。「複雑な場合」とは，間歇注入シリンジポンプを使用する場合 ◆同一月にB001-2-12外来腫瘍化学療法診療料又は注射の部の「通則６」外来化

2　1以外の場合 イ　月27回以下の場合 ロ　月28回以上の場合	1070点 650点 566点 750点 653点	学療法加算を算定している場合は算定不可 ◆当該管理料の算定患者は，当該医療機関の外来受診時の（当該管理料に係る）G000皮内，皮下及び筋肉内注射，G001静脈内注射の費用は算定不可 ◆当該医療機関においてC001・C001-2在宅患者訪問診療料（Ⅰ）（Ⅱ）を算定する日に行ったG000，G001，G004点滴注射の費用は算定不可 ◆「2」については，B001「7」難病外来指導管理料と併算定可 ◆同一の患者に，2以上の医療機関がそれぞれ異なる疾患に対する在宅自己注射指導管理を行う場合，いずれの医療機関においても当該指導管理料を算定できる
●導入初期加算	＋580点	◆初回指導から3月に限り月1回加算（処方変更の場合，1月1回のみ算定可）
●バイオ後続品導入初期加算	＋150点	◆バイオ後続品を処方した場合に，初回処方月から3月を限度に算定
C101-2 在宅小児低血糖症患者指導管理料	820点	◆12歳未満の低血糖症の患者（薬物療法・経管栄養法・手術療法を施行中又はその終了後6月以内の者）に，重篤化予防のための指導管理を行った場合に月1回算定
C101-3 在宅妊娠糖尿病患者指導管理料 在宅妊娠糖尿病患者指導管理料1 在宅妊娠糖尿病患者指導管理料2	 150点 150点	◆「1」は，妊娠中の糖尿病又は妊娠糖尿病の入院外患者に対して，周産期の合併症軽減のために指導管理を行った場合に月1回算定 ◆「2」は，「1」を算定した入院外の患者に対して，分娩後も継続して血糖管理のために指導管理を行った場合に，当該分娩後12週の間，1回に限り算定
C102 在宅自己腹膜灌流指導管理料	4000点	◆在宅自己連続携行式腹膜灌流に関する指導管理を行った場合に原則月1回算定 ◆外来での人工腎臓，連続携行式腹膜灌流は週1回に限り併算定可（人工腎臓は他医療機関で行った場合も算定可）。その場合，下記頻回の2回目以降は算定不可
●頻回の指導管理が必要な場合	＋2000点	◆同一月内2回目以降1回につき，月2回に限り算定
●遠隔モニタリング加算	＋115点	◆継続的な遠隔モニタリングと指導管理を行った場合に月1回算定
C102-2 在宅血液透析指導管理料㊞	10000点	◆在宅血液透析に関する指導管理を行った場合に原則月1回算定 ◆外来での人工腎臓は週1回に限り併算定可。下記の頻回の2回目以降は算定不可
●頻回の指導管理が必要な場合	＋2000点	◆同一月内2回目以降1回につき算定。最初の算定日から2月は月2回まで算定可
●遠隔モニタリング加算	＋115点	◆継続的な遠隔モニタリングと指導管理を行った場合に月1回算定
C103 在宅酸素療法指導管理料 ◆在宅酸素療法に関する指導管理を行った場合に月1回算定		◆酸素吸入，突発性難聴に対する酸素療法，酸素テント，間歇的陽圧吸入法，体外式陰圧人工呼吸器治療，喀痰吸引，干渉低周波去痰器による喀痰排出，鼻マスク式補助換気法（酸素代含む）の費用（薬剤・材料の費用含む）は別に算定不可 ◆経皮的動脈血酸素飽和度測定器，D223経皮的動脈血酸素飽和度測定，D223-2終夜経皮的動脈血酸素飽和度測定の費用は所定点数に含まれ別に算定不可
1　チアノーゼ型先天性心疾患	520点	◆小型酸素ボンベ，クロレート・キャンドル型酸素発生器は医療機関が提供する（その場合，C171在宅酸素療法材料加算「1」を算定）
2　その他の場合	2400点	◆高度慢性呼吸不全例，肺高血圧症，慢性心不全の患者が対象（医療機関が在宅酸素療法装置を提供した場合，C171在宅酸素療法材料加算「2」を算定）
●遠隔モニタリング加算㊞	＋150点	◆「2」を算定するCOPDの病期がⅢ期以上の入院外患者に，情報通信機器等による遠隔モニタリングで療養指導を行った場合，前回受診月の翌月から今回受診月の前月までの期間，150点に当該月数を乗じて算定（2月が限度）
C104 在宅中心静脈栄養法指導管理料	3000点	◆在宅中心静脈栄養法に関する指導管理を行った場合に月1回算定 ◆中心静脈注射・植込型カテーテルによる中心静脈注射の費用，C001・C001-2在宅患者訪問診療料（Ⅰ）（Ⅱ）の算定日に医療機関で行った静脈内注射・点滴注射・植込型カテーテルによる中心静脈注射の費用（薬剤・材料含む）は算定不可
C105 在宅成分栄養経管栄養法指導管理料 ◆J120鼻腔栄養は算定不可	2500点	◆経口摂取不能又は著しく困難な患者に対して指導管理を行った場合に月1回算定 ◆アミノ酸，ジペプチド，トリペプチドを主なタンパク源とした（未消化態タンパクを含まない）ものを用いた場合のみ算定。単なる流動食の鼻腔栄養は対象外
C105-2 在宅小児経管栄養法指導管理料	1050点	◆在宅小児経管栄養法を行っている入院外患者に対して，在宅小児経管栄養法に関する指導管理を行った場合に月1回算定。J120鼻腔栄養は算定不可
C105-3 在宅半固形栄養経管栄養法指導管理料	2500点	◆経口摂取困難のため胃瘻を造設している患者に，半固形栄養剤等（高カロリー薬又は流動食であって半固形状のもの）を用いてその指導管理を行った場合に，初算定日から1年を限度に月1回算定。J120鼻腔栄養は算定不可
C106 在宅自己導尿指導管理料	1400点	◆自然排尿困難な患者に在宅自己導尿に関する指導管理を行った場合に月1回算定 ◆導尿，膀胱洗浄，後部尿道洗浄，留置カテーテル設置の費用は算定不可
C107 在宅人工呼吸指導管理料 ◆睡眠時無呼吸症候群の患者は対象外（次項C107-2で対応）	2800点	◆在宅人工呼吸に関する指導管理を行った場合に月1回算定 ◆人工呼吸装置は医療機関が患者に貸与。回路部品その他の附属品等の費用は包括 ◆酸素吸入，突発性難聴に対する酸素療法，酸素テント，間歇的陽圧吸入法，体外式陰圧人工呼吸器治療，喀痰吸引，干渉低周波去痰器による喀痰排出，鼻マスク式補助換気法，人工呼吸の費用（酸素代を除く）は算定不可

C 107-2 在宅持続陽圧呼吸療法指導管理料 1　在宅持続陽圧呼吸療法指導管理料1 2　在宅持続陽圧呼吸療法指導管理料2 ◆「2」を情報通信機器を用いて行った場合㊞	2250点 250点 218点	◆「1」は，①慢性心不全（NYHAⅢ度以上）で睡眠時の無呼吸低呼吸指数20以上，②CPAP療法にもかかわらず無呼吸低呼吸指数が15以下にならない者に対してASV療法を実施――のすべてに該当する場合に月１回算定 ◆「2」は，①慢性心不全（同上）と睡眠時無呼吸症候群（同上）の合併患者でASV療法を実施している者（「1」の対象患者以外），②心不全の患者でASV療法を実施している者――等の要件のいずれかに該当する場合に月１回算定 ◆持続陽圧呼吸療法装置は医療機関が患者に貸与（C 165在宅持続陽圧呼吸療法用治療器加算，C 171-2在宅持続陽圧呼吸療法材料加算を算定する）
●遠隔モニタリング加算㊞	＋150点	◆「2」を算定するCPAPを実施している入院外患者に，情報通信機器等による遠隔モニタリングで療養指導を行った場合，前回受診月の翌月から今回受診月の前月までの期間，150点に当該月数を乗じて算定（２月が限度）
C 107-3 在宅ハイフローセラピー指導管理料	2400点	◆在宅でハイフローセラピーを行う慢性閉塞性肺疾患（COPD）の患者に対して，当該指導管理を行った場合に算定
C 108 在宅麻薬等注射指導管理料 1　悪性腫瘍 2　筋萎縮性側索硬化症又は筋ジストロフィー 3　心不全又は呼吸器疾患	 1500点 1500点 1500点	◆C 108は，入院外の末期悪性腫瘍の患者，筋萎縮性側索硬化症又は筋ジストロフィーの患者，緩和ケアを要する心不全又は呼吸器疾患の末期患者に対して，在宅での麻薬等の注射に関する指導管理を行った場合に算定 ◆C 108-2は，入院外の悪性腫瘍の患者に対して抗悪性腫瘍剤等の注射に関する指導管理を行った場合に算定 ◆C 108-3は，ドブタミン塩酸塩・ドパミン塩酸塩・ノルアドレナリン製剤の持続投与を行う入院外の心不全患者に指導管理を行った場合に算定 ◆外来受診時及び在宅患者訪問診療料（Ⅰ）（Ⅱ）の算定日において，G 000，G 001，G 004，G 005，G 006の注射手技料・注射薬・特定保険医療材料は算定不可（外来受診時は，当該指導管理に係らない手技料・注射薬・特定保険医療材料は算定可）（G 000はC 108-3では対象外＝算定可） ◆C 108・C 108-2は，同一月にB 001-2-12，注射「通則６」，G 003は算定不可
C108-2 在宅腫瘍化学療法注射指導管理料	1500点	（同上）
C108-3 在宅強心剤持続投与指導管理料	1500点	（同上）
C 108-4 在宅悪性腫瘍患者共同指導管理料	1500点	◆他院でC 108「1」・C 108-2を算定する患者に対し，他院と連携して同一日に麻薬等・抗悪性腫瘍剤等の注射に係る指導管理を行った場合に算定
C 109 在宅寝たきり患者処置指導管理料	1050点	◆創傷処置等（点p.423）を行う寝たきり（準ずるもの含む）の患者に月１回算定 ◆患者が家族等に付き添われて来院した場合も例外的に算定可 ◆B 001「8」皮膚科特定疾患指導管理料，創傷処置等は併算定不可
C 110 在宅自己疼痛管理指導管理料	1300点	◆疼痛除去のため植込型脳・脊髄刺激装置を植え込んだ難治性慢性疼痛の患者に対して，在宅自己疼痛管理に関する指導管理を行った場合に月１回算定
C 110-2 在宅振戦等刺激装置治療指導管理料	810点	◆振戦等除去のため植込型脳・脊髄刺激装置を植え込んだ後に，在宅で振戦等管理を行っている入院外患者に対して指導管理を行った場合に月１回算定
●導入期加算	＋140点	◆植込術の施行日から３月以内に行った場合に加算
C 110-3 在宅迷走神経電気刺激治療指導管理料	810点	◆てんかん治療のため植込型迷走神経刺激装置を植え込んだ後に，在宅でてんかん管理を行っている入院外患者に対して指導管理を行った場合に月１回算定
●導入期加算	＋140点	◆植込術の施行日から３月以内に行った場合に算定
C 110-4 在宅仙骨神経刺激療法指導管理料	810点	◆植込型仙骨神経刺激装置を植え込んだ在宅患者に，便失禁管理又は過活動膀胱管理に関する指導管理を行った場合に月１回算定
C 110-5 在宅舌下神経電気刺激療法指導管理料	810点	◆舌下神経電気刺激装置を植え込んだ閉塞性睡眠時無呼吸症候群患者に対して，当該治療に係る指導管理を行った場合に算定
C 111 在宅肺高血圧症患者指導管理料	1500点	◆肺高血圧症患者に対して，プロスタグランジンI_2製剤の投与等に関する医学管理等を行った場合に月１回算定
C 112 在宅気管切開患者指導管理料	900点	◆気管切開患者に対して気管切開に関する指導管理を行った場合に月１回算定 ◆創傷処置（気管内ディスポーザブルカテーテル交換含む），爪甲除去，穿刺排膿後薬液注入，喀痰吸引，干渉低周波去痰器による喀痰排出の費用は算定不可
C 112-2 在宅喉頭摘出患者指導管理料	900点	◆喉頭摘出を行っている入院外患者に対して，在宅における人工鼻材料の使用に関する指導管理を行った場合に算定
C 114 在宅難治性皮膚疾患処置指導管理料	1000点	◆皮膚科又は形成外科の医師が，表皮水疱症又は水疱型先天性魚鱗癬様紅皮症の患者に対して水疱・びらん・潰瘍等への指導を行った場合に月１回算定。B 001「7」難病外来指導管理料，B 001「8」皮膚科特定疾患指導管理料との併算定不可
C 116 在宅植込型補助人工心臓（非拍動流型）指導管理料㊞	45000点	◆体内植込型補助人工心臓（非拍動流型）を使用している入院外患者に対して，療養上必要な指導を行った場合に月１回算定
C 117 在宅経腸投薬指導管理料	1500点	◆レボドパ・カルビドパ水和物製剤の経胃瘻空腸投与を行っているパーキンソン病の入院外患者に対し，投薬等に関する医学管理等を行った場合に月１回算定
C 118 在宅腫瘍治療電場療法指導管理料㊞	2800点	◆在宅腫瘍治療電場療法（交流電場を形成するテント上膠芽腫の治療法）を行う初発膠芽腫の入院外患者に対して療養指導を行った場合に月１回算定 ◆①脳神経外科標榜，②膠芽腫治療を５年間に５例以上実施――などが要件
C 119 在宅経肛門的自己洗腸指導管理料㊞	800点	◆３月以上の保存的治療で改善のない脊髄障害による排便障害の患者（直腸手術後を除く）に対して，経肛門的自己洗腸療法の指導管理を行った場合に月１回算定
●導入初期加算	＋500点	◆経肛門的自己洗腸療法の導入時に医師又は看護師が初回指導を行った場合に算定

C 120 在宅中耳加圧療法指導管理料	**1800点**	◆在宅中耳加圧装置を用いた療養を行うメニエール病又は遅発性内リンパ水腫の患者に，当該療法に関する指導管理を行った場合に月１回算定
C 121 在宅抗菌薬吸入療法指導管理料	**800点**	◆マイコバクテリウム・アビウムコンプレックス（MAC）による肺非結核性抗酸菌症患者が超音波ネブライザを用いてアミカシン硫酸塩吸入用製剤を在宅で投与する場合に，当該療法の指導管理を行った場合に算定
●導入初期加算	**＋500点**	◆在宅抗菌薬吸入療法を初めて導入する患者に初回指導を行った月に算定

第２款　在宅療養指導管理材料加算

【通則】 １．第１款のＣ100～Ｃ121のいずれかを算定する場合に，特に規定する場合を除き月１回に限り算定する。

２．第１款の指導管理を２以上行っても併算定できないが，この場合にあっても，第２款の在宅療養指導管理材料加算・薬剤・特定保険医療材料はそれぞれ算定できる。

３．６歳未満の乳幼児にＣ103在宅酸素療法指導管理料，Ｃ107在宅人工呼吸指導管理料，Ｃ107-2在宅持続陽圧呼吸療法指導管理料を算定する場合，乳幼児呼吸管理材料加算として３月に３回に限り**1500点**を加算する。

項　目	点　数	要　件
C 150 血糖自己測定器加算		◆血糖試験紙，固定化酵素電極，穿刺器，穿刺針，測定機器の費用含む ◆薬剤を２月分又は３月分処方した場合は，１月に２回又は３回算定できる
1　月20回以上測定 2　月30回以上測定 3　月40回以上測定 4　月60回以上測定	**350点** **465点** **580点** **830点**	◆①インスリン･ヒトソマトメジンC製剤の自己注射を１日１回以上行う患者（１型糖尿病・膵全摘後の患者を除く），②インスリン製剤の自己注射を１日１回以上行う１型糖尿病患者又は膵全摘後の患者，③12歳未満の小児低血糖症の患者，④妊娠中の糖尿病患者又は妊娠糖尿病の患者に対して，血糖自己測定器を給付し使用させた場合に，**３月に３回**に限り算定
5　月90回以上測定 6　月120回以上測定	**1170点** **1490点**	◆①インスリン製剤の自己注射を１日１回以上行う１型糖尿病患者，②12歳未満の小児低血糖症の患者，③妊娠中の糖尿病患者又は妊娠糖尿病の患者に，血糖自己測定器を使用した場合に，**３月に３回**に限り算定
7　間歇スキャン式持続血糖測定器によるもの	**1250点**	◆インスリン製剤の自己注射を１日１回以上行っている患者に間歇スキャン式持続血糖測定器を使用した場合に，**３月に３回**に限り算定
●血中ケトン体自己測定器加算	**＋40点**	◆SGLT2阻害薬を服用している１型糖尿病の患者に対して，血中ケトン体自己測定器を給付した場合に，**３月に３回**に限り算定
C 151 注入器加算 ◆針付一体型製剤では算定不可	**300点**	◆厚生労働大臣が定める注射薬（告示④別表第９の１の３，(点)p.1471）の自己注射を行っている患者に，ディスポーザブル注射器（注射針一体型），自動注入ポンプ，携帯用注入器，針無圧力注射器――を処方した場合に，処方月に限って月１回算定
C 152 間歇注入シリンジポンプ加算 1　プログラム付きシリンジポンプ 2　１以外のシリンジポンプ	 **2500点** **1500点**	◆厚生労働大臣が定める注射薬（告示④別表第９，(点)p.412）の自己注射を行っている患者に，インスリン，性腺刺激ホルモン放出ホルモン剤，ソマトスタチンアナログを注入する間歇注入シリンジポンプを使用した場合に，**２月に２回**に限り算定
C 152-2 持続血糖測定器加算(届) 1　**間歇注入シリンジポンプと連動する持続血糖測定器** イ　２個以下の場合 ロ　４個以下の場合 ハ　５個以上の場合 2　**間歇注入シリンジポンプと連動しない持続血糖測定器** イ　２個以下の場合 ロ　４個以下の場合 ハ　５個以上の場合	 **1320点** **2640点** **3300点** **1320点** **2640点** **3300点**	◆１型糖尿病又は２型糖尿病で，厚生労働大臣が定める注射薬（告示④別表第９，(点)p.412）の持続皮下インスリン注入療法を行っている入院外患者に対して，持続血糖測定器を使用した場合に**２月に２回**に限り算定 ◆「**1**」は，血糖コントロールが不安定な①１型糖尿病又は膵全摘後の患者，②低血糖発作などの重篤な有害事象が起きている２型糖尿病患者――であって，持続皮下インスリン注入療法を行っている患者が対象 ◆「**2**」は，①急性発症もしくは劇症１型糖尿病又は膵全摘後の患者，②内因性インスリン分泌欠乏（空腹時血清Ｃペプチドが0.5㎎/ml未満）を認め，低血糖発作などの重篤な有害事象が起きている２型糖尿病患者――であって，皮下インスリン注入療法を行っている患者が対象 ◆「**1**」はC152と同一月に併算定不可，「**2**」はC152と同一月に併算定可
●プログラム付きシリンジポンプ ●上記以外のシリンジポンプ	**3230点** **2230点**	◆左記を用いてトランスミッターを使用した場合に，２月に２回に限りそれぞれ加算（C152と併算定不可）。上記「２」の場合は算定不可
C 152-3 経腸投薬用ポンプ加算	**2500点**	◆レボドパ・カルビドパ水和物製剤の経胃瘻空腸投与を目的として経腸投薬用ポンプを使用した場合に，**２月に２回**に限り算定
C 152-4 持続皮下注入シリンジポンプ加算 1　月５個以上10個未満 2　月10個以上15個未満 3　月15個以上20個未満 4　月20個以上	 **2330点** **3160点** **3990点** **4820点**	◆ホスレボドパ・ホスカルビドパ水和物配合剤の自己注射を行っている入院外患者に対して，持続皮下注入シリンジポンプを使用した場合に，**２月に２回**に限り算定 ◆使用したシリンジ，輸液セット等の材料の費用は包括され別に算定不可
C 153 注入器用注射針加算 1　１型糖尿病・血友病等の患者 2　「1」以外の場合	 **200点** **130点**	◆厚生労働大臣が定める注射薬（告示④別表第９，(点)p.412）の自己注射を行っている患者に，注入器用注射針を処方した場合に，処方月に限って月１回算定 ◆針付一体型製剤，針無圧力注射器では算定不可
C 154 紫外線殺菌器加算	**360点**	◆在宅自己連続携行式腹膜灌流で紫外線殺菌器を使用した場合に月１回算定
C 155 自動腹膜灌流装置加算	**2500点**	◆在宅自己連続携行式腹膜灌流で自動腹膜灌流装置を使用した場合に月１回算定
C 156 透析液供給装置加算	**10000点**	◆在宅血液透析で透析液供給装置を使用した場合に月１回算定

C157 酸素ボンベ加算 1 携帯用酸素ボンベ 2 「1」以外の酸素ボンベ	 **880点** **3950点**	◆在宅酸素療法を行っている患者（チアノーゼ型先天性心疾患の患者を除く）に，酸素ボンベを使用した場合に，**3月**に**3回**に限り算定 ◆同一患者に対して，酸素ボンベ，酸素濃縮装置，設置型液化酸素装置を併用した場合は，合わせて**3月**に**3回**に限り算定。同じく，携帯用酸素ボンベと携帯型液化酸素装置を併用した場合も，合わせて**3月**に**3回**に限り算定
C158 酸素濃縮装置加算	**4000点**	◆在宅酸素療法を行っている患者（チアノーゼ型先天性心疾患の患者を除く）に，酸素濃縮装置を使用した場合に，**3月**に**3回**に限り算定 ◆同一患者に対して，酸素ボンベ，酸素濃縮装置，設置型液化酸素装置を併用した場合は，合わせて**3月**に**3回**に限り算定
C159 液化酸素装置加算 1 設置型液化酸素装置 2 携帯型液化酸素装置	 **3970点** **880点**	◆在宅酸素療法を行っている患者（チアノーゼ型先天性心疾患の患者を除く）に，液化酸素装置を使用した場合に，**3月**に**3回**に限り算定 ◆設置型液化酸素装置に係る加算と携帯型液化酸素装置に係る加算は併算定可 ◆同一患者に対して，酸素ボンベ，酸素濃縮装置，設置型液化酸素装置を併用した場合は，合わせて**3月**に**3回**に限り算定。同じく，携帯用酸素ボンベと携帯型液化酸素装置を併用した場合も，合わせて**3月**に**3回**に限り算定
C159-2 呼吸同調式デマンドバルブ加算	**291点**	◆在宅酸素療法を行っている患者（チアノーゼ型先天性心疾患の患者を除く）に対して，呼吸同調式デマンドバルブを携帯用酸素供給装置と鼻カニューレとの間に装着して使用した場合に，**3月**に**3回**に限り算定
C160 在宅中心静脈栄養法用輸液セット加算	**2000点**	◆在宅中心静脈栄養法を行っている患者に，輸液セット〔輸液用器具（輸液バッグ），注射器，採血用輸血用器具（輸液ライン）〕を使用した場合に月１回算定
C161 注入ポンプ加算	**1250点**	◆①在宅中心静脈栄養法・在宅成分栄養経管栄養法・在宅小児経管栄養法を行う患者，②在宅で麻薬等の注射を行うC108の対象患者，③在宅で抗悪性腫瘍剤等の注射を行う悪性腫瘍の患者，④在宅強心剤持続投与を行う患者，⑤pH 4処理酸性人免疫グロブリン（皮下注射）製剤又はペグセタコプラン製剤の自己注射を行う患者に，注入ポンプを使用した場合に，**2月**に**2回**に限り算定
C162 在宅経管栄養法用栄養管セット加算	**2000点**	◆在宅成分栄養経管栄養法・在宅小児経管栄養法・在宅半固形栄養経管栄養法を行っている入院外患者に，栄養管セットを使用した場合に月１回算定 ◆C161注入ポンプ加算と各月１回に限り併算定可
C163 特殊カテーテル加算 1 再利用型カテーテル 2 間歇導尿用ディスポーザブルカテーテル イ 親水性コーディング (1) 60本以上の場合 (2) 90本以上の場合 (3) 120本以上の場合 ロ イ以外のもの 3 間歇バルーンカテーテル	 **400点** **1700点** **1900点** **2100点** **1000点** **1000点**	◆在宅自己導尿を行う患者に，再利用型カテーテル，間歇導尿用ディスポーザブルカテーテル，間歇バルーンカテーテルを使用した場合に**3月**に**3回**に限り算定 ◆「親和性コーディング」は，排尿障害が長期間かつ不可逆的に持続し，代替となる排尿方法が存在せず，適切な消毒操作が困難な場所で導尿が必要となる場合等，医学的妥当性が認められる場合に使用し，包装内に潤滑油が封入されていて開封後すぐに挿入可能なもののみを使用した場合に算定 ◆間歇導尿用ディスポーザブルカテーテル，間歇バルーンカテーテル，再利用型カテーテルのいずれかを併せて使用した場合は主たるもののみ算定
C164 人工呼吸器加算		◆在宅人工呼吸を行っている患者に，人工呼吸器を使用した場合に月１回算定
1 陽圧式人工呼吸器	**7480点**	◆気管切開口を介した陽圧式人工呼吸器を使用した場合に算定
2 人工呼吸器	**6480点**	◆鼻マスク又は顔マスクを介した人工呼吸器を使用した場合に算定
3 陰圧式人工呼吸器	**7480点**	◆陰圧式人工呼吸器を使用した場合に算定
C165 在宅持続陽圧呼吸療法用治療器加算 1 ASVを使用した場合 2 CPAPを使用した場合	 **3750点** **960点**	◆在宅持続陽圧呼吸療法を行う患者に持続陽圧呼吸療法用治療器を使用した場合に，**3月**に**3回**に限り算定（C107-2の情報通信機器を用いた場合でも算定可） ◆「1」はC107-2「1」の該当患者，C107-2の保医発通知(3)「ア」「イ」（㊫p.419）の該当患者が対象。「2」はC107-2の保医発通知(3)「ウ」の該当患者
C166 携帯型ディスポーザブル注入ポンプ加算	**2500点**	◆在宅において①麻薬等の注射を行う末期悪性腫瘍の患者，②抗悪性腫瘍剤等の注射を行う悪性腫瘍の患者，③緩和ケアを要する心不全又は呼吸器疾患の末期患者に，携帯型ディスポーザブル注入ポンプを使用した場合に月１回算定
C167 疼痛等管理用送信器加算	**600点**	◆疼痛除去等のため植込型脳・脊髄刺激装置又は植込型迷走神経刺激装置を植え込んだ後に，在宅疼痛管理・在宅振戦管理・在宅てんかん管理を行っている患者に，疼痛等管理用送信器（患者用プログラマ含む）を使用した場合に月１回算定
C168 携帯型精密輸液ポンプ加算	**10000点**	◆肺高血圧症の患者に，携帯型精密輸液ポンプを使用した場合に月１回算定
C168-2 携帯型精密ネブライザ加算	**3200点**	◆肺高血圧症の患者に携帯型精密ネブライザを使用した場合に月１回算定 ◆携帯型精密ネブライザの使用に必要なすべての費用が含まれる
C169 気管切開患者用人工鼻加算	**1500点**	◆気管切開を行っている患者に人工鼻を使用した場合に月１回算定
C170 排痰補助装置加算	**1829点**	◆人工呼吸を行う神経筋疾患等の患者に排痰補助装置を使用した場合に月１回算定
C171 在宅酸素療法材料加算 1 チアノーゼ型先天性心疾患の場合 2 その他の場合	 **780点** **100点**	◆「1」は，C103「1」を算定すべき指導管理を行った患者に小型酸素ボンベ又はクロレート・キャンドル型酸素発生器を提供した場合に，**3月**に**3回**に限り算定 ◆「2」は，C103「2」を算定すべき指導管理を行った患者に在宅酸素療法装置を提供した場合に，**3月**に**3回**に限り算定
C171-2 在宅持続陽圧呼吸療法材料加算	**100点**	◆C107-2在宅持続陽圧呼吸療法指導管理料を算定する患者に当該療法に係る機器を提供した場合に，**3月**に**3回**に限り算定

C171-3 在宅ハイフローセラピー材料加算	100点	◆C107-3在宅ハイフローセラピー指導管理料の算定患者に対して当該療法に係る機器を使用した場合に，3月に3回に限り算定
C172 在宅経肛門的自己洗腸用材料加算	2400点	◆在宅で経肛門的に自己洗腸を行っている患者に対して，自己洗腸用材料を使用した場合に，3月に3回に限り算定
C173 横隔神経電気刺激装置加算	600点	◆H003呼吸器リハビリテーション料（Ⅰ）（Ⅱ）の届出医療機関で，在宅人工呼吸を行っている脊髄損傷又は中枢性低換気症候群の患者に対して横隔神経電気刺激装置を使用した場合に月1回算定
C174 在宅ハイフローセラピー装置加算 1　自動給水加湿チャンバー 2　1以外の場合	 3500点 2500点	◆C107-3在宅ハイフローセラピー指導管理料の算定患者に対して在宅ハイフローセラピー装置を使用した場合に，3月に3回に限り算定
C175 在宅抗菌薬吸入療法ネブライザ加算　1　1月目 2　2月目以降	7480点 1800点	◆マイコバクテリウム・アビウムコンプレックス（MAC）による肺非結核性抗酸菌症患者が，アミカシン硫酸塩吸入用製剤を投与するに当たり超音波ネブライザを使用した場合に算定

4 施設入所者に対する在宅医療点数の算定

1．介護老人保健施設入所者の医療費

介護老人保健施設には入所者100人に1人以上の常勤医師が配置されているので，施設で対応できる医療行為については介護報酬に含まれ保険請求は認められませんが，施設で通常行えない医療行為（手術・透析等）については認められます（『早見表』p.895）。

介護老人保健施設入所者が保険医療機関（併設，併設以外とも）の医師に在宅療養指導管理を受けた場合，在宅療養指導管理の所定点数は算定できませんが，各区分に該当する在宅療養指導管理材料加算や特定保険医療材料料は算定できます。また，2024年改定によって，「C116在宅植込型補助人工心臓（非拍動流型）指導管理料」が新たに算定可とされました。

薬剤料については，「在宅自己腹膜灌流指導管理に係る薬剤料」のみ「施設入所者自己腹膜灌流薬剤料」として算定でき，その他の在宅療養指導管理に係る薬剤については，医療機関では算定できません（介護老人保健施設で支給する扱いです）。

●施設入所者自己腹膜灌流薬剤料

自己連続携行式腹膜灌流に用いる薬剤は1調剤につき，薬価から15円を控除した額を10円で除して得た点数につき1点未満の端数を切り上げて得た点数に1点を加算して得た点数

2．介護老人福祉施設（特別養護老人ホーム）入所者の医療費

1　介護老人福祉施設（特別養護老人ホーム）に入所している患者については，「医学管理等」と「在宅医療」の多くの点数と「訪問看護療養費」が算定できません（『早見表』p.1530）。

2　医師が施設の「配置医師」（非常勤可。併設医療機関の医師も「配置医師」と定義される）である場合は，「B000特定疾患療養管理料」や「在宅療養指導管理料」などは算定できません。また「配置医師」が施設入所者に行った診療（特別の必要があって行う診療を除く）についてはさらに，初診料，再診料（外来診療料を含む），小児科外来診療料，往診料は算定できません。ただし，在宅療養指導管理材料加算および薬剤料，特定保険医療材料料は算定できます。

3　配置医師でない場合は，在宅療養指導管理料，在宅療養指導管理材料加算，薬剤料，特定保険医療材料料が算定できます。

★介護保険法による特別養護老人ホームの扱い

(1)「特別養護老人ホーム」は，都道府県知事の指定を受けることで**「指定介護老人福祉施設」**と位置づけられています。「介護老人保健施設」は介護保険法に基づきますが，「指定介護老人福祉施設」は老人福祉法の特別養護老人ホームのうち都道府県知事の指定を受けたものと位置づけられています。

(2) 特別養護老人ホームの入所については，介護保険の介護報酬により賄われています。利用者は，**施設サービス費の1割（または2割，3割）と食費，居住費に係る負担額**を負担します。

3．要介護・要支援者の医療保険と介護保険の給付調整

要介護・要支援者の診療報酬算定については，給付調整（給付制限）がされている（『早見表』p.1513）。

5 併算定マトリックス

〔○：併算定可　△：一部につき併算定可　●：同日算定不可（同月算定可）　×：同月併算定不可　▲：併算定の可否不明〕

		1	2	3	4	5	6	7	8	9	10	11	12	13	14	15	16	17	18	19	20	21	22
		往診	訪診	在医管	在医総	救急	訪看	点滴	リハ	看指	喀痰指	在薬	在栄	在連	カン	在共	在褥	退院	自注	小血糖	在妊糖	腹膜	血透
1	C000 往診料（※1）		●	○	●	○	●	○	●	○	○	●	●	○	○	○	○	○	○	○	○	○	○
2	C001･C001-2 在宅患者訪問診療料（Ⅰ）（Ⅱ）（※2）	●		○	●	○	●	○	●	○	○	●	●	○	●	○	●	○	○	○	○	○	○
3	C002 在宅時医学総合管理料（※3）	○	○		×	○	○	○	○	○	○	○	○	×	○	○	○	○	○	○	○	○	○
4	C003 在宅がん医療総合診療料（※4）	●	●	×		▲	●	●	●	●	●	●	●	×	●	●	●	●	×	×	×	×	×
5	C004 救急搬送診療料（※5）	○	○	○	▲		○	○	○	○	○	○	○	○	○	○	○	○	○	○	○	○	○
6	C005 在宅患者訪問看護・指導料（※6）	●	●	○	●	○		○	●	○	○	●	●	○	○	○	●	○	○	○	○	○	○
7	C005-2 在宅患者訪問点滴注射管理指導料	○	○	○	●	○	○		○	○	○	○	○	○	○	○	○	○	○	○	○	○	○
8	C006 在宅患者訪問リハビリテーション指導管理料	●	●	○	●	○	●	○		○	○	●	●	○	○	○	○	○	○	○	○	○	○
9	C007 訪問看護指示料（※7）	○	○	○	●	○	○	○	○		○	○	○	○	○	○	○	○	○	○	○	○	○
10	C007-2 介護職員等喀痰吸引等指示料	○	○	○	●	○	○	○	○	○		○	○	○	○	○	○	○	○	○	○	○	○
11	C008 在宅患者訪問薬剤管理指導料	●	●	○	●	○	●	○	●	○	○		●	○	○	○	○	○	○	○	○	○	○
12	C009 在宅患者訪問栄養食事指導料	●	●	○	●	○	●	○	●	○	○	●		○	○	○	●	○	○	○	○	○	○
13	C010 在宅患者連携指導料	○	○	×	×	○	○	○	○	○	○	○	○		○	○	○	○	○	○	○	○	○
14	C011 在宅患者緊急時等カンファレンス料（※8）	○	●	○	●	○	○	○	○	○	○	○	○	○		○	○	○	○	○	○	○	○
15	C012 在宅患者共同診療料（※9）	○	○	○	●	○	○	○	○	○	○	○	○	○	○		○	○	○	○	○	○	○
16	C013 在宅患者訪問褥瘡管理指導料	○	●	○	●	○	●	○	○	○	○	○	●	○	○	○		○	○	○	○	○	○
17	C100 退院前在宅療養指導管理料	○	○	○	●	○	○	○	○	○	○	○	○	○	○	○	○		●	●	●	●	●
18	C101 在宅自己注射指導管理料（※10）	○	○	○	×	○	○	○	○	○	○	○	○	○	○	○	○	●		×	×	×	×
19	C101-2 在宅小児低血糖症患者指導管理料	○	○	○	×	○	○	○	○	○	○	○	○	○	○	○	○	●	×		×	×	×
20	C101-3 在宅妊娠糖尿病患者指導管理料	○	○	○	×	○	○	○	○	○	○	○	○	○	○	○	○	●	×	×		×	×
21	C102 在宅自己腹膜灌流指導管理料	○	○	○	×	○	○	○	○	○	○	○	○	○	○	○	○	●	×	×	×		×
22	C102-2 在宅血液透析指導管理料	○	○	○	×	○	○	○	○	○	○	○	○	○	○	○	○	●	×	×	×	×	
23	C103 在宅酸素療法指導管理料	○	○	○	×	○	○	○	○	○	○	○	○	○	○	○	○	●	×	×	×	×	×
24	C104 在宅中心静脈栄養法指導管理料	○	○	○	×	○	○	×	○	○	○	○	○	○	○	○	○	●	×	×	×	×	×
25	C105 在宅成分栄養経管栄養法指導管理料（※11）	○	○	○	×	○	○	○	○	○	○	○	○	○	○	○	○	●	×	×	×	×	×
26	C106 在宅自己導尿指導管理料	○	○	○	×	○	○	○	○	○	○	○	○	○	○	○	○	●	×	×	×	×	×
27	C107 在宅人工呼吸指導管理料	○	○	○	×	○	○	○	○	○	○	○	○	○	○	○	○	●	×	×	×	×	×
28	C107-2 在宅持続陽圧呼吸療法指導管理料（※12）	○	○	○	×	○	○	○	○	○	○	○	○	○	○	○	○	●	×	×	×	×	×
29	C108 在宅麻薬等注射指導管理料（※13）	○	○	○	×	○	○	×	○	○	○	○	○	○	○	○	○	●	×	×	×	×	×
30	C108-4 在宅悪性腫瘍患者共同指導管理料	○	○	○	×	○	○	○	○	○	○	○	○	○	○	○	○	●	×	×	×	×	×
31	C109 在宅寝たきり患者処置指導管理料	○	○	×	×	○	○	○	○	○	○	○	○	○	○	○	○	●	×	×	×	×	×
32	C110 在宅自己疼痛管理指導管理料	○	○	○	×	○	○	○	○	○	○	○	○	○	○	○	○	●	×	×	×	×	×
33	C110-2 在宅振戦等刺激装置治療指導管理料	○	○	○	×	○	○	○	○	○	○	○	○	○	○	○	○	●	×	×	×	×	×
34	C110-3 在宅迷走神経電気刺激治療指導管理料	○	○	○	×	○	○	○	○	○	○	○	○	○	○	○	○	●	×	×	×	×	×
35	C110-4 在宅仙骨神経刺激療法指導管理料（※14）	○	○	○	×	○	○	○	○	○	○	○	○	○	○	○	○	●	×	×	×	×	×
36	C111 在宅肺高血圧症患者指導管理料	○	○	○	×	○	○	○	○	○	○	○	○	○	○	○	○	●	×	×	×	×	×
37	C112 在宅気管切開患者指導管理料（※15）	○	○	○	×	○	○	○	○	○	○	○	○	○	○	○	○	●	×	×	×	×	×
38	C114 在宅難治性皮膚疾患処置指導管理料	○	○	○	×	○	○	○	○	○	○	○	○	○	○	○	○	●	×	×	×	×	×
39	C116 在宅植込型補助人工心臓指導管理料（※16）	○	○	○	×	○	○	○	○	○	○	○	○	○	○	○	○	●	×	×	×	×	×
40	C119 在宅経肛門的自己洗腸指導管理料	○	○	○	×	○	○	○	○	○	○	○	○	○	○	○	○	●	×	×	×	×	×
41	C120 在宅中耳加圧療法指導管理料（※17）	○	○	○	×	○	○	○	○	○	○	○	○	○	○	○	○	●	×	×	×	×	×
42	A000 初診料	○	●	○	●	○	○	○	○	○	○	○	○	×	●	○	○	○	○	○	○	○	○
43	A001 再診料，A002 外来診療料	○	●	○	●	○	○	○	○	○	○	○	○	○	●	○	○	○	○	○	○	○	○
44	B000 特定疾患療養管理料	○	○	×	×	○	○	○	○	○	○	○	○	×	○	○	○	×	×	×	×	×	×
45	B001「1」ウイルス疾患指導料	○	○	○	×	○	○	○	○	○	○	○	○	×	○	○	○	×	×	×	×	×	×
46	B001「3」悪性腫瘍特異物質治療管理料	○	○	○	×	○	○	○	○	○	○	○	○	○	○	○	○	○	○	○	○	○	○
47	B001「4」小児特定疾患カウンセリング料	○	○	×	×	○	○	○	○	○	○	○	○	○	○	○	○	×	×	×	×	×	×
48	B001「5」小児科療養指導料	○	○	×	×	○	○	○	○	○	○	○	○	○	○	○	○	×	×	×	×	×	×
49	B001「6」てんかん指導料	○	○	×	×	○	○	○	○	○	○	○	○	×	○	○	○	×	×	×	×	×	×
50	B001「7」難病外来指導管理料	○	○	×	×	○	○	○	○	○	○	○	○	×	○	○	○	×	△	×	×	×	×
51	B001「8」皮膚科特定疾患指導管理料	○	○	×	×	○	○	○	○	○	○	○	○	×	○	○	○	×	×	×	×	×	×
52	B001「12」心臓ペースメーカー指導管理料	○	○	○	×	○	○	○	○	○	○	○	○	×	○	○	○	○	○	○	○	○	○
53	B001「17」慢性疼痛疾患管理料	○	○	○	×	○	○	○	○	○	○	○	○	○	○	○	○	×	×	×	×	×	×
54	B001「18」小児悪性腫瘍患者指導管理料	○	○	×	×	○	○	○	○	○	○	○	○	○	○	○	○	×	×	×	×	×	×
55	B001「21」耳鼻咽喉科特定疾患指導管理料	○	○	○	×	○	○	○	○	○	○	○	○	○	○	○	○	×	×	×	×	×	×
56	B001-2-9 地域包括診療料（※18）	○	×	×	○	○	○	○	○	○	○	○	○	○	○	○	○	○	○	○	○	○	○
57	I004 心身医学療法	○	○	○	×	○	○	○	○	○	○	○	○	○	○	○	○	×	×	×	×	×	×

	23	24	25	26	27	28	29	30	31	32	33	34	35	36	37	38	39	40	41	42	43	44	45	46	47	48	49	50	51	52	53	54	55	56	57
	酸素	静栄	成分	導尿	呼吸	陽呼	在悪	在悪共	処置	疼痛	在振戦	在迷走	仙骨	肺高	気管	難皮	植心	経洗	中耳	初診	再診	特疾	ウイ	悪性	小特	小療	てん	難病	皮膚	心臓	慢疼	小悪	耳特	地包	心身
1	○	○	○	○	○	○	○	○	○	○	○	○	○	○	○	○	○	○	○	○	○	○	○	○	○	○	○	○	○	○	○	○	○	○	○
2	○	○	○	○	○	○	○	○	○	○	○	○	○	○	○	○	○	○	○	●	●	○	○	○	○	○	○	○	○	○	○	○	○	×	○
3	○	○	○	○	○	○	○	○	×	○	○	○	○	○	○	○	○	○	○	○	○	×	○	○	×	×	×	×	×	○	○	×	○	×	○
4	×	×	×	×	×	×	×	×	×	×	×	×	×	×	×	×	×	×	×	●	●	×	×	×	×	×	×	×	×	×	×	×	×	○	×
5	○	○	○	○	○	○	○	○	○	○	○	○	○	○	○	○	○	○	○	○	○	○	○	○	○	○	○	○	○	○	○	○	○	○	○
6	○	○	○	○	○	○	○	○	○	○	○	○	○	○	○	○	○	○	○	○	○	○	○	○	○	○	○	○	○	○	○	○	○	○	○
7	○	×	○	○	○	○	×	○	○	○	○	○	○	○	○	○	○	○	○	○	○	○	○	○	○	○	○	○	○	○	○	○	○	○	○
8	○	○	○	○	○	○	○	○	○	○	○	○	○	○	○	○	○	○	○	○	○	○	○	○	○	○	○	○	○	○	○	○	○	○	○
9	○	○	○	○	○	○	○	○	○	○	○	○	○	○	○	○	○	○	○	○	○	○	○	○	○	○	○	○	○	○	○	○	○	○	○
10	○	○	○	○	○	○	○	○	○	○	○	○	○	○	○	○	○	○	○	○	○	○	○	○	○	○	○	○	○	○	○	○	○	○	○
11	○	○	○	○	○	○	○	○	○	○	○	○	○	○	○	○	○	○	○	○	○	○	○	○	○	○	○	○	○	○	○	○	○	○	○
12	○	○	○	○	○	○	○	○	○	○	○	○	○	○	○	○	○	○	○	○	○	○	○	○	○	○	○	○	○	○	○	○	○	○	○
13	○	○	○	○	○	○	○	○	○	○	○	○	○	○	○	○	○	○	○	×	○	×	×	○	○	○	×	×	×	×	○	○	○	○	○
14	○	○	○	○	○	○	○	○	○	○	○	○	○	○	○	○	○	○	○	●	●	○	○	○	○	○	○	○	○	○	○	○	○	○	○
15	○	○	○	○	○	○	○	○	○	○	○	○	○	○	○	○	○	○	○	○	○	○	○	○	○	○	○	○	○	○	○	○	○	○	○
16	○	○	○	○	○	○	○	○	○	○	○	○	○	○	○	○	○	○	○	○	○	○	○	○	○	○	○	○	○	○	○	○	○	○	○
17	●	●	●	●	●	●	●	●	●	●	●	●	●	●	●	●	●	●	●	○	○	×	×	○	×	×	×	×	×	○	×	×	×	○	×
18	×	×	×	×	×	×	×	×	×	×	×	×	×	×	×	×	×	×	×	○	○	×	×	○	×	×	×	△	×	○	×	×	×	○	×
19	×	×	×	×	×	×	×	×	×	×	×	×	×	×	×	×	×	×	×	○	○	×	×	○	×	×	×	×	×	○	×	×	×	○	×
20	×	×	×	×	×	×	×	×	×	×	×	×	×	×	×	×	×	×	×	○	○	×	×	○	×	×	×	×	×	○	×	×	×	○	×
21	×	×	×	×	×	×	×	×	×	×	×	×	×	×	×	×	×	×	×	○	○	×	×	○	×	×	×	×	×	○	×	×	×	○	×
22	×	×	×	×	×	×	×	×	×	×	×	×	×	×	×	×	×	×	×	○	○	×	×	○	×	×	×	×	×	○	×	×	×	○	×
23		×	×	×	×	×	×	×	×	×	×	×	×	×	×	×	×	×	×	○	○	×	×	○	×	×	×	×	×	○	×	×	×	○	×
24	×		×	×	×	×	×	×	×	×	×	×	×	×	×	×	×	×	×	○	○	×	×	○	×	×	×	×	×	○	×	×	×	○	×
25	×	×		×	×	×	×	×	×	×	×	×	×	×	×	×	×	×	×	○	○	×	×	○	×	×	×	×	×	○	×	×	×	○	×
26	×	×	×		×	×	×	×	×	×	×	×	×	×	×	×	×	×	×	○	○	×	×	○	×	×	×	×	×	○	×	×	×	○	×
27	×	×	×	×		×	×	×	×	×	×	×	×	×	×	×	×	×	×	○	○	×	×	○	×	×	×	×	×	○	×	×	×	○	×
28	×	×	×	×	×		×	×	×	×	×	×	×	×	×	×	×	×	×	○	○	×	×	○	×	×	×	×	×	○	×	×	×	○	×
29	×	×	×	×	×	×		×	×	×	×	×	×	×	×	×	×	×	×	○	○	×	×	○	×	×	×	×	×	○	×	×	×	○	×
30	×	×	×	×	×	×	×		×	×	×	×	×	×	×	×	×	×	×	○	○	×	×	○	×	×	×	×	×	○	×	×	×	○	×
31	×	×	×	×	×	×	×	×		×	×	×	×	×	×	×	×	×	×	○	○	×	×	○	×	×	×	×	×	○	×	×	×	○	×
32	×	×	×	×	×	×	×	×	×		×	×	×	×	×	×	×	×	×	○	○	×	×	○	×	×	×	×	×	○	×	×	×	○	×
33	×	×	×	×	×	×	×	×	×	×		×	×	×	×	×	×	×	×	○	○	×	×	○	×	×	×	×	×	○	×	×	×	○	×
34	×	×	×	×	×	×	×	×	×	×	×		×	×	×	×	×	×	×	○	○	×	×	○	×	×	×	×	×	○	×	×	×	○	×
35	×	×	×	×	×	×	×	×	×	×	×	×		×	×	×	×	×	×	○	○	×	×	○	×	×	×	×	×	○	×	×	×	○	×
36	×	×	×	×	×	×	×	×	×	×	×	×	×		×	×	×	×	×	○	○	×	×	○	×	×	×	×	×	○	×	×	×	○	×
37	×	×	×	×	×	×	×	×	×	×	×	×	×	×		×	×	×	×	○	○	×	×	○	×	×	×	×	×	○	×	×	×	○	×
38	×	×	×	×	×	×	×	×	×	×	×	×	×	×	×		×	×	×	○	○	×	×	○	×	×	×	×	×	○	×	×	×	○	×
39	×	×	×	×	×	×	×	×	×	×	×	×	×	×	×	×		×	×	○	○	×	×	○	×	×	×	×	×	○	×	×	×	○	×
40	×	×	×	×	×	×	×	×	×	×	×	×	×	×	×	×	×		×	○	○	×	×	○	×	×	×	×	×	○	×	×	×	○	×
41	×	×	×	×	×	×	×	×	×	×	×	×	×	×	×	×	×	×		○	○	×	×	○	×	×	×	×	×	○	×	×	×	○	×
42	○	○	○	○	○	○	○	○	○	○	○	○	○	○	○	○	○	○	○		○	×	○	○	○	×	×	×	×	○	○	×	×	×	○
43	○	○	○	○	○	○	○	○	○	○	○	○	○	○	○	○	○	○	○	○		○	○	○	○	○	○	○	○	○	○	○	○	△	○
44	×	×	×	×	×	×	×	×	×	×	×	×	×	×	×	×	×	×	×	×	○		×	○	×	×	×	×	×	×	×	×	×	×	×
45	×	×	×	×	×	×	×	×	×	×	×	×	×	×	×	×	×	×	×	○	○	×		○	×	×	×	×	×	○	×	×	×	×	×
46	○	○	○	○	○	○	○	○	○	○	○	○	○	○	○	○	○	○	○	○	○	○	○		○	○	○	○	○	○	○	○	○	×	○
47	×	×	×	×	×	×	×	×	×	×	×	×	×	×	×	×	×	×	×	○	○	×	×	○		×	×	×	×	○	×	×	×	×	×
48	×	×	×	×	×	×	×	×	×	×	×	×	×	×	×	×	×	×	×	×	○	×	×	○	×		×	×	×	○	×	×	×	×	×
49	×	×	×	×	×	×	×	×	×	×	×	×	×	×	×	×	×	×	×	×	○	×	×	○	×	×		×	×	○	×	×	×	×	×
50	×	×	×	×	×	×	×	×	×	×	×	×	×	×	×	×	×	×	×	×	○	×	×	○	×	×	×		×	○	×	×	×	×	×
51	×	×	×	×	×	×	×	×	×	×	×	×	×	×	×	×	×	×	×	×	○	×	×	○	×	×	×	×		○	×	×	×	×	×
52	○	○	○	○	○	○	○	○	○	○	○	○	○	○	○	○	○	○	○	○	○	×	○	○	○	○	○	○	○		○	○	○	×	○
53	×	×	×	×	×	×	×	×	×	×	×	×	×	×	×	×	×	×	×	○	○	×	×	○	×	×	×	×	×	○		×	×	×	×
54	×	×	×	×	×	×	×	×	×	×	×	×	×	×	×	×	×	×	×	×	○	×	×	○	×	×	×	×	×	○	×		×	×	×
55	×	×	×	×	×	×	×	×	×	×	×	×	×	×	×	×	×	×	×	×	○	×	×	○	×	×	×	×	×	○	×	×		×	×
56	○	○	○	○	○	○	○	○	○	○	○	○	○	○	○	○	○	○	○	×	△	×	×	×	×	×	×	×	×	×	×	×	×		×
57	×	×	×	×	×	×	×	×	×	×	×	×	×	×	×	×	×	×	×	○	○	×	×	○	×	×	×	×	×	○	×	×	×	×	

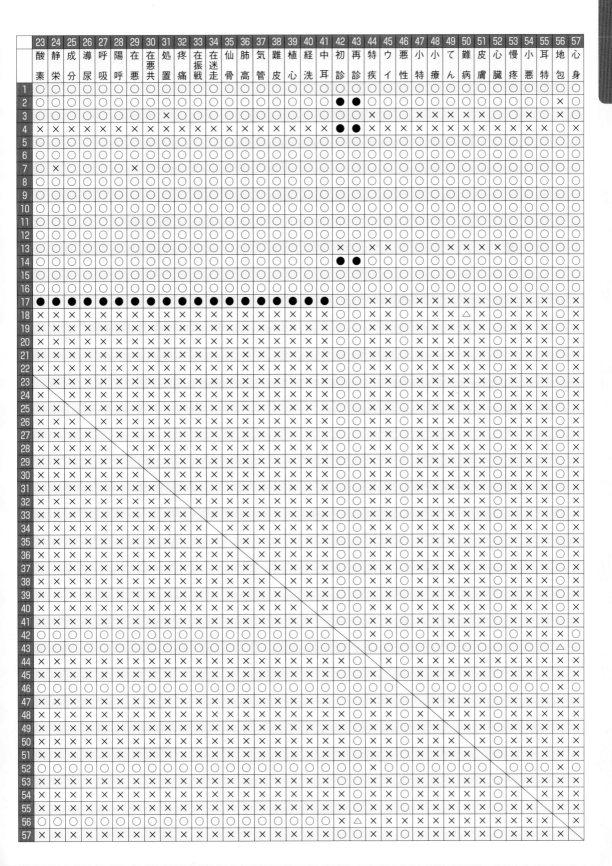

※1　往診料と在宅患者訪問診療料，在宅患者訪問看護・指導料等は原則として同日算定不可だが，訪問診療等のあとに患者の病状急変等により往診を行った場合は同日算定が認められる。また，往診料と在宅がん医療総合診療料も原則として同日算定不可だが，週３回以上訪問診療を行った場合であって訪問診療を行わない日に緊急往診をした場合は同日算定が週２回に限り認められる。

※2　在宅療養支援診療所とその連携保険医療機関を除き，往診料を算定する往診日の翌日までは在宅患者訪問診療料が算定できない（在宅療養支援診療所とその連携保険医療機関では算定可）。C001-2在宅患者訪問診療料（Ⅱ）も同じ。C001とC001-2の同日算定不可。また，C001「１」において，「注６」酸素療法加算を算定した月に，C103在宅酸素療法指導管理料，C107在宅人工呼吸指導管理料との併算定不可。

※3　C002-2施設入居時等医学総合管理料も同じ。C002とC002-2の併算定不可。

※4　在宅療養指導管理料（C100～C121）や悪性腫瘍特異物質治療管理料等の包括的管理料を算定したのちに在宅がん医療総合診療料を算定するのであれば，在宅療養指導管理料もしくは悪性腫瘍特異物質治療管理料等と在宅がん医療総合診療料との同月算定は認められる（順序が逆の場合は同月算定不可）。

※5　C004-2救急患者連携搬送料も同じ。C004とC004-2の併算定不可。

※6　C005-1-2同一建物居住者訪問看護・指導料も同じ。C005とC005-1-2の同日算定不可。

※7　C007「注４」衛生材料等提供加算は，C002在宅時医学総合管理料，C002-2施設入居時等医学総合管理料，C003在宅がん医療総合診療料，C005-2在宅患者訪問点滴注射管理指導料，在宅療養指導管理料（C100～C121）を算定した場合は算定不可。

※8　在宅患者緊急時等カンファレンス料に係る指導と別に継続的に実施している訪問診療を同一日に行った場合は，C001・C001-2在宅患者訪問診療料（Ⅰ）（Ⅱ）との併算定は認められる。

※9　C014外来在宅共同指導料「１」（在宅療養を担う医療機関で算定），C015在宅がん患者緊急時医療情報連携指導料も同じ。

C014外来在宅共同指導料「２」（外来診療を行う医療機関）については，A000初診料・A001再診料・A002外来診療料・C000往診料・C001在宅患者訪問診療料（Ⅰ）・C001-2在宅患者訪問診療料（Ⅱ）と併算定不可。

※10　C101在宅自己注射指導管理料「２」については，B001「７」難病外来指導管理料と併算定可。

※11　C105-2在宅小児経管栄養法指導管理料も同じ。C105，C105-2，C105-3の併算定不可〔在宅療養指導管理料（C100～C121）の併算定不可〕。

※12　C107-3在宅ハイフローセラピー指導管理料も同じ。C107-2とC107-3の併算定不可（在宅療養指導管理料の併算定不可）。

※13　C108-2在宅腫瘍化学療法指導管理料，C108-3在宅強心剤持続投与指導管理料も同じ。C108，C108-2，C108-3の併算定不可（在宅療養指導管理料の併算定不可）。

※14　C110-5在宅舌下神経電気刺激療法指導管理料も同じ。C110-4とC110-5の併算定不可（在宅療養指導管理料の併算定不可）。

※15　C112-2在宅喉頭摘出患者指導管理料も同じ。C112とC112-2の併算定不可（在宅療養指導管理料の併算定不可）。

※16　C117在宅経腸投薬指導管理料，C118在宅腫瘍治療電場療法指導管理料も同じ。C116，C117，C118の併算定不可（在宅療養指導管理料の併算定不可）。

※17　C121在宅抗菌薬吸入療法指導管理料も同じ。C120とC121の併算定不可（在宅療養指導管理料の併算定不可）。

※18　B001-2-10認知症地域包括診療料も同じ。B001-2-9とB001-2-10の併算定不可。また，A001再診料の所定点数は包括され算定できないが，「注５」～「注７」の時間外等加算，「注19」医療情報取得加算３・４は別に算定可。

第2章
在宅診療報酬Q&A

在宅医療

通 則

●1　在宅医療の費用は，第1節（在宅患者診療・指導料）または第2節（在宅療養指導管理料）の各区分の所定点数により算定する。

●2　在宅療養指導管理に当たって薬剤を使用した場合は，前号により算定した点数および第3節（薬剤料）の所定点数を合算して算定する。

●3　在宅療養指導管理に当たって，特定保険医療材料を支給した場合は，前2号により算定した点数および第4節（特定保険医療材料料）の所定点数を合算した点数により算定する。

●4　第1節または第2節に掲げられていない在宅医療であって特殊なものの費用は，第1節または第2節に掲げられている在宅医療のうちで最も近似する区分の所定点数により算定する。

●5　外来感染対策向上加算　組織的な感染防止対策につきＡ000初診料「注11」及びＡ001再診料「注15」に規定する施設基準に適合した届出医療機関（診療所に限る）において，第1節（在宅患者診療・指導料）のうち次に掲げるものを算定した場合，**月1回**に限り**6点**を所定点数に加算する。この場合において，Ａ000初診料「注11」，Ａ001再診料「注15」，第1部（医学管理等）「通則3」又はＩ012精神科訪問看護・指導料「注13」にそれぞれ規定する外来感染対策向上加算を算定した月は，別に算定できない。

イ　在宅患者訪問診療料（Ⅰ）
ロ　在宅患者訪問診療料（Ⅱ）
ハ　在宅患者訪問看護・指導料
ニ　同一建物居住者訪問看護・指導料
ホ　在宅患者訪問点滴注射管理指導料
ヘ　在宅患者訪問リハビリテーション指導管理料
ト　在宅患者訪問薬剤管理指導料
チ　在宅患者訪問栄養食事指導料
リ　在宅患者緊急時等カンファレンス料

発熱患者等対応加算　発熱その他感染症を疑わせるような症状を呈する患者に対して適切な感染防止対策を講じた上で，第1節の在宅患者診療・指導料のうち上記イ～リを算定した場合，**月1回**に限り**20点**を更に所定点数に加算する。

●6　連携強化加算　感染症対策に関する医療機関間の連携体制につきＡ000初診料「注12」及びＡ001再診料「注16」に規定する施設基準に適合した届出医療機関において，外来感染対策向上加算を算定した場合，**月1回**に限り**3点**を更に所定点数に加算する。

●7　サーベイランス強化加算　感染防止対策に資する情報を提供する体制につきＡ000初診料「注13」及びＡ001再診料「注17」に規定する施設基準に適合した届出医療機関において，外来感染対策向上加算を算定した場合，**月1回**に限り**1点**を更に所定点数に加算する。

●8　抗菌薬適正使用体制加算　抗菌薬の使用状況につきＡ000初診料の「注14」及びＡ001再診料の「注18」に規定する施設基準に適合した届出医療機関において，外来感染対策向上加算を算定した場合，**月1回**に限り**5点**を更に所定点数に加算する。

在宅医療

Q1　在宅の範囲

「在宅での療養を行っている患者」とは，どこで療養する患者を指すのですか。

A：自宅，社会福祉施設または障害者施設，従来の居住系施設（特別養護老人ホーム，有料老人ホーム，サービス付高齢者向け専用賃貸住宅）等で療養する患者を指します。

下記で療養する患者は除かれます。
①病院，有床診療所
②介護老人保健施設
③介護医療院

〈保〉

Q2　在宅医療点数の算定制限(1)

①自宅で療養する患者，②社会福祉施設または障害者施設等で療養する患者への在宅医療は，制限がなく提供できるのですか。

A：①②それぞれ次の制限があります。
① 自宅で療養する患者のうち，要介護・要支援の患者は給付調整告示・通知により算定の制限があります。
② 社会福祉施設または障害者施設等で療養する患者については，
ア 要介護・要支援の患者は，給付調整告示・通知により算定の制限があります。
イ 指定障害者支援施設や情緒障害児短期治療施設，救護施設等の施設入所者については，「特別養護老人ホーム等における療養の給付の取扱い」（『早見表』p.1530）で，算定できない点数が規定されています。〈保〉

Q3 在宅医療点数の算定制限(2)

すべての特別養護老人ホーム入所者について，在宅患者訪問診療料等が算定できますか。

A：算定の制限があります。末期の悪性腫瘍の患者と「介護報酬の看取り介護加算の施設基準を満たしている特別養護老人ホームにおいて，支援診・支援病又は特養の協力医療機関の医師が看取った場合，死亡日から遡って30日間に行われた場合」に算定できます。〈保〉

Q4 C002-2の「施設入居者等」

C002-2施設入居時等医学総合管理料は，「施設入居時等」に対して算定する点数ですが，どの施設の入居者が該当するのですか。

A：次の患者が「施設入居時等」に該当します。
ア 次に掲げるいずれかの施設において療養を行っている患者
（イ） 養護老人ホーム
（ロ） 軽費老人ホーム〔「軽費老人ホームの設備及び運営に関する基準」（平成20年厚生労働省令107号）附則第２条第１号に規定する軽費老人ホームA型に限る〕
（ハ） 特別養護老人ホーム
（ニ） 有料老人ホーム
（ホ） 高齢者の居住の安定確保に関する法律（平成13年４月６日法律第26号）第５条第１項に規定するサービス付き高齢者向け住宅
（ヘ） 認知症対応型共同生活介護事業所
（ト） 指定障害者支援施設（生活介護を行う施設に限る）
イ 次に掲げるいずれかのサービスを受けている患者
（イ） 短期入所生活介護
（ロ） 介護予防短期入所生活介護

Q5 在医総管を算定できる施設

施設であっても在宅時医学総合管理料を算定する施設を教えてください。

A：①ケアハウス（特定施設を除く），②小規模多機能型居宅介護事業所（宿泊サービスのみ），③看護小規模多機能型介護事業所（宿泊サービスのみ）です。②③には，退院後を除き利用前30日以内に患家を訪問し診療した場合に，利用30日以内まで，在医総管が算定可という算定要件がある。

Q6 配置医師による医療

特別養護老人ホームの配置医師が，委託契約に基づき実施する医療について，すべて保険請求ができるのですか。

A：配置医師が保険請求できる医療については，「特別養護老人ホーム等における療養の給付の取扱い」（『早見表』p.1530），給付調整告示（『早見表』p.1507）等で算定の制限があります。〈保〉

Q7 在宅医療に関わる薬剤の算定

①在宅医療の通則通知(2)に，「患者の診療を担う保険医の指示に基づき，当該保険医の診療日以外の日に訪問看護ステーション等の看護師等が，当該患者に対し点滴又は処置等を実施した場合は，使用した薬剤の費用については第３節薬剤料により（中略）算定する」（『早見表』p.351）とあり，薬剤料は在宅医療の項で算定するとなっています。
②C005-2在宅患者訪問点滴注射管理指導料の記載要領では，『（在宅患者訪問点滴注射管理指導料に用いる注射薬を支給した場合），「注射」欄の例により記載』とあります（『早見表』p.1658）。
上記の①②では，在宅医療に関わる薬剤について，①は在宅医療の項，②は注射の項での算定するとされていますが，①と②の違いは何ですか。

A：週３回以上の点滴の指示があるなど，C005-2在宅患者訪問点滴注射管理指導料の要件を満たす場合は，お問い合わせの②により算定してください。医師から点滴の指示があった薬剤であれば算定できます。

一方，週２回以下の点滴の指示などC005-2の要件を満たさない場合は，①により算定します。この場合，算定できる薬剤は，在宅医療第３節の薬剤であり，厚労大臣の定める注射薬（『早見表』p.437）に限られますので，ご注意ください。〈オ〉

同一建物居住者

Q1 「同一建物居住者」とは何を指すか

「同一建物居住者」とは具体的に何を指しますか。

A：マンションなどの集合住宅や軽費老人ホーム，有料老人ホーム，サービス付き高齢者向け住宅，認知症対応型グループホーム，特別養護老人ホーム（末期悪性腫瘍の患者，死亡日から遡って30日以内の患者に限る）などが対象となります（介護老人保健施設や医師の配置が義務づけられている施設の入所者は原則として対象外）。

「同一建物居住者の場合」の点数は，同一日に同一建物内に入居（所）する複数の患者を診た場合に算定します。したがって，同一建物内であっても，同一日に1人のみ診た場合は，「同一建物居住者の場合」の点数は算定しません（「同一建物居住者以外の場合」の点数を算定します）。〈保〉

Q2　二世帯在宅など

以下の建物の場合，「同一建物」となりますか。
①玄関が2つある二世帯住宅
②同一世帯で同一敷地内に別棟（母屋とはなれ等の場合も含む）のある住居
③同一建物内に住宅型有料老人ホームやサービス付高齢者向け住宅など複数の施設または当該施設とマンション等が併設されている場合

A：①二世帯住宅は「同一建物」となります。
②建物が別なので，「同一建物」となりません。
③同じ建物なので併設であっても「同一建物」となります。〈保〉

Q3　敷地内に建物が何棟もある場合

在宅患者訪問診療料等について，同一敷地内または隣接地に棟が異なる建物が集まったマンション群や公団住宅等は，それぞれの建物を別の建物と扱ってよいでしょうか。

A：そのとおりです。〈厚平22.3.29，一部修正〉

Q4　渡り廊下でつながった複数の建物

在宅患者訪問診療料等について，外観上明らかに別建物であるが渡り廊下のみで繋がっている場合は，別建物として扱ってよいでしょうか。

A：よいです。〈厚平22.3.29，一部修正〉

Q5　形態が同じだが，棟が異なる建物

特別養護老人ホームや養護老人ホーム，軽費老人ホーム等の施設で，形態としては同一の施設だが棟が異なる等の建物の場合は，それぞれの建物を別の建物と扱ってよいでしょうか。

A：別の建物と考えます。〈保〉

Q6　往診と訪問診療を同時に行った場合

同一日，同一建物において，往診で1人目，訪問診療で2人目を診た場合，1人目は往診料，2人目は在宅患者訪問診療料（Ⅰ）（「1」「ロ」同一建物居住者の場合：213点）の算定でよいですか。

A：同一日に同一建物へ往診と訪問診療を行う場合，往診は訪問診療の人数としてカウントしない扱いですので，1人目は往診料，2人目は在宅患者訪問診療料（Ⅰ）「1」「イ」（888点）で算定します。順番が逆でも同じ扱いになります。

Q7　医療と介護の対象者が同一建物にいる場合

在宅患者訪問診療料等について，同一建物内に要支援・要介護者である患者とそうでない患者がいて，例えば医療保険の訪問看護を受けた者と，介護保険の訪問看護を受けた者がいる場合は，同一建物居住者となるのですか。

A：介護保険の訪問看護，訪問リハ等は考慮せず，医療保険の対象者のみで考えます。〈厚平22.3.29，一部修正〉

Q8　在医総の算定患者が同一建物にいる場合

同一の建物内に，C003在宅がん医療総合診療料を算定している患者と算定していない別の患者がいて，同一日に同一医療機関の医師が訪問診療をそれぞれの患者に行った場合，在宅がん医療総合診療料を算定していない患者は「同一建物居住者」となるのですか。

A：①往診の患者，②在宅がん医療総合診療料を算定する者，③末期悪性腫瘍の患者が訪問診療開始60日以内の患者，④死亡日からさかのぼって30日以内の場合は，同一建物居住者訪問診療の患者数にはカウントしません。〈保〉

同一患家

Q1　「同一患家」とは何か

「同一患家」とは何ですか。

A：一戸建てまたは同一建物の一室に複数の患者が同居する同一世帯のことです。〈保〉

Q2　居住系施設に夫婦が入居している場合

有料老人ホーム等の従前の居住系施設において，夫婦で同一の居室に入居している場合，「同一患家」となるのですか。

A：その通りです。「同一患家」の考え方が適用され，1人目は在宅患者訪問診療料（Ⅰ）「1」「イ」の888点を，2人目以降については初診料，再診料または外来診療料を算定します。〈保〉

Q3　同一患家の複数患者への訪問看護

同一建物内において，「同一患家」の複数の患者に対し訪問看護を行った場合は，「同一建物居住者」となるのですか。

A：その通りです。訪問看護の場合は「同一患家」にはならず，「同一建物居住者」となります。「同一患家」の考え方は，往診と訪問診療のみの規定であり，訪問看護には適用されません。〈保〉

在宅療養支援診療所

在宅療養支援診療所は，①高齢者ができる限り住み慣れた家庭や地域で療養しながら生活ができるよう，また，身近な人に囲まれて在宅での最期を迎えることも選択できるようにする，②療養病床が在宅医療の拠点として転換する場合の，転換先の一つであること等を想定として，診療報酬上に設けられました。高い評価をした点数が設定されています。

●24時間往診および訪問看護の提供体制等の施設基準を満たしたうえで，地方厚生局長等に届出が必要です。

●在宅での緊急時の24時間対応や看取り機能を強化した在宅療養支援診療所（以下，強化型支援診）があり，常勤医師３人以上等の基準を単独で満たす「単独型」と「連携型」があります。

●強化型以外の支援診・病院においては，緊急な往診や看取りの実績を満たすと往診料，在医総管，在医総等について加算点数（在宅緩和ケア充実診療所・病院加算，在宅療養実績加算１，２）が設定されています。

●在宅患者の割合が95％以上の「在宅医療を専門とする在宅療養支援診療所」では，看取りが年20件以上又は15歳未満の超・準超重症児に対する総合的医学管理の実績が10件以上――等の要件を満たせない場合は減算となります。

在宅療養支援病院

許可病床数が200床未満の病院〔医療従事者の確保が困難かつ医療機関が少ない特定地域（『早見表』p.1284，別表第６の２）では280床未満〕または地域に在宅療養を提供する診療所がない場合（半径４km以内）で，24時間往診等が可能な体制を確保し，その他支援診と同じ要件を満たしたうえで，届出により在宅療養支援診療所と同等の役割を果たす施設として設定されました。

●診療所と同様に，機能強化型の在宅療養支援病院（単独型・連携型）が設けられています。

在宅療養後方支援病院

在宅患者の後方受入れの役割を担う施設です。

●①許可病床数200床以上（医療従事者の確保が困難かつ医療機関が少ない特定地域では160床以上），②在宅療養後方支援を行うための十分な体制を整備（連携医療機関の求めに応じて入院希望患者の診療が24時間可能等），③連携医療機関との間で，３月に１回以上，患者の診療情報の交換を実施――等の施設基準が定められています。

施設基準（強化型・その他共通）

Q1　訪問診療を実施した回数 新

在宅療養支援診療所及び在宅療養支援病院の施設基準において，「各年度５月から７月の訪問診療を実施した回数が2,100回を超える病院にあっては，次年の１月までに在宅データ提出加算に係る届出を行う」とありますが，ここでいう「訪問診療を実施した回数」とは以下の場合の算定回数の合計を指すのですか。

①　C100在宅患者訪問診療料（Ⅰ）（同一の患家において２人以上の患者を診療している場合であって，２人目以降の患者についてA000初診料又はA001再診料を算定している場合を含む）

②　C001-2在宅患者訪問診療料（Ⅱ）

③　C003在宅がん医療総合診療料（ただし，訪問診療を行った場合に限る）

A：そのとおりです。　〈厚令6.4.26〉

Q2　看取り実績のカウント方法

看取り実績は，自宅（療養施設含む）で看取った場合のみ数えるという考え方でしょうか。

A：2018年の改定で，あらかじめ患者・家族の意向を確認するという算定要件を満たしている場合は，自宅に加えて受入医療機関に入院して７日以内に死亡した場合は看取り実績に加えることができるようになりました。

Q3　無床診でも届出可能か

支援診は無床診療所でも届出できますか。

A：診療所であり，施設基準を満たせば，有床か無床かを問わず届出が可能です。　〈保〉

施設基準（強化型以外）

Q4　在宅療養支援病院の施設基準⑴

病院の半径４km以内にある診療所が在宅医療を全く行っていない診療所であっても，当該病院（許可病床数200床以上）は在宅療養支援病院の施設基準を満たさないのでしょうか。

A：在宅療養支援病院の施設基準を満たすものではありません。〈厚平20.3.28〉

Q5　在宅療養支援病院の施設基準⑵

在宅療養支援病院の施設基準を満たすものとして届出を行った後，半径４km以内に診療所が設立された場合でも，在宅療養支援病院として診療報酬を算定できるのですか。

A：算定できます。〈厚平20.3.28〉

Q6　在宅療養支援病院の施設基準⑶

半径４km以内に診療所があっても届出ができますか。

A：病床数200床未満（医療従事者の確保が困難かつ医療機関が少ない特定地域では280床未満）の病院であれば，４km以内に診療所があっても届出ができます。〈保〉

Q7　調剤薬局も24時間体制が必要か

在宅療養支援診療所が院外処方の場合，調剤薬局も24時間の体制が必要なのですか。

A：薬局の体制について要件はありません。〈保〉

施設基準（強化型）

Q8　強化型支援診・支援病の基準

強化型支援診・支援病の基準について，１つの保険医療機関で基準を満たす必要がありますか。

A：１つの保険医療機関が単独で基準を満たす場合（単独型）と，複数の保険医療機関が連携して基準を満たす場合（連携型）があります。連携型は，10未満の支援診・支援病院で連携します。〈保〉

Q9　緊急の受け入れ実績

機能強化型の在宅療養支援病院の施設基準における「在宅療養支援診療所等からの要請により患者の緊急の受入れを行った実績が過去１年間で31件以上ある」について，特別の関係にある在宅療養支援診療所等からの要請による受入れについても，当該実績に含めてよいでしょうか。

A：不可。〈厚令4.3.31〉

Q10　強化型支援診・支援病（連携型）

強化型支援診・支援病（連携型）は強化型支援診・支援病（単独型）の基準に加えて，どのような基準を満たす必要がありますか。

A：複数の保険医療機関が連携して強化型支援診・支援病の届出を行う場合，強化型以外の基準に加え，次の基準を満たし，「在宅支援連携体制」を構築する必要があります。

ア　24時間体制で直接連絡が取れる電話番号等を一元化したうえで，連絡先および担当者を患者または家族に文書により提供する。そのほかに自院の連絡先を文書に記載してもよい。

イ　連携保険医療機関間で月１回以上の対面による定期的なカンファレンスを実施する。

ウ　直近１年間で，連携全体で緊急な往診10件以上，看取り数４件以上，医療機関ごとに緊急な往診４件以上，看取り数２件以上の実績を有すること。〈保〉

Q11　常勤医師「３名以上」の要件⑴

連携する他の保険医療機関と合わせて「在宅医療を担当する常勤の医師が３名以上」の要件を満たす場合は，診療所の常勤医師１名と200床未満病院の常勤医師２名でもよろしいでしょうか。

A：その方法でも問題ありません。

Q12　常勤医師「３名以上」の要件⑵

在宅医療を担当する「常勤医師が３人以上」という要件について，非常勤医師を常勤換算して算入することはできますか。

A：常勤換算できません。〈保〉

Q13　強化型支援病の医師

病院が強化型支援病の届出を行う場合，在宅部門の専任の医師でなければいけないのですか。

A：専任でなくてもよいです。入院診療または外来診療に限らず，現に在宅医療に関わる医師とされています。なお，当直体制を担う日は在宅医療を担当することはできません。〈保〉

Q14　「緊急の往診」とは

施設基準に「過去１年間の緊急の往診実績10件以上」とありますが，「緊急の往診」とはどのような往診ですか。

A：緊急往診・夜間・休日・深夜加算を算定する往診が該当します。〈保〉

Q15　連携の契約に書面は必要か（無床診の病床確保）

無床診療所において，患者の緊急入院用に病床を確保するため他の医療機関等と連携する場合，連携医療機関との書面による契約が必要ですか。

A：必要ありません。ただし記録に残しておくことが望ましいとされています。〈保〉

Q16　病院は複数の支援診と連携可能か

緊急入院先となる病院が複数の在宅療養支援診療所と連携してもよいでしょうか。

A：かまいません。〈保〉

Q17　強化型支援診療所・病院連携保険医療機関の制限

在宅支援連携体制を構築して強化型支援診・支援病（連携型）の基準を満たす場合，連携する保険医療機関に制限がありますか。

①連携する保険医療機関数
②連携する対象保険医療機関
③連携する保険医療機関間の距離
④都道府県を越えた保険医療機関との連携
⑤特別の関係にある保険医療機関との連携

A：次の通りです。なお，連携するすべての医療機関が強化型支援診・支援病であるとします。

①10未満とされている。
②診療所または「半径４kmに診療所がない病院」または200床未満（医療従事者の確保が困難かつ医療機関が少ない特定地域では280床未満）の病院に限られる。
③特に制限は示されていない。
④連携できる（平成24年３月19日厚労省口頭回答）。
⑤連携できる。〈保〉

Q18　強化・連携型支援診・病院における連携医療機関も支援診でなければならないか

「連携保険医療機関」は在宅療養支援診療所でなければならないのでしょうか。

A：在宅療養支援診療所・病院でなければなりません。

Q19　連携型のカンファレンス

連携型の場合，在宅支援連携体制を構築する医療機関間において月１回以上の定期的なカンファレンスの実施が求められていますが，カンファレンスには毎回参加する必要がありますか。

A：原則は毎回の参加が必要です。ただし，やむを得ない事情等で欠席した場合は保険医療機関間で十分な情報共有を行う必要があります（平成24年３月19日厚労省口頭回答）。〈保〉

Q20　連携先が実績を満たさない場合⑴

連携型の機能強化型在支診・在支病では，それぞれの医療機関が在宅における看取りの実績要件を満たすことが必要ですが，連携に参加していた医療機関の中で実績を満たせない医療機関が出た場合，当該連携に参加している全ての医療機関において，機能強化型に応じた点数が算定できないこととなるのでしょうか。

A：一部に実績を満たさない医療機関が出た場合においても，連携内の全ての医療機関が各々引き続き実績以外の要件を満たすとともに，実績を満たさなくなった医療機関以外の連携医療機関において，３名以上の常勤医師の配置，入院できる病床の確保，過去１年間に合計10件以上の緊急往診，４件以上の在宅看取り実績等の要件を満たしている場合は，実績を満たしている医療機関は機能強化型に応じた点数を算定できます。なお，この場合，実績を満たさなくなった医療機関は引き続き連携内に留まることになりますが，機能強化型に応じた点数を算定することはできません。〈厚平26.9.5〉

Q21　連携先が実績を満たさない場合⑵

連携型の機能強化型在支診・在支病について，一部の医療機関が実績を満たせなくなった場合，連携に参加する全ての医療機関が改めて届出を行わなければならないのでしょうか。

また，一時的に実績を満たせなくなった医療機関が，後日，実績を満たした場合にはどのような取扱いになるのでしょうか。

A：連携に参加する医療機関それぞれが改めて届出を行う必要はありませんが，実績を満たさなくなった医療機関はその旨を速やかに届け出なくてはなりません。

また，実績を満たさなくなった医療機関が，後日，実績を満たした場合には，当該医療機関がその旨届出を行うことで，再び強化型に応じた点数を算定することができるようになります。〈厚平26.9.5〉

在宅療養後方支援病院

Q22　在宅療養後方支援病院の届出

在宅療養後方支援病院の届出については，在宅療養支援病院であっても届出が可能ですか。

A：在宅療養支援病院は届出することができません。〈厚平26.3.31〉

Q23　診療情報の交換の程度

入院希望患者に対して在宅医療を提供している医療機関と連携し，３月に１回以上，診療情報の交換を行う要件がありますが，在宅医療の状況を逐一報告するのでしょうか。

A：詳細な診療内容が記載されている必要はありませんが，現時点において患者が引き続き当該病院に緊急時に入院することを希望しているか等，事前の届出内容の変更の有無および期間中の特記すべき出来事の有無（ある場合はその内容）が記載されている必要があります。〈厚平26.4.4〉

Q24 診療情報の交換の形式

3月に1回以上患者の情報交換をしていることとありますが，どのような形式で情報交換をしなければならないのでしょうか。

A：FAXやメールでの情報交換でも差し支えありませんが，記録の残らない電話等は認められません。〈厚平26.4.23〉

在宅医療専門の医療機関

Q25 在宅医療のみを実施する医療機関

これまで外来応需の体制を有していた医療機関が在宅医療のみを実施することとした場合，地方厚生（支）局長に対して所定の要件を満たしている旨を報告する必要がありますか。

A：在宅医療のみを実施する医療機関については，所定の要件を満たすことが確認できる場合に限って保険医療機関としての指定が認められるものであり，要件を満たしていることを地方厚生（支）局長が確認できるよう報告することが求められます。〈厚平28.3.31〉

Q26 保険医療機関の指定手続き

在宅患者割合が95％以上の場合，在宅医療専門診療所として保険医療機関の指定を受けなければなりませんか。

A：外来応需の体制を備えていれば，必要はありません。〈保〉

地方厚生局長等への届出方法

Q27 強化型以外の支援診・病院の実績要件

在宅療養実績加算は算定しませんが，緊急の往診件数等の実績を届け出なければなりませんか。

A：在宅療養実績加算の算定（届出）をしない場合は，実績の届出は不要です。

Q28 届出における実績要件(1)

連携型の場合，過去1年間の緊急往診や在宅看取り数の実績要件について，在宅支援連携体制を構築するそれぞれの保険医療機関の実績を合算することはできますか。

A：できます。在宅支援連携体制を構築するそれぞれの保険医療機関の実績を合算して，基準を満たせばよいこととします。〈保〉

Q29 届出における実績要件(2)

強化型支援診・支援病（連携型）の届出にあたり，定期的なカンファレンスの実績は必要ですか。

A：実績は不要です。なお，連携型の届出が受理された以降は，在宅支援連携体制を構築する保険医療機関間において，月1回以上の定期的なカンファレンスの実施が必要です。〈保〉

Q30 届出用紙

届出用紙に「『第9』の1の(1)に規定する在宅療養支援診療所」等とあるが，「第9」の1の(1)～(3)，「第14の2」の1の(1)～(3)とは何ですか。

A：支援診療所や支援病院の類型区分を示すもので，以下のとおりです。

「第9」の1の(1)：機能強化・単独型支援診療所
「第9」の1の(2)：機能強化・連携型支援診療所
「第9」の1の(3)：機能強化型以外の支援診療所
「第14の2」の1の(1)：機能強化・単独型支援病院
「第14の2」の1の(2)：機能強化・連携型支援病院
「第14の2」の1の(3)：機能強化型以外の支援病院

Q31 届出書添付書類の様式

強化型支援診・支援病の届出を行う場合，届出書添付書類はどの様式を用いるのですか。

A：様式11（支援診）または様式11の2（支援病）に加え，単独型は様式11の3，連携型は様式11の4を用います。

なお，様式11の3，様式11の4は新規の届出および定時報告の両方に用いるものであり，これらの様式を用いて緊急往診件数や在宅看取り数等を報告します。〈保〉

Q32 連携医療機関等の届出（支援診） 新

患者ごとに連携医療機関等が異なる場合は，すべて届け出る必要があるのですか。

A：そのとおりです。届け出る必要があります。変更があった場合も届け出る必要があります。〈保〉

Q33 新たな連携の場合（強化・連携型支援診・病院）

届出をした連携医療機関以外の医療機関等と新たに連携する場合，そのつど届出が必要ですか。

A：変更の届出が必要です。〈保〉

Q34 他医療機関，訪問看護ステーションとの連携の届出（支援診療所）

24時間の往診・訪問看護の体制を確保するために，他の医療機関や訪問看護ステーションと連携する場合は届出が必要ですか。

A：必要です。連携先の医療機関，訪問看護ステーションについては，在宅療養支援診療所において届出する必要があります。届出をしていない場合，連携医療機関の点数を算定できません。〈保〉

患者に配布する文書の要件など

Q35　支援診・病院から患者への配布文書

在宅療養支援診療所が在宅医療を提供するうえで，患者への配布文書に記載すべきものの要件は何ですか。

A：要件は以下のとおりです。

① 在宅療養支援診療所において，患者から24時間連絡を受ける医師または看護職員（看護師，准看護師）を指定し，その連絡担当者と連絡先，緊急時の注意事項等について文書を，在宅療養を提供する患者やその看護を行う家族に渡し説明する。またその文書をカルテに添付する。

② 上記の患者のうち，24時間の往診や訪問看護の提供が必要である患者について，患家の求めに応じて24時間の往診・訪問看護を提供する体制を確保し，これを示した文書を患者ごとに渡し説明する。またその文書をカルテに添付する。なお，支援病院は24時間往診が可能な体制を確保し，往診担当医の氏名，担当日等を患家に提供しなければならない。

③ 強化・連携型の診療所・病院の場合は，①，②に加えて「一元化した連絡先」を連絡しなければならない。〈保〉

Q36　支援診における文書の様式 新

患者または患家に渡す文書の様式は定められていますか。

A：特に定められていません。〈保〉

Q37　支援診・病院が高点数を算定可の患者

支援診，支援病院が他の医療機関より高い点数を算定できるもの（機能強化型の点数）は，すべての患者に対して算定できるのですか。

A：主治医が必要と認め，24時間連絡受付体制および24時間の往診・訪問看護を提供する体制を確保し，これを示した文書を渡している患者に対してのみ高い点数が算定できます。〈保〉

連携調整

Q38　連携調整を担当する者(1)

施設基準に「当該地域において，他の保健医療サービス及び福祉サービスとの連携調整を担当する者と連携していること」とありますが，この「連携調整を担当する者」は介護支援専門員（ケアマネジャー）のことですか。

A：ケアマネジャーに限らず，連携調整を担当する者であれば資格等は問われません。〈保〉

Q39　連携調整を担当する者(2)

「地域において，他の保健医療サービス及び福祉サービスとの連携調整を担当する者」は届出をする在宅療養支援診療所・病院の職員でなければならないのですか。

A：そうとは限りません。自院の職員でも，連携により確保していてもよいとされています。〈保〉

Q40　医師が連携調整をしている場合

医師本人が連携調整を担当している場合は，他のサービス事業者等と連携調整をする必要がありますか。

A：医師本人が担当する場合でも，他サービス事業者の保健医療サービス・福祉サービスの連携調整を担当する者と連携する必要があります。

24時間連絡体制

Q41　支援診・病院を届け出た場合24時間連絡体制は必要か

在宅療養支援診療所・病院を届出した場合，在宅療養を提供する患者に24時間連絡を受ける体制をとらなければなりませんか。

A：その通りです。なお，その場合には24時間連絡受付体制を示した文書を提供します。〈保〉

Q42　24時間往診・訪問看護体制が必要な患者がいない場合

24時間往診・訪問看護体制が必要な患者がいない医療機関でも，在宅療養支援診療所になるためには施設基準の体制を整える必要がありますか。

A：自院で，あるいは他の医療機関との連携でも差し支えありませんが，体制を整える必要があります。なお，支援病院は自院で24時間往診できる体制を整えなければなりません。〈保〉

Q43　患者に渡す24時間連絡体制の文書内容

24時間連絡受付体制について患者に事前に渡しておかなければならない文書の内容は何ですか。

A：連絡担当者および連絡担当者と直接連絡がとれる連絡先電話番号，緊急時の注意事項等です。なお，曜日，時間帯ごとに往診や訪問診療，訪問看護の担当者が異なる場合にはそれぞれ明示しなければなりません。〈保〉

Q44　24時間連絡体制の文書の様式

在宅療養を提供する患者には24時間連絡受付体制を示した文書の提供が必要とのことですが，その様式があれば教えてください。

A：様式は定められていません。Q43の記載事項が記載されているものであればよいです。〈保〉

Q45 連携型の24時間受付体制

連携型の場合，患者または家族からの24時間連絡受付体制はどのようにすればよいですか。

A：在宅支援連携体制を構築する医療機関間で24時間直接連絡がとれる連絡先電話番号等を一元化したうえで，連絡先および担当者を患者または家族に文書により提供します。なお，曜日，時間帯ごとに担当者が異なる場合はそれぞれの担当者を明示します。〈保〉

Q46 患者への文書提供

支援診・支援病は，24時間連絡受付体制と24時間往診・訪問看護体制を確保している旨の文書を患者に交付する必要がありますが，機能強化連携型の場合はどのような文書を交付するのですか。

A：機能強化連携型の在宅支援連携体制を構築する医療機関間で24時間直接連絡がとれる一元化した連絡先電話番号等を記載します。〈保〉

連絡担当者

Q47 連絡担当者は医師のみでよいか

支援診の場合，24時間連絡を受ける医師又は看護職員（＝連絡担当者）をあらかじめ指定するとありますが，医師のみでよいでしょうか。

A：24時間連絡を受けることができれば，連絡担当者は，医師のみでかまいません。〈保〉

Q48 医師が連絡受付担当者の場合

医師が24時間連絡を受ける担当者になる場合，常勤医でなければならないでしょうか。

A：連絡を受ける担当者が指定されていれば非常勤の医師でもかまいません。〈保〉

Q49 連絡担当者が看護師の場合

24時間連絡を受ける体制として看護師を指定する場合，有床診療所の当直室（看護師が当直）を連絡先としてもよいでしょうか。

A：構いません。ただし，当直の看護師が曜日や時間帯で異なる場合，曜日，時間帯ごとの担当者を明らかにしておく必要があります。〈保〉

Q50 連絡担当者の連絡先

「24時間連絡を受ける医師又は看護職員（連絡担当者）の連絡先」は携帯電話でもよいですか。

A：かまいません。ただし，連絡担当者と直接確実に連絡が取れるものであることが必要です。

Q51 連絡担当者は事務員でもよいか

24時間連絡を受ける担当者は事務職員でよいでしょうか。

A：支援診療所は医師又は看護職員（看護師，准看護師）でなければなりません。支援病院は，医師，看護師，その他の職員のいずれが担当しても問題ありません。〈保〉

Q52 連絡担当者が外部の者でもよいか(1)

連絡担当者は在宅療養支援診療所・病院の職員以外の担当者でもよいでしょうか。

A：外部の担当者では不可です。在宅療養支援診療所・病院の職員を連絡担当者としておかなければなりません。〈保〉

Q53 連絡担当者は外部の者でもよいか(2) 新

「24時間連絡を受ける医師又は看護職員をあらかじめ指定する」とありますが，連絡担当者は在宅療養支援診療所の職員以外でもよいですか。

A：在宅療養支援診療所に担当者をおかなければなりません。24時間連絡を受ける体制を在宅療養支援診療所に確保する必要があります。なお，連絡先は携帯電話でもかまいません。〈保〉

Q54 緊急連絡を受ける担当者の変更

緊急連絡を受ける担当者・担当日が毎月変わる場合は，毎月文書を提供するのですか。

A：その通りです。変更した24時間連絡受付体制を示した文書を改めて渡す必要があります。〈保〉

緊急時

Q55 緊急連絡の文書

24時間連携体制の文書の他に緊急連絡についての文書は別に必要ですか。

A：別に必要です。「緊急連絡」の文書には日々の往診や訪問看護担当者等の記載，その他が必要になります。〈保〉

Q56 緊急連絡の文書を渡した患者から往診の求めがあった場合

24時間往診・訪問看護体制を示した文書を渡した患者から，往診の求めがあった場合，在宅療養支援診療所から往診しなければなりませんか。

A：往診の求めがあった日の担当医が在宅療養支援診療所・病院の医師である場合はその通りです。ただし，支援診において，連携医療機関の医師が担当医となっている場合はその医師に往診するように連絡します。なお，緊急やむをえない場合は当日の往診担当医以外の医師に往診を手配することもあり得ます。〈保〉

Q57　緊急入院の病床確保

緊急入院の病床は自院で確保しなければならないのでしょうか。

A：無床診療所であれば，他の医療機関に入院できる体制の確保が必要です。有床診療所，支援病院であれば自院での対応でかまいません。〈保〉

Q58　救急対応のほうがよい場合

24時間往診・訪問看護体制を示した文書を渡した患者から求めがあれば，必ず往診または訪問看護により対応する必要があるのでしょうか。連絡の内容によっては救急対応のほうがよい場合や相談のみで済む場合の対応はどうしたらいいですか。

A：原則，往診または訪問看護の対応が必要となりますが，救急車を手配するなど救急対応が必要な場合や相談のみの対応となる場合等，医学的な必要性のもとに対応することでも差し支えありません。〈保〉

Q59　緊急入院受入医療機関への情報提供

支援診から緊急入院先の受入医療機関に対しても情報提供が必要でしょうか。

A：必要です。緊急入院先の医療機関に対しても患者についての基本的な情報提供は必要です。〈保〉

算定

Q60　在宅療養支援病院・診療所だけの点数

在宅療養支援病院・診療所でなければ算定できない点数や算定要件はありますか。

A：主なものとしては以下のとおりです。

(1)　在宅療養支援病院・診療所のみ算定可能

①C003在宅がん医療総合診療料

②往診翌日までのC001・C001-2在宅患者訪問診療料（Ⅰ）（Ⅱ）（支援診の連携医療機関も算定可）

③A000「注10」機能強化加算，B001-2-9地域包括診療料，B001-2-10認知症地域包括診療料　――等

(2)　他の医療機関より高い点数で算定可能

①C002在宅時医学総合管理料「1」「2」およびC002-2施設入居時等医学総合管理料「1」「2」

②C000往診料の「注1」緊急・夜間・休日・深夜加算「イ」「ロ」

③C001・C001-2在宅患者訪問診療料（Ⅰ）（Ⅱ）の「注6」「注5」在宅ターミナルケア加算「イ」「ロ」

④B004退院時共同指導料1「1」

⑤往診料，在医総管・施医総管・在医総の在宅緩和ケア充実診療所の病院加算，在宅療養実績加算1，2――等

⑥A001再診料「注12」地域包括診療加算，「注13」認知症地域包括診療加算（在宅療養支援診療所・他の要件を満たせば支援診以外でも算定可）

(3)　その他

在宅患者訪問看護・指導料（同一建物居住者訪問看護・指導料）の緊急訪問看護加算は在宅療養支援病院の医師からの指示が必要（なお診療所は支援診療以外の診療所の医師の指示でもよい）。

Q61　強化型支援診・支援病の点数設定

強化型支援診・支援病が，従来の支援診・支援病よりも高い点数が設定されている点数は何ですか。

A：強化型支援診・支援病を届け出た保険医療機関は，次の点数について，従来の支援診・支援病よりも高い点数が算定できます。さらに「病床を有する場合」と「病床を有しない場合」に区分され，「病床を有する場合」のほうが高い点数が設定されています。

ア　往診料の緊急往診加算・夜間又は休日加算・深夜加算，在宅ターミナルケア加算

イ　在宅患者訪問診療料（Ⅰ）（Ⅱ）の在宅ターミナルケア加算

ウ　在宅時医学総合管理料

エ　施設入居時等医学総合管理料

オ　在宅がん医療総合診療料〈保〉

Q62　強化型支援診（連携型）の点数算定

強化型支援診（連携型）の無床診療所において，

①連携体制内の別の医療機関が病床を有している場合，「病床を有する場合」と「病床を有しない場合」のどちらの点数を算定するのですか。

②連携体制に属していない病院または有床診と連携して緊急時の病床を確保している場合，「病床を有する場合」と「病床を有しない場合」のどちらの点数を算定するのですか。

A：①「病床を有する場合」の点数を算定する。
②「病床を有しない場合」の点数を算定する。〈保〉

Q63　2つの連携体制に参加の場合の点数

当院は強化・連携型支援診療所で2つの連携グループ（在宅支援連携体制）に参加しています。

1つのグループは支援病院が参加していて「病床あり」，2つ目は無床診療所だけで病床なしです。在宅患者を「病床あり」と「病床なし」の連携グループに振り分けて管理していますが，すべての患者に「病床あり」の点数が算定できるのですか。

A：患者を「病床あり」のグループで管理していれば「病床あり」の点数を算定し，「病床なし」のグループで管理していれば「病床なし」の点数を算定します。

Q64　強化・連携型の点数算定方法

病床ありの連携体制に参加している強化・連携型の支援診療所（院外処方）ですが，今のところ連携医療機関の医師に往診してもらったことがな

い患者についても，在医総管等で，強化・連携型（病床あり）の点数を算定してもよいですか。

A：強化・連携型（病床あり）の点数が算定できます。

診療記録

Q65　診療記録管理に必要な体制(1)

在宅療養支援病院の施設基準に「患者に関する診療記録管理を行うにつき必要な体制が整備されていること」とされていますが，A 207診療録管理体制加算を届け出ておく必要があるのですか。

A：診療録管理体制加算を届け出るとの要件はないため，必要ありません。〈保〉

Q66　診療記録管理に必要な体制(2)

届出は不要とのことですが，「患者に関する診療記録管理を行うにつき必要な体制が整備されている」とは診療録に診療の内容を記載するだけでよいでしょうか。

A：診療内容の診療録への記載はもとより，患者への文書提供，連携医療機関へ提供した診療情報および連携医療機関から提供される診療情報を集約して管理する体制です。〈保〉

報告

Q67　報告書の提出

強化型以外の支援診・病院の施設基準上求められている在宅患者看取り数に関する報告書（届出様式11の3）は支援診・病院の届出の際に提出する必要がありますか。

A：届出の際には提出する必要があります。

Q68　報告書の死亡数記入欄

施設基準上求められている報告書（届出様式11の3，11の4，11の5）には「医療機関での死亡数」「医療機関以外での死亡数」の記入欄がありますが，医療機関とはどこまでが含まれるのですか。

A：「医療機関」とは診療所，病院であり，介護老人保健施設等の入所施設で死亡した場合は「自宅以外」欄に記入します。

Q69　地方厚生局長等への定時報告(1)

在宅看取り数等の報告が求められていますが，その報告はいつ行うのですか。

A：地方厚生局長等に対し毎年7月1日現在の状況を年1回報告します。〈保〉

Q70　地方厚生局長等への定時報告(2)

強化・連携型の場合，複数の保険医療機関で在宅支援連携体制を構築していますが，報告はどのように行うのですか。

A：在宅支援連携体制を構築するすべての保険医療機関において，それぞれの在宅看取り数等について様式11の3を用いて報告します。

さらに別途，様式11の4を用いて在宅支援連携体制を構築するすべての保険医療機関の実績をあわせた在宅看取り数や緊急往診回数，カンファレンスの開催実績等を報告します。

なお，様式11の4は，在宅支援連携体制を構築する複数の保険医療機関のうち，1つの施設が取りまとめて報告することで差し支えありません。〈保〉

Q71　在宅療養実績加算の届出医療機関

強化型以外の支援診・病院で在宅療養実績加算の届出をしていますが，この場合何か報告しなくてはならないのですか。

A：在宅療養実績加算を算定する医療機関は，様式11の5を用いた報告も必要です。

第1節　在宅患者診療・指導料

C000　往診料

C000　往診料　720点

注1　別に厚生労働大臣が定める時間において入院中の患者以外の患者に対して診療に従事している場合に緊急に行う往診，夜間（深夜を除く）又は休日の往診，深夜の往診を行った場合には，在宅療養支援診療所，在宅療養支援病院等の区分に従い，次に掲げる点数を，それぞれ所定点数に加算する。

イ　別に厚生労働大臣が定める患者に対し，在宅療養支援診療所又は在宅療養支援病院であって別に厚生労働大臣が定めるものの保険医が行う場合（編注：機能強化型支援診療所・支援病院）

(1)　病床を有する場合

①緊急往診加算　850点

②夜間・休日往診加算　1,700点

③深夜往診加算　2,700点

(2)　病床を有しない場合

①緊急往診加算　750点

②夜間・休日往診加算　1,500点

③深夜往診加算　2,500点

ロ　別に厚生労働大臣が定める患者に対し，在宅療養支援診療所又は在宅療養支援病院（イに規定するものを除く）の保険医が行う場合（編注：機能強化型以外の支援診療所・支援病院）

(1)緊急往診加算　650点

(2)夜間・休日往診加算　1,300点

(3)深夜往診加算　2,300点

ハ　別に厚生労働大臣が定める患者に対し，イからロまでに掲げるもの以外の保険医療機関の保険医が行う場合（編注：支援診療所・支援病院以外）

(1)緊急往診加算　325点

(2)夜間・休日往診加算　650点

(3)深夜往診加算　1,300点

ニ　別に厚生労働大臣が定める患者以外の患者に対して行う場合

(1)緊急往診加算　325点

(2)夜間・休日往診加算　405点

(3)深夜往診加算　485点

注2　患家診療時間加算（診療時間が１時間を超えた場合）

30分またはその端数を増すごとに，所定点数に100点加算

注3　在宅ターミナルケア加算　在宅で死亡した患者（往診を行った後，24時間以内に在宅以外で死亡した患者を含む）に対して，その死亡日及び死亡日前14日以内に，B004退院時共同指導料１を算定し，かつ，往診を実施した場合に加算する

イ　有料老人ホーム等入居する患者以外の患者

(1)　在宅療養支援診療所又は在宅療養支援病院であって別に厚生労働大臣が定めるもの

①　病床を有する場合　6,500点

②　病床を有しない場合　5,500点

(2)　在宅療養支援診療所又は在宅療養支援病院〔(1)に規定するものを除く〕　4,500点

(3)　(1)及び(2)に掲げるもの以外　3,500点

ロ　有料老人ホーム等に入居する患者

(1)　在宅療養支援診療所又は在宅療養支援病院であって別に厚生労働大臣が定めるもの

①　病床を有する場合　6,500点

②　病床を有しない場合　5,500点

(2)　在宅療養支援診療所又は在宅療養支援病院〔(1)に規定するものを除く〕　4,500点

(3)　(1)及び(2)に掲げるもの以外　3,500点

在宅緩和ケア充実診療所・病院加算　1,000点

在宅療養実績加算１　750点

在宅療養実績加算２　500点

酸素療法加算　がん患者に対して酸素療法を行っていた場合に加算する。　2,000点

注4　看取り加算　「注３」ターミナルケア加算を算定する場合に加算する。この場合，C001「注７」（C001-2「注６」の規定により準用する場合を含む）に規定する看取り加算は算定できない。　3,000点

注5　死亡診断加算　患家で死亡診断を行った場合に加算する。ただし，注４に規定する加算を算定する場合は，算定できない。　200点

注6 特別往診料　16kmを超えた場合または海路による往診を行った場合で，特殊の事情があったときの往診は，別に厚生労働大臣の定めるところにより算定する。

注7　往診のための交通費は，患家の負担（実費）とする。

注8 在宅緩和ケア充実診療所・病院加算，在宅療養実績加算１・２　注１のイからハまでのうち，別に厚生労働大臣が定める施設基準に適合するものとして地方厚生局長等に届け出た保険医療機関の保険医が行った場合に，**100点**，**75点**，**50点**をそれぞれ加算する。

注9 往診時医療情報連携加算　在宅療養支援診療所又は在宅療養支援病院が，連携する他の医療機関（在宅療養支援診療所又は在宅療養支援病院以外の医療機関に限る）によって計画的な医学管理の下に主治医として定期的に訪問診療を行っている患者に対して，往診を行った場合に加算する。　**200点**

注10 介護保険施設等連携往診加算　介護保険施設等の協力医療機関であって，当該介護保険施設等に入所している患者の病状急変等に伴い，往診を行った場合に加算する。　**200点**

対診

Q1　麻酔医の対診

麻酔科で開業した医師が別の医療機関に赴き，手術前日，当日，翌日の３回往診料を算定するのは妥当でしょうか。

A：定期的，計画的な訪問を行っての麻酔では，往診料は算定できません。　〈厚平22.3.29〉

Q2　対診の取扱い

従来からの，対診の場合の診療報酬請求の取扱いに関する以下の規定について，変更はないと考えてよいでしょうか。

(1)　診療上必要があると認める場合は，他の保険医療機関の保険医の立会診療を求めることができます。

(2)　対診を求められて診療を行った保険医の属する保険医療機関からは，当該基本診療料，往診料等は請求できますが，他の治療行為にかかる特掲診療料は主治医の属する保険医療機関において請求するものとし，治療を共同で行った場合の診療報酬の分配は相互の合議に委ねるものとします。

A：取扱いに変更はありません。ただし，定期的又は計画的に行われる対診の場合は往診料は算定できません。　〈厚平22.3.29〉

（編注）対診を求められて診察を行った保険医においても基本診療料，往診料等は請求可。治療に係る特掲診療料は主治医の属する医療機関で請求し，治療を共同で行った場合の診療報酬の分配は相互の合議に委ねるものとする。

「注１」緊急往診，夜間・休日，深夜加算

Q3　無床の支援診療所が連携している場合

強化型支援診の届出をしている場合，無床診療所であっても在宅支援連携体制を構築する別の保険医療機関が病床を有している場合は，往診料の緊急往診加算等について，「病床を有する場合」の点数を算定できますか。

A：算定できます。　〈保〉

Q4　別に厚生労働大臣が定める時間

緊急往診加算における「別に厚生労働大臣が定める時間」とは，何時から何時までですか。

A：「保険医療機関においてもっぱら診療に従事している時間であって，おおむね午前８時から午後１時までの間」をいいます。なお，この他厚労省から“もっぱら診療に従事している午後の診療時間内においても緊急往診加算の対象にする”との解釈が出されています。

Q5　厚生労働大臣が定める患者(1)　新

C000往診料の「注１」に規定する別に厚生労働大臣が定める患者について，施設基準通知の第14の４の２(1)において，連携医療機関については，「計画的な医学管理の下，主治医として定期的に訪問診療を実施している保険医の所属する保険医療機関であって，往診医療機関と連携体制を構築している」とされていますが，どのような連携体制を構築している必要がありますか。

A：連携医療機関と往診医療機関との間で，連携医療機関が往診を行うことが困難な時間において，往診医療機関が当該患者又は家族等患者の看護に当たる者から電話等で直接往診の求めを受けた場合に適切に対応する旨及び患家からの連絡方法等について，あらかじめ取り決めを行っていること。なお，当該取り決めで定めた内容については連携医療機関及び往診医療機関において，文書にて保存し，患家の希望があった場合等に提供できる体制を有している必要があります。　〈厚令6.3.28〉

Q6　厚生労働大臣が定める患者(2)　新

問１（前出の「Q５」）における取り決めについて，連携医療機関が，地域の自治体又は医師会等の協

力により往診医療機関と取り決めを行った場合についてどのように考えればよいですか。

A：取り決めについては連携医療機関及び往診医療機関において作成及び保存し，患家の希望があった場合等に必要に応じて当該文書を提供できる体制を有している必要があり，当該体制を有していない場合は要件を満たしません。〈厚令6.3.28〉

Q7　厚生労働大臣が定める患者(3) 新

往診料の「注１」に規定する別に厚生労働大臣が定める患者について，施設基準通知の第14の４の２(2)において，「患者の疾患名，患者の状態，治療方針及び急変時の対応方針等の最新の情報（以下この項において「診療情報等」とする）を，あらかじめ患者の同意を得た上で往診医療機関がICT等を用いて確認できるように，適切な情報提供を行う体制を有している」とされていますが，例えば，在宅療養支援診療所・在宅療養支援病院でない連携医療機関が往診を行うことが困難な時間帯に，往診医療機関が当該患者又は家族等患者の看護に当たる者から電話等で直接往診の求めを受け，連携医療機関に電話等により当該患者の診療情報等を確認した場合であって，連携医療機関が診療情報等を提供した場合についても該当しますか。

A：連携医療機関の医師又は看護師等の医療関係職種が当該患者の最新の診療録等を確認の上，往診医療機関に当該診療情報等を適切に提供した場合は該当します。ただし，往診医療機関は，当該連携医療機関に対し電話を行った時間及び得られた情報の要点について，当該患者の診療録に記録するとともに，当該患者に対する往診を実施したこと，当該患者の状態及び実施した診療内容について，往診後に速やかに連携医療機関に情報共有を行ってください。〈厚令6.3.28〉

Q8　厚生労働大臣が定める患者(4) 新

往診料の「注１」に規定する別に厚生労働大臣が定める患者について，施設基準通知の第14の４の２(2)に規定する診療情報等の「ICT等を用いて確認」は，例えば，在宅療養支援診療所・在宅療養支援病院でない主治医の所属する保険医療機関が往診を行うことが困難な時間帯に，往診医療機関が当該患者又は家族等患者の看護に当たる者から往診の求めを受けた際に，当該患者の診療情報等を，都道府県が構築する地域医療介護総合確保基金の「ICTを活用した地域医療ネットワーク基盤の整備」事業を活用した，地域医療情報連携ネットワーク等（以下「地連NW等」という）にアクセスして診療情報等を取得している状態は該当しますか。

A：該当します。ただし，往診医療機関が地連NW等の活用のみで診療情報等を確認する場合は最新の診療情報等を常に取得できる状態である必要があり，地連NW等を活用した日時及び得られた情報の概要については当該患者の診療録に記録するとともに，当該患者に対する往診を実施したこと，当該患者の状態及び実施した診療内容については，往診後に速やかに連携医療機関に情報共有を行ってください。〈厚令6.3.28〉

Q9　厚生労働大臣が定める患者(5) 新

往診料に規定する別に厚生労働大臣が定める患者における「往診を行う保険医療機関において過去60日以内に在宅患者訪問診療料（Ⅰ），在宅患者訪問診療料（Ⅱ）又は在宅がん医療総合診療料を算定しているもの」について，同一の患家において２人以上の患者を診療している場合であって，２人目以降としてA001再診料等のみを算定している場合は当該患者に該当するとみなしてよいですか。

A：みなしてよいです。ただし，当該患者に対して往診を行い，当該患者に該当するものとして緊急往診加算等を算定する場合には，同一の患家における２人目以降の患者である旨を診療報酬明細書の摘要欄に記載してください。〈厚令6.4.12〉

Q10　明細書への記載方法

緊急往診加算とはどんな場合に算定するのですか。また，その場合，明細書にはどのように記載するのですか。

A：保険医療機関の標榜時間内で，外来患者の診療に従事しているとき（おおむね午前８時から午後１時までの間，午後の診療時間）に，患者またはその看護にあたっている者から緊急に求められて診療を中断して往診を行った場合に算定します。緊急性は医師の判断によりますが，たとえば，急性心筋梗塞，脳血管障害，急性腹症などが予想される場合や，医学的に終末期であると考えられる患者の場合です。

明細書の記載は，⑭「在宅」欄の緊急を○で囲む，または緊急と表示して，回数と点数を記載します。さらに在宅患者訪問診療料（Ⅰ）または（Ⅱ）を同月に算定した場合は，往診を行った年月日を記載します。

Q11　訪問順を変更して緊急な往診に対応

往診料の緊急往診加算ですが，在宅専門のクリニックにおいて（基本的に外来診療なし），訪問診療を計画している日に，予定していた訪問の順番をずらして緊急に往診依頼された患家に行った場合は，緊急加算は算定可能ですか。

A：緊急往診の加算ができる時間帯と患者の状態〔「午前８時から午後１時の間で，専ら診療に従事している時間帯に患家に行かなければならないと判断した場合（具体的には急性心筋梗塞，脳血管障害，急性腹症等が予想される場合や，医学的に終末期であると考えられる患者の場合をいう）」〕が該当していれば，算定可能です。〈日事〉

Q12 文書を提供していない初診の患者に緊急往診を行った場合

強化型支援診を届け出ている保険医療機関において，24時間往診・訪問看護体制等を確保している旨の文書を提供していない初診の患者に緊急往診を行った場合，強化型の高い点数が算定できるのですか。

A：算定できます。なお，往診後，速やかに文書を提供する必要があります。〈保〉

Q13 当番医の緊急往診加算

輪番制により休日の当番医として診療している際，緊急の往診を求められたとき，緊急往診加算が算定できますか。

A：算定できます。

Q14 夜間・休日，深夜とは

夜間又は休日，深夜とは，それぞれ何時から何時までをいいますか。

A：夜間は「午後6時から翌日の午前8時まで」で，そのうち深夜は「午後10時から午前6時まで」と規定されています。

また，休日とは，日曜日及び国民の祝日に関する法律第3条に規定する休日のことで，そのほか1月2～3日，12月29～31日も休日として扱います。

ただし，これらの時間帯が標榜時間に含まれる場合は，「深夜・休日加算」「深夜加算」は算定不可となります。

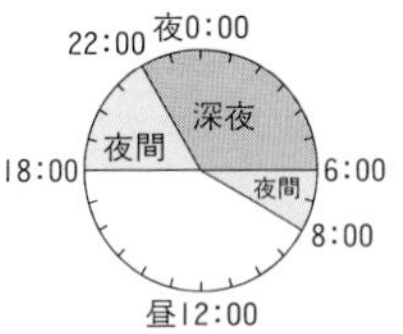

Q15 夜間診療時の緊急往診加算

緊急往診加算はおおむね午前8時から午後1時までの間となっていますが，午前9時から午後5時を診療時間としていたり，夜間診療（午後4時から午後7時まで）を行っている診療所の場合，午後1時以降は診療時間内の緊急往診でも加算はないのでしょうか。

A：当該保険医療機関の標榜時間内であり，もっぱら診療に従事している時間であれば，必ずしも午前8時から午後1時に限らず加算できます。〈オ〉

Q16 各時間帯の往診

診療時間が午前9～12時，午後4～7時の診療所（支援診療所以外）で，再診の患者（厚生労働大臣が定める患者）に次の時刻に往診（診療時間1時間以内）を行った場合，それぞれの算定はどのようになるでしょうか。

①午後3時　②午後8時　③午後11時（すべて平日，再診，処置を施行）

A：①〔再診料（75点）＋再診料の時間外加算*65点〕＋（往診料720点）

＊時間外加算は一律に算定できるわけではない。各都道府県の実態に則して判断される。

②〔再診料（75点）＋再診料の時間外加算 65点〕＋（往診料720点＋往診料の夜間・休日加算650点）

③〔再診料（75点）＋再診料の深夜加算 420点〕＋（往診料720点＋往診料の深夜加算1,300点）

※外来管理加算は処置をしているので算定不可

Q17 日曜日の往診

日曜日の昼間または夜間，深夜に往診した場合の算定はどうなりますか。

A：往診料では，夜間と休日の加算点数が同じですが，初診料，再診料では時間外・休日・深夜で別々の加算が設けられています。

したがって，往診料は夜間・休日または深夜の往診料で算定し，初診料または再診料は休日加算または深夜加算を足した点数を算定します。

例えば，日曜の夜（深夜時間帯を除く）に往診した場合は，往診料は夜間・休日加算を，初診・再診料は休日加算を算定します。また，日曜の深夜であれば，往診料も初診・再診料も深夜加算を算定します。

「注2」患家診療時間加算

Q18 患家診療時間加算の算定

夜間・深夜において，患家診療時間加算はどのように算定するのですか。

A：患家診療時間加算は夜間・深夜においても，30分ごとに100点のみの算定となります。具体的には以下のようになります（在宅療養支援診療所以外の医療機関／厚生労働大臣が定める患者）。

【例1】　夜間であって患家の診療時間が1時間20分かかった場合
（720点＋650点）＋100点（時間加算）＝1,470点

【例2】　深夜であって患家の診療時間が1時間20分かかった場合
（720点＋1,300点（深夜加算））＋100点＝2,120点　〈保〉

「注５」死亡診断加算

Q19　死亡診断加算の算定条件

C000「注５」の死亡診断加算はどのような場合に算定できますか。

A：患者が居宅で死亡した日に往診または訪問診療を行い，死亡診断をした場合に算定します。なお，在宅患者訪問診療料（Ⅰ）（Ⅱ）の看取り加算を算定した場合，死亡診断加算は算定できません。

なお，死亡診断書の発行は別に自費として扱います。

Q20　外来患者が自宅で死亡した場合

外来の患者が自宅で死亡した場合にも，「注５」の死亡診断加算は算定できますか。

A：往診料または在宅患者訪問診療料（Ⅰ）（Ⅱ）の加算点数ですから，実際に往診または在宅患者訪問診療を行い死亡診断を行ったのであれば算定できます。

Q21　死亡日の前日に往診した場合

医師法20条によれば，診療中の患者が受診後24時間以内に死亡した場合，改めて診察をしなくても死亡診断書を交付できることになっていますが，前日に往診し，それが24時間以内であれば，死亡日に往診を行っていなくても死亡診断加算が算定できますか。

A：死亡時に往診ないし訪問診療がない場合には，死亡診断加算は算定できません。

Q22　前日の死亡が確認された場合

C000往診料の「注５」に規定する死亡診断加算について，「死亡日に往診を行い，死亡診断を行った場合に算定する」と規定されていますが，夜間に死亡した場合であって，死亡診断の結果，前日に死亡していると判断された場合にも，当該加算を算定できるでしょうか。

A：算定できます。　〈厚平28.3.31〉

Q23　死亡確認後の身体の診察に係る費用

患者が在宅で死亡した場合であって，患者の死亡日に患家の求めに応じて医師が患家に赴き，死亡診断を行った際は，C000往診料の「注５」死亡診断加算またはC001在宅患者訪問診療料（Ⅰ）の「注６」在宅ターミナルケア加算もしくは「注７」看取り加算等も含めて算定することができますが，医師が死亡を確認した後，当該患者の死亡の原因が生前に診療していた疾病に関連したものかどうかを判断するために行う視診，触診等の行為（いわゆる「すでに死亡が確認された後の身体の『診察』」）に係る費用は，診療報酬の対象となりますか。

A：診療報酬の対象となりません。

〈厚平24.9.21，一部修正〉

「注８」在宅療養実績加算，在宅緩和ケア充実診療所・病院加算

Q24　在宅療養実績加算，在宅緩和ケア充実診療所・病院加算

往診料の在宅療養実績加算，在宅緩和ケア充実診療所・病院加算とはどのような算定要件ですか。

A：在宅療養実績加算について緊急の往診と看取り件数の要件を満たし届出を行った強化型以外の支援診・支援病が，往診料の緊急往診加算，夜間・休日加算，深夜加算を算定した場合，届出が「１」（緊急往診が年10件以上かつ看取りが年４件以上）であれば75点，届出が「２」（同４件以上，２件以上，緩和ケアに関する研修を受けた医師がいる）であれば50点をさらに加算します。

なお，緊急の往診が年15件以上かつ看取りが年20件以上等の要件を満たす強化型の支援診・支援病では，在宅緩和ケア充実診療所・病院加算（100点）が算定できます。

Q25　連絡を受ける担当者及び往診担当医 新

往診料の「注10」に規定する介護保険施設等連携往診加算の施設基準において，「24時間連絡を受ける担当者をあらかじめ指定するとともに，当該担当者及び当該担当者と直接連絡がとれる連絡先電話番号等，緊急時の注意事項等について，事前に介護保険施設等の管理者等に対して説明の上，提供している」及び「当該介護保険施設等の求めに応じて，24時間往診が可能な体制を確保し，往診担当医の氏名，担当日等を文書により当該介護保険施設等に提供している」とされていますが，連絡を受ける担当者及び往診担当医について，在宅療養支援診療所及び在宅療養支援病院の施設基準で規定されている連絡を受ける担当者及び往診担当医と兼任することは可能ですか。

A：可能です。　〈厚令6.3.28〉

その他の算定

Q26　16kmを超えて往診等が必要な理由

保険医療機関の所在地と患家の所在地との距離が16kmを超える往診又は訪問診療（以下，「往診等」という）については，当該保険医療機関からの往診等を必要とする絶対的な理由がある場合には認められることとされており，具体的には，①患家の所在地から半径16km以内に患家の求める診療に専門的に対応できる保険医療機関が存在しない場合，②患者の求める診療に専門的に対応できる保険医療機関が存在していても当該保険医療機

関が往診等を行っていない場合などが考えられるとされています。

例えば，重症児の在宅医学管理時や，訪問型病児保育中に必要となった場合の小児科の診療など，往診等に対応できる保険医療機関の確保が特に難しい専門的な診療を要する場合で，近隣に対応できる保険医療機関を患者が自ら見つけられず，往診等を依頼された保険医療機関側も，患者の近隣に対応できる保険医療機関を実態上知らない場合は，「16kmを超える往診等を必要とする絶対的な理由」に含まれるのでしょうか。

A：ご指摘の事例は「絶対的な理由」に含まれます。

なお，患者が特定施設や高齢者向け住宅等（以下，「施設等」という）に居住する場合は，施設等が，予め，往診等を行う協力医療機関を得るよう努めるべきであり，単に患者や保険医療機関が往診等を行う他の保険医療機関を知らないことをもって絶対的な理由に該当するということはできないことに留意が必要です。このような場合には，施設等又は往診等を行う保険医療機関が，施設等から16km以内の保険医療機関に個別に，又は，当該地域の医師会に，往診等を行う保険医療機関があるかを予め確認する必要があります。〈厚平27.6.30〉

Q27　16km超の往診が認められる場合

保険医療機関の所在地と患家の所在地との距離が半径16kmを超えた場合に，C000往診料若しくはC001在宅患者訪問診療料（Ⅰ）又は歯科点数表のC000歯科訪問診療料の算定が認められる絶対的理由とはどのようなものでしょうか。

A：具体的には，①患家の所在地から半径16km以内に，患家の求める診療に専門的に対応できる保険医療機関が存在しない場合，②患者の求める診療に専門的に対応できる保険医療機関が存在していても当該保険医療機関が往診等を行っていない場合などが考えられます。なお，療養費の「往療料」についてもこれに準じた取扱いとなります。

〈厚平19.4.20，一部修正〉

Q28　16km以内に専門的な医療機関が存在していても往診が認められる場合 新

保険医療機関の所在地と患家の所在地との距離が16kmを超える往診又は訪問診療（以下，「往診等」という）については，当該保険医療機関からの往診等を必要とする絶対的な理由がある場合には認められることとされており（令和6年保医発0305・1），具体的には，①患家の所在地から半径16km以内に患家の求める診療に専門的に対応できる保険医療機関が存在しない場合，②患者の求める診療に専門的に対応できる保険医療機関が存在していても当該保険医療機関が往診等を行っていない場合などが考えられる〔「疑義解釈資料（その7）」（平成19年4月20日事務連絡）〕（前出の「Q27」）とされています。

半径16km以内に患者の求める診療に専門的に対応でき，往診等を行っている保険医療機関が存在しているものの，やむを得ない事情で当該保険医療機関の医師が往診等できないといった，患者が往診等を受けることが困難な場合の取扱いはどのようになりますか。

A：ご指摘の事例は，次の確認等を行った場合は，「絶対的な理由」に含まれます。

具体的には，往診や訪問診療（以下，「往診等」という）の依頼を受けた，半径16kmの外の保険医療機関が，当該保険医療機関の医師が往診の必要性を認めた場合等に，当該患者又は家族に対し，普段，当該患者が受診や相談等を行っている保険医療機関や医師がいるかを確認し，

① 患者から「いない」と回答を得た場合
② 患者から「いる」と回答を得た場合については，半径16km以内にある，普段，受診や相談等をしている保険医療機関等に確認を行い，対応不可との返答があった場合又は往診等の依頼の場合には連絡がつかなかった場合

には，半径16kmの外の保険医療機関による往診等が可能です。ただし，②の場合においては，患者に適切な医療を提供する観点から，事後に，半径16km以内にある，普段，受診や相談等をしている保険医療機関等に対して，当該患者の診療情報を共有してください。〈厚令5.12.28〉

Q29　「可及的速やかに」とは

往診料は，患者又は家族等患者の看護・介護に当たる者が，保険医療機関に対し電話等で直接往診を求め，当該医療機関の医師が往診の必要性を認めた場合に，可及的速やかに患家に赴き診療を行った場合に算定できるとありますが，可及的速やかにとはどのくらいの期間をいうのですか。

A：往診は，患家等からの依頼に応じて，医師が往診の必要性を認めた場合に行うものであり，往診の日時についても，依頼の詳細に応じて，医師の医学的判断によります。〈厚平30.5.25〉

Q30　往診料の交通費

往診料の交通費について，徒歩・自転車による往診の場合，請求できないのですか。

A：徒歩・自転車による往診については交通費は請求できない取扱いとなっています。〈京〉

Q31　往診料と初診料

往診時に，初診料の算定要件を満たしていた場合，往診料と初診料を併せて算定できますか。

A：往診料は基本診療料（初診料，再診料）とは

別に，患家に赴くという個別行為に対して設けられた点数です。

したがって，初診料と併せて算定できます。

(編注）厚生労働省通知「往診であって，再診料の請求の要件を具備している場合は，往診料及び再診料はともに算定できる」（昭26.2.9 保険発24）

Q32　往診時の外来管理加算

往診時の外来管理加算は算定できますか。

A：外来管理加算の算定要件を満たしていれば算定できます。（平15.12.2保険局医療課事務連絡）〈オ〉

Q33　すでに他の医師が診療していた場合

往診をした際，すでに他の医師によって診療が行われていたため，そのまま帰宅した場合，往診料の算定はできますか。

A：保険給付の対象とはならずに，患者に負担を求めることになります。

Q34　他院の医師の訪問診療に同行した場合

他院の医師が訪問診療を行っている患者に対して，同医師の訪問診療に同行して訪問した場合，往診料は算定できますか。

A：算定できます。他院の医師の求めに応じて，訪問診療に同行した場合は，立合診察として往診料の算定が認められます。〈保〉

Q35　往診からただちに入院

初診の往診からただちに当院に入院となった場合，明細書の記載はどのようになりますか。

A：初診往診からただちに入院した場合は，初診からただちに入院した場合と同様に，入院分のみの明細書に記載します。なおレセプトには，初診料は⑪「初診」欄に，往診料は⑭「在宅」欄に記載します。（昭51.10.20 保険発102）

Q36　現場で診療，救急車に同乗して入院させた場合

患者発生の現場に赴き診療の後，救急用の自動車に同乗して診療を行い自院に入院させた場合，往診料・救急搬送診療料・入院基本料は，それぞれ算定できますか。

A：それぞれを合わせて算定できます。

Q37　１台の救急車に同時に２人乗せた場合

他院で出生した双子の状態悪化のため，医師同乗の救急車で迎えに行き診療した場合，２人ともそれぞれC000往診料とC004救急搬送診療料を算定できますか。

A：往診料については，C000「注２」に係る保医発通知により，２人目以降の患者については往診料は算定できません。よって，ご質問のケースでは，下記のような算定が適当です。

１人目：初診料＋往診料＋救急搬送診療料（各加算）

２人目：初診料＋救急搬送診療料（各加算）

なお，２人目について，往診料の患家診療時間加算は算定可能です。〈オ〉

Q38　ドクターカーが他医療機関に到着する前に患者が死亡した場合の往診料算定

他医療機関の依頼でドクターカーを出動させ，他医療機関から当院へ搬送予定でしたが，他医療機関到着前に患者が死亡しました。この場合に往診料は算定できますか。

A：往診料は患家に赴いて診療を行った場合に算定できます〔『早見表』p.355，C000に関する保医発通知(3)〕。よって，患家（他医療機関）到着前に患者が死亡して，診療を行わない場合は，保険請求はできません。〈オ〉

Q39　訪問看護から入院

看護師が在宅患者の訪問看護および療養上の指導を行っているとき，患者の容態が急変し，看護師の連絡により医師が往診した結果，入院の必要を認めたので，ただちに自院に入院させました。算定はどのようになりますか。

A：在宅患者の往診の医療費までは入院外の明細書で請求し，それ以後入院にかかわる医療費は入院の明細書で請求します。

なお，往診料または在宅患者訪問診療料を算定した日には，在宅患者訪問看護・指導料は算定できませんが，訪問看護時に患者の容態が急変し，その後往診した場合の往診料は算定できます。

Q40　同一患家，２人目の患者

往診の際，同一患家の他の患者についても診療した場合，それぞれ往診料が算定できますか。

A：最初の患者については往診料が算定できますが，他の患者については往診料は算定できず，初診料または再診料のみとなります。なお，２人目以降のそれぞれの患者について，要件を満たした場合，患家診療時間加算は算定できます（明細書「摘要欄」への記載が必要です）。

Q41　同一マンションの複数の患者

同一マンションの複数の患家へ往診をした場合，往診料の算定はどうなりますか。

A：往診料は「同一建物居住者」の考え方は適用されませんので，それぞれ別の患家の扱いとなり，往診料をそれぞれの患家で算定できます。

Q42 往診料における「同一建物居住者」の考え方

有料老人ホームやグループホーム等，同一の施設内の複数の患者に往診した場合，「同一建物居住者」の考え方が適用されるのですか。

A：往診料には「同一建物居住者」の考え方は適用されません。従前どおり有料老人ホーム等においても「同一患家」の取扱いとなり，１人目は往診料，２人目以降は初診料，再診料または外来診療料を算定します。〈保〉

Q43 特別養護老人ホームへの往診

往診料は同一の患家で２人以上の患者を診療した場合は２人目以降の患者については算定できないとされています（２人目以降は初診料・再診料等を算定)。配置医師であるなしにかかわらず，特別養護老人ホームで緊急に診療を必要とする複数の患者に往診をした場合も，同一の患家と解釈して往診料は２人目以降は算定できないのでしょうか（配置医師ではありません)。

A：2010年の点数改定で「同一建物居住者」という考え方が導入されましたが，往診の場合は変更がなく，特別養護老人ホームへの問合せの場合も往診も「同一患家の場合」として扱われます。配置医師の専門外の診療など必要性がある場合は，最初の１人目のみ往診料を算定します。

Q44 特養入所者に往診が必要になった場合

特別養護老人ホームで，配置医師は病院の勤務医が週１日特養ホームで診療，医務室ありの条件で，配置医師の診察により点滴や投薬，処置が必要な入所者がいた場合，どのように対応したらよいですか。配置医師の指示により往診を他院に依頼するのか，または，薬剤のみ勤務医の病院で算定できるのでしょうか。

A：特養入所者に診療が必要となった場合は，配置医師またはその他の医師の勤務する医療機関に受診するか，往診を依頼する扱いとなります。

なお，配置医師の場合は，初・再診料，往診料等の算定が認められません。ただし，患者の容態の急性憎悪等「特別の必要」がある場合は，初・再診料，往診料は算定できます。〈オ〉

Q45 同一建物への訪問診療と往診

同一建物に２名への訪問診療，２名への往診を行った場合，往診２名の診療料は，どのように算定するのですか。

A：C000往診料は，患家の求めに応じて可及的速やかに患家に赴き診療を行った場合に対象となり，在宅患者訪問診療料（C001，C0001-2）は，計画的な医学管理の下に定期的に患家を訪問して診療を行う場合に対象となります。

ご質問のように，同一建物に往診と訪問診療の患者が複数いる場合の算定の取扱いについては，特に示されていません。よって，往診料と訪問診療料をそれぞれ算定できると解されます。その場合，往診料については，同一建物が有料老人ホーム等であって，その形態から全体を同一の患家とみなすことが適当である場合は，１人目の往診については往診料と初・再診料を算定し，２人目の往診についてはC000「注２」患家診療時間加算に係る通知により，往診料を算定せず，初・再診料により算定するのが適当と解されます。〈オ〉

Q46 デイサービスへの往診

当院の患者がデイサービス中に状態不良で，往診依頼がありました。デイサービスの場所への訪問診療は不可ですが，往診は可能ですか。

また，デイサービスの介護保険を中止すれば，生活をする場所ではないが，往診であれば可能というQAを見ましたが，往診料は算定できますか。

A：患者の症状が緊急に診療を要する状態であれば，往診料と診察料等の保険請求ができます。なお，緊急な症状以外については，居住している場所に戻ってから訪問診療または往診，外来受診をした場合，保険請求が可能です。〈オ〉

C001 在宅患者訪問診療料（Ⅰ）

C001 在宅患者訪問診療料（Ⅰ）（１日につき）

１ 在宅患者訪問診療料１

イ	同一建物居住者以外の場合	**888点**
ロ	同一建物居住者の場合	**213点**

２ 在宅患者訪問診療料２

イ	同一建物居住者以外の場合	**884点**
ロ	同一建物居住者の場合	**187点**

注１ １は，計画的な医学管理の下に**定期的に訪問して診療を行った場合**（A000初診料算定日に訪問診療を行った場合及び併設医療機関が有料老人ホーム等の入居患者に対して行った場合を除く），患者が同一建物居住者（患者と同一の建物に居住する他の患者に対し同一日に訪問診療を行う場合の患者）以外の場合は「イ」を，同一建物居住者の場合は「ロ」を，**患者１人につき週３回**（「イ」及び「ロ」を併せて算定する場合も同じ）（別に厚生労働大臣が定める疾病等の患者に対する場合を除く）に限り算定。この場合，再診料，外来

診療料，往診料は算定しない。

頻回訪問1　末期悪性腫瘍や難病等の患者（別表第７）は，毎日算定できる。

別表第7 在宅患者訪問診療料（Ⅰ）及び在宅患者訪問診療料（Ⅱ），在宅患者訪問看護・指導料及び同一建物居住者訪問看護・指導料に規定する厚生労働大臣が定める疾病等

> 末期の悪性腫瘍，多発性硬化症，重症筋無力症，スモン，筋萎縮性側索硬化症，脊髄小脳変性症，ハンチントン病，進行性筋ジストロフィー症，パーキンソン病関連疾患〔進行性核上性麻痺，大脳皮質基底核変性症，パーキンソン病（ホーエン・ヤールの重症度分類がステージ３以上であって生活機能障害度がⅡ度又はⅢ度のものに限る）〕，多系統萎縮症（線条体黒質変性症，オリーブ橋小脳萎縮症，シャイ・ドレーガー症候群），プリオン病，亜急性硬化性全脳炎，ライソゾーム病，副腎白質ジストロフィー，脊髄性筋萎縮症，球脊髄性筋萎縮症，慢性炎症性脱髄性多発神経炎，後天性免疫不全症候群，頸髄損傷，人工呼吸器を使用している状態

注2　2は，他医療機関に紹介された患者に対し，計画的な医学管理の下に訪問診療を行った場合（併設医療機関が有料老人ホーム等の入居患者に対して行った場合を除く），患者が同一建物居住者以外の場合は「イ」を，同一建物居住者の場合は「ロ」を，患者1人につき**訪問診療を開始した日の属する月から起算して6月を限度**（別に厚生労働大臣が定める疾病等の患者に対する場合を除く）として**月1回**に限り算定。この場合，初診料，再診料，外来診療料，往診料は算定しない。

注3　頻回訪問2　急性増悪等の場合，１月に１回に限り当該診療の日から14日以内に行った訪問診療については**14回を限度**に算定する。

注4　乳幼児加算　６歳未満の乳幼児に対して訪問診療を行った場合には，それぞれ所定点数に**400点**を加算する。

注5　患家診療時間加算　診療時間が１時間を超えた場合，30分またはその端数を増すごとに**100点**加算

注6　在宅ターミナルケア加算　在宅で死亡した者（往診又は訪問診療を行った後，24時間以内に在宅以外で死亡した場合を含む）についてその死亡日及び死亡日前14日以内に２回以上の往診若しくは訪問診療を行った場合（「1」を算定する場合に限る）又は**B004**退院時共同指導料１を算定し，かつ，訪問診療を実施した場合（1を算定する場合に限る），当該患者に係る区分等に従い，次に掲げる点数をそれぞれ加算する。この場合，**C000**「注３」に規定する在宅ターミナルケア加算は算定できない。

イ　有料老人ホーム等に入居する患者以外の患者
- (1)　在宅療養支援診療所又は在宅療養支援病院であって別に厚生労働大臣が定めるもの
  - ①　病床を有する場合　**6,500点**
  - ②　病床を有しない場合　**5,500点**
- (2)　在宅療養支援診療所又は在宅療養支援病院〔(1)以外〕　**4,500点**
- (3)　(1)及び(2)に掲げるもの以外　**3,500点**

ロ　有料老人ホーム等に入居する患者
- (1)　在宅療養支援診療所又は在宅療養支援病院であって別に厚生労働大臣が定めるもの
  - ①　病床を有する場合　**6,500点**
  - ②　病床を有しない場合　**5,500点**
- (2)　在宅療養支援診療所又は在宅療養支援病院〔(1)以外〕　**4,500点**
- (3)　(1)及び(2)に掲げるもの以外　**3,500点**

在宅緩和ケア充実診療所・病院加算
在宅療養実績加算１・２
酸素療法加算

施設基準に適合した届出医療機関が行った場合は，当該基準に掲げる区分に従い，在宅緩和ケア充実診療所・病院加算の**1,000点**，在宅療養実績加算１の**750点**，在宅療養実績加算２の**500点**を，がん患者に対して酸素療法を行っていた場合は酸素療法加算として**2,000点**をさらに加算する。

注7　看取り加算　往診又は訪問診療を行い，在宅で患者を看取った場合（「1」を算定する場合に限る）には，**3,000点**を加算する。

注8　死亡診断加算　死亡診断を行った場合（「１」を算定する場合に限る）には，**200点**を加算する。ただし「注７」の看取り加算を算定する場合は算定できない。

注9　16kmを超える訪問診療の場合または海路による訪問診療の場合で，特殊の事情があったときの在宅患者訪問診療料（Ⅰ）は別に厚生労働大臣の定めるところによって算定する。

注10　往診料を算定する往診の日の翌日までに行った訪問診療（在宅療養支援診療所または在宅療養支援病院の保険医が行ったものを除く）の費用は算定しない。

注11　訪問診療に要した交通費は患家の負担（実費）とする。

注12 1は，別に厚生労働大臣が定める基準に適合しなくなった場合，当該基準に適合しなくなった後の直近1月に限り，同一患者につき同一月に訪問診療を5回以上実施した場合の5回目以降の訪問診療は，所定点数の**100分の50**に相当する点数により算定する

注13 在宅医療DX情報活用加算 届出保険医療機関において，電子資格確認等により得られる情報を踏まえて，計画的な医学管理の下に，訪問して診療を行った場合，**月1回**に限り加算する。 **10点**

「同一建物居住者」とは
❶マンションなどの集合住宅等
❷特別養護老人ホーム
❸養護老人ホーム
❹軽費老人ホーム（A型・ケアハウス）
❺有料老人ホーム（介護付・住宅型・健康型）
❻サービス付き高齢者向け住宅
❼特定施設・地域密着型特定施設・外部サービス利用型特定施設
❽指定（介護予防）短期入所生活介護事業所
❾指定（介護予防）認知症対応型共同生活介護事業所（認知症高齢者グループホーム）
❿指定（介護予防）小規模多機能型居宅介護事業所（宿泊サービス時のみ）
⓫指定複合サービス事業所（宿泊サービス時のみ）
⓬社会福祉施設・身体障害者施設等

往診と訪問診療

Q1 往診料算定の翌日の訪問診療料

C000往診料を算定した翌日までの在宅患者訪問診療料（Ⅰ）「1」は算定できませんが，在宅療養支援診療所等でも同じ扱いになるのですか。

A：在宅療養支援診療所またはその連携医療機関・支援病院が24時間往診・訪問看護体制を確保し，連絡担当者の氏名および連絡先，緊急対応等について文書提供している患者に限り，C000往診料を算定した翌日までの在宅患者訪問診療料（Ⅰ）「1」が算定できます。その他は取扱いに変更はありません。 〈保〉

Q2 往診の翌日の訪問診療

訪問診療を実施した日の夜に患者の病状が急変し，往診を行った場合は往診料が算定できますが，その翌日に訪問診療料を算定できますか。また，在宅患者訪問診療料等の訪問回数の制限を受けない「末期の悪性腫瘍等」のなかに人工呼吸器装着患者も含まれますか。

A：訪問診療実施の日の夜の往診の往診料は算定できます。

とくに規定する場合（末期の悪性腫瘍等）も含め，従来どおり往診の翌日の訪問診療料（Ⅰ）「1」は算定できません。ただし，支援診・連携医療機関，支援病院が24時間緊急対応を行っている患者については算定可能です。

また，頻回の訪問診療料算定が可能な「厚生労働大臣が定める患者等」のなかには人工呼吸器装着患者も含まれます。そのほかの対象疾病は，特掲診療料の施設基準等の「別表第7」（p.45,『早見表』p.392）に掲げられています。

Q3 往診と訪問診療

在宅患者訪問診療料（Ⅰ）「1」と往診料の算定上の相違はどのようになりますか。

A：在宅患者訪問診療料（Ⅰ）「1」は，計画的な医学管理の下に定期的に訪問して診療を行った場合（**図表5**）に算定しますが，この期間における緊急の場合の往診の費用の算定については，在宅患者訪問診療料は算定せず，往診料および再診料を算定します（**図表6**）。その後，当該緊急往診を必要とした症状が治まったことを主治医が判断した以降の定期的訪問診療については，在宅患者訪問診療料の算定対象となります。なお，一定期間急性増悪状態が続き，訪問診療で急性増悪が続くと診断されたときは，14日間限度でC001「注1」（p.44）の「頻回訪問」の扱いとなります。

Q4 同月の往診と訪問診療

往診と訪問診療を併施した場合，レセプトの記載はどうなりますか。

A：同一月に「往診料」と「訪問診療料」を併せて算定する場合は，それぞれ**実施した日をレセプトの摘要欄に記載**します。これと同様に訪問看護における看護師と准看護師が同一月内に実施した場合もそれぞれの実施日を記載します。

なお，訪問看護，訪問リハビリ等医師以外の者が実施した指導管理等の算定日は診療実日数には含まれません。

Q5 訪問診療後，同一日の往診

在宅患者訪問診療を行った後，同一日に患者の症状が急変したため往診を行ったときはどのような算定になりますか。

A：在宅患者訪問診療料（Ⅰ）（Ⅱ）とは別に，往診料も算定できます。

図表５　在宅患者訪問診療料（Ⅰ）「１」の算定要件

⑴　訪問診療料の基本的な算定要件

①　通院が困難なものが対象。介助なしで通院ができるものは対象外とする。
②　訪問診療を行う場合の必須要件
ア　患者または家族等の署名付の「訪問診療の同意書」を作成して診療録に添付する。
イ　訪問診療の計画，診療内容の要点を診療録に記載する（「２」を算定する場合は他の医療機関が診療を求めた傷病名も記載する）。なお，訪問診療計画は在宅療養計画書として別に作成することも可。
ウ　訪問診療を行った日，診療時間（開始時刻と終了時刻），診療場所について診療録に記載する。

⑵　訪問人数による算定方法

①　同一建物について１日ごとの訪問人数により点数を算定する。集合住宅，施設において同一日に複数の患者の診療を行った場合は「同一建物の居住者の場合」を算定する。
②　集合住宅，施設であっても，１日にその建物で１人のみの訪問診療を行った場合は，「同一建物居住者以外の場合」の訪問診療料が算定できる。
③　訪問人数を数える場合に，以下の患者は除外して数える。
ア．往診の患者
イ．末期悪性腫瘍で訪問診療開始60日以内の患者
ウ．死亡日からさかのぼって30日以内の患者
※アの患者には往診料，イ・ウの患者には訪問診療料１の「イ」，同２の「イ」を算定する。
④　同一患家の取り扱い
同一患家（一戸建てまたは同一建物の１室に住んでいる同一世帯の患者）で複数の患者の訪問診療をしている場合，１人目は訪問診療料１の「イ」または同２の「イ」を算定し，２人目以降は再診料を算定する。

図表６　往診料と在宅患者訪問診療料（Ⅰ）「１」「イ」・「ロ」の主な算定要件比較

	往　診	訪　問　診　療
実　施	患者の求めに応じて実施	計画的医学管理のもと定期的に訪問
算定回数	そのつど（１日に２回以上算定可）	１日につき(悪性腫瘍等の患者，頻回訪問の扱いになる場合を除き，原則として週３回が限度)
算定の制限	特になし	初診料を算定する初診の日および往診料を算定した翌日までは算定不可（支援診等は※印を参照）
診療料等の同時算定	診察料（初診料，再診料），外来管理加算は別に算定可	再診料，外来管理加算，往診料は包括されているため算定不可
点　数	720点	１．同一建物居住者以外　888点 ２．同一建物居住者　213点
緊急加算等	緊急加算，夜間加算，深夜加算あり	なし
診療時間加算	あり	あり
同一日に往診と訪問診療を行っても，いずれか一方しか算定できない（病状急変による訪問診療等の後の往診を除く）		

※　支援診・連携医療機関，支援病院が24時間緊急対応を行っている場合には往診の翌日の訪問診療についても訪問診療料の算定ができる。

算定対象者

Q6　対象となる患者

訪問診療の対象とされる「寝たきりまたはこれに準ずる状態で通院困難なもの」とは，何か規定があるのですか。また，だれが判断するのですか。

A：点数表上で「寝たきり又はこれに準ずる状態で通院困難なもの」となっており，それ以上の規定は特にありません。個々の患者が該当するかどうかは，主治医の判断によります。〈東〉

Q7　「人工呼吸器」の患者とは

SASに対するASVやCPAPは，別表第７の「人工呼吸器」には含まれないと整理されましたが，慢性心不全の患者の場合は，「人工呼吸器」に含まれるのでしょうか。

A：「在宅人工呼吸指導管理料」，「人工呼吸器加算の２」を算定している場合は，別表第７に掲げる疾病等の者の「人工呼吸器」に含まれることとします。なお，この取り扱いにより，保険種別が変更となる場合は，次回の介護保険のケアプラン見直し（１ヶ月間）までの間に変更する必要があります。〈厚平26.7.10〉

在宅患者訪問診療料（Ⅰ）「２」の場合

Q8　訪問診療と往診

在宅患者訪問診療料（Ⅰ）の「２」等を算定する患者に対し，往診料を算定することは可能ですか。

A：可能です。〈厚平30.3.30〉

Q9 「他の保険医療機関」

在宅患者訪問診療料の（Ⅰ）「2」について，「当該患者の同意を得て，計画的な医学管理のもと，主治医として定期的に訪問診療を行っている保険医が属する他の保険医療機関」とは具体的にどのような医療機関をいうのでしょうか。

A：患者の同意を得て在宅時医学総合管理料，在宅がん患者総合診療料等を算定している保険医療機関又は在医総管等を算定していなくとも療養計画に基づき主治医として定期的に訪問診療を行っている医療機関であって当該患者の同意を得ている保険医療機関をいいます。〈厚平30.3.30〉

Q10 「他の保険医療機関」の求め

在宅患者訪問診療料（Ⅰ）の「2」について，他の保険医療機関による求めには，電話等，文書以外のものを含むのでしょうか。

A：含みます。〈厚平30.3.30〉

Q11 他院の求めによる訪問診療

他医療機関からの求めで行う訪問診療は，6カ月を超えて実施できますか。

A：「2」（他の医療機関の依頼を受けて訪問診療を行った場合に，一連の治療につき6月以内に限り月1回算定）において，他の医療機関との間で情報共有し，他の医療機関の主治医が診療状況を把握したうえで訪問診療を依頼した場合には，6月を超えても引き続き当該診療料が算定できます。

算定要件／区分

Q12 夜間の訪問診療の加算は

寝たきり患者を夜間に訪問した場合，訪問診療料のみで，夜間の加算はないのでしょうか。

A：在宅患者訪問診療料は，計画的な医学管理の下に，定期的に訪問して診療を行った場合に算定するもので，患者の求めに応じて突発的に行うものではありません。したがって，夜間，深夜の加算は設けられておりません。緊急の場合に往診したときは，在宅患者訪問診療料ではなく，再診料および往診料で算定することになります。

Q13 "在宅"の範囲

訪問診療の算定対象となる患者は「在宅で療養を行っており…」とありますが，「在宅」とは「自宅」のみが該当するのですか。

A：「在宅」とは，保険医療機関・介護老人保健施設・介護医療院以外を指します。したがって，自宅だけではなく，特別養護老人ホーム，有料老人ホーム，ケアハウス，（軽費老人ホーム），サービス付き高齢者向け住宅，認知症グループホーム等も在宅と考えられます。

Q14 「同一建物」に含まれる施設

「同一建物」に高齢者の入居施設と認知症対応型共同生活介護施設は含まれますか。

A：含まれます。〈日事〉

Q15 「同一建物居住者」の対象施設

「同一建物居住者」の対象となるのはどのような施設ですか。

A：以下が該当します。
① マンションなどの集合住宅
② 軽費老人ホーム
③ 有料老人ホーム
④ サービス付き高齢者向け住宅
⑤ 認知症対応型グループホーム
⑥ 特別養護老人ホーム（末期悪性腫瘍の患者，死亡日から遡って30日以内の患者に限る）など

※介護老人保健施設・介護医療院や医師の配置が義務づけられている施設の入所者は原則として対象外。

Q16 介護付き有料老人ホームの入居患者1人に訪問診療を行った場合

介護付き有料老人ホームの入居患者1人に訪問診療〔在宅患者訪問診療料（Ⅰ）「1」〕を行った場合も，213点（「ロ」）を算定するのですか。

A：同一日に同一建物内の患者1人のみ訪問診療した場合は，同一建物居住者とならないため，213点ではなく888点（「イ」）を算定します。〈保〉

訪問診療の同意書

Q17 署名付き同意書

訪問診療開始時に署名付きの同意書については，各医療機関で作成し同意を得るのでしょうか。

A：そのとおりです。〈厚平22.3.29，一部修正〉

複数施設・複数医師による訪問

Q18 2つの医療機関からの訪問診療・往診

2つの医療機関から医師が往診や訪問診療をしている場合，訪問診療料は1医療機関でのみ算定し，他方は往診で算定するのですか。

A：訪問診療は原則として，1人の患者に対しては1医療機関が計画的に継続管理をすることとされています。在宅患者訪問診療料（Ⅰ）「1」については主たる管理をする医療機関のみが診療料（Ⅰ）「1」を算定します。もう一方の医療機関は，訪問診療を算定する医療機関からの依頼による場合は，在宅患者訪問診療料（Ⅰ）「2」により算定することができます。

これに該当せずに，患家から求めがあって往診をしているのであれば往診料を算定します。

Q19 複数の保険医療機関による訪問診療(1)

在宅患者訪問診療料（Ⅰ）「イ」については，いかなる場合でも１人の患者に対して１つの保険医療機関しか行うことはできないのですか。

A：在宅患者訪問診療料（Ⅰ）「イ」については１つの保険医療機関が行います。ただし，当該医療機関の依頼で他医療機関が在宅患者患者訪問診療料（Ⅰ）「２」を算定することは可となります。また，在宅悪性腫瘍患者共同指導管理料を算定する日に行った訪問診療については，当該管理料を算定する保険医療機関と在宅悪性腫瘍患者指導管理料を算定する医療機関で，それぞれ在宅患者訪問診療料（Ⅰ）「イ」が算定できます。

Q20 複数の保険医療機関による訪問診療(2)

１人の患者に対して，複数の医療機関において在宅患者訪問診療料（Ⅰ）「２」を算定できますか。

A：算定できます。「２」を算定する医療機関の数に特に制限はありません。〈保〉

２人以上への訪問（図表７）

Q21 人数カウント除外(1)

訪問診療を開始して60日以内の末期悪性腫瘍患者を訪問診療したあと，同じアパートの別室に住む寝たきり患者を訪問診療した場合（同一日），それぞれどのような算定となりますか。

A：末期の悪性腫瘍患者（診療開始60日以内）は「同一建物居住者」から除かれるので，在宅患者訪問診療料（Ⅰ）「１」であれば「イ」（888点）を算定します。もう一人の患者についても，同一建物に居住する患者１人のみに対する訪問診療となるので，「イ」（888点）を算定します。

Q22 人数カウント除外(2)

末期の悪性腫瘍患者で訪問診療を開始してから60日を超えて訪問診療した場合は，どのように算定するのでしょうか。

A：60日を超えた場合は「同一建物居住者」として訪問診療の人数にカウントします。同一日に同一建物内の別の者を訪問診療した場合は，両者とも「同一建物居住者の場合」を算定します。

Q23 人数カウント除外(3)

サービス付高齢者向け住宅の同一日に同一建物内の２人を訪問診療し，それぞれ「同一建物居住者の場合」を算定し，レセプト請求した翌月１日にそのうちの一人が亡くなった場合，どのような取扱いになりますか。

A：死亡日から遡って30日以内の者は「同一建物居住者」から除外されます。したがって，２人とも在宅患者訪問診療料（Ⅰ）「１」であれば「イ」（888点）の点数を算定します。そのため，レセプト提出後であればレセプトを２人分取り下げて，死亡日から遡って30日以内は在宅患者訪問診療料（Ⅰ）「１」「イ」の888点で改めて請求する必要があります。

Q24 グループホーム（３ユニット以下）は同一日の人数をカウント

認知症グループホームにおいて，同一日に２つのユニットの患者をそれぞれ１人ずつ診療した場合，それぞれ「同一建物居住者以外の場合」が算定できるのですか。

A：算定できません。施設入居時等医学総合管理料では，ユニット数が３以下の認知症グループホームにおいて，ユニットごとに人数をカウントする取扱いがありますが，在宅患者訪問診療料（Ⅰ）にはその取扱いがないため，それぞれ「同一建物居住者の場合」を算定することとなります。〈保〉

Q25 同一患家に２人の患者の場合

自宅で療養している同一患家の２人の患者を診療したとき，訪問診療料はそれぞれ算定できますか。

A：訪問診療は「行く」ことと「診る」ことにより成り立っています。同一の患家ならば，「行く」という行為は１回ですから，１人目の患者に対しては訪問診療料を算定しますが，２人目以降の患者では訪問診療料は算定せず，初診料または再診料を算定します。

この場合に，２人目以降の患者の診療に要した時間が１時間を超えた場合は，１人目の場合と同様，訪問診療料の「患家診療時間加算」が算定できます。ただし，その旨を明細書の摘要欄に記入する必要があります。

なお，在宅時医学総合管理料や訪問看護・指導料については１人目も，２人目以降の患者にも，要件を満たせばそれぞれ算定できます。

Q26 同一患家の２人目に再診料を算定した場合

「同一患家」の２人目で在宅患者訪問診療料を算定せず再診料のみを算定した患者について，レセプト摘要欄に「同一患家」の記載は必要ですか。

A：レセプトの記載要領では，摘要欄への記載は必要とされていませんが，「同一患家２人目」と注記することが望ましいでしょう。〈保〉

図表7　C001在宅患者訪問診療料（Ｉ）「在宅患者訪問診療料１」の算定事例

⑴週３回を限度に１日につき算定する〔末期悪性腫瘍や難病等の患者（別表第７）は制限なし〕。
⑵急性増悪等で頻回の訪問診療が必要な場合，月１回，当該診療日から14日以内につき14日を限度に算定可。

診療報酬区分	訪問診療事例（同一日）		在宅患者訪問診療料（Ｉ）「１」	その他の算定
イ　同一建物居住者以外の場合	❶在宅患者１人		「イ」888点×１	
	❷同一患家の２人以上の在宅患者		「イ」888点×１	２人目以降は，初・再診料＋特掲診療料(＋患家診療時間加算）を算定
ロ　同一建物居住者の場合（※１）	❸入居者１人		「イ」888点×１	
	❹入居者１人への訪問診療，別の入居者への往診（※２）		「イ」888点×１	往診料×１
	❺入居者２人	A　末期悪性腫瘍患者（※２）	「イ」888点×１	
		B　（※２）以外の患者	「イ」888点×１	
	❻入居者３人	A　末期悪性腫瘍患者（※２）	「イ」888点×１	
		B　（※２）以外の患者	「ロ」213点×１	
		C　（※２）以外の患者	「ロ」213点×１	
	❼入居者２人〔(※２）以外の患者〕		「ロ」213点×２	
	❽入居者２人に同一医療機関の医師２人が１人ずつ訪問診療		「ロ」213点×２	
	❾同一建物内・同一世帯の複数の患者（１室に限る）		「イ」888点×１	２人目以降は，初・再診料＋特掲診療料(＋患家診療時間加算）を算定
	❿単身入居者1人と同一世帯入居者２人		「ロ」213点×３	

※１　マンションなどの集合住宅や軽費老人ホーム，有料老人ホーム，サービス付き高齢者向け住宅，認知症対応型グループホーム，特別養護老人ホーム（末期悪性腫瘍の患者，死亡日から遡って30日以内の患者に限る）などが対象となる（介護老人保健施設や医師の配置が義務づけられている施設の入所者は原則として対象外）。
※２　①往診をした患者，②末期悪性腫瘍で訪問診療開始60日以内の患者，③死亡日から遡って30日以内の患者――は，同一建物居住者の患者数に数えない（①については往診料，②③については「イ」888点を算定する）。

（参考）　複数患者への往診・訪問診療等の点数算定方法

○訪問診療料は，同一建物の複数の患者に対し訪問診療を行った（同一の医療機関の別の医師が診療した場合も含む）場合，C001在宅患者訪問診療料（Ｉ）の「1」であれば「ロ　同一建物居住者の場合」(213点）(以下「ロ」）を算定します。

○ただし，同一建物であっても同一日に１人だけを診た場合は在宅患者訪問診療料（Ｉ）「1」の「イ」(以下「イ」）(888点）が算定可能です（**図表７中③**）。

なお，往診には同一患家の考え方があるだけで，同一建物の考え方は適用されません。

○訪問診療において**「同一建物」**と**「同一患家」**の考え方が重なるときには**「同一患家」の考え方が優先**され，１戸建ての複数患者，同一建物の１室の同一世帯の複数の患者を診た場合は，１人目は「イ」(888点），２人目は初・再診料を算定します（**図表７中②⑨**）。

○また，同一日に同一建物の別世帯（別居室）の患者に対して往診と訪問診療を一度に行うのであれば，往診料と「イ」(888点）の算定となります。往診と訪問診療の順番が逆でも同様の算定方法となります（**図表７中の④**）。なお，同一日に同一建物へ往診と訪問診療を別々に行った場合には，１人目は往診料，２人目は「イ」(888点）を算定します（**図表７中③**）。

○その他の算定上の留意点は以下のとおりです。

⑴　同一居住者訪問診療の患者数は以下の者を除外して数える。
①往診をした患者
②末期悪性腫瘍で訪問診療開始60日以内の患者
③死亡日からさかのぼって30日以内の患者

⑵　⑴の患者数から除外される患者については同一日に訪問診療した人数にかかわらず，②と③は「イ」(888点）を算定する（**図表７中の⑤⑥**）。

⑶　⑴の患者数から除外される患者とその他の患者を同一日に訪問診療した場合は⑴以外の患者が１人の場合は「イ」(888点・**図表７中の⑤**）を，２人以上の場合は「ロ」(213点・**図表７中の⑥**）を算定する。

Q27　2人目以降の患家診療時間加算

往診料の場合と同様，同一患家の２人目以降の患者については訪問診療料は算定せず，初診料または再診料と患家診療時間加算を算定すると思われますが，この患家診療時間は，１人目からの通算の診療時間と考えてよいのですか。それとも２人目の診療を開始した時間からになるのですか。

A：往診料の通則にあるように「２人目以降のそれぞれの患者の診療に要した時間が１時間を超えた場合」であって，１人１時間までは所定点数に含まれるという考え方なので，通算はせず，１人ずつの診療時間で計算します。

Q28　同一患家の2人の患者を別々に訪問

同一患家に２人の患者がいて，別々の日に訪問診療した場合はどのように算定しますか。

A：Q25の場合は，２人目以降は初診料または再診料と患家診療時間加算の算定となりますが，別

図表8　在宅患者訪問診療料（Ⅰ）の「1」の在宅ターミナルケア加算と看取り加算

① ②以外の患者, ② 有料老人ホーム等の患者共通		在宅ターミナルケア加算	看取り加算
強化型支援診・支援病	病床あり	6,500	3,000
	病床なし	5,500	
支援診・支援病		4,500	
その他の医療機関		3,500	

※　在宅患者訪問診療料（Ⅰ）の場合,「1」を算定する場合に限り算定可。在宅緩和ケア充実診療所・病院加算, 在宅療養実績加算の届出をしている場合は届出区分に応じた加算点数が算定できる（p.45の「注6」を参照）。

○**在宅ターミナルケア加算**：支援診・病院を問わず，すべての保険医療機関において，死亡日と死亡日前14日を合わせた15日間で２回以上の往診もしくは訪問診療を行い，またはB004退院時等共同指導料１を算定して訪問診療を行い，在宅で死亡した場合（往診または訪問診療を行った後，24時間以内に在宅以外で死亡した場合を含む）に算定可。

○**看取り加算**：事前に患者またはその家族等に対して，療養上の不安等を解消するために十分な説明を行い同意を得たうえで，死亡日に往診または訪問診療を行い，患家で看取った場合に限り算定可。支援診・支援病を問わず，すべての保険医療機関で算定できるが，在宅以外で死亡した場合は算定不可。

の日におのおの訪問し，診療した場合は**それぞれ訪問診療料を算定**できます。

Q29　同一患家で２人，別の患家で１人の訪問診療

同一建物において，同一患家で２人の診療を行い，さらに別の患家で訪問診療を行った場合，在宅患者訪問診療料はどのように算定するのですか。

A：同一建物で２以上の患家を訪問診療した場合は，同一の患家の規定にかかわらず，訪問診療を行った患者全員に対して「２」の「同一建物居住者の場合」を算定します。〈厚平22.3.29，一部修正〉

Q30　２回に分けて同一建物居住者を診た場合

同一日に同一建物居住者に対して訪問診療を行う場合に213点の算定となりますが，患者の都合等により，同一建物居住者であっても，午前と午後の２回に分けて訪問診療を行わなければならない場合，いずれの患者に対しても213点の算定となるのですか。

A：そのとおりです。　〈厚平22.3.29，一部修正〉

Q31　患者夫婦への訪問等

同一世帯の複数の患者に訪問診療を行う場合，下記のケースはどのように算定するのですか〔在宅患者訪問診療料（Ⅰ）「1」の場合〕。

①　自宅で療養しているA患者夫婦に訪問診療を行った場合，１人は「イ」（888点）で算定し，もう１人は再診料のみなのですか。

②　マンションに入居しているB家の患者夫婦だけを訪問診療した場合，２人目とも「ロ」（213点）を算定するのですか。

A：①　通知により，「同一の患家で２人以上の患者を診療した場合は，１人目は「同一建物居住者以外の場合」を算定するが，２人目以降の患者については在宅患者訪問診療料を算定せず，初診料または再診料・外来診療料および特掲診療料のみを算定する（患者診療時間加算は別に算定可）（『早見表』p.361）とされています。

②　同一建物であっても，一世帯のみに訪問診療を行った場合は「同一患家」の考え方が優先的に適用され，①と同様に，１人目は在宅患者訪問診療料１の「イ」（888点），２人目は初・再診料，外来診療料のいずれかを算定します。　〈オ〉

「注5」患家診療時間加算

Q32　訪問診療料「注5」患家診療時間加算

訪問診療料の患家診療時間加算は，同一建物内で複数患者を診察して，診察時間が合わせて１時間を超えた場合でも算定できますか。

A：算定できません。１人の患者について診察時間が１時間を超えた場合に算定できます。　〈保〉

「注6」在宅ターミナルケア加算，酸素療法加算，在宅緩和ケア充実診療所・病院加算，在宅療養実績加算１・２

Q33　在宅ターミナルケア加算（図表8）

自宅で亡くなった患者について，死亡日及び死亡前14日以内の計15日間に２回以上の往診か訪問診療を行っていれば，死亡前24時間以内に往診または訪問診療を行っていなくても算定可能ですか。

A：死亡日を含む15日以内に２回以上の往診または訪問診療を行っていれば算定できます。

Q34　在宅ターミナルケア加算の算定要件

C001在宅患者訪問診療料（Ⅰ）の「注6」在宅ターミナルケア加算の算定要件に，「死亡日及び死亡日前14日以内に，２回以上の往診又は訪問診療を行った場合」とありますが，当該加算は往診料

のみでは算定できないのでしょうか。

死亡日を含む死亡前の15日間に，(A) 往診のみ2回，(B) 往診2回と訪問診療1回，(C) 訪問診療のみ1回，(D) 訪問診療のみ2回――が実施された場合，算定の可否はどうなりますか。往診料のみでは算定できないとの記述の解釈も含めて教えてください。

A：C001「注6」在宅ターミナルケア加算はC001「1」在宅患者訪問診療料1を算定する場合の加算点数で，その要件は，死亡日を含む死亡前15日間に往診または訪問診療を合計2回以上実施していることです。

死亡日を含む死亡前15日間に往診のみ2回実施した場合でも当該要件を満たすことになりますが，この加算はC001「1」在宅患者訪問診療料1の加算である以上，在宅患者訪問診療料1の算定がなければ加算はできません。

その在宅患者訪問診療料1を算定する訪問診療については，死亡日を含む死亡前15日間よりも前に実施している場合であっても，この加算は算定できます（月をまたぐ場合で，当月に訪問診療を行っていない場合であっても，当月においてこの加算のみ算定できます）。

設問のケースにおいて，死亡日を含む死亡前15日間よりも前に訪問診療（C001「1」在宅患者訪問診療料1を算定）を行っていないのであれば，(A)～(D) のうち，当該加算を算定できるのは (B) と (D) となりますが，15日間よりも前に訪問診療を行っているのであれば，(C) 以外のすべてにおいて算定可となります。

なお，C001-2在宅患者訪問診療料（Ⅱ）「注5」の在宅ターミナルケア加算と「注1」「イ」についても上記と同様です。〈オ〉

Q35　訪問診療回数のカウント

在宅ターミナルケア加算は，訪問診療を行っている保険医療機関が算定しますが，要件である2回以上の往診または訪問診療に，次の訪問は回数にカウントできますか。

①在宅支援連携体制を構築する連携保険医療機関による緊急往診等

②機能強化型以外の支援診の連携保険医療機関による緊急往診等

A：①カウントできます。②カウントできません。
（①②とも平成24年3月19日厚労省口頭回答）〈保〉

Q36　在宅以外で患者が死亡した場合

在宅以外で患者が死亡した場合，在宅ターミナルケア加算は算定できないのですか。

A：在宅以外で死亡した場合も，死亡前24時間以内に往診または訪問診療を行っていれば算定できます。

Q37　月末に訪問した患者が翌月に亡くなった場合

死亡日を含めた15日以内に2度の訪問を行い，さらに当該月の月末の日に往診を行った患者が，翌月1日に死亡した場合，在宅患者訪問診療料（Ⅰ）（Ⅱ）の在宅ターミナルケア加算はどのように請求すればよいのですか。

A：死亡月のレセプトで加算のみ請求します。なお，電子レセプトも紙レセプトもレセプトの摘要欄に，前月に行った往診又は訪問診療の日および死亡前24時間以内に行った往診または訪問診療の日時を記載します。〈保〉

（編注）在宅ターミナルケア加算は前月以前も含めて訪問診療料（Ⅰ）「1」，（Ⅱ）「イ」の算定がある場合のみ，算定できます。

Q38　当該月に訪問診療を行っていない場合

当該月に在宅患者訪問診療料（Ⅰ）（Ⅱ）の算定がなく往診料のみの場合でも，要件を満たせば在宅ターミナルケア加算は算定できるのですか。

A：訪問診療料（Ⅰ）「1」，（Ⅱ）「イ」を算定したことがあれば算定できます。〈保〉

Q39　訪問看護の在宅ターミナルケア加算との併算定

在宅患者訪問診療料（Ⅰ）（Ⅱ）と在宅患者訪問看護・指導料の在宅ターミナルケア加算は，同一患者について併算定可能でしょうか。

A：算定要件を満たせば，加算はそれぞれできますが，在宅患者訪問診療料（Ⅰ）（Ⅱ）と在宅患者訪問看護・指導料の同一日の併算定は認められません。

Q40　在宅ターミナルケア加算

同一患者に対し，訪問看護ステーションで，訪問看護ターミナルケア療養費を算定する場合，自院で訪問看護・指導料等の在宅ターミナルケア加算等を算定できますか。

A：算定できません。

Q41　レセプトへの記載方法

在宅以外で死亡した患者に在宅ターミナルケア加算を算定する場合，レセプトの記載はどのようになるのですか。

A：摘要欄に死亡日前14日と死亡日を合わせた15日間に行った往診または訪問診療の日と，死亡前24時間以内に行った往診または訪問診療の日時を記載します。また患者が在宅以外で死亡した場合は，死亡前24時間以内に行った訪問診療の日時を記載します。〈保〉

Q42 看取り加算との併算定

在宅ターミナルケア加算と看取り加算は併算定可能ですか。

A：算定可能です。　〈日事〉

Q43 在宅患者訪問診療料（Ⅰ）「注６」酸素療法加算

C001在宅患者訪問診療料（Ⅰ）の「注６」在宅ターミナル加算の酸素療法加算についてです。

慢性の心疾患がないがん患者について，死亡月の月初（４月１日）に在宅酸素療法を導入し，「慢性呼吸不全」の診断をして指導管理を行いました。同月末（４月29日）に死亡した場合は，C103在宅酸素療法指導管理料で算定せず，酸素療法加算で算定するのですか。

一方，がん以外の患者の場合，在宅酸素療法指導管理料で算定できるのですか。また，在宅酸素療法を導入してすぐに死亡した場合でも，酸素療法加算が算定できるのでしょうか。

A：在宅ターミナルケア加算の酸素療法加算は，末期のがん患者に対し，死亡月に在宅酸素療法を行った場合に算定します。ただし，C103在宅酸素療法指導管理料とその加算点数は併算定できません。したがって，がん患者であって，在宅酸素療法指導管理料の算定要件を満たさない患者については酸素療法加算を算定し，満たす患者については，死亡月の患者も含めて在宅酸素療法指導管理料とその加算点数を算定するのが適当と解します。そして，その他の患者について，死亡月に在宅ターミナルケア加算の算定要件を満たしたうえで在宅酸素療法を行っているのであれば，酸素療法加算2000点が算定できます。　〈オ〉

Q44 在宅酸素療法指導管理料と酸素療法加算の扱い

①C103在宅酸素療法指導管理料を算定していますが，在宅がん医療総合診療が始まった日から管理料はC003在宅がん医療総合診療料に含まれ，次月からは算定できません。

C003算定開始の次月に患者が死亡したとき，C001・C001-2在宅患者訪問診療料（Ⅰ）・（Ⅱ）の在宅ターミナルケア加算における酸素療法加算は算定できますか。

②C103在宅酸素療法指導管理料とC002在宅時医学総合管理料を算定している患者が次月の１日に死亡した場合，C001・C001-2の在宅ターミナルケア加算における酸素療法加算は算定できますか。

A：①C001・C001-2在宅患者訪問診療料（Ⅰ）・（Ⅱ）において，酸素療法加算は在宅ターミナルケア加算に加算すべき点数として設定されています。C003の算定開始の翌月，患者が死亡し，在宅で酸素療法を行った場合，在宅ターミナルケア加算とともに酸素療法加算が算定できます。

②次月の１日にC103の算定要件を満たしていれば，C002とC103が併算定できます。C103を算定する場合，C001・C001-2の酸素療法加算は併算定できません。次月の１日にC103の指導管理を行っておらず，酸素療法のみを行っている場合は，在宅ターミナルケア加算とともに酸素療法加算が算定可となります。　〈オ〉

Q45 在宅療養実績加算１・２，在宅緩和ケア充実診療所・病院加算

在宅療養実績加算１・２，在宅緩和ケア充実診療所・病院加算をした医療機関では，どのように点数を算定するのですか。

A：在宅ターミナルケア加算に在宅療養実績加算１の届出の場合は750点，在宅療養実績加算２の届出の場合は500点，在宅緩和ケア充実診療所・病院加算の届出の場合は1000点を加算します。

「注７」看取り加算と「注８」死亡診断加算

Q46 看取り加算と死亡診断加算の違い

看取り加算と死亡診断加算の違いは何ですか。

A：看取り加算は，事前に患者またはその家族等に対して，療養上の不安等を解消するために十分な説明を行い同意を得たうえで，死亡日に往診または訪問診療を行い，患家で看取った場合に限り算定できます。

上記の要件を満たせず看取りを行った場合は，死亡診断加算を算定します。　〈保〉

Q47 看取り加算の算定可否

病院に患者を搬送した後に死亡した場合でも，看取り加算は算定できますか。

A：算定できません。患家で看取った場合にのみ算定できます。　〈保〉

Q48 死亡のタイミングに立ち合わなかった場合

在宅患者訪問診療料（Ⅰ）及び（Ⅱ）に係る看取り加算については，死亡日に往診又は訪問診療を行い，死亡のタイミングには立ち会わなかったが，死亡後に死亡診断を行った場合には算定できないという理解でよいでしょうか。

A：そのとおりです。在宅患者訪問診療料（Ⅰ）（Ⅱ）においては，

①　在宅ターミナルケア加算（死亡日及び死亡日前14日以内に２回以上の往診又は訪問診療を実施した場合を評価）

②　看取り加算〔死亡日に往診又は訪問診療を

行い，患者を患家で看取った場合を評価（死亡診断に係る評価も含む)〕

③ 死亡診断加算（死亡日に往診又は訪問診療を行い，死亡診断を行った場合を評価)

が設定されています。これらは，在宅医療におけるターミナルケアを評価したものであり，①は死亡前までに実施された診療，②は死亡のタイミングへの立ち合いを含めた死亡前後に実施された診療，③は死亡後の死亡診断をそれぞれ評価したものです。このため，例えば，

・死亡日に往診又は訪問診療を行い，かつ，死亡のタイミングに立ち会い，死亡後に死亡診断及び家族等へのケアを行った場合は，②（在宅ターミナルケア加算の要件を満たす場合は①と②の両方）を算定，

・死亡日に往診又は訪問診療を行い，死亡のタイミングには立ち会わなかったが，死亡後に死亡診断を行った場合は，③（在宅ターミナルケア加算の要件を満たす場合は①と③の両方）を算定することとなります。〈厚平30.7.30〉

Q49 在宅患者訪問診療料の看取り加算

①2018年7月30日の事務連絡通知で，死後に往診して医師が死亡診断した際のC001「注7」看取り加算（3,000点）は算定不可とされました。在宅療養支援診療所の当院では，これまで心肺停止後の死亡診断を看取りとみなし，看取り加算を算定してきましたが，今後は，「注8」死亡診断加算（200点）で算定すべきでしょうか。

②また，在宅療養支援診療所の施設基準（『早見表』p.1322）に以下がありますが，看取り加算を算定していない患者は，ここにカウントできないのですか。

ヌ 定期的に，在宅看取り数等を地方厚生局等に報告していること。

ル 緊急の往診及び在宅における看取り等について相当の実績を有していること。

ヲ （前略）②看取り等について，充分な実績を有していること。

A：①7月30日の事務連絡では，死亡のタイミングに立ち会わず，死亡後に死亡診断を行った場合は，C001「注8」死亡診断加算での算定となるとされました。ところが，厚労省に相当数のクレームや「死亡のタイミングに立ち会うとはどういうことか」という質問も届いたようです。

そこで地方厚生局に確認したところ，厚労省より，厚生局や支払基金など内部向けに以下の疑義解釈が示されたとのことです。その主旨（公開されていないため厚生局から聞き取った内容）は以下のとおりです。

（問） 2018年7月30日の疑義解釈（その7）の問2の回答の「死亡のタイミング」とはどういうことか。

（答） 事前に不安を解消するための説明と同意を家族や患者に行ったうえで，患者の死亡日に往診または訪問診療を行っていることであり，必ずしも患者の亡くなる瞬間に立ち会うことを意味しない。

したがって，事前に不安を解消するための説明と同意を家族や患者に行っている場合，死亡の前後にかかわらず，患者の死亡日に往診または訪問診療があれば看取り加算が算定できることになります。

②看取り加算を算定した患者を含め死亡前に訪問診療を行って管理していて看取った患者，他院に入院して7日以内に死亡した場合，看取り実績にカウントします。〈オ〉

Q50 連携先が看取りを行った場合

主治医である支援診が看取りについて患者または家族への説明と同意を行いましたが，結果的に看取りを行ったのは在宅支援連携体制を構築している連携保険医療機関（支援診療所・支援病院に限る）であった場合，どちらの保険医療機関において看取り加算を算定するのですか。

A：実際に看取りを行った保険医療機関が算定します（平成24年3月19日厚労省口頭回答）。

レセプトの「摘要」欄に主治医である支援診からの指示で看取りを行った旨および主治医が行った往診・訪問診療の日を記載しておきます。〈保〉

Q51 当該月に訪問診療が行われていない場合の看取り加算

看取り加算について，月初めに往診し看取った場合，当該月に訪問診療が行われていませんが，看取り加算は算定できるのですか。

A：算定できます。ただし，前月に訪問診療を行っていることが前提となります。レセプトの「摘要」欄に訪問診療を行った日を記載しておきます（紙レセプト，電子レセプト共通)。〈保〉

Q52 「看取り」の際の警察関与

「看取り」の際に，警察が関与するときと（不審死)，その必要がないときの境目は，どのように規定されていますか。

A：医師法第21条より，死体に異状があると認めたときは，24時間以内に所轄警察署に届け出が必要となります。〈日事〉

Q53 患者死亡時の算定

在宅看取りについて，下記の場合の請求方法はどうなりますか。

①18日14時に訪問診療，20日朝に家族から「19日23：00呼吸停止」と連絡あり，20日午前に往診して死亡を確認しました。死亡診断書の「死亡

したとき」は「19日23：00」，診断日は「20日」で作成しました。この場合，20日午前の医師の往診は保険請求で認められますか。
②C001在宅患者訪問診療料（Ⅰ）「注８」死亡診断加算の算定要件は，「死亡診断を行った場合」に算定となっていますが，これは死亡診断書の診断年月日ですか。それとも死亡したときですか。

A：①「死亡」と確定するのは，「心肺停止状態」になったときではなく，「医師が死亡と診断」したときです。20日の医師の往診は死亡の確認をしているため，保険診療として認められます。
②死亡診断加算は医師が死亡診断を行った日に算定します。〈オ〉

Q54　訪問診療の翌日の死亡診断加算

訪問診療した翌日でも死亡診断加算は算定できますか。

A：訪問診療翌日の患者が死亡した日に往診を行っていれば，往診料＋死亡診断加算で算定できます。

Q55　死亡診断加算

死亡診断加算は，患家に到着したときすでに患者が死亡していた場合でも算定できますか。

A：死亡診断加算は，在宅療養患者が在宅で死亡した場合であって，死亡日に往診または訪問診療を行い，死亡診断を行った場合に算定できます。したがって，死亡時の立会いは必須ではありません。

Q56　死亡が確認されたあとの診察

患者が在宅で死亡した場合であって，患者の死亡日に患家の求めに応じて医師が患家に赴き，死亡診断を行った際は，C000往診料の「注５」死亡診断加算又はC001在宅患者訪問診療料の「注６」在宅ターミナルケア加算若しくは，同区分の「注７」看取り加算等も含めて算定することができますが，医師が死亡を確認した後，当該患者の死亡の原因が生前に診療していた疾病に関連したものかどうかを判断するために行う視診，触診等の行為（いわゆる，「既に死亡が確認された後の身体の『診察』」）に係る費用は，診療報酬の対象となるのですか。

A：診療報酬の対象となりません。〈厚平24.9.21〉

「注12」在宅患者訪問診療料（Ⅰ）不適合減算

Q57　平均訪問診療回数の取扱い 新

在宅患者訪問診療料（Ⅰ）の「注12」において，直近３月の訪問診療を行っている患者（一部の患者を除く）１人あたりの平均の訪問診療回数（以下「平均訪問診療回数」という）が一定以上の場合の取扱いが示されていますが，当該実績の計算はどのように行えばよいですか。また，平均訪問診療回数が一定以上であった場合の取扱い如何。

A：訪問診療の実績については，各月の１日時点の直近３ヶ月の訪問診療の算定回数を算出し，確認出来る様に記録しておきます。また，平均訪問診療回数が一定以上であることを確認した場合は，同一患者について当該月の４回目までの訪問診療については100分の100の点数を算定しますが，５回目以降の訪問診療については，当該月の間は100分の50に相当する点数により算定します。
〈厚令6.3.28〉

Q58　厚生労働大臣が定める基準 新

C001在宅患者訪問診療料（Ⅰ）の「注12」に規定する別に厚生労働大臣が定める基準に掲げる「末期心不全の患者」及び「呼吸器疾患の終末期の患者」について，具体的にどのような患者のことをいうのですか。

A：それぞれ以下のとおりとなります。

○　末期心不全の患者は，以下の①及び②の基準並びに③又は④のいずれかの基準に該当するもの
　①　心不全に対して適切な治療が実施されている。
　②　器質的な心機能障害により，適切な治療にかかわらず，慢性的にNYHA重症度分類Ⅳ度の症状に該当し，頻回又は持続的に点滴薬物療法を必要とする状態である。
　③　左室駆出率が20％以下である。
　④　医学的に終末期であると判断される状態である。

○　呼吸器疾患の終末期の患者は，以下の①，②及び③のすべての基準に該当するもの
　①　呼吸器疾患に対して適切な治療が実施されている。
　②　在宅酸素療法やNPPV（非侵襲的陽圧換気）を継続的に実施している。
　③　過去半年以内に10％以上の体重減少を認める。〈厚令6.3.28〉

「注13」在宅医療ＤＸ情報活用加算

Q59　必要な体制とは 新

在宅医療ＤＸ情報活用加算の施設基準において，「居宅同意取得型のオンライン資格確認等システムの活用により，医師等が患者の診療情報等を取得及び活用できる体制を有していること」とありますが，具体的にどのような体制を有していればよいですか。

A：オンライン資格確認等システムを通じて取得

された診療情報等について，電子カルテシステム等により医師等が閲覧又は活用できる体制あるいはその他の方法により医師等が診療計画の作成において診療情報等を閲覧又は活用できる体制を有している必要があり，単にオンライン資格確認等システムにより診療情報等を取得できる体制のみを有している場合は該当しません。〈厚令6.5.31〉

Q60　掲示について(1) 新

在宅医療DX情報活用加算の施設基準において，「医療DX推進の体制に関する事項及び質の高い診療を実施するための十分な情報を取得・活用して診療を行うことについて，当該保険医療機関の見やすい場所に掲示していること」とされており，「ア」～「ウ」の事項が示されていますが，「ア」～「ウ」の事項は別々に掲示する必要があるのですか。また，掲示内容について，参考にするものはありますか。

A：まとめて掲示しても差し支えありません。掲示内容については，以下のURLに示す様式を参考にしてください。

◎オンライン資格確認に関する周知素材について

｜施設内での掲示ポスター

これらのポスターは「在宅医療DX情報活用加算」，「在宅医療DX情報活用加算（歯科）」及び「訪問看護医療DX情報活用加算」の掲示に関する施設基準を満たします。

https://www.mhlw.go.jp/stf/index_16745.html

〈厚令6.5.31〉

Q61　掲示について(2) 新

在宅医療DX情報活用加算の施設基準において，「マイナ保険証を促進する等，医療DXを通じて質の高い医療を提供できるよう取り組んでいる保険医療機関であること」を当該保険医療機関の見やすい場所に掲示することとしていますが，「マイナ保険証を促進する等，医療DXを通じて質の高い医療を提供できるよう取り組んでいる」については，具体的にどのような取組を行い，また，どのような掲示を行えばよいのでしょうか。

A：当該保険医療機関又は患家において「マイナ保険証をお出しください」等，マイナ保険証の提示を求める案内や掲示（Q60に示す掲示の例を含む）を行う必要があり，「保険証をお出しください」等，単に従来の保険証の提示のみを求める案内や掲示を行うことは該当しません。

また，訪問診療等を行う際に，Q60に示す掲示内容を含む書面を持参して利用者等に提示するといった対応がとられていることが望ましいとされます。

〈厚令6.5.31〉

Q62　マイナンバーカードのトラブル 新

居宅同意取得型のオンライン資格確認等において，マイナンバーカードを読み取れない場合や利用者が4桁の暗証番号を忘れた場合はどのように対応すればよいのですか。

A：医療機関等向け総合ポータルサイトのオンライン資格確認・オンライン請求ページに掲載されている訪問診療等に関するよくある質問（FAQ）を参照し対応してください。

（参考）

https://iryohokenjyoho.servicenow.com/csm?id=kb_article_view&sys_kb_id=ceddb596c3a142506e19fd777a0131d5

〈厚令6.5.31〉

その他の算定方法

Q63　往診・訪問診療と指導管理料

往診料や在宅患者訪問診療料（Ⅰ）（Ⅱ）を算定した日に，在宅成分栄養経管栄養法指導管理料などの在宅療養指導管理料を算定してもよいですか。

A：「在宅療養指導管理料」は，来院時もしくは訪問診療・往診時に医師が指導管理を行うものです。併せて算定可能です。

Q64　訪問診療後，緊急来院の再診料

訪問診療後，同日に急性増悪で来院した場合，再診料は算定できますか。

A：算定できます。

Q65　同一建物居住者への往診と訪問診療

同一日，同一建物において，Aさんに往診を行い，Bさんに訪問診療を行った場合，Aさんは往診料，Bさんは在宅患者訪問診療料（Ⅰ）「1」「ロ」の同一建物居住者の場合（213点）を算定しますか。

A：同一日に同一建物の複数の患者にそれぞれ往診と訪問診療を行う場合，往診は訪問診療の件数にカウントしないので，Aさんは往診料，Bさんは在宅患者訪問診療料（Ⅰ）「1」「イ」（888点）を算定します。

Q66　同一診療科を標榜する保険医療機関の求めを受けての訪問診療

在宅患者訪問診療料（Ⅰ）「2」について，同一診療科を標榜する保険医療機関の求めを受けて訪問診療を行った場合でも算定可能ですか。

A：主治医として定期的に訪問診療を行っている医師の求めに応じて行った場合は，算定可能です。

〈厚平30.3.30〉

Q67　他院の主治医が行う訪問診療への同行

在宅患者訪問診療料（Ⅰ）「2」について，当該

患者に対し「当該患者の同意を得て，計画的な医学管理のもと，主治医として定期的に訪問診療を行っている保険医が属する保険医療機関」が行う訪問診療に同行し，主治医の求めに応じた異なる保険医療機関の医師が訪問診療を行った場合に，算定可能ですか。

A：算定できません。立合診察となるため，往診料を算定できます。〈厚平30.3.30〉

Q68　ケアマネジャーを通じた依頼

他院が訪問診療を行っている患者について，その他院からの紹介ではなく，ケアマネジャーを通じて当院へ訪問診療の依頼があった場合，在宅患者訪問診療料（Ⅰ）「2」は算定可能ですか。

A：算定できません。訪問診療を行っている他院からの依頼でなければ，算定不可となります。

Q69　在医総管等に包括される処置等の費用

在医総管や施設総管の算定医療機関からの求めに応じて訪問診療を行い，在宅患者訪問診療料（Ⅰ）「2」を算定する場合，在医総管等に包括される処置等を実施した場合，当該処置等の費用は算定可能ですか。

A：算定できます。

Q70　要支援・要介護者への訪問診療

要支援・要介護者に対する訪問診療は，介護保険に請求するのですか。

A：訪問診療も含め医師が行うものは，原則として，医療保険に請求します。ただし，一部の施設入居者には算定不可の場合があります。また，医師による居宅療養管理指導は介護保険に請求します。

Q71　要介護者への訪問診療と訪問看護

介護保険の要支援・要介護認定者に対し訪問診療と訪問看護を行っている場合，医療保険への請求が可能ですか。

A：訪問診療は医療保険に，訪問看護は介護保険に請求します。ただし，末期の悪性腫瘍，厚生労働大臣の定める疾患（多発性硬化症等の疾病，状態），急性増悪時の患者の訪問看護は医療保険に請求します。

また，要件を満たしていれば，医師による介護保険の居宅療養管理指導費は別に算定できます。〈東〉

Q72　介護認定を受けない患者

介護保険の要支援・要介護認定を受けない患者への訪問診療や訪問看護等の請求先はどうなるのですか。

A：要介護者・要支援者以外の患者に対する訪問診療，訪問看護，訪問リハビリテーション，訪問薬剤管理指導，訪問栄養食事指導については，医療保険により算定します。〈東〉

Q73　医師がその他の職員と訪問した場合

要介護・要支援認定なしの患者に対し，医師が自院のその他の職員（看護師，理学療法士等）と一緒に訪問し，訪問診療，訪問看護，訪問リハビリテーションを行った場合，医療保険ではどの項目で算定するのでしょうか。

A：在宅患者訪問診療料（Ⅰ）（Ⅱ）のみでの算定となります。

Q74　週4回目の訪問

週4回目の訪問の場合，（末期の悪性腫瘍の患者等を除き）訪問診療料は算定できませんが，再診料は算定できますか。

A：定期的な訪問診療の4回目は訪問診療料も再診料も算定できません。ただし，4回目が患者の急変等により患家の求めに応じた往診なら，往診料と再診料が算定できます。

Q75　月1回の訪問診療でも算定可能か

寝たきり患者に対する1カ月に1回の訪問診療で，在宅患者訪問診療料（Ⅰ）（Ⅱ）の算定は認められますか。投薬は家族が来院し渡していることもありますが，いかがでしょうか。

A：訪問診療料は要件を満たしているので算定できます。しかし，やむを得ない場合を除き投薬は本来直接本人を診療したうえで適切な薬剤を投与すべきであり，訪問診療は，処方間隔等も考慮したうえで計画的に行われる必要があります。

Q76　他院へ入院後に訪問診療に赴いた場合

当院の内科で在宅患者訪問診療料（Ⅰ）の「1」を算定していた患者が，骨折で外科病院に入院しました。内科的な訪問診療を続けるため外科病院に赴いたときは，どのような算定になりますか。

A：この場合は，原則として対診扱いとなり，再診料と往診料等が算定できます。その際に診療に要した費用は外科病院で請求し，内科と合議精算をします。

Q77　家族に連れられ外来受診した場合

在宅患者訪問診療料（Ⅰ）（Ⅱ）を算定している患者で，X線検査などのため，家族が本人を介助し外来を受診した場合，再診料は算定できますか。

A：訪問診療とは別に，必要があって医療機関で実際に診療を行った場合は，再診料が算定できます。

Q78 家族が薬を取りに来た場合

在宅患者訪問診療料（Ⅰ）（Ⅱ）を算定している患者の家族が来院し，投薬を行った場合，再診料は算定できますか。

A：訪問診療・往診の後で，患者の家族が薬を取りに来ただけの場合，再診料は算定できません。

しかし，病状の変化等やむを得ない事情により次の訪問診療より前に投薬が必要となり家族等看護に当たっている者から症状を聞いて投薬したものであれば，再診料，投薬料（在宅時医学総合管理料等の投薬料等を包括する点数の算定患者を除く）が算定できます。

Q79 訪問診療後に患者家族から電話で質問

定期的な訪問診療を行った同日に，患者の家族から電話で療養上の質問をされた場合，再診料は算定できるのでしょうか。

A：急性増悪等療養上必要があって，電話で療養上の質問をされた場合は，別に電話再診料を算定することができます。また，訪問診療後に必要があって往診した場合は，往診料，再診料とも同日であっても別に算定できます。

Q80 看護師から症状を聞いて投薬

訪問看護を行っている看護師から症状を聞いて投薬した場合は，再診料は算定できますか。

A：再診料は算定できません。看護師から症状を聞いたのみで投薬をすることは，医師法第20条に規定される無診治療に当たり，適切ではありません。

常時看護にあたる家族に症状を聞いて投薬することとされています。

Q81 在宅療養指導管理料を算定する患者への別疾患に対する投薬

在宅療養指導管理料を算定している患者に対して往診や訪問診療を行い，在宅療養指導管理の薬剤とはまったく別の風邪薬や慢性疾患薬（高血圧等）を処方した場合，どのような算定になりますか。

A：薬剤料，処方料，調剤料とも算定できます。また，院外処方の場合は処方箋料が算定できます。ただし在宅時医学総合管理料等，投薬料を包括する点数を併せて算定している場合は投薬料の算定はできません。

Q82 医療保険と公害併用患者への訪問診療

医療保険と公害医療を併用している患者に対し，訪問診療を行い，在宅患者訪問診療料（Ⅰ）（Ⅱ）を算定するとき，診療が医保と公害どちらにも関わる場合，どのように算定したらよいですか。

A：「訪問診療を必要とした主たる疾病」に係る制度に請求します。医保と公害がどちらも主病であれば，公害の取扱いとして差し支えありません。

> **（参考）厚生労働省通知**
> 「（健保と労災の給付を同時に受けている場合の）再診料は，主たる疾病の再診料として算定する。なお，入院料および往診料は，当該入院あるいは往診を必要とした疾病に係るものとして算定する」（平22.3.5 保医発0305·1）

Q83 初診の日に初診料を算定せず訪問診療料と在医総管を算定してよいか

C001在宅患者訪問診療料（Ⅰ）「1」「イ」は「初診料を算定する初診の日に訪問して診療を行った場合を除く」とありますが，初めての訪問日に初診料を算定せず，C001在宅患者訪問診療料（Ⅰ）「1」「イ」とC002在宅時医学総合管理料を算定できますか。

A：C001在宅患者訪問診療料（Ⅰ）「1」「イ」は「計画的な医学管理の下で定期的に訪問して診療を行った場合」を評価したものであるため，初診料を算定する初診の日に算定することはできません。C002在宅時医学総合管理料についても，「在宅療養計画に基づき月1回以上継続して訪問診療を行った場合に月1回に限り算定する」扱いのため，初診の日には算定できません。〈オ〉

Q84 訪問診療患者の他院での精神科デイ・ケア

当院にて内科疾患で訪問診療を受けている患者（認知症等精神科疾患もあり）から，他院精神科のデイ・ケアを受けたいと申し出がありました。デイ・ケアにあたっては，第8部精神科専門療法の
I008-2精神科ショート・ケア
I009精神科デイ・ケア
I010精神科ナイト・ケア
I010-2精神科デイ・ナイト・ケア
I015重度認知症患者デイ・ケア料
と，当日の当院でのC001在宅患者訪問診療料（Ⅰ）とC002在宅時医学総合管理料との併算定は可能でしょうか。早見表には併算定不可の規定が見当たらず，他院精神科への通院も家族の介助で連れて行っている事例です。

また，他院精神科でI016精神科在宅患者支援管理料を算定中の患者については，管理する傷病が（内科疾患と精神科疾患で）違うという理由でC002との併算定は可能でしょうか。

A：自院のC001・C002と，他院のI008-2，I009，I010，I010-2，I015には併算定不可の規定がないので，併算定可能です。ただし，告示より，I016精神科在宅患者支援管理料を算定した場合は，C002を算定できません（『早見表』p.686）。

なお，他院のC001とC002とI008-2等が両方必

注 文 書

2024.10

※この面を弊社宛にFAXして下さい。あるいはこのハガキをそのままご投函下さい。

医学通信社・直通 FAX→ 03-3512-0250

お客様コード	（わかる場合のみで結構です）		
ご住所〔ご自宅又は医療機関・会社等の住所〕	〒	電話番号	
お名前〔ご本人又は医療機関等の名称・部署名〕	（フリガナ）	ご担当者	（法人・団体でご注文の場合）

〔送料〕1～9冊：100円×冊数，10冊以上何冊でも1,000円（消費税別）

書籍	ご注文部数		
診療点数早見表 2024年度版〔2024年5月刊〕		最新 検査・画像診断事典 2024-25年版〔2024年5月刊〕	
DPC点数早見表 2024年度版〔2024年5月刊〕		手術術式の完全解説 2024-25年版〔2024年6月刊〕	
薬価・効能早見表 2024年4月版〔2024年4月刊〕		臨床手技の完全解説 2024-25年版〔2024年6月刊〕	
診療報酬Q＆A 2025年版〔2024年12月刊予定〕		医学管理の完全解説 2024-25年版〔2024年6月刊〕	
受験対策と予想問題集 2024年版〔2024年7月刊〕		在宅医療の完全解説 2024-25年版〔2024年9月刊〕	
プロのレセプトチェック技術 2024-25年版〔2024年8月刊〕		レセプト総点検マニュアル 2024年版〔2024年6月刊〕	
請求もれ＆査定減ゼロ対策 2024-25年版〔2024年10月刊〕		診療報酬・完全マスタードリル 2024-25年版〔2024年5月刊〕	
在宅診療報酬Q＆A 2024-25年版〔2024年10月刊〕		医療事務【BASIC】問題集 2024〔2024年5月刊〕	
労災・自賠責請求マニュアル 2024-25年版〔2024年8月刊〕		医療事務100問100答 2024年版〔2024年4月刊〕	
医師事務作業補助・実践入門BOOK 2024-25年版〔2024年8月刊〕		入門・診療報酬の請求 2024-25年版〔2024年7月刊〕	
"保険診療＆請求"ガイドライン 2024-25年版〔2024年7月刊〕		レセプト請求の全技術 2024-25年版〔2024年6月刊〕	
医療＆介護ハンドブック手帳 2025〔2024年9月刊〕		介護報酬早見表 2024-26年版〔2024年6月刊〕	
診療報酬・完全攻略マニュアル 2024-25年版〔2024年6月刊〕		介護報酬パーフェクトガイド 2024-26年版〔2024年7月刊〕	
医療事務【実践対応】ハンドブック 2024年版〔2024年5月刊〕		介護報酬サービスコード表 2024-26年版〔2024年5月刊〕	
窓口事務【必携】ハンドブック 2024年版〔2024年5月刊〕		特定保険医療材料ガイドブック 2024年度版〔2024年8月刊〕	
最新・医療事務入門 2024年版〔2024年4月刊〕		標準・傷病名事典 Ver.4.0〔2024年2月刊〕	
公費負担医療の実際知識 2024年版〔2024年4月刊〕		【電子カルテ版】診療記録監査の手引き〔2020年10月刊〕	
医療関連法の完全知識 2024年版〔2024年6月刊〕		"リアル"なクリニック経営―300の鉄則〔2020年1月刊〕	
		（その他ご注文書籍）	

電子辞書BOX『GiGi-Brain』申込み ※折返し，契約・ダウンロードのご案内をお送りいたします

□『GiGi-Brain』を申し込む　（□欄に ✓ を入れてください）

メールアドレス（必須）

『月刊／保険診療』申込み（番号・文字を○で囲んで下さい）　※割引特典は支払い手続き時に選択できます

① 定期購読を申し込む〔　　　〕年〔　　　〕月号から　〔 1年 or 半年 〕

② 単品注文する（　　年　　月号　　冊）　③『月刊／保険診療』見本誌を希望する（無料）

料金受取人払郵便

神田局
承認

3123

差出有効期間
2026年 4 月
20日まで

101-8795

308

（受取人）
東京都千代田区神田神保町 2-6
（十歩ビル）

医 学 通 信 社 行

TEL. 03-3512-0251　FAX. 03-3512-0250

【ご注文方法】

①裏面に注文冊数，氏名等をご記入の上，弊社宛に FAX して下さい。
　このハガキをそのまま投函もできます。
②電話（03-3512-0251），HP でのご注文も承っております。
→振込用紙同封で書籍をお送りします。（書籍代と，別途送料がかかります。）
③または全国の書店にて，ご注文下さい。

（今後お知らせいただいたご住所宛に，弊社書籍の新刊・改訂のご案内をお送りいたします。）

※今後，発行してほしい書籍・CD-ROM のご要望，あるいは既存書籍へのご意見がありましたら，ご自由にお書きください。

要かどうかについては，レセプト審査で問われることになります。他院との連携状況や「C001とC002」と「I008-2」の両方が必要であることを詳記して請求してみてはいかがでしょうか。〈オ〉

Q85 在宅訪問診療料と訪問看護療養費の併算定

訪問看護指示書を交付した医療機関で在宅患者訪問診療料（Ⅰ）（Ⅱ）を算定した日は，訪問看護ステーションが重複して訪問看護をしても訪問看護療養費の算定はできませんか。

A：保険医療機関が訪問診療を行った日に，指示書を交付した保険医療機関と特別の関係にある訪問看護ステーションと在宅患者訪問看護を行った場合は，訪問看護療養費は訪問診療料（Ⅰ）（Ⅱ）は併算定できません。〔『早見表』p.351（在宅患者診療・指導料に係る通知）〕。その他の場合は併算定できます。〈オ〉

Q86 訪問診療と訪問看護の併算定は

在宅患者訪問診療料（Ⅰ）（Ⅱ）を算定している寝たきりの患者に，同一医療機関が行う在宅患者訪問看護・指導料は併算定できますか。

A：同一日に算定することはできません。訪問診療を行わない日であれば算定することは可能です。

なお，訪問診療と介護保険の訪問看護費との併算定は可能です。

Q87 訪問診療と調剤薬局の在宅患者訪問薬剤管理指導料の同日算定

「第1節　在宅患者診療・指導料」に関する保医発通知に，C001在宅患者訪問診療料（Ⅰ）やC008在宅患者訪問薬剤管理指導料など，いずれか1つを算定した日においては他のものを算定できないとあります。医療機関の訪問診療料と調剤薬局の在宅患者訪問薬剤管理指導料を同一日に行った場合も，併算定できないのでしょうか。

A：医療機関の訪問診療料と調剤の在宅患者訪問薬剤管理指導料の同日算定を禁じる規定はないので，それぞれ算定できます。〈オ〉

Q88 訪問診療と皮下・筋肉内注射

C101在宅自己注射指導管理料を算定している患者について，在宅患者訪問診療料（Ⅰ）（Ⅱ）を算定する日に併せて行った皮下・筋肉内注射等の費用は算定しないとありますが，その月に在宅自己注射指導管理料を算定せず，訪問診療だけを行って注射をしたときは，手技料は算定できますか。

A：その月に在宅自己注射指導管理料を算定していなければ，自己注射に係る薬剤も含めて，皮下・筋肉内注射等の手技料を算定できます。

また，同指導管理料を算定していても，緊急を要する症状の際の自己注射や，自己注射に関わらない薬剤の注射については手技料・薬剤料ともに算定できます。

Q89 デュオアクティブの請求

C109在宅寝たきり患者処置指導管理料算定患者の訪問診療の際に，褥瘡処置のためデュオアクティブを用いて治療した場合，どう算定しますか。

A：デュオアクティブは，寝たきり患者処置指導管理料算定患者に医師が処置を行った場合，創傷処置（褥瘡処置）は処置料が包括されるので材料料も算定できません。なお，重度褥瘡処置であれば処置料が包括されないので材料料も算定可能です。この場合，保険薬局からデュオアクティブを渡してもらうことも可能です。

医療と介護の給付調整

Q90 小規模多機能型居宅介護または複合型サービス利用者の取扱い

医療保険と介護保険の給付調整に関する通知において，小規模多機能型居宅介護または複合型サービスを受けている患者（宿泊サービス利用中の患者に限る）について，在宅患者訪問診療料，在宅時医学総合管理料又は在宅がん医療総合診療料を算定できるとありますが，宿泊サービスの利用日の日中に訪問診療を行った場合でも当該診療料等を算定できますか。

A：訪問診療については，宿泊サービス利用中の患者に対してサービス利用日の日中に行った場合も，当該診療料等を算定できます。〈厚平30.4.25〉

Q91 退院後の訪問診療

退院後に小規模多機能型施設の宿泊サービスを受ける予定の患者ですが，入院前に訪問診療をしていませんでした。退院後に当院から訪問診療をする予定ですが，算定することはできますか。

A：退院日を除き訪問診療料が算定できます。小規模多機能型施設の宿泊サービスを受ける場合，小規模多機能型施設のサービス利用開始前30日間に訪問診療料を算定することとされています。2020年改定で，退院後に利用する場合は訪問診療料算定なしでも，退院日を除き，訪問診療料は算定できることになりました。

施設入所者への訪問診療

Q92 居住系施設入所者への訪問診療料

グループホーム入所者や特養（当診療所が嘱託医）入所の末期癌患者に対して訪問診療を行った場合，C001在宅患者訪問診療料（Ⅰ）＋C002-2施

設入居時等医学総合管理料の算定でよいですか。

A：**1　グループホーム入所者の場合**

認知症グループホームは，給付調整告示に係る通知の「(別紙１）要介護被保険者等に対する療養の給付」(『早見表』p.1514～）により，C001在宅患者訪問診療料（Ⅰ）またはC001-2在宅患者訪問診療料（Ⅱ）とC002-2施設入居時等医学総合管理料を算定します。

なお，末期悪性腫瘍患者のうち訪問診療開始60日以内の者は，「同一建物居住者以外の場合」の点数を算定します。

2　特養ホーム入所の末期癌患者等の場合

特養入所者に係る訪問診療料，施設入居時等医学総合管理料の扱いについては，通知「特別養護老人ホーム等における療養の給付の取扱いについて」(『早見表』p.1530）によります。

当該通知により，特養入所者については，配置医師，配置医師以外のいずれも，①末期の悪性腫瘍であるもの，②介護報酬の看取り介護加算の施設基準を満たしている特別養護老人ホームにおいて，支援診・支援病または特養の協力医療機関の医師（嘱託医も含む）が看取った場合（死亡日から遡って30日間に行ったものに限る）――C001在宅患者訪問診療料（Ⅰ），C001-2在宅患者訪問診療料（Ⅱ），C002-2施設入居時等医学総合管理料が算定できます。〈読〉

（参考）グループホーム

認知症状態にある65歳以上の要介護等高齢者の共同生活住居で，介護（入浴，排泄，食事等），その他の日常生活の世話や機能訓練等を提供する施設です。認知症の人が少人数の家庭的な雰囲気のなかで共同生活を送ることにより，認知症の症状進行を穏やかにし，家庭介護の負担軽減に資することができます。介護保険における指定認知症対応型共同生活介護事業所のことを指し，介護給付の地域密着型サービスの認知症対応型共同生活介護を受けられます。

Q93　特別養護老人ホーム入所者に対する訪問診療(1)

特別養護老人ホーム入所者について，末期の悪性腫瘍の患者のみ在宅患者訪問診療料（Ⅰ）（Ⅱ）が算定できるのですか。

A：末期の悪性腫瘍の患者のほか介護報酬の看取り介護加算の施設基準を満たしている特別養護老人ホームにおいて支援診・支援病または特養の協力医療機関の医師が看取った場合も（病名にかかわらず）死亡日から遡って30日間に行ったものについて算定できます。この場合，レセプトの「摘要」欄に死亡日を記載します。

また，特養ホームで看取り介護加算（Ⅰ）又は（Ⅱ）を算定している場合であっても，在宅ターミナルケア加算が算定できます。看取り加算は，特養ホームで看取り介護加算（Ⅰ）を算定している場合のみ算定可能です。〈保〉

Q94　特別養護老人ホーム入所者に対する訪問診療(2)

介護報酬の看取り介護加算の施設基準を満たしていない特別養護老人ホームでも，死亡日から遡って30日間に在宅患者訪問診療料（Ⅰ）（Ⅱ）が算定できますか。

A：算定できません。看取り介護加算の施設基準を満たしている特別養護老人ホームに限られます。〈保〉

Q95　特別養護老人ホームへの定期的診療

強化型以外の在宅療養支援診療所で，特別の関係がない特別養護老人ホームに，定期的に複数患者の診療を行っています（配置医師，嘱託医の場合）。

①癌の病名があって，末期の状態の場合，C002-2施設入居時等医学総合管理料（訪問診療２回・単一建物訪問人数１人）3,300点，C001在宅患者訪問診療料（Ⅰ）の「1」の「イ」888点，さらに死亡日前14日と死亡日を合わせた15日間に２回以上の訪問（往診含む）・24時間以内の診察があれば在宅ターミナルケア加算4,500点と，看取り加算3,000点も算定できますか。

②診察のうえCT検査が必要で外来受診した場合，再診料，画像診断料を算定できますか。

A：末期の悪性腫瘍患者等に在宅療養支援診療所の保険医が行う場合は，お問い合わせの点数が算定できます。なお，届出があれば，施医総管と訪問診療料の在宅ターミナルケア加算において，さらに在宅緩和ケア充実診療所・病院加算，在宅療養実績加算１・２の点数を加算できます。なお，看取り加算は，特養ホームが看取り介護加算（Ⅰ）を算定している場合のみ算定できます。

②のお問合せの場合，特に必要がある場合と考えられますので，再診料と画像診断料が算定できます。〈オ〉

Q96　配置医師による特養入所者への診療

特別の関係ではありませんが，定期的に診察を行っている特別養護老人ホームの入所者にC001・C001-2在宅患者訪問診療料（Ⅰ）（Ⅱ）およびC002-2施設入居時等医学総合管理料はそれぞれ末期の悪性腫瘍患者等に限り算定できますが，嘱託医（配置医師）でも算定できますか。

A：特養入所者に対する「配置医師」が算定できない診察料，在宅医療点数の項目は，初・再診料（外来診療料含む），オンライン診療料，小児科外来診療料，往診料（以上は特別の必要のある場合を除く），特定疾患療養管理料，地域包括診療料，認知症地域包括診療料，小児かかりつけ診療料，生活習慣病管理料，退院前訪問指導料，在宅療養指導管理料（C101～C121）です。

配置医師，配置医師以外のいずれも算定できない項目としては，在宅療養指導料，外来栄養食事指導料等が定められています。在宅患者訪問診療料（Ⅰ）（Ⅱ）と施設入居時等医学総合管理料も原則算定できない扱いですが，①末期の悪性腫瘍の入所者，②介護報酬の看取り介護加算の施設基準を満たしている特別養護老人ホームにおいて，支援診・支援病または特養の協力医療機関の医師（配置医師も含む）が看取った場合（死亡日から遡って30日間に行ったものに限る）――に対しても算定できます。（『早見表』p.1530）

Q97　特養入所患者が死亡した場合の在宅患者訪問診療料と施医総管

特養入所の（末期がんではない）患者が，特養配置医師の診察後24時間以内に他医療機関にて死亡した場合，在宅患者訪問診療料の在宅ターミナルケア加算の算定はできますか。また，他医療機関で死亡の連絡があった場合，死亡日から遡って30日以内の診療に対して訪問診療料や施医総管が算定できますか。

特養で医師が看取った場合に限り，在宅患者訪問診療料や施医総管が算定できるのですか。

A：特養入所者について在宅患者訪問診療料と施設入居時等医学総合管理料（施医総管）が算定できるケースは，「患者が末期の悪性腫瘍である場合」と「当該患者を特別養護老人ホーム（中略）において看取った場合（在宅療養支援診療所，在宅療養支援病院又は当該特別養護老人ホームの協力医療機関の医師により，死亡日から遡って30日間に行われたものに限る）」――に限られます（『早見表』p.1530）。

したがって，特養入所患者が，末期悪性腫瘍患者でなく，特養以外の他医療機関で死亡した場合は，在宅患者訪問診療料と施医総管（およびそれらの加算）は算定できないと解されます。〈オ〉

Q98　特別養護老人ホーム入所者に対するターミナルケア

特別養護老人ホームの入所患者が救急搬送され，入院先の病院で死亡した場合であっても，死亡日からさかのぼって30日間に行ったC001・C001-2在宅患者訪問診療料（Ⅰ）（Ⅱ）やC002-2施設入居時等医学総合管理料の算定は可能ですか。

また，訪問診療後24時間以内の死亡であれば，C001・C001-2の在宅ターミナルケア加算の算定は可能ですか。

さらに，救急搬送先の病院にかかりつけ医が同乗して，看取った場合は，C001・C001-2の看取り加算は算定できますか。

A：Q97で回答したように，特養ホームで看取った場合にC001・C001-2は算定可能です。したがって，病院に搬送され死亡した場合，在宅ターミナルケア加算と看取り加算も算定できません。〈オ〉

C001-2　在宅患者訪問診療料（Ⅱ）

C001-2　在宅患者訪問診療料（Ⅱ）（1日につき）　**150点**

注1　有料老人ホーム等に併設される医療機関が，当該施設に入居する患者に対し，次のいずれかに該当する訪問診療を行った場合に算定。この場合，初診料，再診料，外来診療料，往診料との併算定不可。

イ　当該医療機関として，計画的な医学管理の下に定期的に訪問して診療を行った場合（A000初診料算定日に訪問して診療を行った場合を除く）

ロ　他医療機関の求めに応じ紹介された患者に対し，計画的な医学管理の下に訪問して診療を行った場合

注2　注1の「イ」の場合については，**患者1人につき週3回**（厚生労働大臣が定める疾病等の患者に対する場合を除く）に限り算定する。

注3　注1の「ロ」の場合については，患者1人につき**訪問診療を開始した日の属する月から起算して6月を限度**（厚生労働大臣が定める疾病等の患者に対する場合を除く）として，**月1回**に限り算定する。

注4　頻回訪問　注1の「イ」の場合について，急性増悪等により頻回の訪問診療を行った場合，注2の規定にかかわらず，月1回に限り，当該診療の日から14日以内に行った訪問診療については**14日を限度**として算定可。

注5　在宅ターミナルケア加算　患者の居住する有料老人ホーム等で死亡した患者（往診又は訪問診療を行った後，24時間以内に有料老人ホーム等以外で死亡した患者を含む）に対して，その死亡日及び死亡日前14日以内の計15日以内に2回以上の往診若しくは訪問診療を実施した場合（注1の「イ」の場合に限る）又は**B004**退院時共同指導料1を算定し，かつ，訪問診療を実施した場合（「注1」の「イ」を算定する場合に限る）

に加算する。この場合，C000「注３」の在宅ターミナルケア加算は算定できない。

イ　在宅療養支援診療所又は在宅療養支援病院であって別に厚生労働大臣が定めるもの

(1)　病床を有する場合　6,200点

(2)　病床を有しない場合　5,200点

ロ　在宅療養支援診療所又は在宅療養支援病院（イ以外）　4,200点

ハ　イ及びロに掲げるもの以外　3,200点

在宅緩和ケア充実診療所・病院加算　1,000点

在宅療養実績加算１　750点

在宅療養実績加算２　500点

酸素療法加算（がん患者に対して酸素療法を行っていた場合）　2,000点

注６　C001在宅患者訪問診療料（Ⅰ）の注４，注５，注７，注８，注10，注12及び注13の規定は，在宅患者訪問診療料（Ⅱ）について準用する。

Q1　在宅患者訪問診療料（Ⅱ）とは

在宅患者訪問診療料（Ⅱ）は，どのような場合に算定できるのですか。

A：有料老人ホーム等に併設された医療機関が，有料老人ホーム等の入居者に訪問診療を行った場合に算定します。主治医である場合は在宅患者訪問診療料（Ⅱ）「注１」「イ」の点数を，他医療機関の主治医から依頼されて訪問診療を行った場合は（Ⅱ）「注１」「ロ」の点数を算定します。

Q2　有料老人ホーム等とは

在宅患者訪問診療料（Ⅱ）の算定対象となる有料老人ホーム等とは，どのような施設ですか。

A：算定対象の施設は次のとおりです。

①施設入居時等医学総合管理料の算定対象施設（p.68のQ11参照）

②障害者総合支援法に規定する障害者サービスを行う施設又は福祉ホームに入居する患者

③小規模多機能施設又は看護小規模多機能施設（複合サービス・宿泊サービスに限る）

Q3　従来の項目との違い

従来からある在宅患者訪問診療料（Ⅰ）「１」とは違う運用となるのですか。

A：（Ⅱ）には「同一建物居住者」の考え方はなく，「同一建物居住者以外」「同一建物居住者」のいずれであっても所定点数150点を算定します。なお，その他では，在宅患者訪問診療料（Ⅱ）「注１」「イ」は，（Ⅰ）「１」「イ」の算定要件と，（Ⅱ）「注１」「ロ」は，（Ⅰ）「１」「ロ」の算定要件と共通しているところが多く，算定対象が異なるものの運用は類似しています。

Q4　併設される医療機関(1)

どのようなケースが有料老人ホーム等と同一敷地内又は隣接する敷地内に位置する保険医療機関に該当するのでしょうか。

A：有料老人ホーム等に併設する保険医療機関の医師が当該施設に入所している患者に訪問診療を行う場合は，時間的・空間的に近接していることから，通常の訪問診療と異なる評価として在宅患者訪問診療料（Ⅱ）を設定したものです。このため，医師の所属する医療機関から患者が入所する施設等に短時間で直接訪問できる状況にあるものが，在宅患者訪問診療料（Ⅱ）の算定対象となります。

例えば，医療機関と同一建物内に当該施設がある場合やわたり廊下等で連結されている場合が該当します。なお，当該医療機関の所有する敷地内であっても，幹線道路や河川などのため迂回しなければならないものは該当しません。

〈厚平30.3.30〉

Q5　併設される医療機関(2)

併設される医療機関とは「有料老人ホーム等と同一敷地内又は隣接する敷地内に位置する保険医療機関」とされていますが，同一敷地内であるが，医療機関と有料老人ホーム等が別法人である場合は併設される医療機関に該当するのですか。

A：該当します。　〈厚平30.3.30〉

C002　在宅時医学総合管理料
C002-2　施設入居時等医学総合管理料

C002　在宅時医学総合管理料（月１回）

1　在宅療養支援診療所又は在宅療養支援病院であって別に厚生労働大臣が定めるものの場合
〔編注：機能強化型支援診療所・支援病院〕

イ　病床を有する場合

(1)　別に厚生労働大臣が定める状態〔※告示④別表第8の2〕の患者に対し，月２回以上訪問診療を行っている場合

①　単一建物診療患者が１人　5,385点

②　同２人以上９人以下　4,485点

③ 同10人以上19人以下 2,865点
④ 同20人以上49人以下 2,400点
⑤ ①から④まで以外の場合 2,110点

(2) 月２回以上訪問診療を行っている場合〔(1)の場合を除く〕
① 単一建物診療患者が１人 4,485点
② 同２人以上９人以下 2,385点
③ 同10人以上19人以下 1,185点
④ 同20人以上49人以下 1,065点
⑤ ①から④まで以外の場合 905点

(3) 月２回以上訪問診療等を行っている場合であって，うち１回以上情報通信機器を用いた診療を行っている場合〔(1)及び(2)の場合を除く〕
① 単一建物診療患者が１人 3,014点
② 同２人以上９人以下 1,670点
③ 同10人以上19人以下 865点
④ 同20人以上49人以下 780点
⑤ ①から④まで以外の場合 660点

(4) 月１回訪問診療を行っている場合
① 単一建物診療患者が１人 2,745点
② 同２人以上９人以下 1,485点
③ 同10人以上19人以下 765点
④ 同20人以上49人以下 670点
⑤ ①から④まで以外の場合 575点

(5) 月１回訪問診療等を行っている場合であって，２月に１回に限り情報通信機器を用いた診療を行っている場合
① 単一建物診療患者が１人 1,500点
② 同２人以上９人以下 828点
③ 同10人以上19人以下 425点
④ 同20人以上49人以下 373点
⑤ ①から④まで以外の場合 317点

ロ 病床を有しない場合

(1) 別に厚生労働大臣が定める状態〔※告示④別表第８の２〕の患者に対し，月２回以上訪問診療を行っている場合
① 単一建物診療患者が１人 4,985点
② 同２人以上９人以下 4,125点
③ 同10人以上19人以下 2,625点
④ 同20人以上49人以下 2,205点
⑤ ①から④まで以外の場合 1,935点

(2) 月２回以上訪問診療を行っている場合〔(1)の場合を除く〕
① 単一建物診療患者が１人 4,085点
② 同２人以上９人以下 2,185点
③ 同10人以上19人以下 970点
④ 同20人以上49人以下 825点
⑤ ①から④まで以外の場合 905点

(3) 月２回以上訪問診療等を行っている場合であって，うち１回以上情報通信機器を用いた診療を行っている場合〔(1)及び(2)の場合を除く〕
① 単一建物診療患者が１人 2,774点
② 同２人以上９人以下 1,550点
③ 同10人以上19人以下 805点
④ 同20人以上49人以下 720点
⑤ ①から④まで以外の場合 611点

(4) 月１回訪問診療を行っている場合
① 単一建物診療患者が１人 2,505点
② 同２人以上９人以下 1,365点
③ 同10人以上19人以下 705点
④ 同20人以上49人以下 615点
⑤ ①から④まで以外の場合 525点

(5) 月１回訪問診療等を行っている場合であって，２月に１回に限り情報通信機器を用いた診療を行っている場合
① 単一建物診療患者が１人 1,380点
② 同２人以上９人以下 768点
③ 同10人以上19人以下 395点
④ 同20人以上49人以下 344点
⑤ ①から④まで以外の場合 292点

２ 在宅療養支援診療所又は在宅療養支援病院（１に規定するものを除く）の場合
〔編注：機能強化型以外の支援診療所・支援病院〕

イ 別に厚生労働大臣が定める状態〔※告示④別表第８の２〕の患者に対し，月２回以上訪問診療を行っている場合
(1) 単一建物診療患者が１人 4,585点
(2) 同２人以上９人以下 3,765点
(3) 同10人以上19人以下 2,385点
(4) 同20人以上49人以下 2,010点
(5) (1)から(4)まで以外の場合 1,765点

ロ 月２回以上訪問診療を行っている場合（イの場合を除く）
(1) 単一建物診療患者が１人 3,685点
(2) 同２人以上９人以下 1,985点
(3) 同10人以上19人以下 985点
(4) 同20人以上49人以下 875点
(5) (1)から(4)まで以外の場合 745点

ハ 月２回以上訪問診療等を行っている場合であって，うち１回以上情報通信機器を用いた診療を行っている場合〔イ及びロの場合を除く〕
(1) 単一建物診療患者が１人 2,554点
(2) 同２人以上９人以下 1,450点
(3) 同10人以上19人以下 765点
(4) 同20人以上49人以下 679点
(5) (1)から(4)まで以外の場合 578点

ニ 月１回訪問診療を行っている場合
(1) 単一建物診療患者が１人 2,285点
(2) 同２人以上９人以下 1,265点
(3) 同10人以上19人以下 665点

（4） 同20人以上49人以下 570点
（5） (1)から(4)まで以外の場合 490点

ホ 月１回訪問診療等を行っている場合であって，２月に１回に限り情報通信機器を用いた診療を行っている場合

（1） 単一建物診療患者が１人 1,270点
（2） 同２人以上９人以下 718点
（3） 同10人以上19人以下 375点
（4） 同20人以上49人以下 321点
（5） (1)から(4)まで以外の場合 275点

3 １及び２に掲げるもの以外の場合

〔編注：支援診療所・支援病院以外の医療機関〕

イ 別に厚生労働大臣が定める状態〔※告示④別表第８の２〕の患者に対し，月に２回以上訪問診療を行っている場合

（1） 単一建物診療患者が１人 3,435点
（2） 同２人以上９人以下 2,820点
（3） 同10人以上19人以下 1,785点
（4） 同20人以上49人以下 1,500点
（5） (1)から(4)まで以外の場合 1,315点

ロ 月２回以上訪問診療を行っている場合（イの場合を除く）

（1） 単一建物診療患者が１人 2,735点
（2） 同２人以上９人以下 1,460点
（3） 同10人以上19人以下 735点
（4） 同20人以上49人以下 655点
（5） (1)から(4)まで以外の場合 555点

ハ 月２回以上訪問診療等を行っている場合であって，うち１回以上情報通信機器を用いた診療を行っている場合〔イ及びロの場合を除く〕

（1） 単一建物診療患者が１人 2,014点
（2） 同２人以上９人以下 1,165点
（3） 同10人以上19人以下 645点
（4） 同20人以上49人以下 573点
（5） (1)から(4)まで以外の場合 487点

ニ 月１回訪問診療を行っている場合

（1） 単一建物診療患者が１人 1,745点
（2） 同２人以上９人以下 980点
（3） 同10人以上19人以下 545点
（4） 同20人以上49人以下 455点
（5） (1)から(4)まで以外の場合 395点

ホ 月１回訪問診療等を行っている場合であって，２月に１回に限り情報通信機器を用いた診療を行っている場合

（1） 単一建物診療患者が１人 1,000点
（2） 同２人以上９人以下 575点
（3） 同10人以上19人以下 315点
（4） 同20人以上49人以下 264点
（5） (1)から(4)まで以外の場合 225点

注１ 施設基準に適合した届出医療機関〔診療所，在宅療養支援病院及び許可病床数が200床未満の病院（在宅療養支援病院を除く）に限る〕において，在宅療養患者（施設入居者等を除く）であって通院が困難なものに対し，当該患者の同意を得て，計画的な医学管理の下に**定期的な訪問診療**を行っている場合に，訪問回数及び単一建物診療患者の人数に従い，所定点数を**月１回**に限り算定する。

注２ 注１において，処方箋を交付しない場合は，**300点**を所定点数に加算する〔編注：「処方箋無交付加算」と表記〕。

注３ 在宅時医学総合管理料を算定すべき医学管理を行った場合は，別に厚生労働大臣が定める診療に係る費用および投薬の費用は所定点数に含まれる。

注４ 在宅移行早期加算 在宅時医学総合管理料を算定した日の属する月から起算して３月以内の期間，月１回に限り，在宅移行早期加算**100点**を加算する。ただし，在宅医療に移行後，１年を経過した患者は算定不可。

注５ 頻回訪問加算 在宅時医学総合管理料を算定すべき医学管理に関し**特別な管理を必要とする患者**（別に厚生労働大臣が定める状態等にあるものに限る。別表第３の１の３に示す患者）に対して，**１月に４回以上の往診又は訪問診療**を行った場合には，患者１人につき１回に限り，頻回訪問加算として次の点数を加算する。

イ 初回の場合 800点
ロ ２回目以降の場合 300点

別表第3の1の3 頻回訪問加算の状態等にある患者

1．末期の悪性腫瘍の患者（在宅がん医療総合診療料を算定している患者を除く）
2．(1)であって，(2)又は(3)の状態である患者
(1) 在宅自己腹膜灌流指導管理，在宅血液透析指導管理，在宅酸素療法指導管理，在宅中心静脈栄養法指導管理，在宅成分栄養経管栄養法指導管理，在宅人工呼吸指導管理，在宅麻薬等注射指導管理，在宅腫瘍化学療法注射指導管理，在宅強心剤持続投与指導管理，在宅自己疼痛管理指導管理，在宅肺高血圧症患者指導管理又は在宅気管切開患者指導管理を受けている状態にある者
(2) ドレーンチューブ又は留置カテーテルを使用している状態
(3) 人工肛門又は人工膀胱を設置している状態
3．在宅での療養を行っている患者であって，高度な指導管理を必要とするもの

注６ 施設入居時等医学総合管理料を算定している患者については算定しない。

注７ 在宅緩和ケア充実診療所・病院加算 在宅療養実績加算１・２ 施設基準に適合

した届出医療機関が行った場合，同一建物居住者以外の場合は，当該基準に掲げる区分に従い，次に掲げる点数を，それぞれさらに所定点数に加算する。

イ　在宅緩和ケア充実診療所・病院加算

(1)　単一建物診療患者が１人　**400点**

(2)　単一建物診療患者が２人以上９人以下　**200点**

(3)　同10人以上19人以下　**100点**

(4)　同20人以上49人以下　**85点**

(5)　(1)から(4)まで以外の場合　**75点**

ロ　在宅療養実績加算１

(1)　単一建物診療患者が１人　**300点**

(2)　単一建物診療患者が２人以上９人以下　**150点**

(3)　同10人以上19人以下　**75点**

(4)　同20人以上49人以下　**63点**

(5)　(1)から(4)まで以外の場合　**56点**

ハ　在宅療養実績加算２

(1)　単一建物診療患者が１人　**200点**

(2)　単一建物診療患者が２人以上９人以下　**100点**

(3)　同10人以上19人以下　**50点**

(4)　同20人以上49人以下　**43点**

(5)　(1)から(4)まで以外の場合　**38点**

注８　３について，別に厚生労働大臣が定める基準〔※告示④第４・１の６(5)〕を満たさない場合には，それぞれ所定点数の**100分の80**に相当する点数を算定する。

注９　在宅療養移行加算　３を算定する継続的に診療を行っている患者に対して，医療機関（診療所に限る）が，当該医療機関において又は他医療機関等との連携により，常時往診を行う体制等を確保したうえで訪問診療を行った場合，当該体制等に応じて，次に掲げる点数を加算する。

イ　在宅療養移行加算１　**216点**

ロ　在宅療養移行加算２　**116点**

ハ　在宅療養移行加算３　**216点**

ニ　在宅療養移行加算４　**116点**

注10　包括的支援加算　１のイの(2)から(5)まで，１のロの(2)から(5)まで，２のロからホまで，３のロからホまでについて，別に厚生労働大臣が定める状態の患者については，**150点**を加算する。

注11　I 002通院・在宅精神療法を算定し，かつ，C 001在宅患者訪問診療料（Ⅰ）の「１」を算定している患者については，別に厚生労働大臣が定める状態の患者に限り算定する。

注12　情報通信機器を用いた診療　１のイの(3)及び(5)，１のロの(3)及び(5)，２のハ及びホ並びに３のハ及びホは，届出医療機関において行われる場合に限り算定する。

注13　在宅データ提出加算　施設基準に適合した届出医療機関が，診療報酬の請求状況，診療の内容に関するデータを継続して厚生労働省に提出している場合に**50点**を加算する。

注14　１のイの(1)の③から⑤まで，１のイの(2)の③から⑤まで，１のイの(3)の③から⑤まで，１のイの(4)の③から⑤まで，１のイの(5)の③から⑤まで，１のロの(1)の③から⑤まで，１のロの(2)の③から⑤まで，１のロの(3)の③から⑤まで，１のロの(4)の③から⑤まで，１のロの(5)の③から⑤まで，２のイの(3)から(5)まで，２のロの(3)から(5)まで，２のハの(3)から(5)まで，２のニの(3)から(5)まで，２のホの(3)から(5)まで，３のイの(3)から(5)まで，３のロの(3)から(5)まで，３のハの(3)から(5)まで，３のニの(3)から(5)まで及び３のホの(3)から(5)までについて，別に厚生労働大臣が定める基準を満たさない場合には，それぞれ所定点数の**100分の60**に相当する点数を算定

注15　在宅医療情報連携加算　届出保険医療機関の保険医が，通院が困難な在宅療養患者の同意を得て，連携する他の保険医療機関，保険薬局，訪問看護ステーションの専門職が，電子情報処理組織を使用する方法等を用いて記録した当該患者に係る診療情報等を活用した上で，計画的な医学管理を行った場合に**月１回**算定する　**100点**

C002-2　施設入居時等医学総合管理料（月１回）

１　在宅療養支援診療所又は在宅療養支援病院であって別に厚生労働大臣が定めるものの場合

〔編注：機能強化型支援診療所・支援病院〕

イ　病床を有する場合

(1)　別に厚生労働大臣が定める状態〔※告示④別表第８の２〕の患者に対し，月２回以上訪問診療を行っている場合

①　単一建物診療患者が１人　**3,885点**

②　同２人以上９人以下　**3,225点**

③　同10人以上19人以下　**2,865点**

④　同20人以上49人以下　**2,400点**

⑤　①から④まで以外の場合　**2,110点**

(2)　月２回以上訪問診療を行っている場合〔(1)の場合を除く〕

①　単一建物診療患者が１人　**3,185点**

②　同２人以上９人以下　**1,685点**

③　同10人以上19人以下　**1,185点**

④　同20人以上49人以下　**1,065点**

⑤　①から④まで以外の場合　**905点**

(3)　月２回以上訪問診療等を行っている場合であって，うち１回以上情報通信機器を用

いた診療を行っている場合〔(1)及び(2)の場合を除く〕

① 単一建物診療患者が1人　2,234点
② 同2人以上9人以下　1,250点
③ 同10人以上19人以下　865点
④ 同20人以上49人以下　780点
⑤ ①から④まで以外の場合　660点

(4) 月1回訪問診療を行っている場合

① 単一建物診療患者が1人　1,965点
② 同2人以上9人以下　1,065点
③ 同10人以上19人以下　765点
④ 同20人以上49人以下　670点
⑤ ①から④まで以外の場合　575点

(5) 月1回訪問診療等を行っている場合であって，2月に1回に限り情報通信機器を用いた診療を行っている場合

① 単一建物診療患者が1人　1,110点
② 同2人以上9人以下　618点
③ 同10人以上19人以下　425点
④ 同20人以上49人以下　373点
⑤ ①から④まで以外の場合　317点

ロ 病床を有しない場合

(1) 別に厚生労働大臣が定める状態〔※告示④別表第8の2〕の患者に対し，月2回以上訪問診療を行っている場合

① 単一建物診療患者が1人　3,585点
② 同2人以上9人以下　2,955点
③ 同10人以上19人以下　2,625点
④ 同20人以上49人以下　2,205点
⑤ ①から④まで以外の場合　1,935点

(2) 月2回以上訪問診療を行っている場合〔(1)の場合を除く〕

① 単一建物診療患者が1人　2,885点
② 同2人以上9人以下　1,535点
③ 同10人以上19人以下　1,085点
④ 同20人以上49人以下　970点
⑤ ①から④まで以外の場合　825点

(3) 月2回以上訪問診療等を行っている場合であって，うち1回以上情報通信機器を用いた診療を行っている場合〔(1)及び(2)の場合を除く〕

① 単一建物診療患者が1人　2,885点
② 同2人以上9人以下　1,535点
③ 同10人以上19人以下　805点
④ 同20人以上49人以下　720点
⑤ ①から④まで以外の場合　611点

(4) 月1回訪問診療を行っている場合

① 単一建物診療患者が1人　1,785点
② 同2人以上9人以下　975点
③ 同10人以上19人以下　705点
④ 同20人以上49人以下　615点
⑤ ①から④まで以外の場合　525点

(5) 月1回訪問診療等を行っている場合であって，2月に1回に限り情報通信機器を用いた診療を行っている場合

① 単一建物診療患者が1人　1,020点
② 同2人以上9人以下　573点
③ 同10人以上19人以下　395点
④ 同20人以上49人以下　344点
⑤ ①から④まで以外の場合　292点

2 在宅療養支援診療所又は在宅療養支援病院（1に規定するものを除く）の場合

〔編注：機能強化型以外の支援診療所・支援病院〕

イ 別に厚生労働大臣が定める状態〔※告示④別表第8の2〕の患者に対し，月2回以上訪問診療を行っている場合

(1) 単一建物診療患者が1人　3,285点
(2) 同2人以上9人以下　2,685点
(3) 同10人以上19人以下　2,385点
(4) 同20人以上49人以下　2,010点
(5) (1)から(4)まで以外の場合　1,765点

ロ 月2回以上訪問診療を行っている場合（イの場合を除く）

(1) 単一建物診療患者が1人　2,585点
(2) 同2人以上9人以下　1,385点
(3) 同10人以上19人以下　985点
(4) 同20人以上49人以下　875点
(5) (1)から(4)まで以外の場合　745点

ハ 月2回以上訪問診療等を行っている場合であって，うち1回以上情報通信機器を用いた診療を行っている場合〔イ及びロの場合を除く〕

(1) 単一建物診療患者が1人　1,894点
(2) 同2人以上9人以下　1,090点
(3) 同10人以上19人以下　765点
(4) 同20人以上49人以下　679点
(5) (1)から(4)まで以外の場合　578点

ニ 月1回訪問診療を行っている場合

(1) 単一建物診療患者が1人　1,625点
(2) 同2人以上9人以下　905点
(3) 同10人以上19人以下　665点
(4) 同20人以上49人以下　570点
(5) (1)から(4)まで以外の場合　490点

ホ 月1回訪問診療等を行っている場合であって，2月に1回に限り情報通信機器を用いた診療を行っている場合

(1) 単一建物診療患者が1人　940点
(2) 同2人以上9人以下　538点
(3) 同10人以上19人以下　375点
(4) 同20人以上49人以下　321点
(5) (1)から(4)まで以外の場合　275点

3 1及び2に掲げるもの以外の場合

〔編注：支援診療所・支援病院以外の医療機関〕

イ　別に厚生労働大臣が定める状態〔※告示④別表第8の2〕の患者に対し，月２回以上訪問診療を行っている場合
(1)　単一建物診療患者が１人　**2,435点**
(2)　同２人以上９人以下　**2,010点**
(3)　同10人以上19人以下　**1,785点**
(4)　同20人以上49人以下　**1,500点**
(5)　(1)から(4)まで以外の場合　**1,315点**

ロ　月２回以上訪問診療を行っている場合（イの場合を除く）
(1)　単一建物診療患者が１人　**1,935点**
(2)　同２人以上９人以下　**1,010点**
(3)　同10人以上19人以下　**735点**
(4)　同20人以上49人以下　**655点**
(5)　(1)から(4)まで以外の場合　**555点**

ハ　月２回以上訪問診療等を行っている場合であって，うち１回以上情報通信機器を用いた診療を行っている場合〔イ及びロの場合を除く〕
(1)　単一建物診療患者が１人　**1,534点**
(2)　同２人以上９人以下　**895点**
(3)　同10人以上19人以下　**645点**
(4)　同20人以上49人以下　**573点**
(5)　(1)から(4)まで以外の場合　**487点**

ニ　月１回訪問診療を行っている場合
(1)　単一建物診療患者が１人　**1,265点**
(2)　同２人以上９人以下　**710点**
(3)　同10人以上19人以下　**545点**
(4)　同20人以上49人以下　**455点**
(5)　(1)から(4)まで以外の場合　**395点**

ホ　月１回訪問診療等を行っている場合であって，２月に１回に限り情報通信機器を用いた診療を行っている場合
(1)　単一建物診療患者が１人　**760点**
(2)　同２人以上９人以下　**440点**
(3)　同10人以上19人以下　**315点**
(4)　同20人以上49人以下　**264点**
(5)　(1)から(4)まで以外の場合　**225点**

注１　施設基準に適合した届出医療機関〔診療所，在宅療養支援病院及び許可病床数が200床未満の病院（在宅療養支援病院を除く）に限る〕において，施設入居者等であって通院が困難なものに対して，患者の同意を得て，計画的な医学管理の下に**定期的な訪問診療**を行っている場合に，訪問回数及び単一建物診療患者の人数に従い，所定点数を**月１回**に限り算定する。

注２　C002在宅時医学総合管理料を算定している患者については算定しない。

注３　在宅緩和ケア充実診療所・病院加算　在宅療養実績加算１・２　施設基準に適合した届出医療機関が行った場合，当該基準に掲げる区分に従い，次に掲げる点数を，それぞれさらに所定点数に加算する。
イ　在宅緩和ケア充実診療所・病院加算
(1)　単一建物診療患者が１人　**300点**
(2)　単一建物診療患者が２人以上９人以下　**150点**
(3)　同10人以上19人以下　**75点**
(4)　同20人以上49人以下　**63点**
(5)　(1)から(4)まで以外の場合　**56点**

ロ　在宅療養実績加算１
(1)　単一建物診療患者が１人　**225点**
(2)　単一建物診療患者が２人以上９人以下　**110点**
(3)　同10人以上19人以下　**56点**
(4)　同20人以上49人以下　**47点**
(5)　(1)から(4)まで以外の場合　**42点**

ハ　在宅療養実績加算２
(1)　単一建物診療患者が１人　**150点**
(2)　単一建物診療患者が２人以上９人以下　**75点**
(3)　同10人以上19人以下　**40点**
(4)　同20人以上49人以下　**33点**
(5)　(1)から(4)まで以外の場合　**30点**

注４　**I 002**通院・在宅精神療法を算定し，かつ，**C 001**在宅患者訪問診療料（Ⅰ）の「1」又は**C 001-2**在宅患者訪問診療料（Ⅱ）（注１の「イ」の場合に限る）を算定している患者については，別に厚生労働大臣が定める状態の患者に限り算定する。

注５　C002在宅時医学総合管理料の注２から注５まで，注８から注10まで，注14及び注15までの規定は，施設入居時等医学総合管理料について準用する。

注６　情報通信機器を用いた診療　１のイの(3)及び(5)，１のロの(3)及び(5)，２のハ及びホ並びに３のハ及びホは，届出医療機関において行われる場合に限り算定する。

注７　在宅データ提出加算　施設基準に適合した届出医療機関が，診療報酬の請求状況，診療の内容に関するデータを継続して厚生労働省に提出している場合に**50点**を加算する。

Q1　同一患家の算定

同一患家の２人の患者に月１回または月２回以上訪問診療（C 001の「1」またはC 001-2の「注1」の「イ」）した場合，２人とも在医総管（同一建物居住者以外の場合）の点数を算定することができますか。

A：算定できます。この場合，1人目は「同一建物居住者以外の場合」の訪問診療料（888点）を算定し，2人目は再診料又は外来診療料を算定しますが，2人目の患者についても在医総管は算定できます。その場合，2人目の患者のレセプトの摘要欄に「同一患家」である旨を記載する必要があります。

Q2 在医総管と施医総管の違い

在宅時医学総合管理料（在医総管）と施設入居時等医学総合管理料（施医総管）の違いは何ですか。

A：算定対象（自宅での療養患者か，施設での療養患者か）と点数が異なるだけで，それ以外の取扱いはすべて同じです。

算定要件（全般的な事項）

Q3 算定要件

在医総管，施医総管はどういった要件を満たせば算定できますか。

A：居宅等において療養を行っている患者（一般・後期高齢者とも）で通院が困難なものに対して，その同意を得て，計画的な医学管理の下に定期的な訪問診療を行った場合に，月1回に限り算定します。〈保〉

Q4 特別の関係の施設の場合

当該医療機関と患者が入居する施設が特別の関係でも算定できますか。

A：算定できます。〈保〉

Q5 月の途中での後期高齢者医療への移行

患者が月の途中で後期高齢者医療に移行する場合，移行前に在宅時医学総合管理料を算定しましたが，移行後の後期高齢者医療においても同月内に在宅時医学総合管理料を算定できますか。

A：月1回の算定なので，算定できません。〈保〉

Q6 24時間対応できる文書の配布について

在医総管・施医総管を算定する患者への配布物について，在宅療養支援診療所は，往診・訪問診療を行っている患者すべての自宅に，24時間対応できる電話番号・主治医等を書いている文章を配布しなければならないのでしょうか。

A：在宅療養支援診療所・支援病院においては，計画を立てて訪問する患者に，24時間体制の管理も可能である旨等を記載した文書を渡さなくてはなりません。また，その他の医療機関で在医総管・施医総管の届出をしている場合は，緊急時の連絡先を記載した文書を患者に渡す必要があります。

しかし，一時的に患者から求めがあったときに往診をする患者については，このような文書の提供は必要ありません。〈オ〉

Q7 在医総管・施医総管「1」「2」の要件

在宅療養支援診療所・支援病院が算定できる「1」「2」の要件はどういったものですか。

A：24時間体制が必要な患者で，在宅療養支援診療所・支援病院の主治医が24時間往診・訪問看護体制を確保し，緊急対応する連絡担当者の氏名及び連絡先，電話番号等，担当日，緊急時の注意事項等，並びに往診担当医及び訪問看護担当者の氏名（強化・連携型の支援診・病院は，一元化した電話番号）等について文書提供している患者に限り，算定できます。機能強化単独で病床を有する場合と，連携型で連携内に病床を有する場合は「1」の「イ」を，病床を有しない場合は「1」の「ロ」を算定します。

なお，在宅療養支援診療所であっても，上記要件を満たさない場合は在医総管または施医総管「2」で算定します。〈保，一部修正〉

Q8 在医総管の施設基準 新

在宅時医学総合管理料の施設基準の，「介護支援専門員（ケアマネジャー），社会福祉士等の保健医療サービス及び福祉サービスとの連携調整を担当する者を配置」の「等」は，医療機関の職員を配置している場合も含まれますか。

A：その通りです。〈保〉

Q9 支援診以外の場合

在宅療養支援診療所・支援病院以外の医療機関においては在医総管または施医総管「3」で算定するのですか。

A：その通りです。〈保〉

要件（点数算定）

Q10 「通院が困難なもの」とは

C002「注1」の「通院が困難なもの」という意味は，医学的な状態以外に社会的要因も含むと考えてよいですか（たとえば，介護者がいないと1人では通院できない場合など）。

A：傷病，疾病のために通院が困難である者のことで，医師の判断によります。

Q11 「施設入居者等」の対象者

施設入居時等医学総合管理料の対象について教えて下さい。

A：以下が対象となります。

ア　次に掲げるいずれかの施設において療養を行っている患者

（イ）　養護老人ホーム
（ロ）　軽費老人ホーム〔「軽費老人ホームの設備及び運営に関する基準」（平成20年厚生労働省令107号）附則第２条第１号に規定する軽費老人ホームA型に限る〕
（ハ）　特別養護老人ホーム
（ニ）　有料老人ホーム
（ホ）　高齢者の居住の安定確保に関する法律（平成13年４月６日法律第26号）第５条第１項に規定するサービス付き高齢者向け住宅
（ヘ）　認知症対応型共同生活介護事業所

イ　次に掲げるいずれかのサービスを受けている患者
（イ）　短期入所生活介護
（ロ）　介護予防短期入所生活介護

Q12　小規模多機能型居宅介護，複合型サービス

小規模多機能型居宅介護または複合型サービスの宿泊サービスを利用している患者の場合も，在医総管の対象となるのですか。

A：在医総管の対象となります。ただし，小規模多機能型居宅介護または複合型サービス（看護小規模多機能型居宅介護）の宿泊サービスを受けている者については，当該サービスの利用を開始した日より前30日の間に患家を訪問し，在宅患者訪問診療料，在宅時医学総合管理料，施設入居時等医学総合管理料または在宅がん医療総合診療料を算定した医療機関の医師（当該サービスを提供する施設の配置医師を除く）が診察した場合に限り，利用開始後30日までの間，算定できます（ただし，末期悪性腫瘍の患者に対して実施した場合は30日を超えて算定できます）。

なお，医療機関退院日から当該サービスを利用した場合は，当該サービス利用開始前の在宅患者訪問診療料等の算定の有無にかかわらず，退院日を除き算定できます。〈保，一部修正〉

Q13　ケアハウス

ケアハウス（軽費老人ホームB型・C型）も施医総管の対象施設となるのですか。

A：ケアハウス（軽費老人ホームB型・C型）は在医総管の対象となります。〈保〉

Q14　対象患者は

在医総管，施医総管は一般患者にも後期高齢者の患者にも算定できるのですか。

A：一般・後期高齢者ともに算定できます。〈保〉

Q15　訪問診療の回数の数え方(1)

在医総管または施医総管を算定する場合，すべての訪問診療の回数を数えてよいですか。

A：在医総管，施医総管における訪問診療の回数は，主治医が行う在宅患者訪問診療料（Ⅰ）「１」，（Ⅱ）「注１」「イ」の回数となります。主治医から依頼を受けて行う在宅患者訪問診療料（Ⅰ）「２」，（Ⅱ）「注１」「ロ」の回数は加えられません。

Q16　訪問診療の回数の数え方(2)　新

月２回の訪問診療を計画していたが，結果的に月１回しか訪問診療が実施できなかった場合に，「月１回訪問診療を行っている場合」の点数を算定できますか。
①１回目の訪問診療を実施した後，入院したため２回目の訪問診療を実施できなかった場合
②結果として訪問診療１回，往診１回となった場合

A：いずれの場合も「月１回訪問診療を行っている場合」の点数を算定できます。〈保〉

Q17　月２回以上の訪問とは

同一月に往診料１回と訪問診療料１回を算定した場合でも，在医総管の「月２回以上訪問診療を行っている場合」の点数が算定できますか。

A：往診料は訪問診療回数にカウントしないので，月１回の訪問の点数を算定します。

届出

Q18　届出について(1)

在宅時医学総合管理料，施設入居時等医学総合管理料の届出ができるのは診療所のみですか。

A：診療所と200床未満の病院，在宅療養支援病院において在医総管，施医総管の届出をすることができます。

Q19　届出について(2)

無床診療所でも届出ができますか。

A：できます。ただし，緊急時に入院させることのできる施設を有する連携保険医療機関を確保し，患者に知らせておくことなどの届出要件を満たす必要があります。

Q20　届出について(3)

在医総管と施医総管の届出は別に行うのですか。

A：在医総管と施医総管の届出がまとめてできる届出様式となっており，一緒に届出ができます。

Q21　届出について(4)

非常勤の医師の名前でも届出できますか。

A：届出できません。在宅医療を担当する常勤医の氏名で届け出なければなりません。〈保〉

厚生労働大臣の定める重症な患者

Q22　別に厚生労働大臣が定める状態の患者

特掲診療料の施設基準等の，「在宅時医学総合管理料及び施設入居時等医学総合管理料に規定する別に厚生労働大臣が定める状態の患者」（別表第８の２）や，「頻回訪問加算に規定する状態等にある患者」（別表第３の１の３）の一つに，「ドレーンチューブ又は留置カテーテルを使用している状態」がありますが，胃瘻カテーテルを使用している患者は，この状態に該当しますか。

A：該当しません。　〈厚平28.6.30，一部修正〉

Q23　厚生労働大臣が定める重症な患者とは

「別に厚生労働大臣が定める状態の患者」とは具体的にどのような患者が対象となるのですか。

A：施設基準等別表第８の２に該当する患者が対象となります。該当する場合は，月２回訪問で高めの点数となります。　〈保〉

特掲診療料の施設基準等別表第８の２
1　次に掲げる疾患に罹患している患者
　末期の悪性腫瘍，スモン，難病法第５条第１項に規定する指定難病，後天性免疫不全症候群，脊髄損傷，真皮を越える褥瘡
2　次に掲げる状態の患者
　在宅自己連続携行式腹膜灌流を行っている状態，在宅血液透析を行っている状態，在宅酸素療法を行っている状態，在宅中心静脈栄養法を行っている状態，在宅成分栄養経管栄養法を行っている状態，在宅自己導尿を行っている状態，在宅人工呼吸を行っている状態，植込型脳・脊髄刺激装置による疼痛管理を行っている状態，肺高血圧症であって，プロスタグランジンI_2製剤を投与されている状態，気管切開を行っている状態，気管カニューレを使用している状態，ドレーンチューブまたは留置カテーテルを使用している状態，人工肛門または人工膀胱を設置している状態

Q24　別に定める状態の患者（特掲診療料の施設基準等別表第8の2）に該当する者とは

別表第８の２について，「1　次に掲げる疾患に罹患している患者」「2　次に掲げる状態の患者」とありますが，１と２の両方を満たす患者が対象なのですか。

A：１か２のいずれか一方に該当すれば，「別に厚生労働大臣が定める状態の患者」に対する点数を算定できます。　〈保〉

Q25　C002在宅時医学総合管理料

C002在宅時医学総合管理料またはC002-2施設入居時等医学総合管理料では，「別に厚生労働大臣が定める状態の患者」が“特掲診療料の施設基準等別表第８の２”に示されていますが，別表第８の２に該当しない患者は算定できないのでしょうか。

A：在宅時医学総合管理料，施設入居時等医学総合管理料において，「別に厚生労働大臣が定める状態の患者」（別表第８の２）は，重症度や在宅における医療必要度の高い患者を示したものです。当該患者に対して月２回訪問した場合，それ以外の患者と比べて高い「月２回訪問・別表第８の２の患者」の点数〔１のイ（1），ロ（1），２のイ，３のイ〕が算定できます。これに該当しない場合であっても，「月２回訪問」や「月１回訪問」等の点数〔１のイ（2）～（5），ロ（2）～（5），２のロ～ホ，３のロ～ホ〕が算定できます。　〈オ〉

Q26　「指定難病」に該当する者とは

別表第８の２の「指定難病」に該当する者とは，「54　難病医療（特定医療費）受給者証」をもっている患者だけですか。

A：「54」の受給者証をもっている患者と，対象疾患の診断基準に基づき確実な診断を受けた患者（受給者証発行手続中の患者など）が該当します。なお，「51　特定疾患治療研究事業」の患者は含まれません（ただし，スモンの患者は対象となります）。

患者の同意，文書交付

Q27　患者の同意

文書での患者の同意が必要ですか。

A：在医総管，施医総管においては在宅療養計画を作成して患者に説明して同意を得られていていればよいとされ，同意書までは求められていません。なお，在医総管・施医総管の算定要件である訪問診療において同意書が必要です。

Q28　患者へ文書を交付していない場合(1)

支援診以外の診療所ですが，緊急時の連絡先の文書を患者に渡していなくても在医総管，施医総管は算定できますか。

A：算定要件を満たさないので，算定できません。

Q29　患者へ文書を交付していない場合(2)

強化型支援診・支援病で24時間往診・訪問看護体制等を確保している旨の文書を交付していない患者についても，強化型の高い点数が算定できますか。

A：算定できません。24時間往診・訪問看護体制等を確保している旨の文書の交付がない患者には，強化型支援診・支援病であっても，支援診・支援病以外の保険医療機関の点数を算定します。　〈保〉

連携調整

Q30 連携調整を担当する者

在宅時医学総合管理料，施設入居時等医学総合管理料の施設基準の，「介護支援専門員（ケアマネジャー），社会福祉士等の保健医療サービス及び福祉サービスとの連携調整を担当する者を配置」の「等」は，医療機関の職員を配置している場合も含まれると考えてよいですか。

A：その通りです。ただし，連携調整を担当できる者を配置し，届出用紙に役職を記載します。また，担当者に変更があれば，変更届を出します。〈保〉

「注2」処方箋を交付しない場合

Q31 当該月に処方を行わない場合⑴

処方箋を交付しない場合の加算が創設されましたが，当該月に処方を行わない場合にも算定できるのでしょうか。

A：算定できません。〈厚平28.4.25〉

Q32 当該月に処方を行わない場合⑵

今月分も含む薬剤を先月の退院時に院外処方し，今月は当院での院外処方がない患者に対して，緊急往診でボルタレンサポを院内処方しました。その患者には在医総管を算定していますが，C002「注2」の処方箋未交付加算は算定できますか。

また，先月の退院時処方も今月の院外処方もない患者に臨時で院内処方した場合，個数，日数，定期処方等に関係なく，院内から処方すれば処方箋未交付加算は算定できますか。その場合，薬剤情報提供料を算定していなくても算定できますか。

A：C002在宅時医学総合管理料の「注2」により「処方箋を（当該月に）交付しない場合は，300点を所定点数に加算」できる扱いですが，前月以前に投与期間が30日を超える薬剤を含む院外処方箋を交付した場合は，その投与期間に係る在医総管（施医総管）については，処方箋未交付加算は算定できないとされています。

上記に該当せず，当月に院外処方がなく，臨時で院内処方した場合は，B011-3薬剤情報提供料の算定の有無にかかわらず，当該加算が算定できます。〈オ〉

Q33 院内処方と院外処方の患者がいる場合

患者ごとに院内処方と院外処方を選択してもよいですか。

A：患者ごとに選択してかまいません。〈保〉

Q34 4種類のパターンにおける算定 新

以下の場合，処方箋未交付加算は算定できますか。

①当月の投薬がすべて院内処方の場合
②状態が安定しており投薬が必要ない場合
③同一月に処方箋を交付した訪問診療と院内処方の訪問診療が混在した場合
④前月に2か月分の院外処方をしてあるため，今月には投薬がない場合

A：①算定できます。②算定できません。③算定できません。④算定できません。〈保，一部訂正〉

Q35 在宅時医学総合管理料の投薬期間

C002在宅時医学総合管理料「1」の「イ」を算定している患者に30日を超える投薬（院外処方）を先月行い，今月の途中で薬剤がなくなって院内投薬しました。今月は処方箋の交付はまったく行っていませんが，「注2」処方箋無交付加算は算定できますか。

また，30日を超えない投薬の場合は，翌月にまたがった際にどのように算定しますか。

A：通知により下記のように取り扱います。なお，施医総管も同じ扱いとなります。

1．院外処方と院内処方が混在する月は「注2」に係る加算は算定できません。
2．投薬期間が30日を超える薬剤を含む院外処方をした場合は，その投与期間においては「注2」の処方箋無交付加算」は算定できません。

なお，30日を超えない院外処方を行った場合で，翌月にまたがる投与期間が終了し，次の投薬を院外処方ではなく院内処方で行った場合は，「注2」の処方箋無交付加算が算定できると解されます。〈オ〉

「注3」包括される項目

Q36 包括項目に包括される項目の算定

生活習慣病管理料は在宅時医学総合管理料・施設入居時等医学総合管理料に包括されていますが，生活習慣病管理料に包括されている項目（医学管理等・検査・投薬・注射・病理診断）も在宅時医学総合管理料等に包括されるのですか。

A：生活習慣病管理料に包括される項目のうち，在医総管，施設総管に含まれない項目は別に算定できます。

Q37 在医総管または施医総管の包括点数

在医総管または施医総管に含まれる点数は何ですか。

A：以下の点数が含まれます。

・B000特定疾患療養管理料
・B001「4」小児特定疾患カウンセリング料
・B001「5」小児科療養指導料
・B001「6」てんかん指導料
・B001「7」難病外来指導管理料
・B001「8」皮膚科特定疾患指導管理料
・B001「18」小児悪性腫瘍患者指導管理料

在宅Q&A
診療
往診
訪問診
在総管
在がん
搬送診
訪看護
訪点滴
訪リハ
訪指示
介喀痰
訪薬剤
訪栄養
在連携
緊カン
患共診
訪褥管
外在共
在緊連

・B001「27」糖尿病透析予防指導管理料
・B001「37」慢性腎臓病透析予防指導管理料
・B001-3生活習慣病管理料（Ⅰ）
・B001-3-3生活習慣病管理料（Ⅱ）
・C007「注４」衛生材料等提供加算
・C109在宅寝たきり患者処置指導管理料
・I012-2「注４」衛生材料等提供加算
・J000創傷処置
・J001-7爪甲除去
・J001-8穿刺排膿後薬液注入
・J018喀痰吸引
・J018-3干渉低周波去痰器による喀痰排出
・J043-3ストーマ処置
・J053皮膚科軟膏処置
・J060膀胱洗浄
・J060-2後部尿道洗浄
・J063留置カテーテル設置
・J064導尿
・J118介達牽引
・J118-2矯正固定
・J118-3変形機械矯正術
・J119消炎鎮痛等処置
・J119-2腰部又は胸部固定帯固定
・J119-3低出力レーザー照射
・J119-4肛門処置
・J120鼻腔栄養
・投薬の費用

※なお，在宅での総合的な医学管理に当たって必要な薬剤（投薬に係るものを除く）及び特定保険医療材料については，算定できる。〈保〉

Q38　在医総管，施医総管における薬剤料

C002在宅時医学総合管理料またはC002-2施設入居時等医学総合管理料のなかに投薬の費用は含まれるとありますが，調剤料，処方料，調剤技術基本料のほかに，薬剤料も含まれるのでしょうか。

A：投薬の部の薬剤料も「投薬の費用」であるため，算定できません。また処方箋料も投薬料ですので算定不可です。なお，在宅医療の薬剤料（『早見表』p.435）は算定できます。〈オ〉

Q39　C002算定時の院外処方による調剤薬局での算定

C002在宅時医学総合管理料の「注３」では「別に厚生労働大臣が定める診療に係る費用及び投薬の費用は所定点数に含まれる」とされています。また，「注２」では「処方箋を交付しない場合は300点を加算する」とされています。

通常は院内処方により投薬を行っていますが，C002の算定に際して自院に薬剤がない場合は院外処方箋を発行し，調剤薬局で診療報酬を請求しています。自院に薬剤がない場合，こうした算定を行うのではなく，薬剤を取り寄せるべきでしょうか。

A：C002在宅時医学総合管理料の処方箋無交付加算は，薬剤を院内投与した場合，その投薬に関する費用がC002に包括され，その分が院外処方と比べて医療機関の持ち出しとなるため，その差を補填するために設定されたものです（院外処方の場合は医療機関においては投薬の費用がかからず，院外の保険薬局において調剤が行われ，保険薬局が調剤報酬を算定します）。

院内処方と院外処方のどちらかにすべきという趣旨の規定ではないため，院外処方について患者の同意が得られているのであれば，薬剤を取り寄せる必要はありません。〈オ〉

Q40　在医総管等に包括の処置に伴う薬剤・材料

C002在宅時医学総合管理料，C002-2施設入居時等医学総合管理料が算定されている月において，算定できない処置が通知に明記されていますが，算定できないのは処置料のみで，薬剤料および特定保険医療材料は算定できるのでしょうか。

A：「在宅での総合的な医学管理に当たって必要な薬剤（投薬に係るものを除く）及び特定保険医療材料については，第３節薬剤料及び第４節特定保険医療材料料において算定することができる」〔C002・C002-2の保医発通知(9)，『早見表』p.374〕とあるため，在宅時医学総合管理料等を算定する月に，包括されるC109在宅寝たきり患者処置指導管理料や包括される処置の指導を行った場合の使用薬剤・特定保険医療材料は算定できると解されます。〈オ〉

Q41　在医総管の投薬の包括

在宅時医学総合管理料を算定すべき医学管理を行った場合は，投薬の費用は所定点数に含まれますが，専門的な医療が必要で他医療機関を受診した場合，他医療機関（在宅時医学総合管理料を算定していない医療機関）で処方された投薬の費用も在医総管の所定点数に含まれますか。

A：C002在宅時医学総合管理料（在医総管）に係る保医発通知において「当該医療機関においては投薬の費用は算定できない」とされていますが，専門的な医療が必要となり他医療機関に受診した場合の投薬の費用は（在医総管の所定点数に）含まれる取扱いは示されていません。よって，他医療機関における投薬の費用は，紹介元医療機関で算定する在宅時医学総合管理料の所定点数に包括されず，他医療機関において投薬の費用を算定できるものと解されます。〈オ〉

Q42　在医総管算定患者の外来時の薬剤料等

C002在宅時医学総合管理料（処方箋を交付）を算定している患者が，突発的なけが等で時間外に外来を受診し，縫合が行われ院内で薬が処方され

た場合，薬剤料や投薬に係る費用は別に算定できますか。

A：在宅時医学総合管理料の通知⑽に，「当該点数を算定した月において，当該点数を算定する保険医療機関の外来を受診した場合においても第５部投薬の費用は算定できない」とあるため，投薬の費用（薬剤料を含む）は別に算定できません。ただし，手術において縫合に使用した手術料の薬剤は算定できます。〈オ〉

Q43　在医総管と処置の算定⑴

月の前半に在宅時医学総合管理料を算定した患者が，月末に容態悪化のため当院に入院しました。入院時に在宅時医学総合管理料に含まれる処置を行った場合，その処置の費用は算定できますか。

A：在医総管を算定した医療機関に入院した場合は，在医総管の通知⑼より，“在医総管又は施医総管を算定している月はB000特定疾患療養管理料，（中略），J120鼻腔栄養は所定点数に含まれる”（『早見表』p.374）とされています。しかし，入院後の他医療機関での算定の可否は示されていませんので，算定可と解されます。〈オ〉

Q44　在医総管と処置の算定⑵

在宅患者で（C002在医総管算定），PTBD（経皮経管胆管ドレナージ）を留置している場合，J002ドレーン法は算定できますか。それとも，医師の訪問診療があった日のみ算定可能ですか。

A：J002ドレーン法は，C002在医総管の包括範囲外ですので，別途算定可能です。ただし，医師が訪問診療または往診をして処置をした場合のみ算定できます。〈オ〉

Q45　在医総管と処置の算定⑶

在宅時医学総合管理料にC109在宅寝たきり患者処置指導管理料は包括されますが，C109に包括される処置料は別に算定できますか。

A：原則としては，C002在宅時医学総合管理料に包括される診療料の包括項目については別に算定できる扱いです。ただし，C002在宅時医学総合管理料に包括される費用として，在宅寝たきり患者処置指導管理料に包括される「J000創傷処置～J120鼻腔栄養」がすべて掲げられています。

よって，在宅時医学総合管理料を算定した場合は，在宅寝たきり患者処置指導管理の実施の有無にかかわらず，包括される処置の費用は別に算定できません。ただし，自己処置に用いる薬剤料や特定保険医療材料料は算定できます。〈オ〉

「注４」在宅移行早期加算

Q46　在宅移行早期加算の算定期間⑴

在宅移行早期加算は，どのような場合に算定できるのですか。

A：退院後に在宅療養を始めた患者で，在医総管・施医総管の算定開始から３月に限り月１回算定できます。ただし，在宅医療に移行後１年以上経過した患者には算定できません。〈保〉

Q47　在宅移行早期加算の算定期間⑵ 新

退院後，在宅時医学総合管理料を算定したが，同一月に再入院した場合，在宅移行早期加算は算定できますか。

A：算定できます。〈保〉

Q48　在宅移行早期加算の算定期間⑶ 新

入院起算日がリセットされない３カ月以内の再入院の場合でも算定できますか。

A：算定できます。〈保〉

Q49　在宅移行から１年を経過した患者

「注４」に定める在宅移行早期加算については，在宅医療に移行後，在宅時医学総合管理料または施設入居時等医学総合管理料の算定開始から３月を限度として月１回算定できるとされていますが，在宅医療に移行後，１年を経過した患者については算定できないとされています。

① 退院後から１年以内に，A医療機関が在宅移行早期加算を３カ月間算定した後，在宅時医学総合管理料を算定する医療機関が，B医療機関に変更となった場合，A医療機関に加え，B医療機関も本加算を３カ月間算定することは可能ですか。

② 在宅医療に移行後１年を経過した患者であっても，再度入院のうえ，在宅医療に移行した場合であれば，当該加算を改めて算定することはできるのですか。

③ 同一の患者が入退院を繰り返した場合，退院ごとに改めて本加算を算定することは可能ですか。

A：①算定できません。②算定できます。③算定できます。〈厚平22.3.29，一部修正〉

Q50　検査入院や１日入院での算定

在宅移行早期加算については，在宅医療に移行後，３月を限度に算定できることとなっていますが，検査入院や１日入院の場合でも算定できますか。

A：入院治療後，在宅において療養を継続する場合に算定するものであり，検査入院や１日入院の場合には算定できません。〈厚平22.6.11，一部修正〉

Q51 退院先による算定可否

退院後，グループホーム等に入居した場合，在宅移行早期加算は算定できますか。

A：在医総管・施医総管が算定できる施設の場合は算定できます。〈保〉

「注5」頻回訪問加算

Q52 頻回訪問加算(1)

C002在宅時医学総合管理料，C002-2施設入居時等医学総合管理料の「注5」の頻回訪問加算について，「患者1人につき1回限り，頻回訪問加算として，600点を所定点数に加算する」とありますが，毎月算定することはできないのですか。

A：C002やC002-2は「1月につき」1回算定します。その加算点数である頻回訪問加算とは，必要に応じて往診や訪問診療を高い頻度で行った場合の医学管理を評価する点数ですので，患者の一連の治療につき1回限りという意味ではなく，要件を満たせば「月」に1回の算定が可能です。〈オ〉

Q53 頻回訪問加算(2) 新

頻回訪問加算は毎月算定できますか。

A：要件を満たせば毎月算定できます。〈保〉

Q54 頻回訪問加算(3)

頻回訪問加算の算定要件はどういったものですか。

A：特別な管理を必要とする別に厚生労働大臣が定める状態等（『早見表』p.377，別表第3の1の3）の患者で，往診または訪問診療を月4回以上行った場合に，月1回算定できます。〈保〉

Q55 頻回訪問加算(4)

頻回訪問加算の対象となる患者はどういう患者ですか。

A：対象となる患者は次のとおりです。

(1) 末期の悪性腫瘍の患者（C003在宅がん医療総合診療料を算定している患者は除く）

(2) アであって，イ又はウの状態である患者

ア 在宅自己腹膜灌流指導管理，在宅血液透析指導管理，在宅酸素療法指導管理，在宅中心静脈栄養法指導管理，在宅成分栄養経管栄養法指導管理，在宅人工呼吸指導管理，在宅麻薬等注射指導管理，在宅腫瘍化学療法注射指導管理，在宅強心剤持続投与指導管理，在宅自己疼痛管理指導管理，在宅肺高血圧症患者指導管理又は在宅気管切開患者指導管理を受けている状態にある患者

イ ドレーンチューブ又は留置カテーテルを使用している状態にある患者

ウ 人工肛門又は人工膀胱を設置している状態にある患者

(3) 在宅での療養を行っている患者であって，高度な指導管理を必要とするもの 〈保〉

Q56 頻回訪問加算(5)

頻回訪問加算の対象となる状態にある患者のうち「高度な指導管理を必要とするもの」とは，どういう管理を必要とする患者ですか。

A：「高度な指導管理を必要とするもの」とは，前問の回答(2)アに掲げる指導管理を2つ以上行っているものをいいます。〈保〉

Q57 頻回訪問加算(6) 新

C002「注5」に規定する頻回訪問加算について，過去に当該加算を算定していた患者であって，病状が安定したこと等により当該加算を算定しなくなったものについて，再び病状が悪化した等の理由で頻回の訪問が必要となった場合，アの「初回の場合」とイの「2回目以降の場合」のどちらの点数を算定すれば良いですか。

A：イの「2回目以降の場合」を算定します。ただし，過去に頻回の訪問を必要としていた疾患と異なる疾患により，頻回の訪問が必要となる場合については，初回に限りアの「初回の場合」を算定して差し支えありません。〈厚令6.3.28〉

「注8」在宅専門診療所の減算

Q58 減額規定について

当院は外来のみの診療所（月平均600名うち在宅1名）で，C002在宅時医学総合管理料（支援診療所以外）を届け出ています。

当院の場合，「注8」（在宅患者95％以上の場合の減額規定）により，所定点数の100分の80で算定することになるのでしょうか。

A：C002の「注8」は，「在宅医療を専門に実施する診療所」が減額となる規定です。

これはC002およびC002-2の「3」（在宅療養支援診療所・在宅療養支援病院以外の場合）について100分の80に減額するもので，直近1カ月の在宅患者（往診又は訪問診療を実施した患者）の割合が95％以上の「在宅医療を専門に実施する診療所」であり，かつ在宅療養支援診療所以外の診療所が対象となります。

在宅患者の割合が95％以上の在宅専門診療所であっても，在宅療養支援診療所の施設基準における在宅専門診療所の場合の要件，別表第8の2，その他の厚生労働大臣の定める重症者が5割以上等〔『早見表』p.1325，「シ」（イ）～（ニ）〕を満たして支援診療所の届出を継続して行っていれば，C002およびC002-2の「1」「2」を算定することになるため，この「注8」の減額規定の対象とは

なりません。要件を満たせない場合は，支援診療所の届出を取り下げることになり，「注８」の減額が適用されます。

ご質問の診療所は，ほぼ外来のみの診療所であり，当然在宅患者の割合は95％未満ですので，減額対象にはなりません。〈オ〉

Q59　減算除外の要件

在宅患者の割合が95％以上の場合，前問で「シ（イ）～（ニ）」を満たせば減額の対象外になるとのことですが，どのような要件ですか。

A：次の①～④の要件になります。

①年に５カ所以上の医療機関からの新規患者紹介実績

②年に在宅看取り実績20件以上又は超重症児等の在宅医療実績10件以上

③年に「施医総管の患者数」が「在医総管・施医総管の患者数」の７割以下

④年に「要介護３以上の患者＋別表第８の２患者」が「在医総管・施医総管の患者数」の５割以上

「注９」在宅療養移行加算

Q60　算定の時期

在医総管の在宅療養移行加算１は，外来受診から訪問診療への移行月のみ算定できるという解釈でよいでしょうか。

A：訪問診療への移行月のみでなく，移行月以降においても，要件を満たせば毎月算定できます。

Q61　24時間往診体制等の確保

在医総管の在宅療養移行加算２の要件である24時間往診体制等は，常時確保していなければならないのですか。

A：在医総管の在宅療養移行加算２を算定し，訪問診療と医学管理を行う月において確保できていれば可とされます。なお，往診体制，24時間連絡受付体制は，連携する他の医療機関の協力により確保できていればよいとされています。

「注10」包括的支援加算

Q62　経管栄養等の処置

包括的支援加算について，「訪問診療又は訪問看護において，注射又は喀痰吸引，経管栄養等の処置を受けている状態」とありますが，胃瘻又は腸瘻からの栄養投与についても該当するのですか。

A：そのとおりです。〈厚平30.5.25〉

Q63　留置カテーテルとは

C002在宅時医学総合管理料「注10」包括的支援加算を算定できる状態の一つとして，通知㉓「キ」（ニ）でＪ063留置カテーテル設置が挙げられていますが，この留置カテーテルとは，膀胱カテーテル，栄養カテーテル，ドレーンカテーテル，胃ろうカテーテルのいずれを指すのでしょうか。

A：Ｊ063は経尿道的膀胱カテーテル（膀胱留置用ディスポーザブルカテーテル）を24時間以上留置した場合に算定できる項目であるため，こちらについては膀胱カテーテルのみを指しています。ただし，通知㉒「カ」（ニ）ではＪ120鼻腔栄養も対象となっているので，鼻腔栄養用カテーテル，胃ろうチューブなどを使用して鼻腔栄養の自己処置をしているケースも算定対象となります。〈オ〉

Q64　頻回訪問看護と特別な医学管理

在宅時医学総合管理料及び施設入居時等医学総合管理料に係る包括的支援加算について，

①包括的支援加算の算定要件である通知㉓「ウ」の頻回訪問看護を受けている状態（週１回以上の訪問看護を受けている状態）を満たすには，毎週訪問看護を実施する必要がありますか。

②通知㉓「キ」の（イ）～（ハ）につき，以前その状態に該当していた場合は当該加算の対象となりますか。病名が残っていて成人になった場合はどうですか。

③通知㉓「キ」（ニ）の医師の指示を受けた看護職員の指導に基づき看護者が注射又はＪ000～Ｊ120を実施した場合，Ｊ000～Ｊ120の指導内容をカルテに記載するのですか。在医総管の指導・管理内容は記載しています。

A：①毎週１回以上訪問看護をしなければなりません。

②通知㉓「キ」（イ）～（ハ）の条件は，包括的支援加算の算定月において満たしている必要があり，かつてその状態にあった場合は算定の対象となりません。

③通知㉓「キ」（ニ）に該当する処置は施設基準等第４の１の６⑶の「ヨ」～「コ」の処置〔在医総管に含まれる処置，在医総管の通知⑼に示されている処置と同じ〕になります。また，看護者が処置を行っている場合は，医師の指示事項はカルテに，看護師の指導内容はカルテまたは訪問看護記録簿に記載します。〈オ〉

「注12」／「注６」情報通信機器を用いた診療

Q65　電話再診の扱い

電話再診で診療を行った場合も在医総管・施医総管の情報通信機器を用いた場合の点数が算定できますか。

A：算定できません。

Q66　月に複数回の情報通信機器での診療を実施

月１回訪問診療を実施し，翌月に複数回の情報通信機器を用いた診療を行う在宅診療計画を策定した上で当該診療を実施した場合，在宅時医学総合管理料又は施設入居時等医学総合管理料の算定はどのようになるのですか。

A：「月１回訪問診療等を行っている場合であって，２月に１回に限り情報通信機器を用いた診療を行っている場合」の所定点数を算定します。

〈厚令4.3.31〉

Q67　情報通信機器を用いた診療に関する初再診料

情報通信機器を用いた診療を行う在宅診療計画を策定し，当該診療を実施した場合，情報通信機器を用いた診療に係る基本診療料は別に算定できるのですか。

A：当該診療に係る基本診療料については，在宅時医学総合管理料又は施設入居時等医学総合管理料に包括されており，別に算定できません。

〈厚令4.3.31〉

Q68　加算の算定可否

情報通信機器を用いたＣ002在医総管・Ｃ002-2施医総管を行った場合，Ｃ002，Ｃ002-2の加算点数は算定できますか。

A：算定できます。

Q69　診療実日数のカウント

情報通信機器を用いた診療による在医総管・施医総管を行った場合，診療実日数にカウントするのですか。

A：実日数にカウントします。

Q70　「情報通信機器を用いた診療」の届出可能な施設

在宅医療のみを実施する保険医療機関においても，情報通信機器を用いた診療に係る施設基準の届出を行うことは可能ですか。

A：可能。ただし，オンライン指針に沿って診療を行う体制を有している必要があります。

〈厚令4.3.31〉

Q71　訪問診療と情報通信機器での診療を隔月実施

訪問診療と情報通信機器を用いた診療を組み合わせた在宅診療計画を作成し，当該計画に基づき，隔月で訪問診療と情報通信機器を用いた診療を実施した場合の算定について，どのように考えればよいでしょうか。

A：訪問診療を実施した月及び情報通信機器を用いた診療を実施した月のいずれにおいても，「月１回訪問診療等を行っている場合であって，２月に１回に限り情報通信機器を用いた診療を行っている場合」の所定点数を算定します。〈厚令4.3.31〉

Q72　定期的に情報通信機器を用いた診療を行う場合

在宅時医学総合管理料又は施設入居時等医学総合管理料を算定する患者に対して，定期的に情報通信機器を用いた診療を行う場合は，それを踏まえた在宅診療計画を作成し，在宅時医学総合管理料又は施設入居時等医学総合管理料の情報通信機器を用いた診療を行った場合の該当する区分の点数により算定するのでしょうか。

A：そのとおりです。〈厚令4.3.31〉

Q73　情報通信機器を用いた診療のみの月

訪問診療（月１回以上）を実施する在宅診療計画を作成し，当該計画に基づき，訪問診療等を実施する予定であったが，患者の都合等により，訪問診療を実施せず，情報通信機器を用いた診療のみを実施した月が生じた場合，当月分における算定はどのように考えればよいでしょうか。

A：「月１回訪問診療等を行っている場合であって，２月に１回に限り情報通信機器を用いた診療を行っている場合」を算定できます。ただし，このような状況が２回以上連続して生じるような場合には，在宅診療計画を変更する必要があります。

〈厚令4.3.31〉

Q74　在宅診療計画の組み立て方

「訪問診療と情報通信機器を用いた診療を組み合わせた在宅診療計画を作成する」場合は，診療の組合せについてどのように考えればよいですか。

A：在宅医療を開始する場合は，初回の診療は訪問診療により実施するよう在宅診療計画の作成を行います。なお，原則として，２月連続で訪問診療を行わず，情報通信機器を用いた診療のみを実施することはできません。〈厚令4.3.31〉

「注13」／「注７」在宅データ提出加算

Q75　届出の取扱い 新

機能強化型の在宅療養支援診療所及び在宅療養支援病院の施設基準において，各年度５月から７月の訪問診療を実施した回数が2,100回を超える場合は，次年の１月までに在宅データ提出加算に係る届出を行うこととされていますが，この「届出」の取扱いはどのようにすればよいですか。

A：様式７の11を用いて，地方厚生（支）局長を経由して，厚生労働省保険局医療課長に届出を行います。

また，様式７の11を提出するにあたっては，事前に，様式７の10の届出を行ったうえで，試行データを外来医療等調査事務局に提出し，データ提出の実績が認められる必要があります。

なお，令和６年３月31日時点で在宅療養支援診療所又は在宅療養支援病院の届出を行っている医療機関においては，令和７年５月31日までの間に限り基準を満たしているものとされていることから，令和７年６月２日までに様式７の11の届出を行います。令和７年６月２日までに様式７の11の届出を行おうとする場合，遅くとも令和７年２月20日までに様式７の10を届出する必要があるため，ご留意ください。〈厚令6.5.31〉

「注14」施設基準不適合減算

Q76　訪問診療回数の取扱い 新

在宅時医学総合管理料の「注14」（施設入居時等医学総合管理料の「注５」の規定により準用する場合を含む。以下同じ）の施設基準において，「直近３月間の当該保険医療機関及び当該保険医療機関と特別の関係にある保険医療機関（令和６年３月31日以前に開設されたものを除く）の訪問診療回数の合算が2,100回未満である」とされていますが，基準を満たすことの確認方法及び基準を満たさない場合の取扱いについて，どのように考えれば良いですか。

A：訪問診療回数については，各月の１日時点の直近３ヶ月の訪問診療の算定回数を算出し，確認出来る様に記録しておきます。

また，当該基準を満たさない場合は，速やかに届出を行い，翌月からC002在宅時医学総合管理料「注14」に掲げる点数を算定します。〈厚令6.3.28〉

Q77　厚生労働大臣が定める状態の患者等 新

『在宅時医学総合管理料の「注14」（施設入居時等医学総合管理料の「注５」の規定により準用する場合を含む）に規定する基準施設における『要介護３以上又は「特掲診療料の施設基準等」別表第８の２に掲げる別に厚生労働大臣が定める状態の患者等』の「等」にはどのような患者が含まれるのですか。

A：認知症高齢者の日常生活自立度におけるランクⅢ以上と診断した状態の患者及び障害者総合支援法における障害支援区分において障害支援区分２以上と認定されている状態の患者が該当します。〈厚令6.3.28〉

Q78　厚生労働大臣が定める疾病等の患者等（1）新

C002在宅時医学総合管理料の「注14」（施設入居時等医学総合管理料の「注５」の規定により準用する場合を含む）の施設基準において，「当該保険医療機関において，直近３か月に在宅時医学総合管理料又は施設入居時等医学総合管理料を算定した患者のうち，施設入居時等医学総合管理料を算定した患者（特掲診療料の施設基準等の別表第７に掲げる別に厚生労働大臣の定める疾病等の患者等を除く）の割合が７割以下であること」とありますが，「患者等」にはどのような患者が含まれますか。

A：特掲診療料の施設基準等の別表第７に掲げる患者のほか，以下の患者を指します。

- 特掲診療料の施設基準等の別表第８の２に掲げる別に厚生労働大臣が定める状態の患者。
- C000往診料の「注３」，C001在宅患者訪問診療料（Ⅰ）の「注６」又はC001-2在宅患者訪問診療料（Ⅱ）の「注５」に規定する在宅ターミナルケア加算を算定した患者（算定した月に限る）。
- C000往診料の「注４」又はC001在宅患者訪問診療料（Ⅰ）の「注７」（C001-2在宅患者訪問診療料（Ⅱ）の「注６」の規定により準用する場合を含む）に規定する看取り加算を算定した患者（算定した月に限る）。
- C000往診料の「注５」又はC001在宅患者訪問診療料（Ⅰ）の「注８」（C001-2在宅患者訪問診療料（Ⅱ）の「注６」の規定により準用する場合を含む）死亡診断加算を算定した患者（算定した月に限る）。
- 令和６年３月に施設入居時等医学総合管理料を算定した患者（令和７年３月31日までの間に限る）。ただし，「直近３か月に在宅時医学総合管理料又は施設入居時等医学総合管理料を算定した患者のうち，施設入居時等医学総合管理料を算定した患者等の割合」を令和７年３月31日までに７割以下とするための計画を立て，当該計画書を，在宅時医学総合管理料の「注14」に係る届出を行う時点及びその時点から令和７年３月まで３か月ごとに地方厚生（支）局長に届出を行う必要がある。〈厚令6.5.17〉

Q79　厚生労働大臣が定める疾病等の患者等（2）新

Q78において，「直近３か月に在宅時医学総合管理料又は施設入居時等医学総合管理料を算定した患者のうち，施設入居時等医学総合管理料を算定した患者（特掲診療料の施設基準等の別表第７に掲げる別に厚生労働大臣の定める疾病等の患者等を除く）の割合」を令和７年３月31日までに７割以下とするための計画書には，どのような事項を含めるのですか。

A：以下の事項を含めます。なお，様式等は問いません。

・　届出月以降，令和７年３月31日までの各月の在宅時医学総合管理料及び施設入居時等医学総合管理料の算定回数の推移。
・　施設入居時等医学総合管理料を算定した患者等の割合を減少させるための具体的な方法。

〈厚令6.5.17〉

施設入所者の点数算定

Q80　特別養護老人ホームの入所者

特別養護老人ホームの入所者であれば施医総管を算定できますか。

A：末期悪性腫瘍の患者，看取り介護加算の施設基準に適合する特別養護老人ホームにおいて看取った場合（死亡前30日間に行われたもの）に限り算定できます。

Q81　特養入所者を看取った場合(1)

特養入所者を看取れば施医総管が算定できると考えてよいですか。また，「死亡日から遡って30日に限り」について詳しく教えてください。

A：以下の要件を満たして特養において看取った場合，疾患にかかわらず算定できます。

①介護報酬における看取り介護加算の算定要件を満たしている特養

②在支診・在支病または特養の協力医療機関（配置医師が所属する医療機関を含む）の医師が当該特養で看取った場合，疾患に限らず死亡日から遡って30日に限り医療保険の対象になる。

なお，同一月に特養ホームが介護看取り加算（Ⅰ）を算定した場合は，訪問診療料のターミナルケア加算，看取り加算が，特養ホームが看取り介護加算（Ⅱ）を算定した場合は在宅ターミナルケア加算が算定できます。　〈日事〉

Q82　特養入所者を看取った場合(2)

特別養護老人ホーム入居中の患者に対して，看取り介護加算の算定要件を満たしている場合，当該特別養護老人ホームにおいて看取った場合は死亡日から遡って30日間に限り施設入居時等医学総合管理料を算定可能とされていますが，例えば，5月中に訪問診療を行い，6月1日に亡くなった場合は，6月1日から遡って30日間の間で算定要件を満たしていれば，5月診療分，6月診療分いずれも施設入居時等医学総合管理料を算定できますか。

A：5月診療分は算定できますが，6月診療分は算定できません。　〈厚平24.8.9，一部修正〉

Q83　認知症高齢者グループホームについて

認知症高齢者グループホーム（認知症対応型共同生活介護事業所）入居者は施設入居時等医学総合管理料を算定するのですか。

A：施設入居時等医学総合管理料で算定します。

〈保〉

Q84　有料老人ホーム・軽費老人ホーム（ケアハウス）等の入居者の場合

有料老人ホーム・ケアハウス等の入居者で施設入居者生活介護費を算定している患者に在宅時医学総合管理料は算定できますか。

A：有料老人ホーム，軽費老人ホームＡ型（ケアハウス）は，在宅時医学総合管理料ではなく施設入居時等医学総合管理料を算定します。　〈保〉

Q85　単一建物診療患者とは

単一建物診療患者の人数とは何ですか。

A：当該建築物（集合住宅・介護・福祉施設等）に居住するもののうち，自院および特別の関係にある医療機関で，１カ月間に在医総管または施医総管を算定している患者の数を指します。

〈保，一部追記〉

Q86　在医総管の区分が違っても人数は合算

単一の建物に，在医総管の「月１回訪問診療を行っている場合」「月２回以上訪問診療を行っている場合」「別に定める状態の患者に月２回以上訪問診療を行っている場合」を算定する患者がそれぞれ１人ずついた場合，それぞれの患者に「１人の場合」を算定できるのですか。

A：算定できません。単一建物診療患者の人数は，その月に各区分の点数を算定した患者の合計で判断するため，この場合は単一建物診療患者の人数は３人となり，「２～９人の場合」を算定します。

〈保，一部追記〉

Q87　同一の建物での在医総管と施設総管 新

同一の建物にケアハウス（在医総管を算定）と有料老人ホーム（施設総管を算定）があり，それぞれに１人ずつ算定対象患者がいる場合，単一建物診療患者はそれぞれ「１人の場合」を算定できますか。

A：算定できません。同一の建物で在医総管又は施設総管を算定する人数の合計で判断するため，在医総管が１人，施設総管が１人の場合も，単一建物診療患者は２人となります。　〈保〉

Q88　有料老人ホームの末期がん患者

有料老人ホームの10人の患者に月２回訪問診療を行い，施医総管を算定しています。そのうち１人が末期の悪性腫瘍の患者で，在宅患者訪問診療料は（Ⅰ）の「１」の「イ」（888点）を算定しています。この場合の施医総管は，末期の悪性腫瘍

の患者のみ単一建物診療患者が「1人の場合」を算定できますか。

A：算定できません。末期の悪性腫瘍の患者を含め，10人全員に対して「10人以上の場合」を算定することになります。〈保〉

Q89　在医総管の患者のカウント(1)

単一の建物に，訪問診療を行っている患者が10人いますが，そのうち2人は在宅がん医療総合診療料を算定し，8人は在医総管を算定しています。この場合，在医総管の単一建物診療患者はどの区分で算定するのですか。

A：単一建物診療患者の数は在医総管を算定する人数です。この場合は8人のため，「2～9人の場合」を算定します。〈保，一部追記〉

Q90　在医総管の患者のカウント(2)

全戸数5室の小規模多機能に入居中の3人について訪問診療を行っていますが，今月は1人が入院されたため，対象が2人となりました。戸数20戸未満で2人の管理となるため，C002在宅時医学総合管理料は，「単一建物診療患者が1人の場合」で算定できますか。

A：今月は入院した患者につき月初から月末まで訪問診療管理をせずに，残りの2人のみ管理を行ったのであれば，そのとおりです。「単一建物診療患者」の人数は，その月に在医総管を算定する患者の合計で判断するので，ご質問の場合は「2人」と考えます。C002，C002-2の通知⑾に，『建築物の戸数が20戸未満であって，（中略）患者が2人以下の場合には，（中略）「単一建物診療患者が1人の場合」を算定する』との規定があるので，「1人の場合」で算定します〔『早見表』p.374⑾〕。〈オ〉

Q91　月途中で死亡した患者

単一の建物に，定期的に訪問診療を行い在医総管・施医総管を算定している患者が10人いましたが，ある月の途中でそのうちの1人が死亡した場合，当月の在医総管・施医総管の単一建物診療患者は9人となるのですか。

A：死亡前の在医総管・施医総管の算定の有無により，以下のいずれかとなります。

① 月途中で死亡した患者についても当月に在医総管または施医総管を算定していた場合は，単一建物診療患者は10人となる。

② 当月の訪問診療を行う前に往診で看取った場合など，月途中で死亡した患者には在医総管または施医総管を算定しなかった場合は，単一建物診療患者は9人となる。〈保〉

Q92　グループホーム

ユニット数が3以下の認知症グループホームについては，ユニットごとに単一建物診療患者の人数をカウントできますが，2ユニットの認知症グループホームの場合，一方のユニットで9人，もう一方のユニットで8人の患者に在医総管・施医総管を算定している場合の算定方法はどうなるのですか。

A：ユニットごとに判断するため，いずれのユニットの患者も単一建物診療患者が「2～9人の場合」を算定します。〈保〉

Q93　複合施設

単一の建物にサービス付き高齢者向け住宅，特定施設，認知症グループホームが入っており，それぞれの施設に在医総管・施医総管を算定する患者がいる場合，単一建物診療患者の人数はどのようにカウントするのですか。

① サービス付き高齢者向け住宅に3人
② 特定施設に5人
③ 認知症グループホーム（1ユニット）に8人

A：それぞれ以下のようにカウントします。

① 16人（建物全体の人数をカウント）
② 16人（建物全体の人数をカウント）
③ 8人（認知症グループホームの人数をカウント）〈保〉

Q94　特別の関係の医療機関の訪問人数

単一の建物に，自院で訪問診療を行い在医総管・施医総管を算定する患者は1人ですが，特別の関係の医療機関で訪問診療を行い在医総管・施医総管を算定する患者が1人いる場合は，それぞれの医療機関の訪問診療料と在医総管・施医総管の算定はどうなるのですか。

A：それぞれの医療機関において，在宅患者訪問診療料は同一建物居住者以外の点数を算定できますが，在医総管・施医総管は単一建物診療患者が「2～9人の場合」の点数を算定します。〈保〉

Q95　在医総管における単一建物診療患者を1人とみなす取扱い

マンションやアパートで複数の患者に在宅医学管理を行っている場合は，「1人の場合」以外の点数を算定しなければいけないのですか。

A：在医総管に限り，以下のいずれかに該当する場合は単一建物診療患者を1人とみなし，それぞれの患者に「1人の場合」の点数を算定できます。

① 在宅医学管理を行う患者が当該建築物の戸数の10％以下の場合

② 戸数が20戸未満の建築物であって在宅医学管

理を行う患者が２人以下の場合　〈保〉

Q96 「戸数の10%以下」とは

Ｃ002在宅時医学総合管理料の「単一建物診療患者が１人の場合」を算定する要件となる「戸数の10%以下の場合」について，小数点以下の端数がでる場合は，切り捨て，切り上げのどちらになるのでしょうか。例えば，全46戸の集合住宅の場合，10%が「4.6戸」となるような場合です。

A：Ｃ002在宅時医学総合管理料等における「戸数の10%以下の場合」の解釈は，10%を超える場合は要件に該当しないという考え方です。

例えば，46戸の場合，５戸では10.9%となり「戸数の10%以下の場合」に該当しませんが，４戸では8.6%となるため該当することになります。つまり，10%で求めた数字の小数第一位以下を切り捨てた数値の戸数になります。　〈オ〉

Q97 65戸のマンションのカウント例

以下の場合は単一建物診療患者が何人の場合の点数を算定するのですか。
戸数が65戸のマンションで
①　在宅医学管理を行う患者が６人の場合
②　在宅医学管理を行う患者が７人の場合

A：
①　戸数（65戸）の10%以下のため，それぞれの患者に「１人の場合」を算定します。
②　戸数（65戸）の10%を超えるため，それぞれの患者に「２～９人の場合」を算定します。〈保〉

Q98 人数カウント具体例

以下の場合は単一建物診療患者が何人の場合の点数を算定するのですか。
戸数が10戸のアパートで
①　在宅医学管理を行う患者が２人の場合
②　在宅医学管理を行う患者が３人の場合

A：
①　戸数が20戸未満の建築物で２人以下のため，それぞれの患者に「1人の場合」を算定します。
②　戸数が20戸未満だが２人を超えているため，それぞれの患者に「２～９人の場合」を算定します。　〈保〉

算定方法

Q99 2以上の在宅療養指導管理を行った場合

在医総管または施医総管と同一月内に２以上の在宅療養指導管理を行った場合，どうなりますか。

A：在医総管，施医総管のいずれかを算定したうえで２以上の在宅療養指導管理（寝たきり患者処置指導管理を除く）を行っている場合は，主たる指導管理の所定点数のみを算定します。ただし，在宅療養指導管理材料加算及び当該２以上の指導管理に使用した薬剤，特定保険医療材料の費用はそれぞれ算定できます。

Q100 在医総か在医総管か

11/1（金）～11/30（土）までＣ003在宅がん医療総合診療料（在医総）を算定していた患者に対し，12/1（日）～12/７（土）に医師１回，看護師３回の訪問を行いましたが，12/７に入院したため，出来高算定となりました。Ｃ002在宅時医学総合管理料（在医総管）の算定でもいいのでしょうか。

また，麻薬の院外処方もあるので，Ｂ001「22」がん性疼痛緩和指導管理料の算定も可能でしょうか（HOT等している場合，同月に在医総を算定していなければ，Ｃ103在宅酸素療法指導管理料も算定できますか）。

A：Ｃ003在宅がん医療総合診療料については，「１週間（日曜日から土曜日まで）のうちに在宅医療と入院医療が混在した場合には算定できない」と規定されているため，ご質問の事例の場合，算定不可となります。ただし，ご質問の事例の「医師１回」が訪問診療であればＣ002在宅時医学総合管理料が算定できます。また，Ｂ001「22」とＣ103については，算定要件を満たせば算定できます。　〈オ〉

Q101 在宅がん医療総合診療料と在医総管または施医総管の併算定

Ｃ003在宅がん医療総合診療料を算定している月は，在医総管または施医総管は算定できますか。

A：算定できません。

Q102 併算定できるもの(1)

Ｃ002在宅時医学総合管理料またはＣ002-2施設入居時等医学総合管理料を算定している場合，在宅患者訪問診療料（Ⅰ）（Ⅱ）は算定できますか。

A：在宅時医学総合管理料と併せて訪問回数分の点数が算定できます。

Q103 併算定できるもの(2)

検査料は併せて算定できますか。

A：すべての検査料が併せて算定できます。また，病理診断の点数も算定可です。　〈保〉

Q104 併算定できるもの(3)

在医総管または施医総管と在宅療養指導管理料（Ｃ103在宅酸素療法指導管理料など）は併せて算定できますか。

A：算定できます。ただし，Ｃ109在宅寝たきり患

者処置指導管理料は除きます。〈保〉

Q105 併算定できるもの⑷

C002在宅時医学総合管理料を算定している患者が，C001在宅患者訪問診療料（Ⅰ）算定時，同一日に眼科の検査のため外来受診された場合，再診料・検査の算定は可能ですか。

A：再診料は再診のつど算定します。また，在宅患者診療・指導料に係る通知⑴（「早見表」p.351）のC001算定時に同一日に算定できない訪問診療料等の規定や，C002・C002-2に係る通知⑼（「早見表」p.374）のC002又はC002-2算定時に別に算定できない医学管理や処置などの規定に当てはまらないため，検査料は別に算定できます。したがって，訪問診療後に眼科受診の必要性が生じた場合は再診料と検査料が算定できます。〈オ〉

Q106 胃瘻カテーテル交換の費用

C002在宅時医学総合管理料「1」の「イ」とC001在宅患者訪問診療料（Ⅰ）の「1」を算定している患者に対して，胃瘻カテーテル交換をしたとき，C105在宅成分栄養経管栄養法指導管理料とC162在宅経管栄養法用栄養管セット加算と交換用胃瘻カテーテルを算定できますか。

A：C002在宅時医学総合管理料は「注3」により，投薬の費用や医学管理等や在宅療養指導管理料の一部の項目に係る費用が包括されます。

ご質問については下記のようになります。

⑴　C105在宅成分栄養経管栄養法指導管理料は包括されていませんので，C162在宅経管栄養法用栄養管セット加算等の材料加算と薬剤料は別に算定できます。

⑵　訪問診療時に画像診断で確認のうえ胃瘻カテーテル交換を行った場合は，処置料としてJ043-4経管栄養・薬剤投与用カテーテル交換法の点数とそれに伴う胃瘻カテーテルの特定保険医療材料料が算定できます。また，超音波検査により交換後の確認を行った場合は，超音波検査の点数も算定できます。〈オ〉

Q107 重度褥瘡処置の併算定

C002在宅時医学総合管理料を算定している患者には，C109在宅寝たきり患者処置指導管理料等は包括されますが，J001-4重度褥瘡処置（100cm^{2}未満）90点は別に算定できますか。

A：重度褥瘡処置は，在宅時医学総合管理料の包括項目ではないので，併算定可能です。〈オ〉

Q108 電話再診の再診料

患者からの電話によって療養上の指示をした場合，在宅時医学総合管理料と別に再診料が算定できますか。

A：患者からの電話に対して指示したのであれば電話再診料のみ算定できます。ただし，定期的な医学管理を前提として行われる場合は算定できません。

Q109 月の途中で入院した場合

C002在宅時医学総合管理料またはC002-2施設入居時等医学総合管理料を算定している患者が，月の途中で入院となった場合の算定はどのようになりますか。

A：入院前後に「計画的な医学管理の下に定期的な訪問診療」の要件を満たしている場合は算定できます。そうでなければ算定できません。

Q110 同一月に再入院した場合

退院後，在宅時医学総合管理料を算定したが，同一月に再入院した場合，在宅移行早期加算は算定できますか。

A：算定できます。〈保〉

Q111 起算日がリセットされない再入院

入院起算日がリセットされない3カ月以内の再入院の場合でも在宅移行早期加算は算定できるのですか。

A：算定できます。〈保〉

Q112 同一患家に在医総管の算定対象となる患者が2人以上いる場合

同一患家に在医総管の算定対象となる患者が2人以上いる場合の算定はどうなりますか。

A：それぞれ算定できます。2人目の患者には往診料や訪問診療料を算定しないので，「同一患家2人目」である旨をレセプトに記載します。〈保〉

Q113 月の途中で患者が増えた場合

在宅時医学総合管理料または施設入居時等医学総合管理料を算定する患者が，月の途中で患者が2人になった場合は，重症度が高く月2回以上訪問診療を行う患者であっても，「2人以上」の点数を算定するという理解でよろしいですか。

A：患者の病状にかかわらず，月の途中から訪問してC002，C002-2を算定した患者は人数に加えますので，C002，C002-2は「2人～9人」の点を算定します。

Q114 単一建物診療患者と同一患家の考え方

C002在宅時医学総合管理料の同一建物居住者および同一患家の考え方について，例えば，10戸のマンションで，在宅医学管理を行う者が同一患家にAさん，Bさん，Cさんの合計3人いる場合は，

どのように考えるのが適当でしょうか。

A：「1つの患家に在宅時医学総合管理料又は施設入居時等医学総合管理料の対象となる同居する同一世帯の患者が2人以上いる場合（中略），患者ごとに『単一建物診療患者数が1人の場合』を算定する」〔「在宅時医学総合管理料，施設入居時等医学総合管理料」に関する保医発通知⑾，『早見表』p.362〕とあります。「同一患家」の考え方が優先されて，「同一患家3人」の場合は，それぞれ「1人の場合」の点数が算定されます。

ご質問の事例において，当該マンションにおける在宅時医学総合管理料等の対象患者が同一患家の3名だけである場合は，上記規定に従って，「患者ごとに『単一建物診療患者数が1人の場合』を算定する」扱いとなります。

なお，同じ保医発通知⑾の後段に，「また，在宅時医学総合管理料について，（中略）当該建築物の戸数の10%以下の場合又は当該建築物の戸数が20戸未満であって，当該保険医療機関が在宅医学管理を行う患者が2人以下の場合には，それぞれ『単一建物診療患者数が1人の場合』を算定すること」との規定がありますが，これは「また」で接続されているとおり，前段の規定に加えて並列されたものであり，前段の規定を制限するものではありません。前段の規定または後段の規定のいずれかに該当すれば，「単一建物診療患者数が1人の場合」を算定する扱いとなります。〈オ〉

Q115　診療料が異なる他の医療機関に紹介する場合

支援診または支援病院において，C002在宅時医学総合管理料またはC002-2施設入居時等医学総合管理料の算定対象患者が，診療料の異なる他の保険医療機関を受診する場合，診療情報提供料（I）は算定できますか。

A：強化型支援診・病院の連携医療機関として届出が行われている医療機関への紹介については，診療情報提供料は算定できません。それ以外の保険医療機関に対しての紹介であれば算定できます。

Q116　別の医療機関で在宅療養指導管理料を算定している場合

A大学病院で在宅人工呼吸指導管理料を算定している自宅療養の患者で，その紹介により日常のケア（訪問診療・訪問看護等）は患者の近隣のB診療所で行っている場合，紹介先のB診療所で在宅時医学総合管理料を算定できますか（人工呼吸の指導管理は大学病院で実施）。

A：A大学病院で在宅時医学総合管理料は算定しないと思われますので，紹介先のB診療所が要件を満たしていれば算定できます。

ただし，原則として，2つの医療機関で計画的な医学管理の下に定期的な訪問診療を行って，それぞれ在宅時医学総合管理料を算定するということは認められません。計画的な医学管理の下の定期的な・総合的な・医学的な管理は1医療機関で行うべきものです。

C003　在宅がん医療総合診療料

C003　在宅がん医療総合診療料（暦週単位・1日につき）

1　在宅療養支援診療所又は在宅療養支援病院であって別に厚生労働大臣が定めるものの場合

〔編注：強化型支援診療所・支援病院〕

イ　病床を有する場合

(1)　保険薬局において調剤を受けるために処方箋を交付する場合　**1,798点**

(2)　処方箋を交付しない場合　**2,000点**

ロ　病床を有しない場合

(1)　保険薬局において調剤を受けるために処方箋を交付する場合　**1,648点**

(2)　処方箋を交付しない場合　**1,850点**

2　在宅療養支援診療所又は在宅療養支援病院（1に規定するものを除く）の場合

〔編注：機能強化型以外の支援診療所・支援病院〕

イ　保険薬局において調剤を受けるために処方箋を交付する場合　**1,493点**

ロ　処方箋を交付しない場合　**1,685点**

注1　施設基準に適合した届出医療機関（在宅療養支援診療所又は在宅療養支援病院に限る）において，末期の悪性腫瘍の在宅療養患者に対して計画的な医学管理の下に総合的な医療を提供した場合に，**1週**（日曜日から土曜日）**を単位に算定する**（算定要件を満たした週においては，所定点数×7日で算定する）。

注2　死亡診断加算（死亡診断を行った場合）**200点**加算

注3　注2に規定する加算及び特に規定するものを除き，診療に係る費用は，在宅がん医療総合診療料に含まれるものとする。

※特に規定するもの（別に定めるもの）

ア　週3回以上の訪問診療を行った場合であって，訪問診療を行わない日に患家の求めに応じて緊急に往診を行った場合の

在宅Q&A
診療
往診
訪問診
在総管
在がん
搬送診
訪看護
訪点滴
訪リハ
訪指示
介喀痰
訪薬剤
訪栄養
在連携
緊カン
患共診
訪褥管
外在共
在緊連

往診料。
イ　在宅患者訪問診療料（Ⅰ）（Ⅱ）の在宅ターミナルケア加算，看取り加算
ウ　第14部「その他」の費用

注4　当該診療に要した交通費は患家の負担（実費）とする。

注5　在宅緩和ケア充実診療所・病院加算，在宅療養実績加算１・２　施設基準に適合した届出医療機関が行った場合は，当該基準に掲げる区分に従い，在宅緩和ケア充実診療所・病院加算，在宅療養実績加算１又は在宅療養実績加算２として，**150点**，**110点**又は**75点**を，それぞれさらに所定点数に加算する。

注6　小児加算　15歳未満の小児（小児慢性特定疾病医療支援の対象である場合は20歳未満の者）に対して総合的な医療を提供した場合に，**週１回**に限り**1,000点**を加算する。

注7　在宅データ提出加算　施設基準に適合した届出医療機関が，診療報酬の請求状況，診療の内容に関するデータを継続して厚生労働省に提出している場合，**月１回**に限り**50点**を加算する。

注8　在宅医療DX情報活用加算　届出医療機関において，電子資格確認等により得られる情報を踏まえて計画的な医学管理の下に，訪問して診療を行った場合，**月１回**に限り加算する。　**10点**

注9　在宅医療情報連携加算　届出医療機関の医師が，通院が困難な在宅療養末期悪性腫瘍患者の同意を得て，連携する他の医療機関の医師が，電子情報処理組織を使用する方法等で記録した診療情報等を活用し，計画的な医学管理を行った場合，**月１回**に限り加算する。　**100点**

基準

Q1　対象患者――末期とは(1)

末期の状態であればどのような疾患でも算定できますか。

A：通院の困難な末期の悪性腫瘍患者に限られます。

Q2　対象患者――末期とは(2)

末期というのは，具体的に余命６カ月の場合など余命の長さで判断するのでしょうか。もしくは，医師が治癒困難，末期であると診断した場合が末期の算定対象になるのでしょうか。

A：医師の判断によります。通知上では，具体的に数字で示されてはいません。〈オ〉

Q3　院外処方を行った場合

C003在宅がん医療総合診療料で院外処方箋を出したとき，調剤薬局で支払は生じるのでしょうか。

A：結論から述べますと，院外処方の場合は保険薬局での支払を要します。

C003在宅がん医療総合診療料を院内で処方した場合の点数と院外処方の場合の点数に差が設けられています。これは，院内で投薬した場合は投薬料は所定点数に包括され，院外処方の場合は別に保険薬局で患者負担があることに配慮して設けられています。〈オ〉

Q4　院外処方と院内処方が混在する場合

院外処方を交付する場合の点数と，院外処方をしない場合の点数の両方を同一週に算定できますか。

A：同一週に院外処方箋の交付があった週は「院外処方を交付する場合」の点数で算定します。

Q5　院内，院外とも投薬が行われなかった場合

投薬が行われなかった場合は，どちらの点数で算定するのでしょうか。

A：「処方箋を交付をしない場合」の点数で算定します。

Q6　暦週とは

「１週を単位として」とは暦週のことですか。また，具体的な算定はどのようにするのですか。

A：「１週単位とは」暦週のことで，日曜日から土曜日までの１週間を単位とするものです。その間に，最低週１回以上の訪問診療と訪問看護を含め，訪問診療・訪問看護が回数で合計４日以上の訪問が必要です。

Q7　暦週の１週間が月をまたいだ場合

月の最終日が月曜日だった場合など，暦週の１週間が月をまたいだ場合の請求方法はどのようになりますか。

A：たとえば，７月31日（日），８月１日（月），２日（火），３日（水），４日（木），５日（金），６日（土）のような暦週において，要件を満たしている場合は，算定要件を満たしたことを確認したうえで７月に１日分，８月に６日分を算定します。

Q8　暦週内で算定要件を満たさない場合

暦週の単位で算定要件を満たしていない場合は，どのような算定になりますか。

A：出来高で算定することになります。在宅がん医療総合診療料は算定できません。

Q9　訪問診療のみの週における算定

医師のみが週４日訪問診療を行った場合は算定できますか。

A：算定できません。週１回以上の訪問看護が必要です。〈保〉

Q10　同日に医師と看護師が訪問した場合

同じ日に医師と看護師が訪問した場合，週１回の訪問看護の要件を満たしますか。

A：週１回の訪問看護を行ったものとみなすことができます。〈保〉

Q11　連携医療機関が訪問診療を行った場合

算定要件にある週１回の訪問診療については他の連携医療機関が行っても算定要件を満たすのですか。

A：満たしません。主治医の在宅療養支援診療所・病院が訪問診療を行わなければなりません。

Q12　往診も１回とカウントできるか(1)

在宅がん医療総合管理料算定中に往診した場合，その往診を訪問診療１回とカウントしてよいでしょうか。

A：「注３」の特に規定するもの（p.82）として，往診料を算定する場合には訪問診療としてカウントすることはできません。ただし，往診料を算定しないのであれば，訪問診療の回数に数えて差し支えありません。

Q13　往診も１回とカウントできるか(2)

週に医師の訪問が２日，往診１日，同日の往診と訪問看護が１日行われた事例において，往診を訪問診療の回数に数えることが可能であれば，２日ある往診の１つを訪問診療とすれば，在がん医総を７日分算定できるのでしょうか。

A：C003在宅がん医療総合診療料は，暦週（日曜日～土曜日）において，実際に行った訪問診療と訪問看護の回数が各１回以上あり，それらの合計訪問日数が４日以上であれば，１週間（７日分）を単位として算定できます。

往診については，〔往診料が別に算定できる緊急往診〔C003に係る保医発通知の⑿「ア」〕により往診料を別に算定する場合を除き〕訪問診療の回数にカウントして差し支えないとされています。ただし，訪問診療と訪問看護を同日に行った場合には，訪問日数は１日とカウントします。

本例では２日目の往診を訪問診療とみなした場合，算定要件を満たすことになり，在宅がん医療総合診療料を７日分算定できます。〈オ〉

Q14　在医総の開始週における算定

末期がんの患者に訪問診療を行っています。水曜日に往診し，木曜日に訪問看護を行い，頻回訪問・頻回訪問看護が必要と判断したため，金曜日，土曜日も訪問看護を実施しました。

要件を満たしているので，その週は日～土までの７日間について在宅がん医療総合診療料（在医総）の算定が可能ですか。または，水～土の４日間分でしょうか（在医総管は算定していません）。

A：C003在宅がん医療総合診療料（在医総）を算定するには，１週間（日～土）で訪問診療と訪問看護をそれぞれ１回以上行い，合計４日以上訪問している必要があります。

この事例では往診が水曜日に行われていますが，在医総の「注３」の「特に規定するもの」として別に往診料を算定する場合を除き，往診を訪問診療としてカウントすることができます。したがって訪問診療が１日（水曜日）行われているとみなし，さらに訪問看護が３日（木～土曜日）行われていますので，在医総の算定が可能です。

ただし，在医総を開始又は終了した週において基準を満たす場合は，「当該診療の対象となった日数分について算定する」と規定されています。この事例では，水曜日に往診をしたときから週４日以上訪問が必要な在医総の療養計画に基づく医学管理が行われたと解されるので，水～土曜日までの４日間につき，所定点数が算定できます。〈オ〉

Q15　出来高算定時の包括項目

C003在宅がん医療総合診療料は，要件を満たさない週は出来高算定となりますが，算定可・不可項目を教えてください。

A：C003在宅がん医療総合診療料（在医総）は１週間を単位として算定し，要件を満たさない週については出来高で算定します。この場合，「１回ごと」「１日につき」として算定する項目は要件を満たせば算定できます。ただし，１月に月１回算定できる検体検査判断料，調剤技術基本料等については，同一月にすでに在医総が算定されている場合は，所定点数に含まれるため，算定できません。なお，同一月において，在医総が算定された日の前日までに算定された検体検査判断料等については，別に算定できます。〈オ〉

Q16　准看護師は担当看護師に含まれるか

通知には，「当該患者の訪問看護を担当する看護

師等（担当看護師等）」とありますが，在宅がん医療総合診療料を算定すべき患者の訪問看護を担当するのに「准看護師」は含まれないのですか。

A：准看護師による訪問看護についても，1回の訪問看護とみなして差し支えありません。

Q17　訪問看護ステーションの訪問看護も訪問回数に数えるか

訪問看護ステーションと連携して在宅患者のケアを行っている場合，訪問看護ステーションから行う訪問看護も訪問回数として数えますか。

A：数えることができます。

Q18　算定対象となる患者が入所する施設

算定対象となる患者が入所する施設と特別の関係にある医療機関においても，在宅がん医療総合診療料は算定できるとされていますが，「入所する施設」とは，具体的に何を指すのですか。

A：ここでいう入所は「入居」も含みます。なお，特定施設入居者生活介護以外の受給者の入居施設であるケアハウス，養護老人ホーム（定員110人以下）や外部サービス型の有料老人ホーム，サービス付高齢者向け住宅（特定施設は除く），グループホーム等で，在宅がん医療総合診療料が算定できます。（『早見表』p.1518）　〈保〉

Q19　訪問診療を同一日に2回行った場合

同一日に2回行った訪問診療は2回とカウントしてよいですか。また，訪問看護も同様ですか

A：いずれも2回と数えることができますが，「週4日以上」を満たしているかどうかを判断するときは1日と数えます。

Q20　訪問診療と訪問看護の日数(1)

在宅がん医療総合診療料において，訪問診療1日，訪問看護3日を行った場合の点数算定，また，訪問診療2日，訪問看護1日で週4日に満たない場合の点数算定はどのようになりますか。

A：前者は1週間で合計4日以上訪問しているという条件を満たしていますので，所定点数×7を算定できます。後者は週4日に満たないので，在宅がん医療総合診療料は算定できません。したがってその週は訪問診療，訪問看護，その他の点数を出来高で算定します。

Q21　訪問診療と訪問看護の日数(2)

次の場合，算定要件を満たしていますか。

①訪問診療1回，訪問看護3回，合計日数4日
②訪問診療4回，訪問看護0回，合計日数4日
③訪問診療0回，訪問看護7回，合計日数7日
④訪問診療1回，訪問看護2回，合計日数3日
⑤訪問診療1回，訪問看護6回，合計日数5日

A：要件を満たしているのは①⑤です。②は訪問看護の回数が不足，③は訪問診療の回数が不足，④は合計日数が不足しています。

なお，要件を満たした①⑤は訪問した日数は4日または5日ですが，7日分の点数を算定できます。

Q22　訪問診療と訪問看護の日数(3)

在宅療養中の末期がんの患者です。

	日	月	火	水	木	金	土
①			診療			看護	注射
②			診療	診療	看護	診療	看護

②の週の火曜日の訪問時に明日から頻回に訪問診療・看護を開始する旨の説明と同意を得ました。

②の週につき，在がん医総は日～土の7日分算定できますか。それとも火：訪問（888点），水～土：在がん医総でしょうか。

A：C003在宅がん医療総合診療料は，通知より「1週間のうちに全ての要件を満たさなかった場合…算定できない」とあり，その1週間は，日～土の暦週単位でカウントするとされています。

火曜に訪問診療をして，「在宅がん医療総合診療の管理を開始」と医師が判断して訪問看護にも指示しているのであれば，②の週は週4回以上訪問（訪問診療，訪問看護のいずれも1回以上含む）の要件を満たしていることになります。同診療料は，1週間（暦週）を単位として算定しますが，“当該診療を開始又は終了（死亡による場合を含む）した週にあって基準を満たした場合は，当該診療の対象となった日数分について算定する”と規定されています。

したがって，②の週の場合は，火～土についてのみ当該診療料が算定できます。

また，仮に①の土曜に訪問診療して在宅がん医療総合診療の管理を開始と判断したのであれば，②の日～土まで当該診療料が算定できます。　〈オ〉

併算定

Q23　「注3」の「特に規定するもの」

包括規定から除外される「注3」に掲げられた「特に規定するもの」には何が該当しますか。

A：①週3回以上の訪問診療以外に患家の求めに応じて緊急に行った往診（週2回を限度）に係る費用と，②C001在宅患者訪問診療料（Ⅰ）の「注6」の在宅ターミナルケア加算と「注7」の看取り加算，並びにC001-2在宅患者訪問診療料（Ⅱ）「注5」在宅ターミナルケア加算，「注6」看取り加算に係る費用です。これと「注2」の死亡診断加算を除いて，それ以外の費用は所定点数に含まれます。ただし看取り加算を算定した場合，死亡診断加算は算定できません。

Q24　初診と在宅がん医療総合診療料

初診日に往診を行い，同じ週に訪問診療を２回，訪問看護を１回行った場合，初診日の往診をC003在宅がん医療総合診療料の算定要件の回数に加えて計４回としてC003を１週間分算定してよいですか。それとも初診の週は出来高で算定するのでしょうか。

A：初診時往診は患者の求めに応じて臨時に行われるものであり，訪問診療のカウントには含めません。したがってお問い合わせの事例では，“訪問診療，訪問看護を行う日が合わせて週４日以上”の要件を満たしません。この事例では出来高で算定します。なお初診日を除いて，その週末までに要件を満たす場合は在宅がん医療総合診療料が算定できます。〈オ〉

Q25　緊急時の往診の算定

在宅がん医療総合診療料を算定する週において，緊急時の往診を行った場合，往診料のほかに，再診料，投薬・注射・処置料などが，出来高で算定できるのですか。

A：週３回以上の訪問診療を行った場合，往診料とその加算についてのみ，週２回を限度として出来高で算定できます。また，訪問診療料の在宅ターミナルケア加算，看取り加算も算定できます。それ以外の再診料，投薬料などについては，在宅がん医療総合診療料の中に含まれているので，別に算定することはできません。

Q26　在宅患者訪問診療料との併算定

C003在宅がん医療総合診療料は，在宅患者訪問診療料と併せて算定できますか。

A：在宅がん医療総合診療料を算定している週にC001・C001-2在宅患者訪問診療料（Ⅰ）（Ⅱ）を併せて算定することはできません。ただし，C001「注６」とC001-2「注５」の在宅ターミナルケア加算，C001「注７」とC001-2「注６」の看取り加算は別に算定可能です。ただし，看取り加算を算定した場合，死亡診断加算は算定できません。

Q27　在宅患者訪問看護・指導料との併算定

在宅がん医療総合診療料を算定している患者に対して，C005在宅患者訪問看護・指導料は同月内に算定できますか。

A：在宅がん医療総合診療料を算定する週においては，在宅患者訪問看護・指導料は算定できません。

在宅がん医療総合診療料は算定要件を満たすかどうかにより算定要件を満たした週のみ，週単位で算定できますから，それ以外の週であって在宅患者訪問看護・指導料の要件を満たしていれば，算定可能です。

Q28　在宅療養指導管理料，在宅時医学総合管理料との同月併算定

C104在宅中心静脈栄養法指導管理料とC002在宅時医学総合管理料を算定している悪性腫瘍の患者が（月途中に）危篤状態になり，在宅がん医療総合診療料を算定する場合，同月に在宅中心静脈栄養法指導管理料，在宅時医学総合管理料は併せて算定が可能でしょうか。

A：C003在宅がん医療総合診療料の「注３」に，“注２に規定する加算（死亡診断加算）および特に規定するもの（緊急時の往診に係る費用及び在宅ターミナルケア加算，看取り加算に係る費用）を除き，診療に係る費用は，在宅がん医療総合診療料に含まれるものとする”とあります。

したがって，在宅がん医療総合診療料と在宅中心静脈栄養法指導管理料，在宅時医学総合管理料を同月に算定することはできません。ただし，在宅がん医療総合診療料の算定開始前に在宅中心静脈栄養法指導管理料を算定している場合は同一月に併せて算定できます。

Q29　訪問看護指示料との同月併算定

在宅がん医療総合診療料を算定している患者に，同月，C007訪問看護指示料は算定できますか。

A：在宅がん医療総合診療料を算定している週については算定できません。訪問看護指示料は「月１回」算定する点数ですので，在宅がん医療総合診療料の算定前であれば訪問看護指示料が算定できます。

Q30　診療情報提供料との同月併算定

在宅がん医療総合診療料を算定している患者について，同月にB009診療情報提供料（Ⅰ）を算定することができますか。

A：在宅がん医療総合診療料を算定している週については算定できません。在宅がん医療総合診療料を算定していない週については算定できます。なお，連携医療機関への情報提供についての診療情報提供料は算定できません。

Q31　在宅がん医療総合診療料と在宅療養指導管理料の併算定

在宅がん医療総合診療料を算定している患者（１カ月を通して算定していない場合）に対して併せて在宅酸素療法指導管理を実施している場合，同月に両方を算定できますか。

A：在宅がん医療総合診療料の算定開始前であればC103在宅酸素療法指導管理料が算定できますが，算定開始後は出来高で請求する週が混在する場合であっても，月１回の算定要件がある在宅酸素療法指導管理料を算定することはできません。

患者の入院・死亡

Q32　週の途中で患者が死亡した場合

日曜日から木曜日までの５日間で算定要件は満たしましたが，金曜日に患者が死亡した場合，何日分の算定になりますか。

A：日曜日から金曜日の６日間について，在宅がん医療総合診療料を算定して差し支えありません。

Q33　最終日に入院して死亡の場合

１週間のうち在宅医療と他医療機関の入院医療が混在した場合は算定できないとなっていますが，最終日に救急搬送され自院に入院，その日のうちに死亡してしまった場合も算定できませんか。

A：自院への入院の場合は在宅がん医療総合診療料が算定できます。他医療機関への入院の場合は出来高で算定します。

Q34　在宅療養実績加算

在宅緩和ケア充実診療所・病院加算，在宅療養実績加算はどのように算定するのですか。

A：現在，機能強化型以外の支援診・支援病が実績要件を満たして届出をしたうえで，在宅がん医療総合診療料に１日につきの所定点数に加えて，それぞれの加算点数を算定します。

連携医療機関

Q35　看取りのみ連携機関が行った場合

在宅がん医療総合診療料について，看取りのみを連携医療機関の医師が行った場合はどうなりますか。

A：算定要件を満たしていれば，在宅ターミナルケア加算は在宅がん医療総合診療料を算定する主治医がいる支援診・支援病が算定し，看取り加算は看取りを行った保険医療機関が算定します。ただし費用の分配は相互の合議に委ねられます。〈保〉

Q36　連携医療機関の報酬

在宅がん医療総合診療料を算定する患者に，連携保険医療機関が訪問看護を行った場合およびその医師が電話対応や往診を行った場合，何か算定できますか。

A：連携保険医療機関では何も算定できません。在宅がん医療総合診療料を算定した医療機関で往診料（加算を含む）および死亡診断加算を算定して，主治医の医療機関でその往診等の費用を連携保険医療機関に支払います。

Q37　在宅がん医療総合診療料のステーション側の請求

訪問看護ステーションから行う訪問看護を回数に含めた場合，医療機関が在宅がん医療総合診療料７日分を算定し，訪問看護ステーションでも医療保険で訪問看護を行った日数分の算定をしていいのでしょうか。

A：在医総の算定は医療機関がすべて行い，ステーションとは合議の上，訪問看護の日数に見合う金額を医療機関側がステーションに支払うという方法で精算します。

Q38　連携医師への支払い

連携した医師に対する費用も主治医の属する医療機関において一括して算定した場合，連携医師への支払いはどのように精算するのですか。

A：おのおのの医療機関の合議に委ねるということで，一律の支払い方法は定められていません。

その他

Q39　特定施設に入居している患者について

有料老人ホーム等特定施設に入居している患者については算定できますか。

A：算定できません。ただし，外部サービス利用型施設に入居している場合は算定できます。〈保〉

Q40　特別養護老人ホームに入所している患者の場合

特別養護老人ホームに入所している患者については算定できますか。

A：算定できません。

Q41　小規模多機能型居宅介護又は複合サービスを受けている患者の算定方法

上記のサービスを受けている患者の算定方法を教えてください。

A：小規模多機能型居宅介護又は複合型サービスを受けている患者への在宅がん医療総合診療料については，当該サービス利用開始前30日間に在宅患者訪問診療料等を算定していることが要件とされますが，退院日を除き，当該サービスを利用した場合，その要件は適用されないとされました（医療保険と介護保険の給付調整）。

C004　救急搬送診療料

C004　救急搬送診療料　1,300点

注1　患者を救急用の自動車等で保険医療機関に搬送する際，診療上の必要からその自動車等に医師が同乗して診療を行った場合に算定する。

注2　新生児加算　新生児の場合，所定点数に**1,500点**を加算する。

乳幼児加算　6歳未満の乳幼児の場合，所定点数に**700点**を加算する。

注3　長時間加算　注1に規定する場合であって，当該診療に要した時間が30分を超えた場合には，所定点数に**700点**を加算する。

注4　重症患者搬送加算　「注1」に規定する場合であって，施設基準に適合した届出医療機関が重篤な患者に対して当該診療を行った場合，所定点数に**1,800点**を加算する。

Q1　緊急用自動車に含まれるもの

「救急搬送診療料」の「救急用の自動車等」の「等」とは，ヘリコプターのことですか。

A：ドクターヘリ導入促進事業に係るドクターヘリを指します。

Q2　道路交通法等に規定する緊急自動車

通知にある「道路交通法等に規定する緊急自動車」とはどういうものですか。

A：「国，都道府県，市町村，関西国際空港株式会社，成田国際空港株式会社または医療機関が傷病者の緊急輸送のために使用する緊急用自動車」で「必要な特別の構造または装置を有するもの」であり，サイレンおよび赤色灯を備えたものをいいます。なお，医療機関の緊急自動車については所定の要件を満たしたうえで，地元の警察署等への届出が必要になります。

Q3　民間の救急自動車で搬送の場合

医療機関以外の民間の救急自動車と契約している場合，それに同乗して診療した場合は算定できますか。

A：算定できません。消防署または当該医療機関所有の緊急自動車のみ算定できます。

Q4　発生現場へ赴いた場合の往診料

患者の発生現場に赴き，診療を行った後，救急自動車に同乗して診療を行った場合は，往診料を併せて算定できますか。

A：併せて算定できます。

Q5　救急車に同乗して他院に搬送した場合

救急自動車に医師が同乗して診療を行い，患者を他の保険医療機関に搬送した場合でも，初・再診料の他に救急搬送診療料が算定できますか。

A：算定できます。その際，「診療情報提供書」により搬送先保険医療機関に診療情報を提供した場合は，B009診療情報提供料（Ⅰ）も算定できます。

Q6　救急車に看護師が同乗した場合

救急車に看護師が同乗した場合でも救急搬送診療料は算定できますか。

A：できません。救急搬送診療料は，医師が診療上の必要から救急自動車に同乗し，診療を行った場合に算定するものです。

Q7　搬送先での立会診療

搬送時までで診療を終えた後，搬送先の保険医療機関の保険医に立会診療を求められた場合の診療料はどうなりますか。

A：初診料または再診料を1回算定し，往診料は併せて算定できません。

Q8　搬送後も継続して診療した場合

搬送後も診療を継続して提供した場合，あらためて再診料が算定できますか。

A：診療が継続していますので初診料または再診料の算定は1回です。

Q9　入院患者の他院への搬送

有床診療所または病院に入院中の患者についても算定できますか。

A：入院中の患者を他の医療機関に搬送した場合，救急搬送診療料は算定できません。

Q10　情報提供料との同時算定

自院で診療していた患者が急変し，救急車で他院に搬送しました。翌日，情報提供した場合，救急搬送診療料とB009診療情報提供料（Ⅰ）を同時に算定できますか。

A：当日は診察料と救急搬送診療料を算定します。翌日は診察を伴いませんので，診療情報提供料（Ⅰ）のみを算定します。

「注2」新生児加算，乳幼児加算

Q11　他院の病的新生児・乳幼児を別の他院へ搬送した場合の扱いと「注2」加算

新生児搬送車を配置しています。病的新生児が入院している他の医療機関へ医師が同乗して出向き，自院以外の別の医療機関へ搬送する場合，初診料，往診料，救急搬送診療料，また車内で行った診療行為を保険請求することは可能でしょうか。

A：他の医療機関へ搬送した場合も保険請求は可能です。さらに，「注2」の新生児加算（1,500点）と6歳未満の乳幼児加算（700点）を算定した場合は，併せて外来レセプトで請求します。

「注3」長時間加算の開始時間

Q12　「注3」長時間加算の「30分超」とは

30分超とありますが，どこから30分ですか。診療開始時間ですか，転送が決まってからですか，救急車での移動時間ですか。

A：救急搬送診療料の通知(7)より，「患者の発生した現場に赴き，診療を開始してから，医療機関に到着し，医療機関内で診療を開始するまでの時間が30分を超えた場合に加算する」とあるので，開始時間は診療開始時間となります。〈日事〉

Q13　長時間加算に含まれる時間(1)

救急搬送診療料の長時間加算30分以上の診療の時間について，迎えに行く際の時間や搬送先医療機関での診療時間は含まれますか。

A：含まれません。当該時間については，医療機関に搬送されるまでに，実際に医師が診療した時間のみを含めます。〈厚平24.3.30〉

Q14　長時間加算に含まれる時間(2)

他医へドクターヘリで搬送した場合，引継ぎ終了の時間までを含め「30分超」であれば長時間加算を算定できますか。

A：救急搬送診療料の通知（7）より，「患者の発生した現場に赴き，診療を開始してから，医療機関に到着し，医療機関内で診療を開始するまでの時間が30分を超えた場合に加算」となるため，到着後引継ぎよりも診療開始時間が早い場合は，診察開始までの時間となります。〈日事〉

「注4」重症患者搬送加算

Q15　「日本集中治療医学会の定める指針等」とは？

「注4」に規定する重症患者搬送加算における「日本集中治療医学会の定める指針等」とは，具体的には何を指すのですか。

A：現時点では，日本集中治療医学会が策定する「集中治療を要する重症患者の搬送に係る指針」を指します。〈厚令4.3.31〉

Q16　「関係学会により認定された施設」とは？

C004救急搬送診療料の「注4」に規定する重症患者搬送加算の施設基準における「関係学会により認定された施設」とは，具体的には何を指すのですか。

A：日本集中治療医学会学会専門医研修施設を指します。〈厚令4.3.31〉

Q17　重症患者搬送チームの看護師の兼務

C004救急搬送診療料の「注4」に規定する重症患者搬送加算の施設基準における重症患者搬送チームの看護師は，重症患者対応体制強化加算の施設基準における専従看護師が兼ねることとしてよいでしょうか。

A：不可。〈厚令4.3.31〉

Q18　「看護に係る適切な研修」とは？

C004救急搬送診療料の「注4」に規定する重症患者搬送加算の施設基準において求める看護師の「集中治療を必要とする患者の看護に係る適切な研修」には，具体的にはどのようなものがあるのですか。

A：現時点では，以下の研修が該当します。

① 日本看護協会の認定看護師教育課程「クリティカルケア※」，「新生児集中ケア」，「小児プライマリケア※」

② 日本看護協会が認定している看護系大学院の「急性・重症患者看護」の専門看護師教育課程

③ 特定行為に係る看護師の研修制度により厚生労働大臣が指定する指定研修機関において行われる研修（以下の8区分の研修を全て修了した場合に限る）
- 「呼吸器（気道確保に係るもの）関連」
- 「呼吸器（人工呼吸療法に係るもの）関連」
- 「栄養及び水分管理に係る薬剤投与関連」
- 「血糖コントロールに係る薬剤投与関連」
- 「循環動態に係る薬剤投与関連」
- 「術後疼痛関連」
- 「循環器関連」
- 「精神及び神経症状に係る薬剤投与関連」

④ 特定行為に係る看護師の研修制度により厚生労働大臣が指定する指定研修機関において行われる以下の領域別パッケージ研修
- 集中治療領域
- 救急領域
- 術後麻酔管理領域

・　外科術後病棟管理領域
※　平成30年度の認定看護師制度改正前の教育内容による研修を含む。〈厚令4.3.31〉

Q19　「習熟を証明する資料」の提出

A301特定集中治療室管理料1及び2の施設基準における「特定集中治療の経験を5年以上有する医師」については，「疑義解釈資料の送付（その1）」（平成26年3月31日事務連絡）別添1の問43において，「集中治療部門での勤務経験を5年以上有しているほか，特定集中治療に習熟していることを証明する資料を提出する」とされていますが，C004救急搬送診療料の「注4」に規定する重症患者搬送加算の施設基準における重症患者搬送チームの「集中治療の経験を5年以上有する医師」についても，「特定集中治療に習熟していることを証明する資料」を提出する必要があるのですか。

A：不要です。集中治療での勤務経験を5年以上有する医師であればよく，関係学会が行う特定集中治療に係る講習会の受講を証明する資料の提出を行う必要はありません。〈厚令4.3.31〉

C004-2　救急患者連携搬送料

C004-2　救急患者連携搬送料

1	入院中の患者以外の患者の場合	1,800点
2	入院初日の患者の場合	1,200点
3	入院2日目の患者の場合	800点
4	入院3日目の患者の場合	600点

注　届出医療機関において，救急外来受診患者に初期診療を実施し，連携する他医療機関で入院医療を提供することが適当と判断し，医師，看護師又は救急救命士が同乗し搬送を行った場合に算定する。C004救急搬送診療料は併算定できない。

Q1　搬送方法 新

C004-2救急患者連携搬送料について，搬送先の保険医療機関に属する緊急自動車が患者の初期診療を行った保険医療機関まで赴き，初期診療を行った保険医療機関の医師，看護師又は救急救命士が同乗の上で当該患者を搬送した場合は算定可能ですか。

A：要件を満たせば算定できます。〈厚令6.3.28〉

Q2　自治体の救急自動車 新

救急患者連携搬送料について，市町村又は都道府県の救急業務を行うための救急隊の救急自動車により搬送が行われた場合でも，算定できますか。

A：算定できません。〈厚令6.3.28〉

Q3　保険医療機関間の協議 新

C004-2救急患者連携搬送料の施設基準において，「受入先の候補となる他の保険医療機関において受入が可能な疾患や病態について，当該保険医療機関が地域のメディカルコントロール協議会等と協議を行った上で，候補となる保険医療機関のリストを作成していること」とありますが，保険医療機関間の協議には，地域のメディカルコントロール協議会が必ず参加する必要があるのですか。

A：受入先の候補となる保険医療機関のリストの作成のために必要な保険医療機関間の協議に，地域のメディカルコントロール協議会が参加することは必須ではありません。ただし，メディカルコントロール協議会は，地域の救急患者搬送体制等について連携・協議を行う役割を担っていることから，これらの協議にも参加することや，参加しない場合であっても，保険医療機関間で協議した救急患者の搬送に係る連携体制に関する取り決め等について，メディカルコントロール協議会に報告がなされることが望ましいとされます。〈厚令6.4.26〉

C005　在宅患者訪問看護・指導料
C005-1-2　同一建物居住者訪問看護・指導料

C005　在宅患者訪問看護・指導料（1日につき）

1　保健師，助産師又は看護師による場合

イ	週3日目まで	580点
ロ	週4日目以降	680点

2　准看護師による場合

イ	週3日目まで	530点
ロ	週4日目以降	630点

3 悪性腫瘍の患者に対する緩和ケア，褥瘡ケア又は人工肛門ケア及び人工膀胱ケアに係る専門の研修を受けた看護師による場合 **1,285点**

注1 1及び2は，在宅療養患者（同一建物居住者に同一日に訪問看護・指導を行う場合を除く）に対して，訪問看護計画により保健師，助産師，看護師又は准看護師（以下，「看護師等」という）を訪問させて看護又は指導を行わせた場合に，**週3日を限度**に〔別に厚生労働大臣が定める疾病等の患者（p.45別表第7，別表第8）を除く〕1日単位で算定する。

患者の急性増悪等により一時的に頻回の訪問看護・指導を行った場合，当該診療の日から14日以内は**週7日を限度**（1月に1回。別に厚生労働大臣が定めるものについては月2回）として算定する。

注2 3については，施設基準に適合した届出医療機関が，在宅で療養を行っている①悪性腫瘍の鎮痛療法・化学療法を行っている患者，②真皮を越える褥瘡の状態にある患者，③人工肛門・人工膀胱を造設している者で管理が困難な患者（いずれも同一建物居住者を除く）に対して，訪問看護計画により，緩和ケア・褥瘡ケア・人工肛門ケア・人工膀胱ケアに係る専門の研修を受けた看護師を訪問させて，他の医療機関の看護師・准看護師又は訪問看護ステーションの看護師・准看護師と共同して同一日に看護又は指導を行った場合に，それぞれ**月1回**に限り算定する。

注3 難病等複数回訪問加算 1及び2について，「別に厚生労働大臣が定める疾病等の患者」〔別表第7，別表第8〕又は「週7日を限度として所定点数を算定する患者」（急性増悪等の患者）に対して，1日に2回又は3回以上訪問看護・指導を行った場合，それぞれ**450点**又は**800点**を加算する。

注4 緊急訪問看護加算 1及び2について，診療所又は在宅療養支援病院の医師の指示により，医療機関の看護師等が緊急に訪問看護・指導を実施した場合に，1日につきいずれかを加算する。

イ 月14日目まで **265点**

ロ 月15日目以降 **200点**

注5 長時間訪問看護・指導加算 1及び2について，長時間の訪問を要する者〔在宅医療における施設基準第4-4(3)〕に対し，医療機関の看護師等が，長時間にわたる訪問看護・指導を実施した場合に，**週1日**（別に厚生労働大臣が定める者の場合にあっては週3日）に限り，**520点**を加算する。

第4 4(3) 在宅患者訪問看護・指導料の注5（同一建物居住者訪問看護・指導料の注6の規定により準用する場合を含む）に規定する長時間の訪問を要する者及び厚生労働大臣が定める者

イ 長時間の訪問を要する者
① 15歳未満の小児であって，超重症児（者）入院診療加算・準超重症児（者）入院診療加算の注1に規定する超重症の状態又は超重症児（者）入院診療加算・準超重症児（者）入院診療加算の注2に規定する準超重症の状態にあるもの
② 別表第8に掲げる者
③ 医師が，診療に基づき，患者の急性増悪等により一時的に頻回の訪問看護・指導を行う必要を認めた者

ロ 厚生労働大臣が定める者
① 15歳未満の小児であって，超重症児（者）入院診療加算・準超重症児（者）入院診療加算の注1に規定する超重症の状態又は超重症児（者）入院診療加算・準超重症児（者）入院診療加算の注2に規定する準超重症の状態にあるもの
② 15歳未満の小児であって，別表第8に掲げる者

別表第8 在宅患者訪問看護・指導料に規定する状態等にある患者

1 在宅麻薬等注射指導管理，在宅腫瘍化学療法注射指導管理，在宅強心剤持続投与指導管理，在宅気管切開患者指導管理を受けている状態にある者又は気管カニューレ若しくは留置カテーテルを使用している状態にある者
2 在宅自己腹膜灌流指導管理，在宅血液透析指導管理，在宅酸素療法指導管理，在宅中心静脈栄養法指導管理，在宅成分栄養経管栄養法指導管理，在宅自己導尿指導管理，在宅人工呼吸指導管理，在宅持続陽圧呼吸療法指導管理，在宅自己疼痛管理指導管理又は在宅肺高血圧症患者指導管理を受けている状態にある者
3 人工肛門又は人工膀胱を設置している状態にある者
4 真皮を越える褥瘡の状態にある者
5 在宅患者訪問点滴注射管理指導料を算定している者

注6 乳幼児加算 1及び2について，6歳未満の乳幼児に対し，医療機関の看護師等が訪問

看護・指導を実施した場合に，１日につき**130点**（厚生労働大臣が定める者の場合は**180点**）を加算する。

注７ 複数名訪問看護・指導加算　１及び２について，同時に複数の看護師等又は看護補助者による訪問看護・指導が必要な者（在宅医療における施設基準４-４の２）に対して，医療機関の看護師等が当該医療機関の他の看護師等又は看護補助者（以下この部において「その他職員」という）と同時に訪問看護・指導を実施した場合に，１日につきいずれかを加算する。ただし，イ又はロは**週１日**を，ハは**週３日**を限度として算定する。

イ　看護師等が他の保健師・助産師・看護師と同時に訪問看護・指導を行う場合　**450点**

ロ　看護師等が他の准看護師と同時に訪問看護・指導を行う場合　**380点**

ハ　看護師等がその他職員と同時に訪問看護・指導を行う場合（別に厚生労働大臣が定める場合を除く）　**300点**

ニ　看護師等がその他職員と同時に訪問看護・指導を行う場合（別に厚生労働大臣が定める場合に限る）

(1)　１日に１回の場合　**300点**

(2)　１日に２回の場合　**600点**

(3)　１日に３回以上の場合　**1,000点**

注８ 在宅患者連携指導加算　１及び２について，訪問診療を実施している医療機関の保健師・助産師・看護師が，訪問診療を実施している保険医療機関を含め，歯科訪問診療を実施している保険医療機関又は訪問薬剤管理指導を実施している保険薬局と文書等により情報共有を行い，療養上必要な指導を行った場合に，**月１回**に限り**300点**を加算する。

注９ 在宅患者緊急時等カンファレンス加算　１及び２について，医療機関の保健師・助産師・看護師が，在宅療養患者の状態急変等に伴い，在宅療養担当医療機関の医師の求めにより，当該医療機関の保険医等，歯科訪問診療を実施する保険医療機関の歯科医師等，訪問薬剤管理指導を実施する保険薬局の薬剤師，介護支援専門員又は相談支援専門員と共同で，カンファレンスに参加し，療養指導を行った場合に，**月２回**に限り**200点**を加算する。

注10 在宅ターミナルケア加算　１及び２について，在宅又は特別養護老人ホーム等で死亡した患者に対して，その死亡日及び死亡日前14日以内の計15日間に訪問看護・指導を２回以上実施し，かつ，ターミナルケアを実施した場合，いずれかを加算する。

イ　在宅で死亡した患者（ターミナルケア後24時間以内に在宅以外で死亡した患者を含む）又は特別養護老人ホーム等で死亡した患者（ターミナルケア後24時間以内に特別養護老人ホーム等以外で死亡した患者を含み，看取り介護加算等を算定しているものを除く）　**2,500点**

ロ　特別養護老人ホーム等で死亡した患者（ターミナルケア後24時間以内に特別養護老人ホーム等以外で死亡した患者を含む）であって，看取り介護加算等を算定しているもの　**1,000点**

注11 在宅移行管理加算　１及び２について，特別な管理を必要とする患者〔別表第８（p.91）〕に対して，計画的な管理を行った場合，１回に限り，**250点**を加算する。ただし，重症度等の高いものとして別に厚生労働大臣が定める状態等にあるもの〔別表第８・１〕については，１回に限り，**500点**を加算する。

注12 夜間・早朝，深夜訪問看護加算　１及び２について，夜間（午後６時から午後10時まで）又は早朝（午前６時から午前８時まで）に訪問看護・指導を行った場合，夜間・早朝訪問看護加算として**210点**を加算し，深夜に訪問看護・指導を行った場合は，深夜訪問看護加算として**420点**を加算する。

注13 看護・介護職員連携強化加算　１及び２について，看護師又は准看護師が，登録喀痰吸引事業者又は登録特定行為事業者と連携し，喀痰吸引等に関してこれらの事業者の介護業務従事者に対して必要な支援を行った場合，月１回に限り**250点**を加算する。

注14 特別地域訪問看護加算　看護師等が，最も合理的な経路及び方法による患家までの移動時間が１時間以上である者に訪問看護・指導を行い，次のいずれかに該当する場合，所定点数の**100分の50**を加算する。

イ　別に厚生労働大臣が定める地域（『早見表』p.1347）に所在する医療機関の看護師等が訪問看護・指導を行う場合

ロ　別に厚生労働大臣が定める地域外に所在する医療機関の看護師等が別に厚生労働大臣が定める地域に居住する患者に対して訪問看護・指導を行う場合

注15 訪問看護・指導体制充実加算　施設基準に適合した届出医療機関の看護師等が訪問看護・指導を実施した場合は，**月１回**に限り**150点**を加算する。

注16 専門管理加算　１について，施設基準〔在宅医療における施設基準４-４の３の５〕に適合した届出医療機関の緩和ケア，褥瘡ケア，人工肛門ケア，人工膀胱ケアに係る専門の研修を受けた看護師，または，特定行為研修を

修了した看護師が，訪問看護・指導の実施に関する計画的な管理を行った場合に，**月１回**に限り加算する。

イ　緩和ケア，褥瘡ケア又は人工肛門ケア及び人工膀胱ケアに係る専門の研修を受けた看護師が計画的な管理を行った場合　**250点**

ロ　特定行為研修を修了した看護師が計画的な管理を行った場合　**250点**

注17　訪問看護医療DX情報活用加算　届出医療機関の看護師等（准看護師を除く）が，電子資格確認により，患者の診療情報を取得等し訪問看護・指導の計画的管理を行った場合に，**月１回**に限り算定　**5点**

注18　遠隔死亡診断補助加算　届出医療機関において，**C001**「注８」（**C001-2**「注６」の規定により準用する場合を含む）に規定する死亡診断加算，**C005**「注10」，（**C005-1-2**「注６」の規定により準用する場合を含む）在宅ターミナルケア加算の算定患者（厚生労働大臣が定める地域の居住患者に限る）に，医師の指示の下，研修を受けた看護師が，情報通信機器を用いて医師の死亡診断の補助を行った場合に算定する　**150点**

注19　在宅患者訪問看護・指導料を算定した場合には，Ｃ005-1-2同一建物居住者訪問看護・指導料又はＩ012精神科訪問看護・指導料は，算定しない。

注20　訪問看護・指導に要した交通費は患家の負担（実費）とする。

※　介護保険の要介護・要支援者についての算定方法はp.4，21参照。

C005-1-2　同一建物居住者訪問看護・指導料

（１日につき）

1　保健師，助産師又は看護師による場合
- イ　同一日に２人
  - ⑴　週３日目まで　**580点**
  - ⑵　週４日目以降　**680点**
- ロ　同一日に３人以上
  - ⑴　週３日目まで　**293点**
  - ⑵　週４日目以降　**343点**

2　准看護師による場合
- イ　同一日に２人
  - ⑴　週３日目まで　**530点**
  - ⑵　週４日目以降　**630点**
- ロ　同一日に３人以上
  - ⑴　週３日目まで　**268点**
  - ⑵　週４日目以降　**318点**

3　悪性腫瘍の患者に対する緩和ケア，褥瘡ケア又は人工肛門ケア及び人工膀胱ケアに係る専門の研修を受けた看護師による場合　**1,285点**

注１　１及び２は，在宅療養患者（同一建物居住者に限る）に対して，訪問看護計画により，看護師等を訪問させて看護又は指導を行った場合に，１日単位で算定する。ただし，別に厚生労働大臣が定める疾病等の患者（p.45別表第７，別表第８）以外の患者については，**C005**在宅患者訪問看護・指導料（３を除く）又はＩ012精神科訪問看護・指導料を算定する日と合わせて**週３日**〔患者の急性増悪等により一時的に頻回の訪問看護・指導を行った場合，当該診療日から14日以内に行う訪問看護・指導については週７日を限度（１月に１回。別に厚生労働大臣が定めるものについては月２回）〕を限度とする。

注２　３については，施設基準に適合した届出医療機関が，在宅で療養を行っている①悪性腫瘍の鎮痛療法・化学療法を行っている患者，②真皮を越える褥瘡の状態にある患者，③人工肛門・人工膀胱を造設している者で管理が困難な患者（いずれも同一建物居住者に限る）に対して，訪問看護計画により，緩和ケア・褥瘡ケア・人工肛門ケア・人工膀胱ケアに係る専門の研修を受けた看護師を訪問させて，他の医療機関の看護師・准看護師又は訪問看護ステーションの看護師・准看護師と共同して同一日に看護又は指導を行った場合に，それぞれ**月１回**に限り算定する。

注３　難病等複数回訪問加算　１及び２について，別に厚生労働大臣が定める疾病等の患者又は週７日を限度として所定点数を算定する患者に対して，医療機関の医師が必要と認めて，１日に２回又は３回以上訪問看護・指導を実施した場合は，次に掲げる区分に従い，１日につき，いずれかを加算する。
- イ　１日に２回の場合
  - ⑴　同一建物内１人又は２人　**450点**
  - ⑵　同一建物内３人以上　**400点**
- ロ　１日に３回以上の場合
  - ⑴　同一建物内１人又は２人　**800点**
  - ⑵　同一建物内３人以上　**720点**

注４　複数名訪問看護・指導加算　１及び２について，同時に複数の看護師等又は看護補助者による訪問看護・指導が必要な者に対して，医療機関の看護師等が，当該医療機関のその他職員と同時に訪問看護・指導を行った場合，次に掲げる区分に従い，１日につき，いずれかを加算する。ただし，イ又はロの場合にあっては**週１日**を，ハの場合にあっては**週３日**を限度として算定する。

イ　所定点数を算定する訪問看護・指導を行う看護師等が他の保健師・助産師・看護師と同時に訪問看護・指導を行う場合

(1)　同一建物内１人又は２人　**450点**
(2)　同一建物内３人以上　**400点**

ロ　所定点数を算定する訪問看護・指導を行う看護師等が他の准看護師と同時に訪問看護・指導を行う場合
(1)　同一建物内１人又は２人　**380点**
(2)　同一建物内３人以上　**340点**

ハ　所定点数を算定する訪問看護・指導を行う看護師等がその他職員と同時に訪問看護・指導を行う場合（別に厚生労働大臣が定める場合を除く）
(1)　同一建物内１人又は２人　**300点**
(2)　同一建物内３人以上　**270点**

ニ　所定点数を算定する訪問看護・指導を行う看護師等がその他職員と同時に訪問看護・指導を行う場合（別に厚生労働大臣が定める場合に限る）
(1)　１日に１回の場合
①　同一建物内１人又は２人　**300点**
②　同一建物内３人以上　**270点**
(2)　１日に２回の場合
①　同一建物内１人又は２人　**600点**
②　同一建物内３人以上　**540点**
(3)　１日に３回以上の場合
①　同一建物内１人又は２人　**1,000点**
②　同一建物内３人以上　**900点**

注５　同一建物居住者訪問看護・指導料を算定した場合には，C005在宅患者訪問看護・指導料又はＩ012精神科訪問看護・指導料は，算定しない。

注６　C005在宅患者訪問看護・指導料の注４から注６まで，注８から注18まで及び注20の規定は，同一建物居住者訪問看護・指導料について準用する。

Q1　訪問看護の記録保管に関する変更点

在宅患者訪問看護・指導料等を算定した場合の記録の保管方法について教えて下さい。

A：日々の訪問看護指導を実施した患者氏名，訪問場所，訪問時間（開始時刻及び終了時刻）および訪問人数等について記録し，保管しておく必要があります。

なお，様式については特に定めがありませんので，訪問看護ステーションが使用する訪問看護報告書を参考にするとよいでしょう。

Q2　在宅患者訪問看護・指導料のみの算定

１月の明細書に，在宅訪問診療料の算定はなく，在宅患者訪問看護・指導料のみの算定でもよいでしょうか。

A：在宅患者訪問看護・指導は，通知により，医師の診療の日から１月以内に行われるものであり，その要件を満たしていれば１月の明細書において訪問看護・指導料のみの算定もあり得ます。

ただ，同一のレセプトに医師の診療が記載されていないと１月以内の診療（看護師への指示）が行われていないとみられることもありますので，摘要欄へその旨記載したほうがよいでしょう。

Q3　「医師の診療の日」とは

訪問看護の算定要件に「医師の診療の日から１月以内」とありますが，訪問診療を行っている場合で，週３回を超えて在宅患者訪問診療料が算定できない訪問診療も「医師の診療の日」とすることができるのでしょうか。

A：週３回を超え，訪問診療料を算定できない場合でも，「医師の診療を行った日」には含めることができます。

Q4　家族への説明も「医師の診療の日」か

「医師の診療の日から１月以内」というのは，患者の家族が医師と会って，患者の状況説明を受けるだけでもよいですか。

A：医師が患者を診療することが必要ですので，該当しません。

Q5　退院時も「医師の診療の日」か

退院患者に訪問看護を行いたいのですが，退院時に医師が診察し指示に基づき，その後訪問看護を行った場合，在宅患者訪問看護・指導料が算定できるでしょうか。

A：退院日も「医師の診療を行った日」に含めます。したがって，退院日から１月以内に行われた訪問看護・指導であれば算定できます。

Q6　人工肛門ケア及び人工膀胱ケアに係る研修

C005在宅患者訪問看護・指導料の３及びC005-1-2同一建物居住者訪問看護・指導料の３の専門性の高い看護師による訪問看護の要件として人工肛門ケア及び人工膀胱ケアに関する専門の研修を受けた看護師とありますが，専門の研修とはどのような研修ですか。

A：現時点では，以下の研修です。

日本看護協会の認定看護師教育課程「皮膚・排泄ケア」　〈厚平30.3.30〉

Q7　「3」の対象患者(1)

C005在宅患者訪問看護・指導料３及び

C005-1-2同一建物居住者訪問看護・指導料の３の算定対象となる患者における，人工肛門または人工膀胱周囲の皮膚にびらん等の皮膚障害が継続又は反復して生じている状態とはどのようなものですか。

A：ABCD-Stoma（ストーマ周囲皮膚障害の重症度評価スケール）において，A（近接部），B（皮膚保護剤部），C（皮膚保護剤外部）の３つの部位のうち１部位でもびらん，水疱・膿疱又は潰瘍・組織増大の状態が１週間以上継続している，もしくは１か月以内に反復して生じている状態をいいます。〈厚平30.3.30〉

Q8 「3」の対象患者(2)

C005在宅患者訪問看護・指導料３及びC005-1-2同一建物居住者訪問看護・指導料３専門性の高い看護師による訪問看護・指導について，「人工肛門若しくは人工膀胱のその他の合併症」にはどのようなものが含まれますか。

A：ストーマ装具の工夫によって排泄物の漏出を解消することが可能な，ストーマ陥凹，ストーマ脱出，傍ストーマヘルニア，ストーマ粘膜皮膚離開等が含まれます。〈厚令2.3.31〉

Q9 「3」の算定回数

C005在宅患者訪問看護・指導料３及びC005-1-2同一建物居住者訪問看護・指導料３専門性の高い看護師による訪問看護・指導について，「それぞれ月１回に限り算定」とは，１人の患者に対して，緩和ケア，褥瘡ケア，人工肛門・人工膀胱ケアをそれぞれ月１回ずつ，最大計３回算定できるということですか。

A：そのとおりです。ただし，専門性の高い看護師が同一の場合は，当該看護師による算定は月１回までとします。〈厚令2.3.31〉

Q10 在宅患者訪問看護・指導料の施設基準

当院では，C005在宅患者訪問看護・指導料は「３」に限り実施したいと考えています。「３」については「別に厚生労働大臣が定める施設基準」の規定がありますが，急性期病院で訪問診療を行ったことがなくても（訪問診療等の標榜もなし），施設基準さえクリアすれば算定可能でしょうか。

A：C005「３」については，「緩和ケア，褥瘡ケア又は人工肛門ケア及び人工膀胱ケアに係る専門の研修を受けた看護師が配置されていること」という施設基準です。届出医療機関で要件を満たして届出をしていれば算定可能です。

ただし，通院が困難な在宅療養患者に対して，「訪問看護・指導を実施する保険医療機関において医師による診療のあった日から１月以内に行われた場合に限る」と規定されているため，実際に訪問診療を行う医師の確保や訪問診療を行う医療機関との連携をはじめ，訪問看護が行える体制を確保する必要があります。〈オ〉

Q11 褥瘡ケアに係る専門の研修

「褥瘡ケアに係る専門の研修」には，具体的にはどのようなものがありますか。

A：「３」の施設基準の「褥瘡のケアに係る専門の研修」について，指定研修機関において行われる褥瘡等の創傷ケアに係る研修でもよいこととされました。

現時点では，従前の研修に加えて，特定行為に係る看護師の研修制度により厚生労働大臣が指定する指定研修医療機関において行われる「創傷処理関連」の区分の研修が該当します。
〈令和４年３月31日厚労省事務連絡（訪問看護療養費）〉

Q12 特定行為とは

看護師の行う特定行為とは何ですか。

A：看護師の「特定行為」とは，医師の包括的な指示の範囲内で，手順書に基づき，行う点滴等の診療補助行為です。看護師が手順書に基づき行う場合は，保健師助産師看護師法に位置付けられた「特定行為に係る看護師の研修制度」の研修修了が必要となります。

Q13 緩和ケア等の専門研修を受けた看護師の場合（C005「3」，C005-1-2「3」）

当院には緩和ケア認定看護師がいます（当院では訪問看護は行っておらず，同一法人内に訪問看護ステーションがある）。もし，他病院の医師が主治医で，他の訪問看護ステーションの訪問を受けている患者に対して，他の訪問看護ステーションの看護師に同行して当院の認定看護師が訪問看護を行う場合，下記についてご教示ください。

①主治医の指示先は他の訪問看護ステーションのみか。それとも当院あての診療情報提供書も必要か。

②当院のレセプトには，C005「３」1,285点のみの算定でよいか（コメントは必要か）。

A：①診療情報提供書を発行した場合には算定は可能と思われます。発行についての規定はありません。

②在宅患者訪問看護・指導料等に関する保医発通知(7)より，在宅患者訪問看護・指導料等の「３」を算定する場合，施設基準を届け出た医療機関が専門の看護師を訪問させて，他の医療機関の看護師または訪問看護ステーションの看護師と共同して同一日に看護または療養上必要な指導を行った場合は，専門の看護師が所属する保険医療機関にて算定するとなっています（施設基準を満たしていない場合は算定不可となります）。

また，明細書記載要領には特に記載コメント等の規定はありません。

なお，算定時の例外として，他の保険医療機関において在宅患者訪問看護・指導料等を算定している患者については，同指導料は算定できません。ただし，保険医療機関を退院後１月以内の患者に対して，当該保険医療機関が行った訪問看護・指導および緩和ケアまたは褥瘡ケアに係る専門の研修を修了した看護師が，当該患者の在宅療養を担う他の保険医療機関の看護師等または訪問看護ステーションの看護師等と協働して行った訪問看護・指導については，この限りではありません。〈日事〉

Q14 専従看護師の訪問看護への同行

緩和ケア診療加算等の専従要件となっている緩和ケアの専門の研修をうけた医療機関の看護師は，訪問看護ステーション等の看護師等と同行して訪問看護を行ってもよいですか。

A：専従の業務に支障がない範囲であれば差し支えありません。〈厚平24.3.30〉

Q15 准看護師のみが患家に赴いた場合

当院は無床診療所で，往診，訪問診療を行っています。医師が患家に赴いて行った場合は，C000往診料またはC001在宅患者訪問診療料を算定していますが，医師の指示で看護師または准看護師のみが患家に赴き注射や処置を行う場合，どのように算定すればいいのでしょうか。

A：保険診療では例えば，医師の指示のもと，看護師が点滴注射を行った場合，C005-2在宅患者訪問点滴注射管理指導料と薬剤料を算定できます。また，皮内・皮下・筋肉内注射・静脈内注射（点滴は除く）も医師の指示があれば看護師等が在宅で注射を行うことができて，薬剤料（厚生労働大臣が定める処方することができる注射薬に限る）が算定できます。看護師等が処置を行う場合は薬剤料，特定保険医療材料料を算定，検体採取を行った場合は検体検査実施料と判断料が算定できます（p.105のQ80参照）。そのほかに，C005在宅患者訪問看護・指導料またはC005-1-2同一建物居住者訪問看護・指導料が算定できます。〈オ〉

Q16 「同一患家」への訪問看護

「同一患家」の複数の患者に訪問看護を行った場合，どのように算定するのですか。

A：訪問看護・指導料には「同一患家」の考え方が適用されないため，すべての患者にC005-1-2同一建物居住者訪問看護・指導料を算定します。〈保〉

Q17 「同一建物居住者」への訪問看護

同一建物居住者４人に対して，同じ医療機関に勤務する看護師２人が，患者２人ずつ訪問看護を実施した場合，患者４人にそれぞれに「同一日に２人」の点数が算定できますか。

A：算定できません。４人全員に対してC005-1-2「ロ」同一日に３人以上の点数を算定します。

Q18 訪問診療の特例

訪問診療料で設けられている，同一建物居住者の取扱いから除外される悪性腫瘍の患者（訪問診療開始60日以内）等の患者の特例扱い（同一建物居住者以外の場合の点数で算定）は，訪問看護・指導料にも設けられていますか。

A：訪問診療だけの特例であり，訪問看護・指導料には設けられていません。

Q19 訪問看護の実日数

在宅で療養中の通院が困難な患者へ看護師が訪問して，看護または療養上必要な指導をしたときは，実日数をどのように数えるのでしょうか。

A：訪問看護・指導料を算定した同一日に医師の診療が行われない場合は，実日数として数えません。なお，C006在宅患者訪問リハビリテーション指導管理料，C008在宅患者訪問薬剤管理指導料，C009在宅患者訪問栄養食事指導料も同様の扱いとなります。

「注１」に規定する疾病等の患者

Q20 訪問回数の制限を受けない患者(1)

週３日の訪問回数の制限を受けない患者に変更はありますか。

A：2012年改定で，従前の末期悪性腫瘍や難病等の患者（別表第７の患者）に加えて，真皮を越える褥瘡の者や在宅患者訪問点滴注射管理指導料を算定している者等の在宅移行管理加算の対象者（別表第８の患者）が追加され，週４日以上訪問看護が行えることとされました。2014年以降の改定において，その取扱いに変更はありません。〈保〉

Q21 訪問回数の制限を受けない患者(2)

在宅患者訪問看護・指導料等の訪問回数の制限を受けない「人工呼吸器を使用している状態」にある患者には，ASV（二相式気道陽圧呼吸療法）やCPAP（持続式陽圧呼吸療法）により治療を行うSAS（睡眠時無呼吸症候群）の患者が含まれますか。

A：含まれません。ただし，在宅持続陽圧呼吸療法指導管理料を算定している患者であれば，訪問回数の制限を受けません。

Q22 要介護者等であっても医療保険の給付対象となる患者

週３日の訪問回数の制限を受けない患者については，要介護者・要支援者であっても医療保険の給付対象となると考えてよいですか。

A：要介護者・要支援者については，給付調整告示等により，従前通り末期悪性腫瘍や難病等（別表第７の患者），急性増悪等により一時的に頻回の訪問看護が必要な患者のみ（14日間限度）医療保険の給付対象とされています。ただし，別表第８の在宅移行管理加算の対象者は医療保険の給付対象とはなりません。

なお，特別訪問看護指示により頻回の訪問看護を行った場合は，頻回訪問が必要な理由や期間を看護記録に記載します。〈保〉

Q23 3日目で4回目以降の点数

厚生労働大臣が定める訪問回数の制限を受けない疾病等の患者および急性増悪等による頻回訪問が必要な患者に対して月曜日に１回，火曜日に２回訪問を行った場合，４回目の訪問看護は「週４日目以降」の点数を算定できますか。

A：できません。あくまで訪問日数による区分ですので４回目でも３日目の点数を算定します。ただし，同一日に２回または３回以上訪問看護を行った場合は「難病等複数回訪問加算」として２回／日は450点，３回以上／日は800点が加算できます。

Q24 月2回の頻回訪問看護

医師から週４回以上の特別訪問看護の指示を受けた場合に，診療日から14日以内に実施できる頻回訪問看護は基本的に月１回のみ実施可能です。月２回実施が可能な場合がありますが，患者の急性増悪で月２回の頻回訪問看護は実施できますか。

A：実施できません。月２回の頻回訪問看護を実施できるのは，気管カニューレを使用している状態の患者，重度の褥瘡患者のみです。〈保〉

Q25 回数制限を受けない患者や急性増悪時の4日目以降の算定

厚生労働大臣が定める訪問回数の制限を受けない疾病等の患者および急性増悪等による頻回訪問が必要な患者に対して週４日以上の訪問看護を行った場合も，週４日目以降の点数を算定できますか。

A：算定できます。末期の悪性腫瘍の患者等（別表第７，第８に該当）においても，急性増悪等による頻回の訪問看護においても，週４日目以降は680点（准看護師の場合630点）を算定できます。

「注１」の規定における「急性増悪時等」

Q26 急性増悪時の訪問看護

肺炎などの病態変化でケアプランにない訪問看護を行う場合はどうすればよいのですか。

A：① 介護保険の「緊急時訪問看護加算」を届け出ている場合は，利用者の同意を得て緊急訪問を行います。

② 医師が急性増悪と判断し，頻回訪問（月14日が限度，気管カニューレ使用の患者と重度の褥瘡患者は月28日限度）の特別指示を行った場合，医療保険の訪問看護で対応します。

③ すでに立てたケアプランで介護保険の訪問看護が常態として不足している場合は，ケアプランを見直し，訪問看護の回数を増やす必要があります。

Q27 急性増悪時の限度日数

訪問看護において，急性増悪時の特別指示による限度日数（14日／月）は続けて14日ですか。それとも月の内14日ですか。

A：医師が指示した日から連続して14日間ですので翌月にまたがることもあります。医師の指示は１カ月に１回のみとなります。ただし，気管支カニューレ使用患者と重度の褥瘡患者は月２回の指示が可能です。

Q28 急性増悪時で14日以上の訪問看護が必要な場合

要介護・要支援患者の急性増悪時の頻回訪問看護は医療保険で対応できますが，月14日または月28日が限度であり，その翌日以降も訪問看護が必要な場合はどうすればいいのですか。

A：翌月も特別指示をしてもらいます。ただし医療保険の訪問看護ができない場合，入院してもらうか，介護保険で何か対応できないかを検討します。

「注３」難病等複数回訪問加算

Q29 難病等複数回訪問加算の要件

「難病等複数回訪問加算」の算定要件とはどのようなものですか。

A：「厚生労働大臣が定める訪問回数の制限を受けない疾病等の患者および急性増悪等による頻回訪問が必要な患者に対して，主治医が複数回の訪問の必要性を認めたうえで指示をして，１日に２回又は３回以上訪問看護指導を行った場合」が要件です。

Q30 急性増悪の頻回訪問で翌月にまたがった場合

急性増悪による頻回訪問の場合，診療の日から14日以内に行った訪問看護が翌月にまたがった場

合でも，「注３」難病等複数回訪問加算の算定ができますか。

A：月をまたがった場合でも，14日以内であれば算定できます。なお，前月からの頻回訪問14日間経過後に，再度，急性増悪の診断がつけば，さらに14日間の頻回訪問を行うことができ，難病等複数回訪問加算も算定可能です。

Q31　同一日に4回の訪問看護

同一日に訪問看護を４回行った場合は，所定点数に難病等複数回訪問加算の「２回」の場合の点数（450点）を２回加算できますか。

A：できません。難病等複数回訪問加算の「３回以上」の場合の点数（800点）を１回のみ加算します。

Q32　１回の訪問で90分超実施した場合

C005在宅患者訪問看護・指導料及びC005-1-2同一建物居住者訪問看護・指導料の難病等複数回訪問加算又はI012精神科訪問看護・指導料の精神科複数回訪問加算の算定対象である患者に対して，90分を超えて連続して訪問看護・指導を行った場合，当該加算を算定することができますか。

A：１回の訪問であるため，当該加算の算定はできません。ただし，要件を満たせば，長時間訪問看護・指導加算又は長時間精神科訪問看護・指導加算は算定可能です。〈厚令2.3.31〉

Q33　区分の考え方

C005-1-2同一建物居住者訪問看護・指導料の難病等複数回訪問加算及びI012精神科訪問看護・指導料の精神科複数回訪問加算について，同一建物に居住するA，B，C３人の患者に，同一の保険医療機関が，以下の①から③の例のような訪問を行った場合には，同一建物居住者に係るいずれの区分を算定することになりますか。

①　A：１日に２回の訪問看護・指導
B：１日に２回の訪問看護・指導
C：１日に２回の訪問看護・指導

②　A：１日に２回の訪問看護・指導
B：１日に２回の訪問看護・指導
C：１日に３回の訪問看護・指導

③　A：１日に２回の訪問看護・指導
B：１日に２回の訪問看護・指導
C：１日に２回の精神科訪問看護・指導

A：①　A，B，Cいずれも，難病等複数回訪問加算の「１日に２回の場合」「同一建物内３人以上」を算定します。

②　A及びBは難病等複数回訪問加算の「１日に２回の場合」「同一建物内２人」を算定します。Cは，難病等複数回訪問加算の「１日に３回以上の場合」「同一建物内１人」を算定します。

③　A及びBは難病等複数回訪問加算の「１日に２回の場合」「同一建物内３人以上」を算定します。Cは精神科複数回訪問加算の「１日に２回の場合」「同一建物内３人以上」を算定します。〈厚令2.3.31〉

「注４」緊急訪問看護加算

Q34　算定の対象

緊急訪問看護加算とは，どのような場合に算定するのですか。

A：在宅療養支援診療所，支援病院が24時間対応できる体制を確保し，連絡担当者の氏名，連絡先，緊急時の対応等を文書で提供している患者に対し，診療所，支援病院の主治医の指示により，診療所または連携医療機関，支援病院の看護師等が緊急に訪問看護・指導を実施した場合に算定します。〈保〉

Q35　緊急訪問の指示を出す医師

緊急訪問看護加算は，支援診・支援病の医師の指示により緊急の訪問看護を行った場合に算定できるのですか。

A：支援診以外の診療所の医師の指示により緊急の訪問看護を行った場合にも算定できます。ただし，病院については支援病の医師の指示に限られています。〈保〉

Q36　口頭による指示

緊急訪問看護加算の在宅療養支援診療所の主治医の指示とは，口頭による指示でもよいですか。

A：口頭による指示でもかまいません。ただし，指示内容について診療録に記録します。〈保〉

Q37　算定日数を超えた患者の場合

在宅患者訪問看護・指導の算定日数（週３日）を超えた患者に対して緊急訪問看護を行った場合，
①　在宅患者訪問看護・指導料（週４日目以降）と併せて算定できる，
②　緊急訪問看護加算のみ算定する
のどちらになりますか。

A：①になります。

Q38　連携先が実施した場合

在宅療養支援診療所または支援病院の保険医の指示により，当該診療所と連携している別の保険医療機関から
①　緊急訪問看護指導を行った場合
②　在宅ターミナルケアを行った場合
どちらの医療機関で算定しますか。

A：①②ともに，それを行った医療機関で算定します。必要があれば合議概算で報酬の分配等を行います。

「注5」長時間訪問看護・指導加算

Q39　90分のカウント方法

長時間訪問看護・指導加算は1日に複数回の訪問看護を実施して，それらの時間を合わせて90分を超えた場合でも算定できるのですか。

A：算定できません。1回の訪問看護時間が90分を超えた場合にのみ算定できます。〈保〉

「注7」／「注4」複数名訪問看護・指導加算

Q40　複数名訪問看護・指導加算の算定要件

複数の看護師等による訪問看護を行った場合，複数名訪問看護・指導加算が算定できるのですか。

A：単に複数の看護師等が同時に訪問看護を行っても算定できません。1人の看護師等による訪問看護が困難である以下のいずれかの患者に対し，同時に複数の看護師等で訪問看護を行った場合に算定できます。

①末期の悪性腫瘍等，週3日の訪問回数の制限を受けない患者（別表7の患者）
②在宅移行管理加算の対象となる患者（別表8の患者）
③急性増悪等により一時的に頻回の訪問の必要を認めた患者
④暴力行為等が認められる患者
⑤その他利用者の状況等から判断して，①～④までのいずれかに準ずると認められるもの（看護補助者と同時に行う場合に限る）〈保〉

Q41　口頭による患者の同意

複数名訪問看護加算を算定する場合，患者又はその家族の同意を得ることとされていますが，口頭での確認でもよいでしょうか。

A：口頭での確認でもよいですが，同意を得た旨を記録に残します。〈保〉

Q42　看護補助者と複数名訪問看護を行った場合

看護師・准看護師と複数名訪問看護を行う場合は週1回に限り複数名訪問看護加算を算定できますが，看護補助者と複数名訪問看護を行った場合の加算も，看護師・准看護師の場合と同様に週1回に限るのですか。

A：看護補助者と複数名訪問看護を行った場合は，原則として週3回を限度に算定できます。

ただし，末期悪性腫瘍や難病等および特別な管理が必要な患者については，訪問のつど算定できます。また，看護師等と看護補助者が別表7または別表8の患者に対して訪問看護をしている場合は，1日あたりの回数により点数を算定します（具体的な点数は『早見表』p.369参照）。〈保〉

Q43　区分の考え方

C005-1-2同一建物居住者訪問看護・指導料の複数名訪問看護・指導加算及びI012精神科訪問看護・指導料の複数名精神科訪問看護・指導加算について，同一建物に居住するA，B，C3人の患者に，同一の保険医療機関が，以下のような訪問を行った場合には，同一建物居住者に係るいずれの区分を算定することとなりますか。

①　A：他の看護師との訪問看護・指導
B：他の看護師との訪問看護・指導
C：他の助産師との訪問看護・指導
②　A：他の看護師との訪問看護・指導
B：他の看護師との訪問看護・指導
C：他の看護補助者との訪問看護・指導（「ニ」の1日に1回）
③　A：他の看護補助者との訪問看護・指導（「ニ」の1日に1回）
B：他の看護補助者との訪問看護・指導（「ニ」の1日に1回）
C：他の看護補助者との精神科訪問看護・指導
④　A：他の看護補助者との訪問看護・指導（「ニ」の1日に2回）
B：他の看護補助者との訪問看護・指導（「ニ」の1日に2回）
C：他の看護補助者との精神科訪問看護・指導

A：①　A，B，Cいずれも，複数名訪問看護・指導加算の「看護師等」「同一建物内3人以上」を算定します。

②　A及びBは複数名訪問看護・指導加算の「看護師等」「同一建物内2人」を算定します。Cは複数名訪問看護・指導加算の「看護補助者（ニ）」「1日に1回の場合」「同一建物内1人」を算定します。

③　A及びBは複数名訪問看護・指導加算の「看護補助者（ニ）」「1日に1回の場合」「同一建物内3人以上」を算定します。Cは複数名精神科訪問看護・指導加算の「看護補助者」「同一建物内3人以上」を算定します。

④　A及びBは複数名訪問看護・指導加算の「看護補助者（ニ）」「1日に2回の場合」「同一建物内2人」を算定します。Cは，複数名精神科訪問看護・指導加算の「看護補助者」「同一建物内1人」を算定します。〈厚令2.3.31〉

「注8」在宅患者連携指導加算

Q44 要介護・要支援の場合

在宅患者連携指導加算は，要介護・要支援の患者でも医療保険で訪問看護を実施している患者には算定できますか。

A：算定できません。〈保〉

Q45 自院の医師のみとの情報共有

在宅患者連携指導加算は，自院の訪問診療を実施している医師のみと情報を共有して指導を行った場合は，算定できますか。

A：算定できません。〈保〉

Q46 電話による情報共有

在宅患者連携指導加算は，医療関係職種間で情報を共有し，共有された情報を踏まえて指導した場合に算定できますが，情報共有の手段は電話でもよいのですか。

A：情報共有は文書等（電子メール，ファクシミリでも可）で行われるもので，電話のみでは認められません。

「注9」在宅患者緊急時等カンファレンス加算

Q47 要介護・要支援の場合

在宅患者緊急時等カンファレンス加算は，要介護・要支援の患者でも，医療保険で訪問看護を実施している患者には算定できますか。

A：算定できます。〈保〉

「注10」在宅ターミナルケア加算

Q48 死亡日の訪問

死亡日の訪問は在宅ターミナルケア加算の対象としてカウントできますか。

A：死亡日と死亡日前14日を合わせた計15日間で2回以上の訪問看護を行った場合に算定できるという取扱いです。〈保〉

Q49 死亡前24時間以内の訪問

在宅ターミナルケア加算は，死亡前24時間以内にターミナルケアを実施できなかった場合でも，算定できますか。

A：算定できます。ただし，死亡前14日と死亡日を合わせた計15日間に訪問看護を2回以上行い，在宅で看取った場合（ターミナルケアを行ったあと24時間以内に居宅以外で死亡した患者も含む）に限られます。

また，ターミナルケアに係る支援体制について患者に説明することと，死亡時刻を看護記録に記録することが算定要件とされています。〈保〉

Q50 訪問看護ステーションとの併算定

ターミナルケア加算は，訪問看護ステーションで算定していても医療機関で算定できますか。

A：医療機関では算定できません。

Q51 レセプトへの記載

在宅療養で，週3日のペースで訪問看護を行い「在宅患者訪問看護・指導料」を算定していた患者が亡くなりました。この場合，ターミナルケア加算は算定できますか。算定可であれば，レセプトに記載しなければならないことはありますか。

A：前問の要件を満たしていれば算定できます。

請求する際は，レセプト摘要欄に訪問看護を実施した日時と患者が死亡した場所（在宅かそれ以外か）及び日時をレセプト電算処理システム用コードにより記載する必要があります。

「注11」在宅移行管理加算

Q52 在宅移行管理加算の対象患者

在宅移行管理加算を算定できる対象患者と要件を教えてください。

A：対象患者は別表第8（p.91）に示す患者です。なお別表8の「1」に該当する者は重症度の高い者として500点を，「2」～「5」に該当する者は250点を算定します。

Q53 在宅移行管理重症者加算の対象者

在宅移行管理加算の重症度の高い患者（在宅移行管理重症者加算500点の対象者）とは，どのような患者ですか。

A：別表8の「1」に該当する場合で，対象となる患者は次のとおりです。

① 在宅麻薬等注射指導管理料，在宅腫瘍化学療法注射指導管理料，在宅強心剤持続投与指導管理料を算定している患者
② 在宅気管切開患者指導管理料を算定している患者
③ 気管カニューレを使用している患者
④ 留置カテーテルを使用している患者〈保〉

Q54 算定可能な回数

在宅移行管理加算は，訪問看護ステーションが行う訪問看護の特別管理加算や，介護保険の訪問看護の特別管理加算と同様に月1回算定できるのですか。

A：毎月1回の算定はできません。訪問回数にかかわらず，対象患者1人につき退院後1月以内に1回に限り算定できます。〈保〉

Q55 ケアの記載方法

在宅移行管理加算の算定対象に「真皮を越える褥瘡の状態にある者」がありますが，週1回以上行うこととされている褥瘡の観察・アセスメント・評価や褥瘡の発生部位，実施したケアの記録について，具体的な様式は定められているのですか。

A：様式は問いません。観察・アセスメント・評価，褥瘡の深さや発生部位，実施したケア等について記載されていればよいとされています。〈保〉

「注12」夜間・早朝訪問看護加算，深夜訪問看護加算

Q56 予定時間を変更した場合

「夜間・早朝訪問看護加算」について，例えば保険医療機関の都合により，訪問予定時間を16時から20時に変更した場合であっても算定できますか。

A：保険医療機関の都合により早朝・夜間・深夜に訪問した場合は算定できません。患者および家族の求めにより早朝・夜間・深夜に訪問した場合にのみ算定できます。〈保〉

Q57 レセプトへの記載

「夜間・早朝訪問看護加算」「深夜訪問看護加算」を算定する場合，レセプト記載について留意すべき点はありますか。

A：夜間・早朝訪問看護加算，深夜訪問看護加算を算定する際，「摘要」欄に訪問看護を実施した日時をレセプトコードとともに記載する必要があります。〈保〉

「注13」看護・介護職員連携強化加算

Q58 複数の医療機関における算定

同一患者に対し，他院で，訪問看護・指導料等の看護・介護連携強化加算を算定する場合，自院で訪問看護・指導料等の看護・介護連携強化加算は算定できますか。

A：算定できません。

「注15」訪問看護・指導体制充実加算

Q59 24時間対応体制加算の届出

C005在宅患者訪問看護・指導料の注15の訪問看護・指導体制充実加算（C005-1-2同一建物居住者訪問看護・指導料「注6」の規定により準用する場合を含む）の施設基準で求める「24時間訪問看護の提供が可能な体制」の確保について，当該保険医療機関が訪問看護ステーションと連携することにより体制を確保する場合，連携する訪問看護ステーションは，訪問看護管理療養費における24時間対応体制加算の届出を行っている必要がありますか。

A：連携する訪問看護ステーションについて，24時間対応体制加算の届出は不要です。〈厚令2.3.31〉

Q60 施設基準の要件のカウント方法(1) 新

訪問看護・指導体制充実加算の施設基準の中にあるターミナルケア加算の算定回数は，在宅患者訪問看護・指導料又は同一建物居住者訪問看護・指導料のターミナルケア加算の算定回数に限られるのですか。

A：そのとおりです。介護保険における訪問看護費のターミナルケア加算を算定しても当該施設基準の算定回数には入りません。〈保〉

Q61 施設基準の要件のカウント方法(2) 新

訪問看護・指導体制充実加算の施設基準における算定回数の考え方について，1人の患者に複数回算定した回数もカウントしてよいのですか。

A：よいです。例えば，一人の患者に対して，在宅患者訪問看護・指導料又は同一建物居住者訪問看護・指導料の乳幼児加算を複数回算定していた場合も当該施設基準の算定回数にカウントします。〈保〉

Q62 施設基準の要件のカウント方法(3) 新

実績要件は，前年度満たしていれば，今年度の実績にかかわらず当該加算を算定できるという考えでよいか。

A：よいです。〈保〉

「注16」専門管理加算

Q63 専門管理加算における特定行為

専門管理加算において専門の管理を必要とする特定行為とは何が該当しますか。

A：以下の特定行為が該当します。

① 気管カニューレの交換
② 胃ろうカテーテル若しくは腸ろうカテーテル又は胃ろうボタンの交換
③ 膀胱ろうカテーテルの交換
④ 褥瘡又は慢性創傷の治療における血流のない壊死組織の除去
⑤ 創傷に対する陰圧閉鎖療法
⑥ 持続点滴中の高カロリー輸液の投与量の調整
⑦ 脱水症状に対する輸液による補正

Q64 包括的な指示のための手順書とは

医師が研修を修了した看護師に特定行為の診療補助を包括的に指示するために作成する手順書とはどのようなものですか。

A：「看護師に診療の補助を行わせる患者の病状の

範囲」,「診療の補助の内容」等が記載されているものです。手順書の作成例は,「(特定行為)(手順書)」と検索し,厚生労働省の「特定行為に係る手順書例集」に詳細が記載されています。

Q65　褥瘡ケアと特定行為の両方を実施した場合

専門管理加算について,例えば,褥瘡ケアに係る専門の研修を受けた看護師と,特定行為研修を修了した看護師が,同一月に同一患者に対して,褥瘡ケアに係る管理と特定行為に係る管理をそれぞれ実施した場合であっても,算定は月1回に限るのですか。

A:そのとおりです。「イ」又は「ロ」のいずれかを月1回に限り算定します。

〈令和4年3月31日厚労省事務連絡(訪問看護療養費)〉

Q66　褥瘡ケア等に係る専門の研修

「緩和ケア,褥瘡ケア又は人工肛門及び人工膀胱ケアに係る専門の研修」には,具体的にはそれぞれどのようなものがありますか。

A:現時点では,以下の研修が該当します。

① 褥瘡ケアについては,日本看護協会の認定看護師教育課程「皮膚・排泄ケア」

② 緩和ケアについては,

ア 日本看護協会の認定看護師教育課程「緩和ケア※」,「乳がん看護」,「がん放射線療法看護」及び「がん薬物療法看護※」

※平成30年度の認定看護師制度改正前の教育内容による研修を含む

イ 日本看護協会が認定している看護系大学院の「がん看護」の専門看護師教育課程

③ 人工肛門及び人工膀胱ケアについては,日本看護協会の認定看護師教育課程「皮膚・排泄ケア」

〈令和4年3月31日厚労省事務連絡(訪問看護療養費)〉

Q67　訪問看護における専門の管理に関する研修

「特定行為のうち訪問看護において専門の管理を必要とするものに係る研修」には,具体的にはどのようなものがありますか。

A:現時点では,特定行為に係る看護師の研修制度により厚生労働大臣が指定する指定研修機関において行われる以下の研修が該当します。

① 「呼吸器(長期呼吸療法に係るもの)関連」,「ろう孔管理関連」,「創傷管理関連」及び「栄養及び水分管理に係る薬剤投与関連」のいずれかの区分の研修

② 「在宅・慢性期領域パッケージ研修」

〈令和4年3月31日厚労省事務連絡(訪問看護療養費)〉

「注18」遠隔死亡診断補助加算

Q68　情報通信機器を用いた在宅での看取りに係る研修 新

C005在宅患者訪問看護・指導料の「注18」に掲げる遠隔死亡診断補助加算(C005-1-2の「注6」の規定により準用する場合を含む)の施設基準において求める看護師の「情報通信機器を用いた在宅での看取りに係る研修」には,具体的にはどのようなものがありますか。

A:現時点では,厚生労働省「在宅看取りに関する研修事業」(平成29～31年度)及び「ICTを活用した在宅看取りに関する研修推進事業」(令和2年度～)により実施されている研修が該当します。

〈厚令6.3.28〉

併算定,その他の算定要件

Q69　別経営の医療法人におけるC001とC005の同日算定の可否

連携する(別経営の医療法人の)訪問看護ステーションより,当院(A医院)が悪性腫瘍の末期の患者に対しC001在宅患者訪問診療料(Ⅰ)を算定した日は,その訪看ステーションを経営する医療法人の医療機関(B医院)でC005在宅患者訪問看護・指導料を算定できず困ると言われました。

在宅医療の第1節在宅患者診療・指導料の通知(1)に,「保険医療機関は,同一の患者について,C000往診料,C001在宅患者訪問診療料(Ⅰ),C001-2在宅患者訪問診療料(Ⅱ),C005在宅患者訪問看護・指導料…のうち,いずれか1つを算定した日においては,他のものを算定できない」とありますが,特別な関係でもなく,まったくの別経営の法人の訪看ステーションを経営する医療機関でも,C005の同日算定はできないのですか。

A:在宅医療の部の第1節に係る通知(『早見表』p.351)の(1)は,同一保険医療機関において併算定を不可とする規定です。

同通知の(2)には,「一の保険医療機関が訪問診療料等のいずれか1つを算定した日については,当該保険医療機関と特別の関係にある他の保険医療機関は訪問診療料等を算定できない」とあります。

これは,特別の関係にある医療機関についての規定であり,特別の関係(『早見表』p.72)にない場合は適用されません。

よって,ご質問の場合は,特別の関係にない別経営の医療法人の医療機関が指定した訪問看護であれば,併算定は可能です。

ご質問の場合は,明細書に「特別の関係にないこと」と,同日に訪問診療と訪問看護を併せて必要とした理由を記してはいかがでしょうか。

なお,A医院が主治医の場合,C005の通知(2)(『早見表』p.387)により,A医院が訪問診療を行っ

た日から２週間以内であれば，診療情報提供書によりB医院に訪問看護の依頼をすることができるとされています。ご質問がそのケースに該当するかどうかは不明ですが，その場合において，A医院が訪問診療を行った当日であっても，（A医院とB医院が特別な関係にないのであれば）B医院でのC005は算定可能です。訪問看護の看護の依頼状況を確認してください。〈オ〉

Q70　医師と看護師が同一日に訪問

同じ日に医師と看護師（介護保険から）が寝たきり患者をそれぞれ訪問した場合，医師の訪問診療料（医療保険）と看護師の訪問看護費（介護保険）のどちらも算定できますか。またその利用者負担はどうなりますか。

A：どちらも算定できます。患者負担は医療保険・介護保険で定められた負担割合による金額を徴収します。なお，特別の関係にある施設間では，訪問診療料と医療保険の訪問看護料は同一日に併せて算定できません。

Q71　医療機関と訪問看護ステーション両方からの訪問看護

同一月に医療機関と訪問看護ステーション両方からの訪問看護はできますか。

A：①～③のうち，必要な対応をします。

①　医療保険のみの取扱いでは，厚生労働大臣が定める疾患等の患者の場合（**図表９**）等を除き同月算定できません。

②　医療機関の訪問看護・指導（医療保険）とステーションの訪問看護（介護保険）は，急性増悪時の頻回訪問が必要な場合や訪問回数が制限されない疾患の患者は，同一月で両方の訪問があり得ます。

③　介護保険では複数の訪問看護事業所からの訪問看護がケアプラン上あり得るので，両方からの訪問看護ができます。

なお，②③の場合において，医療保険における「特別の関係」の制限はありません。

Q72　ケアプランにない訪問看護

要介護または要支援の認定を受けている患者について，ケアプランのなかに訪問看護が盛り込まれなかった場合に，医療保険で訪問看護を行ってもよいでしょうか。

A：この場合は，医療保険でも介護保険でも算定不可となります。要支援・要介護者への介護保険の訪問看護は原則としてケアプランに位置づけられてはじめて実施できるものです。したがって，ケアプランの変更が可能で訪問看護を盛り込めるようであれば介護保険に請求します。また，①「別表７」の厚生労働大臣の定める患者には算定期限なしに，②患者が急性増悪となり，訪問看護を行う場合は，医療保険の訪問看護・指導料が急性増悪の診断の日から14日間に限って，医療保険の訪問看護が算定できます。

Q73　再診料の算定は

訪問看護において，再診料は算定できますか。

A：再診料は算定できません。

Q74　別の医療機関に対して情報提供して訪問看護・指導を依頼する場合

訪問診療を行っている医療機関が，別の医療機関に対して情報提供を行い，訪問看護・指導を依頼する場合，B009またはB010診療情報提供料（Ⅰ）または（Ⅱ）は算定できるのですか。

A：算定できます。B009診療情報提供料（Ⅰ）を算定します。〈保〉

Q75　訪問看護・指導料算定の医療機関

C005在宅患者訪問看護・指導料，C005-1-2同一建物居住者訪問看護・指導料の通知に「…別の保険医療機関に対して，診療状況を示す文書を添えて，当該患者に係る療養上必要な情報を提供した場合には，当該診療情報の提供を行った保険医療機関において，当該診療情報提供料の基礎となる診療があった日から１月以内に行われた場合に算定する」とありますが，訪問看護・指導料の算定は以下のいずれになりますか。

①　診療情報を提供したA医療機関が算定し，訪問看護を行ったB医療機関へ当該報酬を支払う。

②　実際に訪問看護を行ったB医療機関が算定する。

A：通知は訪問看護・指導料の算定は，医師が訪問診療を行った日から１月以内に限るということを意味しています。A医療機関が診療情報提供をB医療機関に行い，B医療機関が訪問看護を行った場合は，診療情報提供料はA医療機関が保険請求し，訪問看護・指導料はB医療機関が保険請求します。したがって，上記②の取扱いとなります。

Q76　他の在宅医療料との併算定

C005在宅患者訪問看護・指導料とC008在宅患者訪問薬剤管理指導料，C009在宅患者訪問栄養食事指導料は同一日に併せて算定できますか。

A：次の厚生労働省通知（『早見表』p.351）により，同一の医療機関において同一日の併算定はできません。

「保険医療機関は，同一の患者について，C000往診料，C001在宅患者訪問診療料（Ⅰ），C001-2在宅患者訪問診療料（Ⅱ），C005在宅患者訪問看

図表９　複数の医療機関・訪問看護ステーションによる訪問看護の算定の可否

注）病院・診療所と訪問看護ステーションの，２カ所又は３カ所からの訪問看護を組み合わせた利用に関して，複数の訪問看護ステーションの組合せと同様に末期の悪性腫瘍や神経難病等の利用者に限る。

	訪看ST×訪看ST		訪看ST×病院・診療所		病院・診療所×病院・診療所	
	同一月	同一日	同一月	同一日	同一月	同一日
別表第７，別表第８の患者	○	−	○	−	−	−
特別訪問看護指示書／精神科特別訪問看護指示書の交付	○※２	−	○※２	−	−	−
退院後１カ月（精神科訪問看護・指導料を算定している場合は，退院後３カ月）	−	−	○※３	○※３	○	○※６
専門の研修を受けた看護師との共同	○	○	○	○	○	○※６
精神科在宅患者支援管理料を算定	−	−	○	○※５	−	−
精神保健福祉士が精神科訪問看護・指導料を算定※１	−	−	○※４	−	−	−

※１：精神科在宅患者支援管理料に係る届出を行っている保険医療機関が算定する場合に限る。
※２：週４日以上の訪問看護が計画されている場合に限る。
※３：病院・診療所側が，患者が入院していた保険医療機関の場合に限る。
※４：精神科訪問看護・指導料及び訪問看護療養費を算定する日と合わせて週３日（退院後３月以内の期間において行われる場合にあっては，週５日）を限度とする。
※５：保険医療機関が精神科在宅患者支援管理料１を算定する場合は，特別の関係の訪問看護STと連携する場合であって，病院・診療所からの訪問看護が作業療法士又は精神保健福祉士の場合に限る。
※６：特別の関係の場合を除く。

（2016.3.4厚労省「平成28年度診療報酬改定説明会」資料より）

護・指導料，C005-1-2同一建物居住者訪問看護・指導料，C006在宅患者訪問リハビリテーション指導管理料，C008在宅患者訪問薬剤管理指導料，C009在宅患者訪問栄養食事指導料またはＩ012精神科訪問看護・指導料のうち，いずれか１つを算定した日においては，他のものを算定できない」とされています。

ただし，訪問診療や訪問看護等のあとに患者の状態が悪化し，往診を行った場合の往診料は算定できます。

Q77　看護師単独の処置や注射は違法行為か

患者さんの急変に伴い医師の指示によって看護師が連日の訪問を行い処置（包交）や注射を行うケースがありますが，院外で看護師が単独で処置や注射を行うことは違法行為なのでしょうか，また保険請求はどのように行えばよいのでしょうか。

A：保健師・助産師・看護師法により，看護師が行う処置等は医師の指示に基づくことが前提です。看護師の行うことができる医療行為の範囲は，最終的には患者の安全性の確保の観点から，医師の判断により決められます。

また，医師の指示は，原則として医師の監視または対処が可能な医療機関内においてのみ効力が認められるものとされます。

訪問看護時は医療機関外であり，医師の監視下でないため，原則的には看護師が単独で処置や注射等の医療行為を行うことは認められません。ただし，通知（平成14年医政発093002）により，保健師・助産師・看護師法の解釈が変更され，看護師による医療機関外での皮下・筋肉内注射と静脈注射（点滴含む）については認められました。それを受けて2004年改定でC005-2在宅患者訪問点滴注射管理指導料が設定されました（p.107）。

さらに2016年診療報酬改定で在宅医療の通則に**図表10**のような取扱いが追加され，看護師等が医師の指示で訪問診療日以外に注射，処置，検体採取を行った場合に**図表10**の取扱いとなりました。

具体的には指示をした医療機関において薬剤料，特定保険医療材料料，検査料が算定できます。注射については，厚生労働大臣が定める投薬ができる注射薬（『早見表』p.412）に限り算定が可能です。

なお，在宅患者訪問点滴注射管理指導料の取扱いは変更がなく，週２回以下の点滴の計画を立てた場合は従来どおり算定できず，図表10の医師の指示により訪問診療日以外に行った注射の取扱いとなります。

Q78　皮下・筋肉注射，静注の薬剤料

訪問看護時の点滴については認められるようになりましたが，皮内・皮下・筋肉注射，静脈注射の薬剤料は算定できるでしょうか。

図表10　医師の指示で訪問看護師等が在宅患者への処置等を行った場合の取扱い

※医師の指示に基づき，在宅医療において看護師等が医師の診療日以外に行った検体採取や，使用した特定保険医療材料及び薬剤は以下のように算定できる。

	訪問看護・特別養護老人ホーム
薬剤 特定保険医療材料	初診，再診又は在宅医療において，患者の診療を担う医師の指示に基づき，当該医師の診療日以外の日に医療機関，訪問看護ステーションの看護師等が，患者に対し点滴又は処置等を実施した場合は，当該保険医療機関において，点滴又は処置等に用いた薬剤及び特定保険医療材料（患者に使用した分に限る）の費用を算定できることとする。
検体検査	初診，再診又は在宅医療において，患者の診療を担う医師の指示に基づき，当該医師の診療日以外の日に医療機関，訪問看護ステーションの看護師等が，患者に対し検査のための検体採取等を実施した場合は，当該保険医療機関において，検体検査実施料，検体検査判断料の費用を算定できることとする（当該医療機関は，検体採取に当たって必要な試験管等の材料を患者に対して支給する）。

2016.3.4厚労省「平成28年度診療報酬改定説明会」資料に一部追記

A：訪問看護ステーションでは薬や材料を出せないため，訪問看護時の皮内・皮下，筋肉注射，静脈注射に関しては，手技料も薬剤料も算定できません。

また，医療保険・介護保険の訪問看護を受けている在宅患者に対し，主治医が看護師等に患家での週３日以上の点滴注射を指示し，実施した場合，医療機関はC005-2在宅患者訪問点滴注射管理指導料と薬剤料を算定しますが，点滴回路の費用は算定できません。

訪問看護ステーションが皮内・皮下，筋肉注射，静脈内注射を行った場合，薬剤を提供した医療機関では，投与することができる厚労大臣の定める注射薬（「早見表」p.437）に限り，薬剤料を算定できます。なお，訪問看護・指導の費用は別に算定できます。〈オ〉

Q79　往診料・処置料は算定できるか

寝たきり患者に対して，医師の指示に基づき，看護師だけが訪問して処置などを行うことができますか。できるとすれば，往診料および処置料は算定できますか。

A：看護師が単独で行うことが認められている皮下・筋注，静脈内注射，点滴等を除き，医師の監視下をはずれ，看護師が患家で診療行為を行うことは認められませんでした。現在は，**図表10**の新たな取扱いが加わっていますので，薬剤料，特定保険医療材料料も算定できます。さらに，算定要件を満たしていれば，実日数「０」として訪問看護・指導料を算定しますが，往診料と処置料は算定できません。

Q80　看護師の行う採血，検査の費用

在宅訪問看護をしたとき，採血料，検査の費用は算定可能でしょうか。

A：採血は，検査に属する医療行為であり，「保健師看護師助産師法」では，院内で医師の指示があり，その監督下で看護師が採血することは可能とされていましたが，**図表10**の取扱いが加わりました。検体検査実施料・判断料は算定できますが，採血料は算定できません。〈オ〉

Q81　看護師の行う処置の手技と材料

訪問看護において，医師の指示に基づき看護師が患家に赴いて行った褥瘡の処置，気管内吸引，留置カテーテル交換等は，手技料として算定できますか。また，その際に用いた薬剤料やカテーテルなどの材料は，別途算定できますか。

A：看護師の行う処置の処置料は算定はできません。また，薬剤や材料については，算定できます。

Q82　看護師が行う筋肉内注射

医師の指示によって，訪問看護で週１回筋肉注射をしている場合，その薬剤料も，医師が訪問診療の際に支給し，算定するのでしょうか。そもそも筋肉注射は，看護師のみで行えるのでしょうか。

A：保助看法上は医師の指示があれば，筋肉注射を行うこと自体は問題ありません。また，2016年の改定により，看護師が行う皮下筋注の薬剤料は「投与可能な厚労大臣の定める薬剤」（「早見表」p.437）に限られますが，訪問看護・指導料に加えて算定できるようになりました。

Q83　他の医療機関と同時算定できない場合

他の医療機関と訪問看護・指導料を同一月に算定できないのは，どのような場合ですか。

A：①　他の保険医療機関が訪問看護・指導料をすでに算定している場合。ただし保険医療機関を退院後１カ月以内の場合，緩和ケア・褥瘡ケアの専門看護師の同行訪問の場合は除かれます。

②　訪問看護ステーションで訪問看護療養費を算定している場合は，在宅患者訪問看護・指導料を算定できません。ただし，①厚生労働大臣の定める疾病等の患者（訪問回数制限なしの疾患の患者），②急性増悪等の患者，③当該保険医療

機関を退院後１月以内の患者，④緩和ケア・褥瘡ケアの専門看護師が他の医療機関または訪問看護ステーションの看護師等と共同して訪問看護・指導を行った場合――についてはこの限りではありません。詳しくは**図表９**を参照してください。

Q84　例外的に併算定できる場合とは

訪問看護療養費の通知に，「訪問看護ステーションと特別の関係にあり，かつ，当該訪問看護ステーションに対して訪問看護指示書を交付した医師が所属する保険医療機関において，往診料，在宅患者訪問診療料，在宅がん医療総合診療料，在宅患者訪問リハビリテーション指導管理料，在宅患者訪問薬剤管理指導料又は在宅患者訪問栄養食事指導料のいずれかを算定した日については，当該訪問看護ステーションは訪問看護基本療養費を算定できない」とされています。

例外的に往診料等の診療報酬と訪問看護療養費との併算定ができるのはどんな場合ですか。

A：訪問看護ステーションの訪問看護療養費とＣ005在宅患者訪問看護・指導料，Ｃ005-1-2同一建物居住者訪問看護・指導料，Ｉ012精神科訪問看護・指導料の同一月の併算定は（特別の関係の有無等にかかわらず）不可とされています。ただし，厚生労働大臣の定める疾病等の患者や急性増悪等の患者などについては併算定可とされています。

一方，往診料や在宅患者訪問診療料等については，従来同様，特別の関係にある訪問看護ステーションまたは医師が訪問看護指示書を交付した訪問看護ステーションにおける訪問看護療養費との併算定は不可とされています（特別の関係等でなければ併算定可）。

ただし，特別の関係等にあっても，次に掲げる場合は併算定可とされています。

ア　当該訪問看護ステーションが指定訪問看護を行った後，病状の急変等により，保険医療機関等が往診を行って往診料を算定した場合

イ　利用者が保険医療機関等を退院後１月を経過するまでに往診料等のいずれかを算定した場合

ウ　在宅患者訪問褥瘡管理指導料の算定に必要なカンファレンスを実施する場合であって，当該利用者に継続的な訪問看護を実施する必要がある場合（ただし，在宅患者訪問診療料，在宅患者訪問栄養食事指導料を算定する場合に限る）

施設入居者の算定や介護との関係

Q85　要介護・要支援患者の算定

同一建物居住者訪問看護・指導料は，居住系施設に入居している患者であれば，要介護・要支援の患者でも算定できますか。

A：算定できません。ただし末期の悪性腫瘍，急性増悪などで，医療保険での訪問看護実施指示がなされた患者については算定できます。なお，同一施設で１名のみ訪問の場合は，Ｃ005在宅患者訪問看護・指導料が算定できます。〈保〉

Q86　介護保険と在宅患者訪問看護・指導料

要介護認定を受けた患者に対しては，医療保険の在宅患者訪問看護・指導料は算定できませんか。

A：要介護・要支援の認定を受けた患者は，基本的に介護保険の訪問看護を受けます。要介護・要支援を受けている場合であっても，特例的に医療保険の訪問看護指導料の算定対象となるのは以下の患者です。

①末期の悪性腫瘍を含む厚生労働大臣が別に定める疾患等の患者〔特掲診療料の施設基準等「別表第７」(p.45,『早見表』p.392)〕

②急性増悪等により医師が頻回の訪問看護の必要を認め，特別に指示を行った患者

Q87　介護保険と医療保険の切り替え

急性増悪した場合の訪問看護について，介護保険と医療保険の併給は，介護保険から医療保険への切り替えを行わず，織り交ぜて訪問看護してよいのでしょうか。

A：特別指示があった場合，１月に14日または28日以内は医療保険に切り替えます。

Q88　特別養護老人ホーム，有料老人ホーム，軽費老人ホーム（ケアハウス）等の入居者

特別養護老人ホーム，有料老人ホーム，軽費老人ホーム（ケアハウス）等の入居者であって，特定施設入居者生活介護費を算定している患者については算定できますか。

A：算定できません。ただし，①末期の悪性腫瘍，難病，②急性増悪等により医師の特別指示書が出ている場合は，14日を限度に算定できます。〈保〉

Q89　小規模多機能型居宅介護または複合型サービス利用者の取扱い

医療保険と介護保険の給付調整に関する通知において，小規模多機能型居宅介護または複合型サービスを受けている患者（末期の悪性腫瘍等の患者及び急性増悪等により一時的に頻回の訪問看護が必要な患者で宿泊サービス利用中に限る）について，在宅患者訪問看護・指導料，同一建物居住者訪問看護・指導料，精神科訪問看護・指導料又は訪問看護療養費を算定できるとありますが，宿泊サービスの利用日の日中に訪問看護を行った場合でも当該指導料等を算定できるのでしょうか。

A：訪問看護については，宿泊サービス利用中の

患者に対して，サービス利用日の日中に行った場合は，当該指導料等は算定できません。

〈厚平30.4.25〉

C005-2　在宅患者訪問点滴注射管理指導料

C005-2　在宅患者訪問点滴注射管理指導料（1週につき）　**100点**

注　C005在宅患者訪問看護・指導料，C005-1-2同一建物居住者訪問看護・指導料を算定すべき訪問看護・指導を受けている患者又は指定訪問看護事業者から訪問看護を受けている患者であって，当該患者に対する診療を担う保険医療機関の保険医の診療に基づき，週3日以上の点滴注射を行う必要を認めたものについて，訪問を行う看護師又は准看護師に対し，点滴注射に際し留意すべき事項等を記載した文書を交付して，必要な管理指導を行った場合に，患者1人につき**週1回**に限り算定する。

Q1　算定の要件

どういう要件を満たした場合に算定できますか。

A：医療保険または介護保険の訪問看護を受けている患者について，主治医が看護師等に週3日以上の訪問点滴注射を指示し，看護師等が居宅において週3日以上点滴注射を実施した場合に算定できます。介護保険の訪問看護（指定訪問看護事業者からの訪問看護）を実施している患者についても，要件を満たせば算定できます。

また，保険医の診療日以外に看護師等が点滴や処置を実施した場合でも，薬剤料と特定保険医療材料料が算定できます。ただし，点滴の計画が週2回以下の場合の薬剤料は算定できません。

Q2　在宅患者訪問点滴に伴う訪問看護の費用

在宅患者訪問点滴に伴う訪問看護の費用は，別に算定できますか。

A：①自院の看護師等が行った在宅訪問看護・指導料，②訪問看護ステーションが行った訪問看護療養費は，いずれも算定できます。

なお，在宅患者訪問点滴注射管理指導料の算定要件を満たさない場合であっても，点滴注射にあたり実施した①②は算定できます。　〈保〉

Q3　医師法上の問題は

医師の監督下にない在宅で，看護師が点滴注射という医療行為を行うことは，医師法上問題はないのでしょうか。

A：以前は，静脈注射（点滴も含む）は，医師または歯科医師が自ら行うべき業務であって，保健師助産師看護師法第5条に規定する看護師の業務の範疇を超えるものであるとされていましたが，「看護師等による静脈注射の実施について」という通知（平成14年9月30日付医政発第0930002号）で，医師または歯科医師の指示の下に保健師，助産師，看護師及び准看護師が行う静脈注射は，保健師助産師看護師法第5条に規定する診療の補助行為の範疇として取り扱うものとされました。このように法的に問題が整理されたことから，診療報酬上でも評価されることになりました。

この静脈注射には，看護師等が在宅患者を訪問して行う点滴も含まれるとの解釈が厚労省から示されています。

なお，皮内・皮下・筋肉内注射は前述の通知が出される前から診療の補助業務として，看護師等が訪問看護時に行えることとされています。

Q4　訪問点滴を依頼できる事業所

訪問点滴を依頼できる「介護保険の訪問看護事業者」について，具体的に教えてください。

A：訪問看護サービスを行う次の事業所が該当します。

①（介護予防を含む）訪問看護事業所
②複合型サービス事業所
③定期巡回・随時対応型訪問介護看護事業所

Q5　点滴実施中の滞在

在宅での点滴において，訪問した看護師等は点滴の実施時間中患家にいる必要はありますか。

A：医学的に適切に行われていればよいとされます（医学的判断による医師の指示に基づき対応されたい）。　〈厚平16.3.30，一部修正〉

「注」に規定する「週3日以上」の点滴注射の実施

Q6　指示しただけで算定できるか

在宅患者訪問点滴注射管理指導料は，1週間のうち3日以上点滴注射を実施した場合に算定するのですか。指示を出しただけでは算定できないのでしょうか。

A：そのとおりです。1週間に3日以上点滴注射を実施した場合に算定するため，3日目の点滴注射が終了した旨，点滴注射を実施した看護師等から速やかに報告を行わせる必要があります。

〈厚平16.3.30，一部修正〉

Q7　2日間以下の実施となった場合の取扱い

3日間以上の点滴注射指示を行ったが，結果として2日間以下の実施となった場合の取扱いはどうなりますか。

A：患者の状態の変化等により，2日間以下の実施となった場合は，在宅患者訪問点滴注射管理指導料は算定できませんが，使用した薬剤料については算定できます。その場合は診療報酬明細書にその旨記載します。　〈厚平16.3.30，一部修正〉

在宅Q&A
診療
往診
訪問診
在総管
在がん
搬送診
訪看護
訪点滴
訪リハ
訪指示
介喀痰
訪薬剤
訪栄養
在連携
緊カン
患共診
訪褥管
外在共
在緊連

Q8　週2日以下の点滴注射を指示する場合

週2日以下の在宅患者訪問点滴注射を指示する場合，点滴の薬剤料は算定できますか。

障害者グループホーム（配置医師なし）の入居者に対し，「訪問看護＋点滴」を施行しています。症状が安定した以降も，医師からは週に1～2回の点滴指示を受けていますが，通常の訪問看護指示料＋週1～2回の点滴の薬剤料を医療保険で請求することはできるのですか。

A：「週2回以下の指示」の場合は，C005-2在宅患者訪問点滴注射管理指導料は算定できません。

ただし，障害者グループホームの入居者ですので，訪問診療日以外の医師の指示による点滴については，薬剤料（在宅医療の部で定められている薬剤に限る）が算定できます。

なお，その他に訪問看護指示書を交付した場合はC007訪問看護指示料を，自院の看護師等が訪問看護を行った場合は訪問看護の費用が算定できます。　〈オ〉

Q9　医師が1日，看護師等が2日実施

在宅患者訪問点滴注射管理指導料は，看護師等が3日間以上点滴注射を実施した場合に算定となっていますが，たとえば，3日間の点滴注射を行う場合に，医師が1日行い，2日間を看護師等が実施した場合には算定できるのでしょうか。

A：在宅患者訪問点滴注射管理指導料は，看護師等に3日間以上の点滴注射指示を出し，看護師等がその指示を実施した場合に算定できるので，質問の場合は算定できません。ただし，薬剤料は算定できます。　〈厚平16.3.30，一部修正〉

〔編注：この場合，医師が行った分は訪問点滴注射管理指導料ではなく注射の部で薬剤料と手技料を算定し，看護師等が行った分は注射の部の薬剤料のみを算定することになります〕

Q10　5日間に延長することは可能か

点滴注射を3日間する予定で指示を出しましたが，状態をみて5日間に延長することは可能でしょうか。

A：変更を行う場合には，主治医の診療のうえ，在宅患者訪問点滴注射指示の変更を行うことが必要です。　〈厚平16.3.30，一部修正〉

Q11　同じ週のうちに3日間の追加の指示

週のはじめに3日間の点滴で在宅患者訪問点滴注射管理指導料を算定し，同じ週〔編注：暦週〕のうちに3日間の追加の指示を行い点滴を実施した場合，在宅患者訪問点滴注射管理指導料および薬剤料は算定できますか。

A：すでに在宅患者訪問点滴注射管理指導料を算定した暦週においては指示の変更または追加があっても在宅患者訪問点滴注射管理指導料は別に算定することはできませんが，この場合でも薬剤料は算定できます。　〈厚平16.3.30，一部修正〉

Q12　医療機関と訪問看護ステーションで合わせて3日点滴した場合

当該医療機関の看護師等と訪問看護ステーションを合わせて3日でも算定できますか。

A：算定できます。

しかし，医師に同行して点滴を行った場合はカウントできません。

医師の診察と指示

Q13　医師の診察

1回の点滴注射指示に基づく点滴注射が終了した後に継続して同じ内容の点滴注射指示を出す場合でも，主治医はあらためて診療する必要がありますか。

A：そのとおりです。　〈厚平16.7.7〉

Q14　複数回算定に必要な医師の診察回数

C005-2在宅患者訪問点滴注射管理指導料について，事務連絡（平16.7.7）に，「1回の点滴注射指示に基づく点滴注射が終了した後に，継続して同じ内容の点滴注射指示を出す場合でも，主治医はあらためて診察する必要があるのか」との問に，「そのとおり」と回答があります（上記「Q13」）。

これは，C005-2在宅患者訪問点滴注射管理指導料を月4回，毎週算定していたならば，各算定日に医師の診察（再診料，在宅患者訪問診察料）が必要ということでしょうか。

A：必要です。点滴の必要性を診断したうえで，1週間を限度に訪問点滴の指示をします。

なお，C005-2の点滴の管理料は，医師の指示が

あって，看護師による点滴が３日間行われたことを確認したうえで算定します。〈オ〉

Q15　１枚の指示書で訪問看護と点滴を指示

１枚の指示書（様式16）で訪問看護ステーションに対する訪問看護の指示と点滴注射の指示を行う場合，訪問看護指示料と在宅患者訪問点滴注射管理指導料の点数はそれぞれ算定できますか。

A：算定できます。ただし，在宅患者訪問点滴注射管理指導料は看護師等による点滴注射を週３日以上行い，３日目の点滴注射が終了した時点で算定します。〈保〉

〔編注：それぞれの指示の期間が異なることにも留意が必要です〕

Q16　精神科訪問看護における頻回訪問の患者に対する訪問点滴

精神科訪問看護における頻回訪問の特別指示を交付した患者に対する訪問点滴についても，在宅患者訪問点滴管理指導料が算定できますか。

A：算定できます。訂正通知（平成24年３月30日）により，訪問点滴の指示書に「精神科特別訪問看護指示書・在宅患者訪問点滴指示書」（様式17の２）が追加されました。〈保〉

Q17　指示書の有効期間

訪問看護指示書は最長６カ月間有効ですが，在宅患者訪問点滴注射指示書は７日間ごとに交付する必要があるのでしょうか。

A：そのとおりです。〈厚平16.3.30，一部修正〉

Q18　医師の点滴注射指示の有効期限

医師の診療に基づく点滴注射の指示の有効期間に制限はありますか。

A：在宅患者訪問点滴注射指示書の有効期限は７日以内に限ることとされています。〈保〉

Q19　中心静脈注射は指導管理の対象か

当該指導管理料の対象に中心静脈注射は含まれますか。

A：含まれません。〈厚平16.3.30，一部修正〉

「週」の考え方

Q20　「１週」の考え方

在宅患者訪問点滴注射管理指導料の算定における（１週につき）は暦週で考えるとのことですが，「１週間のうち３日以上点滴注射を実施した場合」の１週についても，１つの暦週のうちに３日以上行わないと算定できないということでしょうか。

A：算定の１週の考え方は，暦週ですが，「１週間のうち３日間以上実施」の１週および指示の有効期間の１週は指示日より７日間です。

〈厚平16.3.30，一部修正〉

Q21　週が月をまたぐ場合

週が月をまたぐ場合の算定は，どのように算定するのですか。

A：点滴を行った３日目の属する月に算定します。薬剤料は点滴を行った当日に算定します。

Q22　診療実日数を超える算定

前月末の医師の診療に基づき，当月の月初めに訪問看護により点滴を実施した場合，実日数０日で在宅患者訪問点滴注射管理指導料の点数と薬剤料のみ（３日の計画で２日以下の実施の場合は薬剤料のみ）の請求があり得ますが，その際には「前月末に在宅点滴の指示」等の記載が必要ですか。

A：記載は必要です。

薬剤，材料

Q23　対象となる点滴注射の薬剤

在宅患者訪問点滴注射管理指導料に係る薬剤は，在宅の部に規定されている薬剤のみが対象でしょうか。

A：在宅の部に規定されている薬剤は，在宅自己注射等の在宅療養指導管理に係る薬剤など，患者に投与できるものを規定したものですが，在宅患者訪問点滴注射管理指導料に係る薬剤は，医師が必要と認め，訪問する看護師等に渡し在宅で点滴されるものであれば，特に制限はありません。

〈厚平16.3.30，一部修正〉

Q24　院外処方でも在宅患者訪問点滴注射管理指導料は算定できるか

C005-2在宅患者訪問点滴注射管理指導料は，医師が看護師に週３日以上の訪問点滴の指示をして看護師が３回目に点滴を実施した場合に算定できますが，院外処方された注射薬（電解質等）を使用して訪問点滴を実施した場合は，レセプトに訪問点滴を実施した日付を書き，注射薬は院外処方とコメントすれば，院内処方でなくても在宅患者訪問点滴注射管理指導料は算定できますか。

A：C005-2在宅患者訪問点滴注射管理指導料は，「週３日以上の点滴注射を行う必要を認めたものについて，点滴注射に関する管理指導を行った場合」に対象となります。

よって，診療報酬点数表上は院内処方，院外処方のいずれであっても対象となりますが，院外処方で注射薬を処方する場合は，対象薬剤が，C200

に規定する「厚生労働大臣の定める薬剤」に限られます。したがって通常，訪問点滴指導管理に基づく点滴は，在宅医療の部のＣ200に規定する薬剤以外の注射薬も点滴に使うため，院内処方であることが一般的です。〈オ〉

Q25　「厚生労働大臣の定める注射薬」に限られる場合

Ｃ005-2在宅患者訪問点滴注射管理指導料に基づく点滴の注射薬は，厚生労働大臣の定める薬剤に限らず算定できますが，同指導料を算定していない場合，例えば施設の看護師が医師の指示により筋注，静注，点滴する場合は，⑭で薬剤料のみ算定することになっています。その場合に算定できる薬剤料は，在宅医療で厚労大臣の定める注射薬に限られるのですか。

A：訪問看護による「週３回以上の点滴注射」の指示により，Ｃ005-2在宅患者訪問点滴注射管理指導料を算定し，医療機関が薬剤を支給する場合は，注射薬の種類を問わず，薬剤料を明細書の「注射」欄で算定できます。

ただし，「週３回以上の点滴注射」に用いる注射薬を院外処方で支給する場合の注射薬の種類は，調剤報酬点数表により薬局が保険請求できる注射薬である「厚生労働大臣の定める注射薬」（在宅医療の部のＣ200に規定する注射薬と同一）に限られます。

また，上記管理指導料に該当しない場合で，訪問看護師等に医療機関が注射薬を支給する場合，また院外処方で支給する場合は，保医発通知「初・再診料に関する通則」⑸により，在宅医療の部のＣ200に規定する「厚生労働大臣の定める注射薬」に限られます（『早見表』p.437）。〈オ〉

Q26　使用する薬剤，回路等

訪問看護ステーションの看護師等に指示を出した場合，使用する薬剤，回路等については，医療機関から訪問看護ステーションの看護師等が受け取り，患家を訪問することになるのでしょうか。

A：そのとおりです。使用する薬剤については指示を出した医療機関において算定します。回路等の費用は在宅患者訪問点滴注射管理指導料の所定点数に含まれます。〈厚平16.3.30，一部修正〉

Q27　回路等とは

必要な回路等の費用は含まれるとありますが，回路等とは何を指すのですか。

A：点滴ライン，翼状針などを指します。

Q28　あらかじめ一定量の薬剤を渡すことは可能か

患者および指定訪問看護ステーションにあらかじめ一定量の薬剤を渡しておくことは認められますか。また薬剤料は実際に点滴した量を請求するのですか。

A：医師が指示を行った分の薬剤を渡しておくことは認められます。点滴薬剤は実施した量の請求となります。

Q29　管理指導料に含まれる注射手技料

在宅患者訪問点滴注射管理指導料を算定した場合，所定点数に含まれる点滴注射の手技料は

①　指導料算定日の手技料のみ

②　指導料を算定した患者に対し実施された手技料すべて

のどちらでしょうか。

A：在宅患者訪問点滴注射管理指導のために投与した点滴注射薬については薬剤料のみ算定し，注射手技料は算定できません。訪問看護時に看護師等が処方注射薬の点滴注射を行った場合，その注射手技料は算定できないということです。〈オ〉

Q30　注射の手技料と薬剤料

①注射手技料は別に加算できますか。②薬剤料の請求は，「在宅」欄でするのでしょうか，それとも「注射」欄でするのでしょうか。③薬剤の制限はないのですか。

A：①算定できません。②「注射」欄で請求します。③医師の判断によるものであり，特に制限はありません。〈厚平16.7.7，一部修正〉

Q31　レセプト記載

在宅患者訪問点滴注射管理指導料に係る注射薬剤は⑭（在宅），㉝（その他の注射）のどちらで算定するのですか。また，訪問看護ステーションの看護師が行った場合はどうなりますか。

A：医療機関のレセプト㉝で注射薬剤として請求します。その際［訪点］と表示します。訪問看護ステーションの看護師が行う点滴の薬剤も同じ扱いです。また，回路等の費用は在宅患者訪問点滴注射管理指導料の所定点数に含まれます。〈保〉

その他

Q32　併算定の可否⑴

在宅患者訪問点滴注射管理指導料は，在宅時医学総合管理料，施設入居時等医学総合管理料，在宅がん医療総合診療料と併算定できますか。

A：同月に行った場合は，在宅がん医療総合診療料とは併算定できません。在宅時医学総合管理料，施設入居時等医学総合管理料については併算定できます。

Q33　併算定の可否⑵

在宅患者訪問点滴注射管理指導料と在宅自己注射指導管理料，在宅中心静脈栄養法指導管理料，あるいは在宅悪性腫瘍等患者指導管理料との併算定は可能でしょうか。

A：在宅自己注射指導管理料については併算定が可能ですが，C104在宅中心静脈栄養法指導管理料とC108在宅悪性腫瘍等患者指導管理料は併算定できません。

Q34　在宅患者訪問診療料との併算定

在宅中心静脈栄養法指導管理料を算定している患者に「C001，C001-2在宅患者訪問診療料（Ⅰ）（Ⅱ）を算定する日に行った点滴注射の費用は算定しない」となっていますが，在宅中心静脈栄養法指導管理料を算定していない患者にC001，C001-2在宅患者訪問診療料（Ⅰ）（Ⅱ）を算定した日（週）でも在宅患者訪問点滴注射管理指導料は算定できますか。

A：算定できます。

Q35　訪問看護・指導料の在宅移行管理加算

在宅患者訪問点滴注射管理指導料を算定した場合に，在宅患者訪問看護・指導料の在宅移行管理加算が算定できるのですか。

A：算定できます。

Q36　訪問看護療養費と重症者管理加算

訪問看護ステーションの看護師が医師の指示により点滴注射を週3回実施した場合，訪問看護ステーションは，週3日の訪問看護療養費を請求できるのですか。

A：訪問看護療養費を週3回請求できます。そのほか，月4回以上訪問看護を実施した場合は重症者管理加算を算定できます。

Q37　要介護・要支援者の算定

居住系施設に入居している要介護・要支援の患者でも算定できますか。

A：特定施設以外のサービス付高齢者向け住宅・有料老人ホーム，養護老人ホーム（A型・定員110人以下），ケアハウスでは算定できます。養護老人ホーム（定員111人以上）では算定できません。また，特別養護老人ホーム，老人短期入所施設では末期悪性腫瘍の患者のみ，その他の施設では末期の悪性腫瘍，急性増悪の患者のみに算定できます。

Q38　有料老人ホームの入居者への算定

介護付き有料老人ホームや認知症高齢者グループホームに入居している要介護者等に対して，在宅患者訪問点滴注射管理指導料は算定できますか。

A：特定施設の介護付き有料老人ホーム等の施設入居者に対しては，末期の悪性腫瘍や急性増悪等で医療保険による訪問看護を行った場合のみ，在宅患者訪問点滴注射管理指導料の算定が可能です。

Q39　特養ホーム入居者への算定

特別養護老人ホームの入所者に対して，在宅患者訪問点滴注射管理指導料は算定できますか。

A：基本的に，算定できません。ただし，末期の悪性腫瘍の患者に対し，週3日以上の訪問点滴を行った場合は，算定可能です。

Q40　介護保険利用者で週1～2回の点滴

週1～2回の訪問点滴注射をしている介護保険利用者がいます。主治医から週1回に減らしても大丈夫だろうと言われており，この場合でも在宅患者訪問点滴注射指示書を出してもらう必要がありますか。

A：この場合は，訪問点滴管理指導料の対象となりませんが，指示書を出してもらう必要はあります。

Q41　入所者にホームの看護師が点滴注射

有料老人ホーム入所者に対し，末期がんの患者に毎日点滴注射が必要なため，主治医が往診の際に有料老人ホームの看護師に指示して注射薬剤を渡し，看護師が毎日点滴注射を行っていました。このような場合，C005-2在宅患者訪問点滴注射管理指導料と注射薬剤の算定は可能でしょうか。

A：在宅患者訪問点滴注射管理指導料は，医療機関または指定訪問看護事業所（訪問看護ステーション）の看護師が主治医の指示に基づき訪問看護を行い，算定要件を満たした場合に算定できるものです。したがって，有料老人ホームの看護師が点滴を行った場合は，原則として，C005-2は算定できません。

なお，特別養護老人ホームの看護師が医師の指示により投与が可能な厚生労働大臣の定める注射薬（『早見表』p.412）の点滴を行った場合，薬剤料の算定は可能ですが，有料老人ホームはここに含まれません。

ただし，一部の地域の厚生局では，有料老人ホームでは算定不可とはされていないと説明しているところもありますので，必要に応じ確認してみてください。〈オ〉

Q42　感染症対策の加算の併算定の可否

在宅医療の部の通則に新設された外来感染対策向上加算，連携強化加算及びサーベイランス強化加算は，在宅患者訪問点滴注射指導管理料を算定した場合においても算定できますか。

A：算定できます。ただし，同月に初・再診料や他の点数にて外来感染対策向上加算等を算定した場合は算定できません。

C006　在宅患者訪問リハビリテーション指導管理料

C006　在宅患者訪問リハビリテーション指導管理料（1単位）

1	同一建物居住者以外の場合	**300点**
2	同一建物居住者の場合	**255点**

注1　1については同一建物居住者を除く在宅療養患者，2については同一建物居住者に対して，診療に基づく計画的な医学管理を継続して行い，かつ，理学療法士，作業療法士又は言語聴覚士を訪問させ，基本的動作能力若しくは応用的動作能力又は社会的適応能力の回復を図るための訓練等の指導を20分以上（1単位）行わせた場合に，患者1人につき1と2を合わせて**週6単位**に限り算定する。ただし，退院の日から起算して3月以内の患者については，**週12単位**まで算定する。

注2　保険医療機関が，診療に基づき，患者の急性増悪等により一時的に頻回の訪問リハビリテーション指導管理を行う必要性を認め，計画的な医学管理の下に，在宅で療養を行っている患者であって通院が困難なものに対して訪問リハビリテーション指導管理を行った場合は，注1の規定にかかわらず，1と2を合わせて，**6月に1回**に限り，当該診療の日から14日以内に行った訪問リハビリテーション指導管理については，**14日を限度**として**1日4単位**に限り，算定する。

注3　当該指導管理に要した交通費は患家の負担（実費）とする。

Q1　指導時間

指導時間はどの程度必要でしょうか。

A：患者又は患者の看護に当たる者に対して1単位20分以上指導または訓練を行った場合に算定します。週6単位（退院3カ月以内は週12単位）が算定の限度です。

Q2　指導の内容

当該指導管理料が算定できる指導内容はどのようなものですか。

A：患者の運動機能および日常生活動作能力の維持向上を目的として行う体位変換，起座または離床訓練，起立訓練，食事訓練，排泄訓練，生活適応訓練，基本的対人関係訓練，言語機能又は聴覚機能等に関する指導です。

Q3　同一患家の複数患者に訪問リハを行った場合

同一の建物内において，「同一患家」の複数の患者に対し訪問リハビリを行った場合は，「同一建物居住者」となるのですか。

A：その通りです。訪問リハビリの場合は「同一患家」にはならず，「同一建物居住者」となります。ただし，1人目の患者には同一建物以外の点数が算定できます。　〈保・一部追記〉

Q4　「退院日から3月以内」の数え方

「退院日から3月以内は週12単位まで算定できる」の3月とは，どのように数えるのですか。

A：退院の日から起算して暦月で3月ということ。例えば，4月5日が退院日の場合，7月4日までの間は週12単位まで算定できます。　〈保〉

Q5　医師の診療から訪問リハまでの期間(1)

在宅患者訪問リハビリテーション指導管理料は医師の診療からいつまでの間に行えば，算定できますか。

A：保険医療機関の医師の診療の日から1月以内に行われた場合に算定できます。

Q6　医師の診療から訪問リハまでの期間(2)

介護保険の訪問リハは，2012年介護報酬改定により，リハビリの指示を行う医師の診療の日から3月以内に実施した訪問リハ，または別の保険医療機関の医師から情報提供を受けて実施した場合テーションは，週3日の訪問看護療養費を請求できるのですか。

A：医療保険の訪問リハは，指示を行う医師の診療の日から1月以内に実施した訪問リハ，または別の保険医療機関の医師から情報提供を受けて実施した場合は，その情報提供の基礎となる診療の日から1月以内に実施した訪問リハ（訪問看護ステーションは訪問看護療養費）を算定します。　〈保，一部追記〉

Q7　急性増悪時の取扱い

急性増悪時も原則として週6単位（退院後3月以内は週12単位）算定できる取扱いですか。

A：急性増悪等により1月にバーゼル指数または

FIMが５点以上悪化し，頻回の訪問リハが必要と認められた患者は，６月に１回に限り，その診療の日から14日以内の期間において，１日４単位を限度に算定できます。

この場合，要介護者・要支援者であっても医療保険の訪問リハの対象となります。〈保〉

Q8　外来受診患者に対する訪問リハビリ

在宅患者訪問リハビリテーション指導管理料の算定要件に「通院が困難なものに対して算定（訪問診療を実施する保険医療機関において医師の診察のあった日より１月以内）」とありますが，訪問診療を受けずに家族が苦労して本人を外来に連れてきている患者に対して，外来診療（再診料のみを算定）を行いながら，訪問リハビリが必要と判断した場合には，理学療法士を訪問させてC006を算定できますか。

A：C006在宅患者訪問リハビリテーション指導管理料は，在宅で療養を行っている患者であって通院が困難なものに対して，医師の診療に基づき，理学療法士等を訪問させ，リハビリテーションの観点から療養上必要な指導を行った場合に算定対象となります。

よって，通院が困難な患者で，患家訪問によるリハビリに関する指導の必要性が認められる場合は，たまたま再診が通院によるものであっても，算定対象になると思われます。レセプトにその旨を詳記されてはいかがでしょうか。〈オ〉

Q9　日数制限と対象疾患

在宅患者訪問リハビリテーションにも算定日数の制限や対象疾患の定めがありますか。

A：算定日数制限，対象疾患の定めはありません。〈保〉

Q10　訪問看護STに対する訪問リハの指示

当院は，訪問看護は行っておらず，他の訪問看護ステーションに対して訪問看護指示書を交付してC007訪問看護指示料を算定しています。その過程で訪問リハビリテーションに対する指示書を依頼されます。指示のための診療情報提供という内容なのですが，それでもC007訪問看護指示料のみの算定でしょうか。

A：訪問看護ステーションに対して訪問看護の指示を行った場合は，訪問看護指示料の対象となり，訪問看護ステーションの理学療法士，作業療法士，言語聴覚士に訪問リハビリテーションの指示を行った場合も，訪問看護指示（料）としての扱いとなります。

なお，他の医療機関に対し訪問リハビリテーションを指示したものであれば，診療情報提供料の対象となります。〈オ〉

リハビリを行う医療者

Q11　医師によるリハビリ

在宅での医師によるリハビリテーションは，在宅患者訪問リハビリテーション指導管理料などなんらかの点数が算定できますか。

A：医師が患家を訪問し，自ら行ったリハビリテーションは，C001在宅患者訪問診療料に含まれるので算定できません。

Q12　疾患別リハのスタッフによるリハビリ

疾患別リハビリテーションの従事者が，在宅患者訪問リハビリテーションを実施することはできますか。実施できる場合，在宅患者訪問リハビリテーション指導管理料の実施単位数は，従事者１人当たりの実施単位数の制限にカウントされるのですか。

A：実施できます。ただし，疾患別リハビリテーションの施設基準における専従者については，その実施時間中は在宅患者訪問リハビリテーションに従事することは認められません。なお，在宅患者訪問リハビリテーションでの実施単位数は，疾患別リハビリテーションの従事者１人当たりの実施単位数にはカウントしません。〈保〉

Q13　パート（非常勤）職員によるリハビリ

「当該診療を行った保険医療機関の理学療法士，作業療法士又は言語聴覚士」とありますが，パートの職員でも算定できますか。

A：パートでも職員として雇用されていれば算定できます。

Q14　医療機関の従事者以外によるリハビリ

訪問する理学療法士または作業療法士・言語聴覚士はその実施する医療機関の従事者でなくてもよいのですか。

A：計画的な医学管理の観点から，実施機関の常勤または非常勤従事者でなければなりません。ただし，他の医療機関に訪問リハビリの依頼を含めた診療情報提供を行い，他の医療機関の理学療法士等が訪問リハビリを行うことは可能です。この場合，訪問リハビリの点数は他の医療機関で算定します。また訪問看護ステーションの理学療法士等に指示書を出して依頼することも可能です。

併算定

Q15　外来診療料，再診料の併算定

理学療法士が訪問して在宅患者訪問リハビリテーション指導管理料を５日間算定しました。同時に外来診療料や再診料も５回算定できるのでしょうか。実日数は５日でいいでしょうか。

A：再診料・外来診療料は医師が診察を行った場合に算定できるものです。医師が診察を行わず，看護師，管理栄養士，理学療法士，作業療法士等が指導のみを行った場合は，再診料・外来診療料は算定できません。医師の診療が行われない場合は実日数もカウントされません。〈オ〉

Q16 訪問診療料との併算定

在宅患者訪問診療を行った日に，在宅患者訪問リハビリテーション指導管理料の併算定はできますか。

A：訪問診療または往診を行った日には算定できません。ただし，在宅訪問リハビリテーション指導管理を行った後に，急変等によって往診を行った場合は，往診料を算定できます。

Q17 リハビリテーションの費用

在宅患者訪問リハビリテーション指導管理料を算定したその日に，理学療法士が患家でリハビリテーション（理学療法士等）を実施した場合，その費用は算定できますか。

A：在宅患者訪問リハビリテーション指導管理料は，理学療法士等が患家を訪問し訓練等の指導を行った場合に算定しますが，患家で行った場合は，リハビリテーションの部の点数は別に算定できず，在宅患者訪問リハビリテーション指導管理料の所定点数に含まれます。〈オ〉

Q18 C006在宅患者訪問リハビリテーション指導管理料

他院を退院後，当院で在宅リハビリを施行している1歳児についてです（小児慢性特定疾病医療受給者証「52」・乳幼児医療受給者証「85」）。

入院中は人工呼吸器を使用し，現在，他院の主治医による訪問診療のほか，在宅酸素使用・経管栄養状態にあり，さらに他院の主治医による訪問診療後，毎月リハビリ施行のための情報提供がある状況です。

① 当院では診察がなく，在宅患者訪問リハビリテーション指導管理料のみを算定することは可能でしょうか。

② 月1回の訪問診療が必要となりますが，小児科医の訪問診療が不可能な場合，月1回の外来診療でも可能でしょうか。

A：①訪問診療なしで訪問リハビリのみを行うことはできません。ただし，訪問診療〔在宅患者訪問診療料（Ⅰ）の1または（Ⅱ）のイ〕を行っている医療機関から，訪問診療の日から2週間以内に，診療情報提供書にて訪問リハビリを行っている医療機関に訪問リハビリを依頼して，別の医療機関が訪問リハビリを行うことは可能です。したがって，他院の主治医の訪問診療から2週間以内に診療情報提供が行われた場合であれば，算定可能です。

②医師の診療日から1月以内であれば在宅患者訪問リハビリテーション指導管理料が算定可能です。ただし，訪問リハビリは通院困難な患者が，通院してリハビリを受けられない場合に算定可とされています。自力では通院できない患者が，家族に付き添われて受診し，その際に訪問リハビリの指示をして訪問リハビリを行うことは可能ですが，その場合は訪問診療を行わない理由をレセプトに記載したほうがよいでしょう。〈オ〉

Q19 その他併算定の可否

在宅医療の部の通則に新設された外来感染対策向上加算，連携強化加算及びサーベイランス強化加算は，在宅患者訪問リハビリテーション指導管理料を算定した場合においても算定できますか。

A：算定できます。ただし，同月に初・再診料や他の点数にて外来感染対策向上加算等を算定した場合は算定できません。

要介護者，施設入所者

Q20 介護保険の居宅サービスを算定できない施設入居者に特別指示が行われた場合

訪問リハビリテーション費等，介護保険の居宅サービスを算定できない施設入居者が，急性増悪による頻回の訪問リハビリが必要と認められ特別指示が行われた場合，医療保険の在宅患者訪問リハビリテーション指導管理料を算定できますか。

A：算定できます。ただし，6カ月に1度，急性増悪等の要件を満たした場合に限られます。〈保〉

Q21 要介護・要支援の患者

要介護・要支援の患者に対して医療保険の在宅患者訪問リハビリテーション指導管理料を算定できますか。

A：急性増悪時以外は算定できません。〈保〉

Q22 介護保険の要介護者の場合

医療保険の在宅患者訪問リハビリテーション指導管理料の従事者が言語聴覚士である場合，介護保険の要介護者等に次の①②は算定できますか。

① 言語聴覚士による介護保険の訪問リハビリテーション費

② 言語聴覚士による医療保険の在宅リハビリテーション指導管理料

A：①は，介護保険の訪問リハビリテーション費がケアプランに入れられている場合であれば，言語聴覚士による訪問リハビリテーション費が算定できます。

②は，要介護者等の場合，介護保険の訪問リハ

ビリテーション費が優先するため，在宅患者訪問リハビリテーション指導管理料は算定できません。ただし，6カ月に1度急性増悪で要件を満たす場合は14日間限度で算定できます。〈保〉

Q23　介護老人福祉施設（特別養護老人ホーム）入所者には算定できるか

介護老人福祉施設入所者に当該指導管理料は算定できますか。

A：特別養護老人ホーム等，医師または看護師が配置されている施設に入所している患者については算定の対象になりません。

Q24　特定施設入所者には算定できるか

特定施設に入所中の要介護状態の方が，医療保険でリハビリを受けることはできますか。

A：有料老人ホームやサービス付き高齢者住宅等のうち，介護保険の特定施設の届出をしている施設に入所中とのことですが，特定施設にリハビリテーション室はなく，医師や理学療法士といったリハビリ専門職の配置もありません。そのため，訪問診療や外来受診で医師の診察を受けて，訪問リハビリの指示をしてもらってから訪問リハビリを受けることになります。ただし，要介護または要支援の認定患者には基本的に介護保険のリハビリが行われます。特例扱いとして，6カ月に一度に限り，1月にバーセル指数またはFIMが5点以上悪化し，一時的に頻回のリハビリが必要になった患者に，14日間を限度に医療保険のC006在宅患者訪問リハビリテーション指導管理料が算定できます（「早見表」p.396）。〈オ〉

Q25　特養入所者に特別指示が行われた場合

特別養護老人ホーム入所者について，急性増悪による頻回の訪問リハビリが必要と認められ特別指示が行われた場合，医療保険の在宅患者訪問リハビリテーション指導管理料が算定できますか。

A：算定できません。〈保〉

C007　訪問看護指示料

C007　訪問看護指示料　300点

注1　当該患者に対する診療を担う保険医療機関の保険医が診療に基づき，指定訪問看護事業者からの指定訪問看護の必要を認め，又は，指定地域密着型サービス事業者（定期巡回・随時対応型訪問介護看護又は複合型サービスを行う者に限る）からの指定定期巡回・随時対応型訪問介護看護又は指定複合型サービス（いずれも訪問看護を行うものに限る）の必要を認め，患者の選定する訪問看護ステーション等に対し訪問看護指示書を交付した場合に，患者1人につき**月1回**に限り算定する。

注2　特別訪問看護指示加算　急性増悪等により一時的に頻回の指定訪問看護を行う必要を認めてその旨を記載した訪問看護指示書を交付した場合，患者1人につき**月1回**，別に厚生労働大臣が定める者については月2回に限り，所定点数に**100点**を加算する。

注3　手順書加算　診療に基づき，特定行為に係る管理の必要を認め，患者の同意を得て，訪問看護ステーション等の看護師（指定研修機関において行われる研修を修了した者に限る）に対して，手順書を交付した場合，**6月に1回**に限り**150点**を所定点数に加算する。

注4　衛生材料等提供加算　注1の場合において，必要な衛生材料及び保険医療材料を提供した場合に，衛生材料等提供加算として，患者1人につき月1回に限り，**80点**を所定点数に加算する。

注5　訪問看護指示料を算定した場合には，I012-2精神科訪問看護指示料は算定しない。

※　介護保険の訪問看護に対する指示であっても訪問看護指示料は医療保険で算定する

Q1　指示書を交付する事業所

訪問看護ステーション以外に訪問看護指示書を交付できる事業所はありますか。

A：訪問看護ステーションに加え，介護保険の「定期巡回・随時対応型訪問介護看護」および「複合型サービス」の事業所について，主治医の診察に基づき訪問看護の指示を行うことができます。〈保〉

Q2　定期巡回等の指示

定期巡回・随時対応型訪問介護・看護及び複合型サービスへの指示も別紙様式16の指示書で指示をするのですか。

A：別紙様式16で指示します。

Q3　特別訪問看護指示の対象

特別訪問看護指示（14日間限度）が行える対象

を教えて下さい。

A：以下のとおりです。

①「急性増悪」「終末期」「退院直後」等の患者。

②気管カニューレを使用している状態または，真皮を超える褥瘡の状態（NPUAP分類のⅢ度，Ⅳ度あるいはDESIGN-R分類のD3，D4，D5――のいずれかに該当）にある者に対しては，月２回特別訪問看護指示書が交付でき，特別訪問看護指示加算も２回算定できる。

Q4　訪問看護指示料の算定

訪問看護指示料はいつ算定するのですか。

A：訪問看護ステーションからの訪問看護を必要とする患者が在宅で療養を行っている場合は，訪問看護指示書を交付したときに月１回を限度として算定します。なお，退院時（介護療養型医療施設，介護老人保健施設からの退院を除く）にも１回算定できます。

Q5　外泊時の訪問看護指示書

外泊期間中に入院患者が訪問看護ステーションから訪問看護を受ける場合，入院医療機関の主治医が訪問看護ステーションに対して訪問看護指示書を交付することになりますが，入院中の患者に対して訪問看護指示料は算定できるのですか。

A：退院時に１回算定可能です。なお，退院後の在宅医療における訪問看護の指示を外泊後（入院中）に改めて出したとしても，入院中の患者については外泊時に出した指示も含め，算定可能なのは退院時の１回のみとなります。　〈厚平24.7.3〉

Q6　要介護認定を受けた患者が外泊する際の訪問看護指示

平成24年３月30日付「疑義解釈資料」の訪問看護療養費関係の問３で，「すでに要介護認定を受けている患者が医療機関に入院していた場合，退院前の外泊時に医療保険による訪問看護を受けられる」と示されましたが，この場合，入院患者が外泊する際には，訪問看護ステーションなどに対して訪問看護指示書を発行することになります。訪問看護指示書の算定要件に「退院時に１回算定できるほか，在宅での療養を行っている患者については１月に１回を限度として算定できる」とありますが，入院中に訪問看護指示書を出した上で患者を外泊させることは「在宅療養を行っている場合」に該当するものとして入院中の算定ができるのでしょうか。

A：外泊時の訪問看護に対する当該患者の入院医療機関の主治医の指示は必須ですが，その費用は留意事項通知「訪問看護指示料は，退院時に１回算定できる」の記載の通り，入院中の患者については入院中の指示も含めて，退院時に１回のみ算定できます。　〈厚平24.8.9〉

Q7　退院日前に訪問看護指示書を交付した場合

「退院時に１回算定できる」とありますが，訪問看護指示書を患者の退院日に交付する場合だけでなく，例えば，退院日に主治医が不在である等の理由により退院日前に訪問看護指示書を交付する場合においても，退院日に算定可能でしょうか。

A：算定可。　〈厚令4.3.31〉

Q8　C007訪問看護指示料の算定

前職のクリニックでは，有効期間６カ月の訪問看護指示書を医師が発行し，毎月の受診時に訪問看護指示料300点を算定していました。

現在勤めている病院（100床未満）の外来でも同じように算定していましたが，算定できるのは「発行月のみ」と指摘されました。どちらが正しいのですか。

A：C007訪問看護指示料は，「訪問看護指示書を交付した場合に，患者１人につき月１回に限り算定」できます。よって，指示書を交付しない月は算定できません。　〈オ〉

Q9　併設の訪問看護ステーションへの指示

医療機関併設の訪問看護ステーションに対して，当該医療機関の入院外患者について訪問看護の指示を出した場合，訪問看護指示料は算定できるでしょうか。

A：患者の同意のもとに患者の選定した訪問看護ステーションに対して交付するものであれば，算定できます。

ただし，その医療機関と特別の関係にある他の医療機関で在宅患者訪問看護・指導料を算定している月には，その患者に対して訪問看護指示料を算定することはできません。

Q10　特別の関係の訪問看護STへの指示

当院と特別な関係にある訪問看護ステーションに指示書を出しています。当院では，訪問診療のみ算定しています。これまで，指示料を算定してきましたが，減点されてきました。

特別の関係にある医療機関間の算定制限にはC007訪問看護指示料も含まれるのでしょうか。

A：特別の関係にある訪問看護ステーションとの併算定不可規定では，「訪問診療料を算定した日は訪問看護療養費を併せて算定できない」とありますが，訪問看護指示料を併算定できないという規定はないため，指示料の算定は可能です。ただし，「患者１人につき月１回に限る」という規定があります。　〈オ〉

Q11　訪問看護指示料か診療情報提供料か(1)

当院で定期的に訪問診療を行っている寝たきりの患者に対して，訪問看護ステーションからの訪問看護を依頼（指示）する場合，訪問看護指示（料）と診療情報提供（料）のどちらで算定すればいいのですか。

A：訪問看護ステーションへは訪問看護指示書を交付して訪問看護指示料を算定します。

なお，他の医療機関に訪問看護を依頼して情報を提供した場合は，診療情報提供料（Ⅰ）を算定します。

Q12　訪問看護指示料か診療情報提供料か(2)

当病院で在宅自己注射を実施している患者が，別の病院の訪問看護ステーションで訪問看護を受けています。その訪問看護ステーションから当病院に，在宅自己注射の状況を知らせてほしいとの連絡があり，文書で知らせました。訪問看護指示料，診療情報提供料のどちらで算定するのでしょうか。

A：患者からの申し出ではありませんのでどちらの算定要件にも該当せず，何も算定できません。

なお，必要があれば，次に訪問看護指示書を交付する場合に，自己注射指導管理料について追加して記載することはできます。

Q13　月末に診療し，翌月１日に指示書を作成した場合

通知に訪問看護指示書は，「診療に基づき速やかに…作成…交付する」とありますが，31日に診察，翌月１日に指示書を作成した場合の算定方法はどうなりますか。

A：訪問看護指示書を交付した日に算定することになります。その月に訪問看護指示書の交付のみで診療行為がなければ，診療実日数は「０日」で訪問看護指示料のみを算定します。一部負担金は徴収します。その旨明細書に記載してください。

Q14　同一月の再算定

医療保険の訪問看護の対象となる患者について，主治医が訪問看護ステーションに訪問看護指示書を交付し，当該月にその患者が介護保険の複合型サービス事業所を利用する場合，主治医は再度当該月に訪問看護指示料を算定できますか。

A：訪問看護指示料は患者１人につき月１回に限り算定するものであり，当該月の訪問看護指示料は１回しか算定できません。　〈厚平24.3.30〉

Q15　訪問看護指示書の有効期間

訪問看護指示書は毎月交付しなければならないでしょうか。

A：患者の症状が安定していれば，６カ月有効な指示書を交付することができます。

Q16　電子署名のない指示書や計画書

電子署名が行われていないメールやSNSを利用した，訪問看護指示書の交付や訪問看護計画書等の提出は認められないのでしょうか。

A：そのとおりです。　〈厚平28.3.31〉

Q17　指示内容を変更する際の指示書の発行

複数月の有効期間の指示書を発行した後，有効期間内に患者の病態の変化に伴い指示内容の変更の必要が生じた場合，改めて指示書を発行することは可能ですか。

A：有効期間内であっても必要があれば改めて指示書を発行できます。また，月が変わっていれば指示料は改めて算定できます。　〈保〉

Q18　特別指示書のみを交付

４月に３カ月間有効な指示書を交付しました。５月になって肺炎で急性増悪のため10日間の特別指示書を出しました。肺炎が治癒した後は４月の指示内容で訪問看護をしてもらえばよいと判断し，５月は特別指示書のみを交付しましたが，５月は何点算定できますか。

A：加算点数のみを算定することはできません。本事例では，肺炎が落ちついたあとの訪問看護の内容を検討しているので，訪問看護指示料300点＋特別訪問看護指示加算100点を算定します。　〈保〉

Q19　複数医療機関における訪問看護指示料の算定

C 007訪問看護指示料は患者１人につき月１回に限り算定ですが，２つの医療機関でそれぞれ訪問看護指示料を算定することはできますか。

A：C 007の通知(3)では，「主として診療を行う保険医療機関が行うことを原則とし…」とされているため，同一期間に複数の医療機関の主治医がそれぞれ別に指示書を交付することは望ましくありません（査定・指導の対象となり得ます）。

ただし，それはあくまで「原則」であり，複数の医療機関から交付した場合にC 007の算定は１回のみとする規定は特に設けられておらず，複数の医療機関について算定不可とする規定はありません。したがって，同一月において主治医が変更されたケースでは，複数の医療機関での算定も可能と解されます。

例えば，①退院時に在宅医療に移行する患者に対して病院の主治医が指示書を交付して指示料を算定し，別の医療機関に同月中に転医。２番目の主治医が必要があって指示書を交付し指示料を算定した，②在宅療養中の患者に指示書を交付後，

同月中に転医。２番目の主治医が必要があって指示書を交付した――等の場合です。〈オ〉

Q20　複数のステーションへの指示書

１人の利用者に対して，介護保険により２カ所以上の訪問看護ステーションからの訪問看護が必要な場合，医師はそれぞれのステーションに指示書を交付しますが，その場合，２回分の訪問看護指示料が算定できますか。

A：２カ所以上の訪問看護ステーションに指示書を書いても，指示料は１人の利用者につき月１回しか算定できません。なお，訪問看護指示料は医療保険に請求します。

Q21　訪問看護指示書の様式の変更

訪問看護指示書の様式に変更はありますか。

A：「留意事項及び指示事項」欄，「２　理学療法士・作業療法士」欄が設けられました。

また，その欄を使用して，訪問看護ステーションの理学療法士等に指示を出す場合，１日あたりの実施時間及び実施頻度等の記載をすることとなりました。

Q22　訪問看護指示書の様式

訪問看護指示料について，訪問看護指示書の様式は，訪問看護ステーションが準備するものですか。

A：訪問看護指示書は，医師の診察に基づき，医師の責任において交付するものであるため，医師の所属する医療機関が準備し，その交付についても医療機関の責任において行うものです。

〈厚平24.3.30〉

Q23　訪問リハビリ指示書を交付

医師が訪問看護指示書を交付した場合はＣ007訪問看護指示料が算定できますが，訪問リハビリの際に医師が記載する「訪問リハビリ指示書（情報提供書）」については診療報酬項目がありません。自費で請求することになるのでしょうか。

A：訪問看護ステーション等（指定訪問看護事業者または指定地域密着型サービス事業者）の理学療法士，作業療法士，言語聴覚士に対し，訪問リハビリの指示を行った場合も，訪問看護ステーション等への指示となり，Ｃ007訪問看護指示料が算定できます（地方厚生局に確認）。〈オ〉

Q24　超重症児又は準超重症児の判断

訪問看護指示を行う場合，利用者が超重症児又は準超重症児であるか否かの判断は，主治医が訪問看護指示書に明記するのですか。

A：その通りです。訪問看護指示書の現在状況の「病状・治療　状態」欄等に分かるよう明記する必要があります。ただし，訪問看護ステーションの看護師等（准看護師は除く）が，「基本診療料の施設基準等及びその届出に関する手続きの取扱いについて」別添６の別紙14にある基準に基づく判定を行い，その結果を訪問看護報告書に記載して主治医に報告及び確認を行うかたちでも差し支えありません。なお，超重症児又は準超重症児である旨は訪問看護療養費を算定する場合であれば訪問看護療養費明細書の備考欄に，在宅患者訪問看護・指導料を算定する場合であれば診療報酬明細書（在宅欄のその他の項）に必ず明記します。

〈厚平24.3.30，一部修正〉

Q25　訪問看護指示料の算定限度

末期の悪性腫瘍等の患者に対し，同月に訪問看護療養費を算定できる訪問看護ステーションが３カ所までですが，それぞれの訪問看護ステーションに指示書を交付した場合，訪問看護指示料はそれぞれ算定できるのですか。

A：算定できません。訪問看護指示料は患者１人につき月１回に限り算定します。〈保〉

Q26　要介護被保険者等に対する特別訪問看護指示書

真皮を超える褥瘡の状態又は，気管カニューレを使用している状態にある要介護被保険者等に対する特別訪問看護指示書は，月２回特別訪問看護指示書が交付できるのですか。

A：そのとおりです。〈厚平24.3.30〉

Q27　介護保険適用の訪問看護を行う場合の訪問看護指示料

介護保険で訪問看護を行うために，訪問看護ステーションに対して訪問看護指示を行った場合は，訪問看護指示料は介護保険で請求するのですか。

A：医療保険で請求します。ただし，介護老人保健施設からの退所時，介護療養型医療施設からの退院時に係る指示料は，介護保険の各施設サービス費の老人訪問看護指示加算により算定します。

Q28　精神科の訪問看護指示

精神科の医師が精神科訪問看護指示書（様式17）で訪問看護ステーションに指示をした場合，算定できる点数は何ですか。

A：Ｉ012-2精神科訪問看護指示料を算定します。

「注３」手順書加算

Q29　手順書加算⑴

手順書とは何でしょうか。

A：手順書は，医師が専門の研修を受けた看護師に特定行為の診療補助を包括的に指示するために作成する文書です。「看護師に診療の補助を行わせる患者の病状の範囲」，「診療の補助の内容」等が記載されています。手順書の作成例は，「(特定行為）（手順書)」と検索し，厚生労働省の「特定行為に係る手順書例集」を参照してください。

Q30　手順書加算(2)

手順書加算の対象となる特定行為はどのようなものですか。

A：対象となる特定行為は以下の行為です。

① 気管カニューレの交換
② 胃ろうカテーテル若しくは腸ろうカテーテル又は胃ろうボタンの交換
③ 膀胱ろうカテーテルの交換
④ 褥瘡又は慢性創傷の治療における血流のない壊死組織の除去
⑤ 創傷に対する陰圧閉鎖療法
⑥ 持続点滴中の高カロリー輸液の投与量の調整
⑦ 脱水症状に対する輸液による補正

Q31　手順書加算(3)

指示期間を２か月とした訪問看護指示書を交付した患者について，交付の翌月に手順書を交付しました。この場合，訪問看護指示料は前月に算定しており当月は算定していないため，当月は手順書加算のみの算定となりますか。

A：加算点数のみの算定は認められません。指示内容の変更も伴うので，指示書に手順書についての指示事項を記載して，訪問看護指示料と手順書加算を算定します。

Q32　手順書加算(4)

手順書加算の算定にあたり，レセプトの「摘要」欄に記載する事項はありますか。

A：前回算定年月日（初回である場合は初回である旨）を記載します。

「注４」衛生材料提供加算

Q33　指示料を算定しない月の衛生材料等の費用

訪問看護指示料又は精神科訪問看護指示料を算定していない月においても，必要かつ十分な量の衛生材料又は保険医療材料を提供した場合は衛生材料等提供加算の算定が可能でしょうか。

A：衛生材料等提供加算は，訪問看護指示料又は精神科訪問看護指示料を算定した月にのみ算定可能です。　〈厚平28.3.31〉

Q34　衛生材料等とは

衛生材料等提供加算はどのようなものを患者に渡した場合に算定できるのですか。

A：ガーゼやテープ，点滴ルートなどが該当します。

Q35　衛生材料等提供加算と在宅療養指導管理料等の併算定

衛生材料等提供加算は在宅療養指導管理料等と併算定できますか。

A：在医総管，施医総管，在医総，在宅患者訪問点滴注射管理指導料，在宅療養指導管理料とは併算定できません。

C007-2　介護職員等喀痰吸引等指示料

C007-2　介護職員等喀痰吸引等指示料　**240点**

注　当該患者に対する診療を担う保険医療機関の保険医が，診療に基づき指定居宅サービス事業者，指定地域密着型サービス事業者，その他別に厚生労働大臣が定める者による喀痰吸引等の必要を認め，患者の同意を得て当該患者の選定する事業者に対して介護職員等喀痰吸引等指示書を交付した場合に，患者１人につき**３月に１回に限り**算定する。

Q1　算定要件と明細書への記載

「介護職員等喀痰吸引等指示料」は，どのような場合に算定できますか。

A：医師の指示の下に行われる喀痰吸引および経管栄養等の必要を認め，主治医が介護保険サービス事業所等に対して「介護職員等喀痰吸引等指示書」を交付した場合に算定できます。レセプトの「摘要」欄に前回の指示書を交付した日（初回の場合は初回である旨）を記載します。　〈保〉

Q2　介護職員等喀痰吸引等指示書(1)

「介護職員等喀痰吸引等指示書」について，所定の様式はありますか。

A：別紙様式34（『早見表』p.400）を参考に作成したものを交付します。　〈保〉

Q3　介護職員等喀痰吸引等指示書(2)

当該指示書は，月１回算定できるのですか。

A：算定できません。患者の状態に応じて見直す

必要はありますが，当該指示料を算定できるのは3月に1回とされています。〈保〉

Q4 指示書の有効期限

介護職員等喀痰吸引等指示書に有効期限はありますか。

A：点数算定方法とは異なり，6カ月以内とされています。

Q5 喀痰吸引等を行う介護職員等の制限

喀痰吸引や経管栄養の指示を行うことができる介護職員等に制限はありますか。

A：登録特定事業所の「認定特定行為業務従事者認定証」を所持する介護職員等が実施できます。介護福祉士の養成課程に研修内容が組みこまれ，介護福祉士も行えるようになりました。〈保〉

Q6 施設・事業所の制限

喀痰吸引や経管栄養の指示を行うことができる施設や事業所に制限はありますか。

A：当分の間，都道府県に登録した「登録特定行為事業者」に対して喀痰吸引等の指示ができるとされており，次の事業所等に交付した場合に算定できます。2018年には共生型サービス事業所も追加されています。

(1) 介護保険法に基づき次のサービスを提供する事業所・施設

ア　訪問介護（介護予防含む）
イ　訪問入浴介護（介護予防含む）
ウ　通所介護（介護予防含む）
エ　特定施設入居者生活介護（介護予防含む）
　次の施設等で指定を受けたものに限る
　①　介護付き有料老人ホーム
　②　軽費老人ホーム（ケアハウス）
　③　養護老人ホーム
　④　サービス付き高齢者向け住宅
オ　定期巡回・随時対応型訪問介護看護
カ　夜間対応型訪問介護
キ　認知症対応型通所介護（介護予防含む）
ク　小規模多機能型居宅介護（介護予防含む）
ケ　複合型サービス
コ　認知症対応型共同生活介護（介護予防含む）
サ　地域密着型特定施設入居者生活介護
　次の施設等で指定を受けたものに限る
　①　介護付き有料老人ホーム
　②　軽費老人ホーム（ケアハウス）
　③　サービス付き高齢者向け住宅
シ　介護予防・日常生活総合事業であって市町村が定めた介護予防サービス・地域密着型介護予防サービス

(2) 障害者総合支援法に基づき次のサービス提供する事業所・施設

ア　指定居宅介護（ホームヘルプ）
イ　重度訪問介護に係る障害者福祉サービス
ウ　同行援護又は行動援護に係る障害者福祉サービス
エ　生活介護
オ　短期入所（ショートステイ）（医療機関が行うものは除く）
カ　重度障害者等包括支援
キ　共同生活介護（ケアホーム）
ク　自立訓練（機能訓練）
ケ　自立訓練（生活訓練）
コ　就労移行支援
サ　就労継続支援A型（雇用型）
シ　就労継続支援B型
ス　共同生活援助（グループホーム）
セ　外部サービス利用型指定共同生活援助事業者

(3) 児童福祉法に基づき次のサービスを提供する事業所・施設

ア　児童発達支援（児童発達支援センター又は重症心身障害児を通わせるものを除く）

(4) 障害者総合支援法（第77及び第78条に基づく）市町村及び都道府県が実施する地域生活支援事業を提供する事業所・施設

ア　地域活動支援センターⅡ型，Ⅲ型

(5) 学校教育法に規定する「学校」

ア　特別支援学校等

(6) 共生型サービス事業所

ア　共生型居宅介護事業者
イ　共生型重度訪問介護事業者
ウ　共生型生活介護事業者
エ　共生型短期入所事業者
オ　共生型自立訓練（機能訓練）事業者
カ　共生型自立訓練（生活訓練）事業者
キ　日中サービス支援型指定共同生活援助事業者
ク　共生型児童発達支援事業者
ケ　基準該当児童発達支援事業者
コ　共生型放課後等デイサービス事業者
サ　基準該当放課後等デイサービス事業者　〈保〉

Q7 複数のサービス事業所において喀痰吸引等を実施する場合

複数のサービス事業所において喀痰吸引等を実施する場合，それぞれの事業所に指示を出し当該指示料を算定できるのですか。

A：複数のサービス事業所に指示は出せますが，指示料は利用者1人につき1回の算定となります。このような場合は，サービス担当者会議等で必要な調整を行い，複数事業所を宛先として指示書を作成することを依頼する等の対応が必要です。

Q8 特別養護老人ホーム入所者に対する算定

特別養護老人ホーム入所者等へは，当該指示料が算定できますか。

A：算定できません。特養等は施設内で体制を整えることとされており，指示書が交付できる事業所ではないため，当該指示料は算定できません。〈保〉

Q9 ショートステイ利用者に対する算定

特別養護老人ホーム等におけるショートステイ利用者に対し，この指示を出し当該指示料を算定できますか。

A：特別養護老人ホームの配置医師の指示により

喀痰吸引が可能であることから，算定はできません。ただし，Q７のように算定の対象となる事業を含む複数の事業所に対して指示書を発出する際に，その宛先に加えることにより医師の指示を担保することは可能です。

Q10 レセプト記載

レセプト摘要欄に記載する事項はありますか。

A：前回の指示書を交付した年月日（初回の場合は初回である旨）を記載します。

C008　在宅患者訪問薬剤管理指導料

C008　在宅患者訪問薬剤管理指導料

1　単一建物診療患者が１人の場合　**650点**

2　単一建物診療患者が２人以上９人以下の場合　**320点**

3　１及び２以外の場合　**290点**

注１　在宅で療養を行っている患者であって通院が困難なものに対して，診療に基づき計画的な医学管理を継続して行い，かつ，薬剤師が訪問して薬学的管理指導を行った場合に，単一建物診療患者（当該患者が居住する建物に居住する者のうち，当該保険医療機関の薬剤師が訪問し薬学的管理指導を行っているものをいう）の人数に従い，患者１人につき**月４回**（末期の悪性腫瘍の患者及び中心静脈栄養法の対象患者については，週２回かつ月８回）に限り算定する。この場合において，１から３までを合わせて薬剤師１人につき**週40回**に限り算定できる。

注２　麻薬管理指導加算　麻薬の投薬が行われている患者に対して，麻薬の使用に関し，その服用及び保管の状況，副作用の有無等について患者に確認し，必要な薬学的管理指導を行った場合は，１回につき所定点数に**100点**を加算する。

注３　当該指導に要した交通費は患家の負担（実費）とする。

注４　乳幼児加算　６歳未満の乳幼児に対して，薬剤師が訪問して薬学的管理指導を行った場合に，**100点**を所定点数に加算する。

※１　要介護・要支援の認定を受けている患者（介護保険施設サービス受給者除く）に対して実施した場合は，薬剤師による居宅療養管理指導費を算定する。

※２　特別養護老人ホームの入所者であって，末期の悪性腫瘍の患者であるものについて，訪問薬剤管理指導を行う場合には，「在宅患者訪問薬剤管理指導料」を算定できる（「特別養護老人ホーム等における療養の給付の取扱いについて」による）。

Q1 「単一建物診療患者」とは

「単一建物診療患者」とはどのように数えるのか教えてください。

A：在宅患者訪問薬剤管理指導料は，単一建物に居住する診療患者の人数に従い算定します。ここでいう「単一建物診療患者」とは，一つの建築物に居住する者のうち，在宅患者訪問薬剤管理指導料を算定する者の人数を指します。

Q2 同一患家の複数患者に訪問薬剤管理指導を行った場合

同一の建物内において，「同一患家」の複数の患者に対し訪問薬剤管理指導を行った場合は，どのように算定するのですか。

A：一つの患家に当該指導料の対象となる同居する同一世帯の患者が２人以上いる場合は，患者ごとに「1　単一建物診療患者が１人の場合」を算定します。

Q3 要介護・要支援者の算定

要介護・要支援の患者でも算定できますか。

A：自宅で療養，同一建物居住者のいずれであっても算定できません。〈保〉

Q4 特別養護老人ホーム入所者への算定

特別養護老人ホームに入所している患者については，算定できますか。

A：算定できません。ただし，末期の悪性腫瘍に対して実施する場合は算定できます。〈保〉

Q5 調剤技術基本料との併算定

在宅患者訪問薬剤管理指導料とＦ500調剤技術基本料とは併せて算定できますか。

A：算定できません（入院で調基を算定し，同月内に退院し在宅へ移行した場合は算定可）。

Q6 月２回以上の算定要件

月に２回以上算定するために必要な条件はあり

ますか。

A：算定の間隔を6日以上あけることと，レセプトの摘要欄に算定日を記入することが必要です。

Q7　常勤でない薬剤師の場合

訪問する薬剤師は常勤でなくてもよいのですか。

A：常勤でなくてもかまいませんが，医療機関との何らかの雇用関係は必要です。

Q8　院外処方の患者に病院薬剤師が訪問指導

院外処方を行っている在宅患者に対して，病院の薬剤師が訪問して薬学的管理指導を行った場合は算定できますか。

A：院外処方の場合であっても算定できますが，保険薬局の在宅患者訪問薬剤管理指導料と重複して算定はできません。

Q9　月途中から在宅へ移行した場合

月の途中で退院し，在宅療養に切り替え，在宅患者訪問薬剤管理指導料を算定する場合，併せて入院中の薬剤管理指導料も算定できますか。

A：それぞれ算定できます。

Q10　感染症対策の加算の併算定

在宅医療の部の通則に新設された外来感染対策向上加算，連携強化加算及びサーベイランス強化加算は，在宅患者訪問薬剤管理指導料を算定した場合においても算定できますか。

A：算定できます。ただし，同月に初・再診料や他の点数にて外来感染対策向上加算等を算定した場合は算定できません。

C009　在宅患者訪問栄養食事指導料

C009　在宅患者訪問栄養食事指導料

1　在宅患者訪問栄養食事指導料1

　イ　単一建物診療患者が1人の場合　**530点**

　ロ　単一建物診療患者が2人以上9人以下の場合　**480点**

　ハ　イ及びロ以外の場合　**440点**

2　在宅患者訪問栄養食事指導料2

　イ　単一建物診療患者が1人の場合　**510点**

　ロ　単一建物診療患者が2人以上9人以下の場合　**460点**

　ハ　イ及びロ以外の場合　**420点**

注1　1は，在宅で療養を行っており通院が困難な患者であって，別に厚生労働大臣が定めるものに対して，診療に基づき計画的な医学管理を継続して行い，かつ，医師の指示に基づき当該保険医療機関の管理栄養士が訪問して具体的な献立等によって栄養管理に係る指導を行った場合に，単一建物診療患者（当該患者が居住する建物に居住する者のうち，管理栄養士が訪問し栄養食事指導を行っているものをいう。注2も同じ）の人数に従い，患者1人につき**月2回**に限り所定点数を算定する。

注2　2については，在宅で療養を行っており通院が困難な患者であって，別に厚生労働大臣が定めるものに対して，診療に基づき計画的な医学管理を継続して行い，かつ，保険医療機関の医師の指示に基づき当該保険医療機関以外の管理栄養士が訪問して具体的な献立等によって栄養管理に係る指導を行った場合に，単一建物診療患者の人数に従い，患者1人につき**月2回**に限り所定点数を算定する。

注3　当該指導に要した交通費は患家の負担（実費）とする。

※　要介護・要支援の認定を受けている患者に対して実施した場合は介護保険の管理栄養士による居宅療養管理指導費として算定する。

Q1　自院以外の管理栄養士の指導

主治医が他医療機関や栄養ケア・ステーションの管理栄養士に指示をした場合も，在宅患者訪問栄養食事指導料は算定できますか。

A：診療所において，当該医療機関以外（他の医療機関又は栄養ケア・ステーション）の管理栄養士が栄養指導を行った場合は「2」が算定できます。

対象となるのは特別食等です（『早見表』p.402）。

Q2　特別食以外の算定対象

特別食以外に算定対象となるものはありますか。

A：次の者が対象になります。

ア　がん患者

イ　摂食機能又は嚥下機能が低下した患者

ウ　低栄養状態にある患者

Q3 同一患家の複数患者に訪問栄養食事指導を行った場合

同一の建物内において，「同一患家」の複数の患者に対し訪問栄養食事指導を行った場合は，どのように算定するのですか。

A：一つの患家に同居する同一世帯の患者が２人以上いる場合は，患者ごとに「イ　単一建物診療患者が１人の場合」を算定します。

Q4 要介護・要支援者の算定

要介護・要支援の患者でも算定できますか。

A：自宅での療養者，同一建物居住者のいずれであっても算定できません。なお，算定要件を満たせば介護保険の居宅療養管理指導（管理栄養士によるもの）が算定できます。〈保〉

Q5 指導時間

１回の指導時間はどのくらいが適当ですか。

A：１回の指導は30分以上と規定されています。

Q6 厚生労働大臣が定める特別食

「注１」の厚生労働大臣が定める特別食とはどのようなものですか。

A：①腎臓食，②肝臓食，③糖尿食，④胃潰瘍食，⑤貧血食，⑥膵臓食，⑦脂質異常症食，⑧痛風食，⑨てんかん食，⑩フェニールケトン尿症食，⑪楓（かえで）糖尿症食，⑫ホモシスチン尿症食，⑬尿素サイクル異常症食，⑭メチルマロン酸血症食，⑮プロピオン酸血症食，⑯極長鎖アシル－CoA脱水素酵素欠損症食，⑰糖原病食，⑱ガラクトース血症食，⑲治療乳，無菌食，⑳小児食物アレルギー食（外来栄養食事指導料及び入院栄養食事指導料に限る。集団栄養食事指導料，在宅患者訪問栄養食事指導料においては対象外），㉑特別な場合の検査食（単なる流動食および軟食を除く）。

なお，これに準じるものとして，①心臓疾患及び妊娠高血圧症候群等の患者に対する減塩食，②十二指腸潰瘍の患者に対する潰瘍食，③侵襲の大きな消化管手術後の患者に対する潰瘍食，④クローン病及び潰瘍性大腸炎等により腸管の機能が低下している患者に対する低残渣食，⑤高度肥満症（肥満度が＋40％以上又はBMIが30以上）の患者に対する治療食，⑥てんかん食〔難治性てんかん（外傷性のものを含む），グルコーストランスポーター１欠損症又はミトコンドリア脳筋症の患者に対する治療食であって，グルコースに代わりケトン体を熱量源として供給することを目的に炭水化物量の制限と脂質量の増加が厳格に行われたものに限る〕――を含みます。

また，高血圧症の患者に対する減塩食（塩分の総量が6.0ｇ未満のものに限る）については，入院時食事療養費の特別食加算の場合と異なり，C009に係る「特別食」に含まれます〔C009に係る保医発通知(6)，『早見表』p.402　→　B001「9」外来栄養食事指導料に係る保医発通知(2)，『早見表』p.256〕。

上記に掲げられたもので，疾病治療の直接手段として，医師の発行する食事せんに基づき提供された適切な栄養量および内容を有するものが「特別食」となります。

Q7 小児食物アレルギー食

小児食物アレルギーの患者は，在宅患者訪問栄養食事指導の対象になりますか。

A：小児食物アレルギーは外来栄養食事指導料と入院栄養食指導料の対象ですが，在宅患者訪問栄養指導の対象にはなっていません。したがって在宅患者訪問栄養食事指導料の算定はできません。

Q8 減塩食

外来栄養食事指導料の対象である高血圧症の塩分総量６ｇ未満の減塩食等は，在宅患者訪問栄養食事指導料の対象にもなるでしょうか。

A：在宅患者訪問栄養食事指導料の通知(6)（『早見表』p.402）に「上記以外の点に関しては，B001の「９」外来栄養食事指導料における留意事項の例による」とあることから，対象になります。

Q9 常勤の管理栄養士が必要か

「注１」の管理栄養士の勤務形態は常勤でなければならないでしょうか。

A：常勤である必要はなく，非常勤（パート）でもさしつかえありません。患家を訪問し実技を伴う指導を行う，患者ごとの栄養指導記録を作成するなどの要件を満たしていれば，算定できます。

Q10 在宅患者訪問栄養食事指導料２(1)

栄養ケア・ステーションとはどんなところですか。

A：日本栄養士会や都道府県栄養士会が運営しているもので，医療機関の要望で管理栄養士を紹介しています。

Q11 在宅患者訪問栄養食事指導料２(2)

訪問栄養食事指導料２は，主治医の診療所の医師が，他医療機関等に指示をしますが，指示方法や内容は定められていますか。

A：特に定められていませんが，他医療機関等の管理栄養士が適切に指導できる内容を記載しなければなりません。

Q12 在宅患者訪問栄養食事指導料２(3)

訪問栄養食事指導料は主治医の診療所が指示をして他医療機関や栄養ケア・ステーションの管理

栄養士が指導しますが，栄養食事指導料はどこが算定するのですか。

A：主治医の診療所から請求します。さらに他医療機関や栄養ケア・ステーションの管理栄養士の指導の費用を診療所から支払って精算します。

〈保，一部修正〉

Q13　管理栄養士に対する指示せん

指示せんの内容はどの程度の記述が必要ですか。

A：外来栄養食事指導同様の取扱いとなり，熱量・熱量構成，蛋白質量，脂質量・脂質，その他栄養素の量，病態に応じた食事の形態等についての情報のうち，医師が必要と認めるものに関する具体的な指示を記載することとされています。

Q14　要介護の患者に訪問栄養指導した場合

要介護認定されている患者が，透析が必要で医療機関にかかっています。本人が外来で栄養指導をしても理解できないので，管理栄養士が自宅を訪問して栄養食事指導を行っていますが，在宅訪問栄養食事指導料は算定できますか。

A：訪問をして指導する必要性もありませんし，在宅療養を行う患者が対象で例外規定はありません。原則に則り，外来受診時にていねいに指導するなどの対応をして，外来栄養食事指導料を算定することを検討されてはいかがでしょうか。

なお，要介護・要支援の認定を受けた通院困難患者に対し，医師の指示を受けた管理栄養士が算定要件を満たす栄養食事指導等を行った場合は，介護報酬の「居宅療養管理指導費（管理栄養士によるもの）」を算定します。

Q15　感染症対策の加算の併算定

在宅医療の部の通則に新設された外来感染対策向上加算，連携強化加算及びサーベイランス強化加算は，在宅患者訪問栄養食事指導料を算定した場合においても算定できますか。

A：算定できます。ただし，同月に初・再診料や他の点数にて外来感染対策向上加算等を算定した場合は算定できません。

C010　在宅患者連携指導料

C010　在宅患者連携指導料　900点

注1　訪問診療を実施している保険医療機関〔診療所，在宅療養支援病院及び許可病床数が200床未満の病院（在宅療養支援病院を除く）に限る〕の保険医が，在宅での療養を行っている患者であって通院が困難なものに対して，患者の同意を得て，歯科訪問診療を実施している保険医療機関，訪問薬剤管理指導を実施している保険薬局又は訪問看護ステーションと文書等により情報共有を行うとともに，共有された情報を踏まえて療養上必要な指導を行った場合に，**月1回**に限り算定する。

注2　A000初診料を算定する初診の日に行った指導又は当該初診の日から1月以内に行った指導の費用は，初診料に含まれる。

注3　当該保険医療機関を退院した患者に対して退院の日から起算して1月以内に行った指導の費用は，入院基本料に含まれるものとする。

注4　B001「1」ウイルス疾患指導料，B001「6」てんかん指導料，B001「7」難病外来指導管理料又はB001「12」心臓ペースメーカー指導管理料を算定している患者については算定しない。

注5　在宅患者連携指導料を算定すべき指導を行った場合においては，B000特定疾患療養管理料及びB001「8」皮膚科特定疾患指導管理料を算定すべき指導管理の費用は，所定点数に含まれる。

注6　B009診療情報提供料（Ⅰ），C002在宅時医学総合管理料，C002-2施設入居時等医学総合管理料又はC003在宅がん医療総合診療料を算定している患者については算定しない。

Q1　在宅患者連携指導料の算定要件

在宅患者連携指導料（900点）の算定要件について教えて下さい。また，所定点数には何が含まれるのですか。訪問看護指示料は含まれますか。

A：訪問診療を実施している医療機関が，患者の同意を得て歯科訪問診療を実施している医療機関，訪問薬剤管理指導を実施している薬局または訪問看護ステーションと文書等で情報共有を行い，共有した情報を基に指導を行った場合に月1回に限り算定します。

また，算定不可，併算定が不適切な点数は，特定疾患療養管理料，ウイルス疾患指導料，てんかん指導料，難病外来指導管理料，心臓ペースメーカー指導管理料，皮膚科特定疾患指導管理料，診療情報提供料（Ⅰ），在宅時医学総合管理料，施設入居時等医学総合管理料，在宅がん医療総合診療料，精神科在宅患者支援管理料です。したがって，訪問看護指示料は別に算定できます。〈京・一部追記〉

Q2　医療関係職種間での情報共有(1)

在宅患者連携指導料について，医療関係職種間での情報共有は月２回以上行うこととされていますが，当該情報に基づき行う患者またはその家族等に対する指導等は月１回でもよいのですか。

A：よいです。〈厚平20.3.28〉

Q3　医療関係職種間での情報共有(2)

訪問看護を実施している自院の看護師と情報を共有して指導を行った場合は，算定できますか。

A：算定できません。〈保〉

Q4　医療関係職種間での情報共有(3)

特別の関係にある医療機関等の関係職種のみで情報を交換した場合は算定できますか。

A：算定できません。〈保〉

Q5　医療関係職種間での情報共有(4)

特別の関係にある医療機関等の関係職種のみで情報を交換した場合は算定できませんが，例えば特別の関係の訪問看護ステーションの看護師と訪問薬剤管理指導を実施している特別の関係ではない調剤薬局の薬剤師と情報を共有した場合は算定できますか。

A：算定できます。特別の関係のみでの情報共有ではないので算定制限は受けません。〈保〉

Q6　訪問看護ステーションとの情報共有

保険医療機関が，自ら訪問看護の指示書を出している訪問看護ステーションと情報共有を行った場合，在宅患者連携指導料は算定できますか。

A：診療情報の共有を行っていることは当然のことですから，算定できません。〈厚平20.3.28〉

Q7　要介護・要支援者の算定

要介護・要支援の患者に算定できますか。

A：算定できません。〈保〉

Q8　文書の共有(1)

文書は電子メール，ファックス送信したものでの共有でも可能ですか。

A：可能です。〈保〉

Q9　文書の共有(2)

文書は医療関係職種でそれぞれ渡すのではなく，共通のもの１枚を渡せばよいでしょうか。

A：共通であれば１枚渡せばよいです。〈保〉

Q10　レセプトの記載

在宅患者連携指導料を算定した場合，レセプト記載はどうなりますか。

A：「在宅患者連携指導料」と表示し，回数・点数を記載し，摘要欄に下記の項目を記載します。

① 情報共有を行った日

② 共有された情報をふまえて指導を実施した日〈保〉

C011　在宅患者緊急時等カンファレンス料

C011　在宅患者緊急時等カンファレンス料　200点

注　訪問診療を実施している保険医療機関の保険医が，在宅での療養を行っている患者であって通院が困難なものの状態の急変等に伴い，当該保険医の求め又は当該患者の在宅療養を担う保険医療機関の保険医の求めにより，歯科訪問診療を実施している保険医療機関の保険医である歯科医師等，訪問薬剤管理指導を実施している保険薬局の保険薬剤師，訪問看護ステーションの保健師，助産師，看護師，理学療法士，作業療法士若しくは言語聴覚士，介護支援専門員又は相談支援専門員と共同でカンファレンスを行い又はカンファレンスに参加し，それらの者と共同で療養上必要な指導を行った場合に，**月２回**に限り算定する。

Q1　カンファレンスを行う場所

在宅患者緊急時等カンファレンス料を算定する際に，カンファレンスを行う場所は患家でなければならないのでしょうか。

A：患者又はその家族が患家以外の場所でのカンファレンスを希望する場合には他の場所でも認められます。

なお，１者以上が患家に赴きカンファレンスを行う場合は，その他の関係者は，ビデオ通話が可能な機器を用いて参加することができます。〈厚平20.3.28，一部修正〉

Q2　「歯科医師等」とは

「歯科医師等」には歯科衛生士，歯科技工士は含まれますか。

在宅Q&A
診療
緊カン

A：歯科衛生士は含まれ，歯科技工士は含まれません。〈保〉

Q3　共同する医療者

在宅患者緊急時等カンファレンス料は，患者の在宅療養を担う保険医が，保険医である歯科医師等，保険薬局の薬剤師，訪問看護ステーションの保健師，助産師，看護師，理学療法士，作業療法士もしくは言語聴覚士，介護支援専門員または相談支援専門員のうち１者以上と共同すれば算定できるのでしょうか。

A：そのとおりです。在宅療養を担う保険医とその他の医療関係職種等１者以上の合計２者以上が，共同でカンファレンスを行った場合に算定できます。

Q4　２者でのカンファレンス

在宅患者緊急時等カンファレンス料について，カンファレンスを主催する保険医療機関の保険医と当該保険医療機関自ら訪問看護指示書を出した訪問看護ステーションの看護師の２者でカンファレンスを行った場合であっても，在宅患者緊急時等カンファレンス料を算定できるのですか。

A：算定できます。〈厚平20.3.28〉

Q5　自院の看護師とのカンファレンス

訪問看護を実施している自院の看護師のみとカンファレンスを行った場合は，算定できますか。

A：算定できません。〈保〉

Q6　「特別の関係」の施設間でのカンファレンス

特別の関係にある医療機関等の関係職種のみでカンファレンスを行った場合は算定できますか。

A：算定できます。〈保〉

Q7　「特別の関係」の訪問看護STとのカンファレンス

特別の関係であって指示書を発行している訪問看護ステーションの看護師とともにカンファレンスを実施した場合，在宅患者緊急時等カンファレンス料は算定できますか。

A：算定できます。〈保〉

Q8　診療方針変更時のカンファレンス

在宅患者緊急時等カンファレンス料は患者の容態急変時だけではなく，診療方針の変更時にカンファレンスを行った場合でも算定できるのですか。

A：診療方針の大幅な変更等，必要が生じた場合にカンファレンスを実施して指導を行った場合に算定できます。〈保〉

Q9　ビデオ通話機器を用いたカンファレンス

ビデオ通話が可能な機器を用いてカンファレンスに参加できますか。

A：１者以上が患家に赴き，カンファレンスを行う場合には他の関係者はビデオ通話が可能な機器を用いて参加することができます。

Q10　特別養護老人ホーム入所者への算定

特別養護老人ホームに入所している患者に算定できますか。

A：算定できません。ただし，末期の悪性腫瘍患者についてカンファレンスを実施した場合は算定できます。〈保〉

Q11　感染症対策の加算の算定の可否

在宅医療の部の通則にある外来感染対策向上加算，連携強化加算及びサーベイランス強化加算は，在宅患者緊急時等カンファレンス料を算定時に算定できますか。

A：算定できます。ただし，同月に初・再診料や他の点数にて外来感染対策向上加算等を算定した場合は算定できません。

Q12　レセプトの記載

在宅患者緊急時等カンファレンス料を算定した場合，レセプト記載はどうなりますか。

A：「在宅緊急」と表示し，点数・回数を表示したうえで，摘要欄に下記の項目を記載します。

① カンファレンスを実施した日
② 共有された情報をふまえて参加者と共同で指導を実施した日〈保〉

C012　在宅患者共同診療料

C012　在宅患者共同診療料

1　往診の場合　**1,500点**
2　訪問診療の場合（同一建物居住者以外）　**1,000点**
3　訪問診療の場合（同一建物居住者）　**240点**

注１　１については，在宅療養後方支援病院が，在宅で療養を行っている別に厚生労働大臣が定める疾病等を有する患者以外の患者であっ

て通院が困難なもの（当該在宅療養後方支援病院を緊急時の搬送先として希望するものに限る）に対して，当該患者に対する在宅医療を担う他の保険医療機関からの求めに応じて共同で往診を行った場合に，1から3までのいずれかを最初に算定した日から起算して**1年以内**に，患者1人につき1から3までを合わせて**2回**に限り算定する。

注2　2については，在宅療養後方支援病院が，在宅で療養を行っている別に厚生労働大臣が定める疾病等を有する患者以外の患者〔同一建物居住者を除く在宅療養患者〕であって通院が困難なものに対して，当該患者に対する在宅医療を担う他の保険医療機関からの求めに応じて計画的な医学管理の下に定期的に訪問して共同で診療を行った場合に，1から3までのいずれかを最初に算定した日から起算して**1年以内**に，患者1人につき1から3までを合わせて**2回**に限り算定する。

注3　3については，在宅療養後方支援病院が，在宅で療養を行っている別に厚生労働大臣が定める疾病等を有する患者以外の患者（同一建物居住者に限る）であって通院が困難なものに対して，当該患者に対する在宅医療を担う他の保険医療機関からの求めに応じて計画的な医学管理の下に定期的に訪問して共同で診療を行った場合に，1から3までのいずれかを最初に算定した日から起算して**1年以内**に，患者1人につき1から3までを合わせて**2回**に限り算定する。

注4　在宅療養後方支援病院が，別に厚生労働大臣が定める疾病等を有する患者に対して行った場合については，1から3までのいずれかを最初に算定した日から起算して1年以内に，患者1人につき1から3までを合わせて**12回**に限り算定する。

注5　往診又は訪問診療に要した交通費は，患家の負担（実費）とする。

後方支援病院と連携した在宅医療を行う医療機関の診療報酬等の取り扱い

①在宅患者のうち後方支援病院に入院を希望し登録した者は，症状が悪化した場合，優先的に入院することができる。

②在宅で療養中に後方支援病院の専門医の診療が必要になったときに，在宅医療を担当している医師が後方支援病院に往診，訪問診療等が必要である旨を連絡すると専門医が往診等を行い専門的な診療を受けることができる。

Q1　在宅患者共同診療料の算定

在宅患者共同診療料が算定できるケースについて教えてください。

A：在宅療養後方支援病院が，在宅療養を担う他の医療機関からの求めに応じて，緊急時の搬送先として事前に当該病院を希望している患者に対し，共同して往診または訪問診療を実施した場合に算定できます。

Q2　在宅療養後方支援病院の要件(1)

在宅患者共同診療料が算定できる「在宅療養後方支援病院」とはどのような医療機関を指しますか。

A：以下の施設基準を満たす届出医療機関です。

①200床以上の病院

②入院希望患者について緊急時にいつでも入院を受け入れる。

③入院希望患者に対して在宅医療を担う医療機関と連携し，3月に1回以上，診療情報の交換をしている。

Q3　在宅療養後方支援病院の要件(2) 新

在宅療養後方支援病院の届出については，在宅療養支援病院であっても届出が可能ですか。

A：在宅療養支援病院は届出することができません。〈厚平26.3.31〉

Q4　在宅療養後方支援病院の対象患者

「在宅療養後方支援病院」の対象患者や算定回数に関する規定はありますか。

A：許可病床数により，下表のとおり対象患者及び算定回数が定められています。なお対象患者は，当該後方支援病院を緊急時の搬送先として事前に希望する者に限られます。

許可病床数	対象患者	起算日から1年以内に算定できる回数
400床以上	別に厚生労働大臣が定める患者（別表13）	年12回
200床以上400床未満	別に厚生労働大臣が定める患者（別表13）	年12回
	上記以外の患者	年2回

（参考）「別表13」在宅患者共同診療料が年12回まで算定できる患者

多発性硬化症，重症筋無力症，スモン，筋萎縮性側索硬化症，脊髄小脳変性症，ハンチントン病，進行性筋ジストロフィー症，パーキンソン病関連疾患〔進行性核上性麻痺，大脳皮質基底核変性症及びパーキンソン病（ホーエン・ヤールの重症度分類がステージ3以上であって生活機能障害度がⅡ度又はⅢ度のものに限る）〕，多系統萎縮症（線条体黒質変性症，オリーブ橋小脳萎縮症及びシャイ・ドレーガー症候群），プリオン病，亜急性硬化性全脳炎，ライソゾーム病，副腎白質ジストロフィー，脊髄性筋萎縮症，慢性炎症性脱髄性多発神経炎，後天性免疫不全症候群，頸髄損傷，15歳未満の者であって人工呼吸器を使用している状態のもの又は15歳以上のものであって人工呼吸器を使用している状態が15歳未満から継続しているもの（体重が20kg未満である場合に限る）

Q5　レセプトへの記載

在宅患者共同診療料を算定する際，レセプトの摘要欄への記載事項はありますか。

A：初回算定日を記載します。

また，①15歳未満の人工呼吸器装着患者，②15歳未満から引き続き人工呼吸を実施しており体重が20kg未満の患者，③神経難病等の患者――の場合は，当該診療の初回算定日，初回からの通算算定回数（当該月に実施されたものを含む）を記載します。

Q6　初診料等の算定

在宅療養後方支援病院は在宅患者共同診療料を算定した際に，別に初診料，再診料，外来診療料も算定可能でしょうか。

A：算定できます。

Q7　医療機関を変更した際の「起算日」

在宅療養後方支援病院又は在宅医療を担う保険医療機関を変更した場合に1年間の起算日はどのように考えるのでしょうか。

A：医療機関が変更されたかどうかにかかわらず，当該患者に対して最初に算定された日を起算日とします。〈厚平26.3.31〉

Q8　入院した場合の「起算日」

患者が入院した場合に算定の起算日はどのように考えるのでしょうか。

A：入院の有無にかかわらず，当該患者に対して最初に算定された日を起算日とします。

〈厚平26.3.31〉

Q9　1年間経過後の算定

在宅を担当している医療機関と共同で往診又は訪問診療を行った場合に，最初に算定を行った日から起算して1年間に2回までに限り算定することとされていますが，最初に診療を行った日から起算して1年間が経過すればさらに年2回算定できますか。

A：そのとおりです。〈厚平26.3.31〉

C013　在宅患者訪問褥瘡管理指導料

C013　在宅患者訪問褥瘡管理指導料　　750点

注１　届出保険医療機関において，重点的な褥瘡管理を行う必要が認められる患者（在宅での療養を行っているものに限る）に対して，患者の同意を得て，当該保険医療機関の保険医，管理栄養士又は当該保険医療機関以外の管理栄養士，看護師又は連携する他の保険医療機関等の看護師が共同して，褥瘡管理に関する計画的な指導管理を行った場合には，初回のカンファレンスから起算して**6**月以内に限り，当該患者1人につき**3**回に限り所定点数を算定する。

注２　C001在宅患者訪問診療料（Ⅰ），C001-2在宅患者訪問診療料（Ⅱ），C005在宅患者訪問看護・指導料又はC009在宅患者訪問栄養食事指導料は別に算定できない。ただし，カンファレンスを行う場合にあっては，この限りでない。

Q1　算定要件⑴

在宅患者訪問褥瘡管理指導料の算定要件について教えてください。

A：施設基準の要件を満たして届け出たうえで，在宅で重点的な褥瘡管理を行う必要が認められる患者に対し，在宅褥瘡対策チームが褥瘡管理に関する計画的な指導を行った場合に算定します。

Q2　算定要件⑵

チームの管理栄養士については，他院の管理栄養士や栄養ケア・ステーションの管理栄養士と共同して褥瘡管理をした場合も算定できるか。

A：算定できる。

Q3　ビデオ通話機器を用いた場合

ビデオ通話機器を用いて参加しても算定できますか。

A：①　ビデオ通話のカンファレンスについて，やむを得ない事情でなくても実施できる。

②　チームの構成員のうち1名は患家に赴き，カンファレンスを行っていること。

Q4　重点的な褥瘡管理が必要な者

在宅患者訪問褥瘡管理指導料の対象患者である

図表11　在宅褥瘡対策チームによる実施内容と算定のタイミング

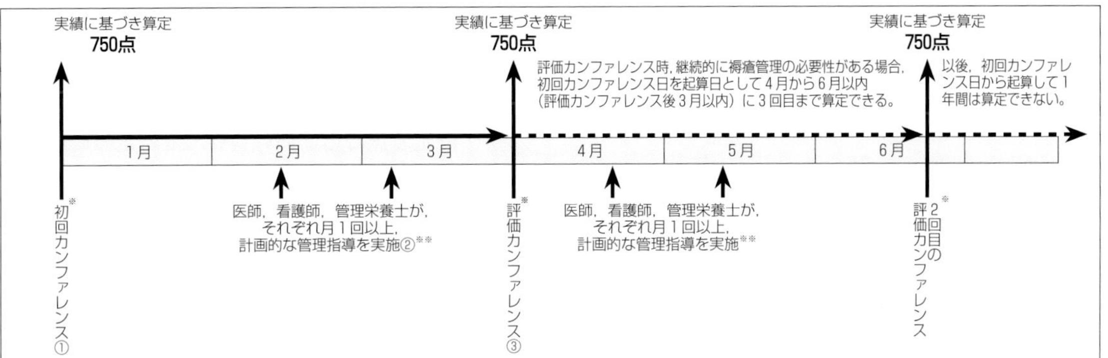

下記の①〜③を実施した場合に，当該指導料を算定することができる。

① 初回訪問時に，在宅褥瘡管理者を含む在宅褥瘡対策チームの構成員が患家に一堂に会し，褥瘡の指導管理方針について，カンファレンスを実施。〔初回カンファレンス①〕

② 在宅褥瘡対策チームの各構成員は，月1回以上，指導管理及び情報共有を実施。〔②〕

③ 初回訪問後3月以内に，指導管理の評価及び，必要に応じて見直しのためのカンファレンスを実施。〔評価カンファレンス③〕

※　カンファレンス実施日において，当該カンファレンスとは別に継続的に実施している訪問診療，訪問看護，訪問栄養指導を行う必要性がある場合に限り，在宅患者訪問診療料，在宅患者訪問看護・指導料等について，同一日に算定することができる。

※※　各職種の月1回以上の管理指導については，別に継続的に実施している訪問診療等において行う。訪問栄養指導の対象ではない場合等で当該管理指導のみを目的にした訪問を行う場合については，当該管理指導料に含まれているものとする。

※　厚生労働省「平成26年度診療報酬改定の概要」を改変・追記

「重点的な褥瘡管理が必要な者」とは，具体的にどのような者を指すのですか。

A：①ベッド上安静であって，②DESIGN-R2020による深さの評価がd２以上の褥瘡を有しており，かつ，③次の「ア」～「オ」のいずれかに該当する者――を指します。

ア　重度の末梢循環不全のもの

イ　麻薬等の鎮痛・鎮静剤の持続的な使用が必要であるもの

ウ　強度の下痢が続く状態であるもの

エ　極度の皮膚脆弱であるもの

オ　皮膚に密着させる医療関連機器の長期かつ持続的な使用が必要であるもの

Q5 「真皮までの褥瘡の状態」とは

「真皮までの褥瘡の状態」とは何を指すのですか。

A：DESIGN-R分類d２以上の褥瘡を有する状態を指します。〈厚平26.3.31〉

Q6 「長期かつ持続的」な使用とは？

対象患者に「皮膚に密着させる医療関連機器の長期かつ持続的な使用」が追加されましたが，「長期かつ持続的」とは具体的にどれくらいの期間を指すのですか。

A：医療関連機器を１週間以上持続して使用する者が対象となります。なお，医療関連機器を１週間以上持続して使用することが見込まれる者及び当該入院期間中に医療関連機器を１週間以上持続して使用していた者も含まれます。〈厚平30.3.30〉

Q7 在宅褥瘡対策チームのメンバー

施設基準で定められている在宅褥瘡対策チームとはどのような職種で構成されるのですか。

A：以下の３職種により構成されるチームをいいます。①または②（准看護師を除く）のいずれか１名以上は，褥瘡対策について十分な経験を有する「在宅褥瘡管理者」である必要があります。

①常勤の医師

②保健師，助産師，看護師，准看護師のうち１名

③管理栄養士

Q8 在宅褥瘡管理者

在宅患者訪問褥瘡管理指導料における在宅褥瘡管理に係る在宅褥瘡管理者は，入院基本料等加算の褥瘡ハイリスク患者ケア加算の専従の看護師（褥瘡管理者）が兼務してもよいですか。

A：はい（当該医療機関において在宅褥瘡管理者となっている場合でも，褥瘡ハイリスク患者ケア加算の専従の看護師の専従業務に支障が生じなければ差し支えありません）。〈厚平26.5.1〉

Q9 チームの構成員

チーム構成員の看護師は自院の者でなくてもよいでしょうか。

A：当該患者に継続的に訪問看護を行う訪問看護

ステーションの看護師や，褥瘡の創傷ケアに係る適切な研修を修了した他院の看護師でもよいです。

なお，2020年改定により，管理栄養士についても他の医療機関あるいは栄養ケア・ステーションの管理栄養士であっても可とされました。

Q10 算定のタイミング

患者一人につき２回に限り算定する場合ですが，いつ算定すればよいのでしょうか。

A：在宅褥瘡対策チーム等が患家に一同に会して褥瘡の指導管理指針についてカンファレンス（初回カンファレンス）を実施した場合に１回目を算定し，在宅褥瘡診療計画（別紙様式43）を立案した後，３カ月以内に計画に基づく指導管理の評価等のためのカンファレンス（評価カンファレンス）を行った場合に２回目の算定をします。

また，評価カンファレンスの結果，さらに継続する必要があれば，初回カンファレンス後４カ月以上６カ月以内（かつ２回目の評価カンファレンスから３カ月以内）の期間，３回目の評価カンファレンスを実施した場合にも算定できます（図表11参照）。

Q11 他院の看護師が管理者になった場合

他の医療機関等の褥瘡ケアに係る専門的な研修を受けた看護師が，当該指導料を算定する保険医療機関等と共同して，在宅褥瘡対策チームの構成員として在宅褥瘡管理者となった場合についても，カンファレンスの参加及び月１回以上の管理指導を実施する必要がありますか。

A：他の医療機関等の看護師が在宅褥瘡対策チームの構成員として在宅褥瘡管理者となった場合も，カンファレンスの参加及び月１回以上の管理指導を行わなくてはいけません。 〈厚平26.4.4〉

Q12 在宅褥瘡ケアに係る所定の研修

在宅褥瘡ケアに係る所定の研修とは何を指すのですか。

A：現時点では，日本褥瘡学会が実施する褥瘡在宅セミナー，在宅褥瘡管理者研修対応と明記された教育セミナー，学術集会の教育講演を指します。また，日本褥瘡学会認定師，日本褥瘡学会在宅褥瘡予防・管理師は，所定の研修を修了したとみなされます。なお，看護師については，皮膚・排泄ケア認定看護師の研修についても所定の研修を修了したとみなされます。 〈厚平26.3.31，4.4〉

Q13 所定の研修

C013在宅患者訪問褥瘡管理指導料の要件である「所定の研修」として，特定行為に係る看護師の研修制度により厚生労働大臣が指定する指定研修機関において行われる研修は該当しますか。

A：特定行為に係る看護師の研修制度により厚生労働大臣が指定する指定研修機関において行われる「創傷管理関連」の区分の研修は該当します。

〈厚平30.3.30〉

Q14 医師による訪問と外来診療

算定要件「⑶イ　月１回以上チーム構成員のそれぞれが患家を訪問し，その結果について情報共有する」とありますが，医師の訪問も必要でしょうか。また，外来受診が可能の際は，外来受診でも算定可能ですか。

A：「月１回以上チーム構成員のそれぞれが患家を訪問」とあり，医師の訪問は必要です。また，当該指導料の対象者は訪問診療等の対象者であるため，外来受診可能な者は，算定対象外です。

〈厚平26.4.4，一部修正〉

Q15 管理栄養士の訪問に係る費用

C009在宅患者訪問栄養食事指導料の対象患者でない場合，在宅褥瘡管理指導に係るカンファレンスの参加及び月１回以上の指導管理のための管理栄養士の訪問に係る費用はどのように取り扱うのでしょうか。

A：在宅患者訪問栄養食事指導料の要件を満たす場合には算定できますが，対象外の場合は算定できません。 〈厚平26.4.4〉

C014 外来在宅共同指導料

C014 外来在宅共同指導料

1	外来在宅共同指導料１	**400点**
2	外来在宅共同指導料２	**600点**

注１　１については，継続的に外来診療を受けている患者について，患者の在宅療養を担う保険医が，患者の同意を得て，患家等を訪問して，在宅での療養上必要な説明・指導を，継続的に外来診療を行っている保険医と共同して行った上で，文書による情報提供をした場合，患者１人につき１回に限り，在宅療養を担う保険医療機関で算定する。

注２　２については，「注１」に規定する場合において，継続的に外来診療を行っている保険医療機関において，患者１人につき１回に限り算定する。この場合において，A000初診料，A001再診料，A002外来診療料，C000

往診料，C001在宅患者訪問診療料（Ⅰ），C001-2在宅患者訪問診療料（Ⅱ）は併算定できない。

Q1　算定要件⑴

新設された外来在宅共同指導料「1」「2」の算定要件は何ですか。

A：外来に継続して受診している居宅で在宅医療に移行する患者に対し，在宅医療を担う医師と外来医療を担う医師が共同指導を行った場合に，在宅を担当する医療機関が「1」，外来を担当する医療機関は「2」をそれぞれ1回算定します。

なお，居宅以外の介護施設等で療養する患者には算定できません。

Q2　算定要件⑵

在宅を担当する医療機関が指導料「1」を算定する際に，共同指導とは別に診察を行った場合は在宅患者訪問診療料等を算定できますか。

A：算定できます。なお，外来を担当し外来在宅診療料2を算定した医療機関が訪問診療を行っても，訪問診療料は算定できません。

Q3　算定要件⑶

外来を担う医療機関と在宅を担う医療機関が，特別の関係にある場合は算定できますか。

A：算定できません。

Q4　文書の交付

外来，在宅を担う医療機関が共同して指導を行った場合，指導内容を記載した文書の交付が必要ですか。

A：必要です。別紙様式52「在宅療養計画書」またはそれに準じた文書を作成して交付しなければなりません。その他訪問看護ステーション等とも情報共有してその写しをカルテに添付します。

Q5　外来を担う医療機関

外来を担う医療機関は共同指導の際，患家を訪問しなければならないのですか。

A：外来を担う医療機関が行う説明や指導は，情報通信機器を用いて実施できます。なお，患者の個人情報を情報通信機器等の画面上で取り扱う場合には，患者の同意を得ます。また，厚生労働省の定める「医療情報システムの安全管理に関するガイドライン」等に則っていなければなりません。

Q6　共同指導は初回の訪問時に行うべきか？

C014外来在宅共同指導料について，患者の在宅療養を担う医師の初回の訪問時に，外来において当該患者に対して継続的に診療を行っている保険医療機関の医師との共同指導を実施する必要がありますか。

A：必ずしも初回に実施する必要はありません。

〈厚令4.3.31〉

Q7　レセプト記載

レセプトの摘要欄に記載する事項はありますか。

A：共同指導を行った年月日と医師の医療機関名を記載します。

C015　在宅がん患者緊急時医療情報連携指導料

C015　在宅がん患者緊急時医療情報連携指導料　200点

注　訪問診療を実施している保険医療機関の保険医が，通院が困難な在宅療養患者〔C002在宅時医学総合管理料「注15」（C002-2「注5」の規定により準用する場合を含む）又はC003在宅がん医療総合診療料「注9」在宅医療情報連携加算を算定しているものに限る〕の同意を得て，末期悪性腫瘍患者の病状の急変等に伴い，連携する他の保険医療機関，保険薬局，訪問看護ステーションの専門職が電子情報処理組織を使用する方法等を用いて記録した患者に係る人生の最終段階における医療・ケアに関する情報を取得した上で，療養上必要な指導を行った場合，**月1回**に限り算定する。

Q1　指導を行ったうえでの入院 新

C015在宅がん患者緊急時医療情報連携指導料について，患者が当該指導を行った上で入院となった場合において，当該指導料を算定することは可能ですか。

A：可能です。

〈厚令6.3.28〉

Q2　医学管理を行う医師 新

在宅がん患者緊急時医療情報連携指導料について，「当該患者の計画的な医学管理を行う医師」が療養上必要な指導を行うことを求めていますが，患者の主治医と同一の医療機関に所属する医師であって，当該患者の治療方針等を検討するカンファレンスに定期的に参加し，主治医が対応困難な時間帯に対応する者として主治医から患者に説明し，同意が得られている医師が当該指導を実施した場合であっても当該加算を算定することは可能ですか。

A：可能です。　〈厚令6.3.28〉

第2節　在宅療養指導管理料
第1款　在宅療養指導管理料
第2款　在宅療養指導管理材料加算

通　則（第1款 在宅療養指導管理料）

●1　本款各区分の在宅療養指導管理料は，特に規定する場合を除き，**月1回**に限り算定し，同一の患者に対して1月以内に指導管理を2回以上行った場合は，第1回の指導管理を行ったときに算定する。

●2　本款各区分の在宅療養指導管理料に規定する在宅療養指導管理のうち2以上の指導管理を行っている場合は，**主たる指導管理の所定点数のみにより算定**する。

●3　在宅療養支援診療所又は在宅療養支援病院から患者の紹介を受けた保険医療機関が，在宅療養支援診療所又は在宅療養支援病院が行う在宅療養指導管理と異なる在宅療養指導管理を行った場合（紹介が行われた月に限る）及び在宅療養後方支援病院が，別に厚生労働大臣の定める患者に対して当該保険医療機関と連携する他の保険医療機関と異なる在宅療養指導管理を行った場合〔C102とC102-2，C103とC107，C107-2又はC107-3，C104とC105，C104とC105-2，C105とC105-2，C105-2とC109，C105-2とC105-3，C105-3とC109，C107とC107-2又はC107-3，107-2とC107-3，C108（3を除く）とC110，C108-4とC110，C109とC114――の組合せ（**図表12**）を除く〕には，それぞれの保険医療機関において，本款各区分の在宅療養指導管理料を算定できるものとする。

●4　入院患者の退院時に本款各区分の在宅療養指導管理を行った場合，各区分の規定にかかわらずその所定点数を退院日に算定できる。

この場合，退院した患者に対して行った在宅療養指導管理の費用は算定しない（当該退院した日の属する月に入院医療機関が行ったものに限る）。

※　退院後に別の医療機関に転院した場合も含めて退院後の在宅療養指導管理料の算定方法は次のとおりである。

ア．入院医療機関の場合

①退院時に，入院医療機関が在宅療養指導管理の費用を算定した場合は，当該退院月に在宅療養指導管理を行っても，その費用は算定できない。ただし，月が変われば，退院後1カ月以内であっても算定できる。

②退院時に，入院医療機関が在宅療養指導管理を算定していない場合は，当該退院月であっても退院後に行った在宅療養指導管理の費用は算定できる。

イ．入院医療機関以外の医療機関の場合

①退院時に，入院医療機関で在宅療養指導管理の費用が算定されていない場合は，退院1カ月以内であっても当該退院月に行った在宅療養指導管理の費用は算定できる。

②退院時に，入院医療機関で在宅療養指導管理の費用が算定された場合であっても，患者が転院した入院医療機関以外の医療機関では，当該退院月に在宅療養指導管理の費用を算定することができる。なお，この場合は，診療報酬明細書の摘要欄に算定理由を記載することが求められている。

通　則（第2款 在宅療養指導管理材料加算）

●1　本款各区分の在宅療養指導管理材料加算は，第1款各区分の在宅療養指導管理料のいずれかの所定点数を算定する場合に**月1回**に限り算定する。

●2　1にかかわらず本款各区分の在宅療養指導管理材料加算のうち，保険医療材料の使用を算定要件とするものについては，当該保険医療材料が別表第3調剤報酬点数表第4節の規定により調剤報酬として算定された場合には算定しない。

●3　乳幼児呼吸管理材料加算　6歳未満の乳幼児に対して**C103**在宅酸素療法指導管理料，**C107**在宅人工呼吸指導管理料又は**C107-2**在宅持続陽圧呼吸療法指導管理料を算定する場合は，**3月に3回**に限り**1,500点**を所定点数に加算する。

図表12　在支診・在支病から紹介を受けた医療機関で紹介月に，紹介元の在支診・在支病と併算定できない組合せ（通則3）

C102　在宅自己腹膜灌流指導管理料	⟷	C102-2　在宅血液透析指導管理料
C103　在宅酸素療法指導管理料	⟷	C107　在宅人工呼吸指導管理料 C107-2　在宅持続陽圧呼吸療法指導管理料 C107-3　在宅ハイフローセラピー指導管理料
C104　在宅中心静脈栄養法指導管理料	⟷	C105　在宅成分栄養経管栄養法指導管理料 C105-2　在宅小児経管栄養法指導管理料
C105　在宅成分栄養経管栄養法指導管理料	⟷	C105-2　在宅小児経管栄養法指導管理料
C105-2　在宅小児経管栄養法指導管理料	⟷	C105-3　在宅半固形栄養経管栄養法指導管理料 C109　在宅寝たきり患者処置指導管理料
C105-3　在宅半固形栄養経管栄養法指導管理料	⟷	C109　在宅寝たきり患者処置指導管理料
C107　在宅人工呼吸指導管理料	⟷	C107-2　在宅持続陽圧呼吸療法指導管理料 C107-3　在宅ハイフローセラピー指導管理料
C107-2　在宅持続陽圧呼吸療法指導管理料	⟷	C107-3　在宅ハイフローセラピー指導管理料
C108　在宅麻薬等注射指導管理料１・２	⟷	C110　在宅自己疼痛管理指導管理料
C108-4　在宅悪性腫瘍患者共同指導管理料	⟷	C110　在宅自己疼痛管理指導管理料
C109　在宅寝たきり患者処置指導管理料	⟷	C114　在宅難治性皮膚疾患処置指導管理料

Q1　全般的事項・通則

情報通信機器を用いて指導管理を行った場合，在宅療養指導管理料を算定できますか。

A：C101在宅自己注射指導管理料，C107-2在宅持続陽圧呼吸療法指導管理料以外は算定不可。

Q2　月に何回の指導が必要か

在宅療養指導管理を算定するためには，月に何回指導すればいいのですか。なお，看護師が医師の指示を受けて，訪問看護時に指導した場合は算定できないのでしょうか。

A：医師が月１回以上の指導管理を行った場合に算定できます。月内に２回以上指導を行った場合は１回目に算定します（月に１回も指導が行われなかった月は算定できません）。

在宅療養指導管理料は患者が来院したとき，あるいは訪問診療を行ったときに，医師が行うものです。看護師のみが指導を行ったときは算定できず，訪問看護の費用を算定することとなります。

Q3　在宅療養指導管理料の算定要件

無床診療所でも算定できますか。また届出や施設基準はありますか。

A：無床診療所でも算定できます。また，在宅血液透析指導管理料，在宅自己注射指導管理料・在宅持続陽圧呼吸療法指導管理料の「情報通信機器を用いて行った場合」，在宅酸素療法指導管理料・在宅持続陽圧呼吸療法指導管理料の遠隔モニタリング加算，在宅腫瘍治療電場療法指導管理料，在宅経肛門的自己洗腸指導管理料――等については届出が必要ですが，その他の管理料は届出は不要です。ただし，無床診療所については，緊急時に必要かつ密接な連携を取りうる入院施設を有する他の医療機関において，緊急入院ができるよう病床が常に確保されていることが必要とされます。

Q4　介護に係る衛生材料の提供 新

主治医が，在宅医療に必要な衛生材料の提供を指示できる薬局については，当該患者に健康保険に基づく「在宅患者訪問薬剤管理指導」を行っている薬局とされているが，介護保険法に基づく「居宅療養管理指導」又は「居宅予防療養管理指導」を行っている場合についても，同様と理解して良いでしょうか。

A：貴見のとおりです。〈厚平26.3.31〉

Q5　「特定」ではない医療材料の取扱い 新

在宅訪問薬剤管理指導を行っている患者については，医療機関からの指示に基づき，薬局から当該患者に衛生材料を供給した場合，指示があった医療機関に当該材料に係る費用を請求でき，その価格については，薬局における購入価格を踏まえ，保険医療機関と保険薬局との相互の合議に委ねているところですが，特定保険医療材料となっていない保険医療材料（例えば注射針）についても衛生材料と同様の取扱いと考えてよいでしょうか。

A：貴見のとおりです。〈厚平26.7.10〉

「通則２」２以上の指導管理

Q6　「２以上の指導管理」の範囲

第１款在宅療養指導管理料の「通則２」に「同一の患者に対して，本款各区分に掲げる在宅療養指導管理料に規定する在宅療養指導管理のうち２以上の指導管理を行っている場合は，主たる指導管理の所定点数のみにより算定する」とありますが，入院中に行うC100退院前在宅療養指導管理料も同月に算定できないのですか。

A：退院前在宅療養指導管理料は入院中の患者に対して行うものであり，在宅における在宅療養指導管理料と同月に算定できます。〈厚平22.3.29〉

Q7 2以上の在宅療養指導管理を施行した場合の材料加算

在宅療養指導管理材料加算の「通則1」に「在宅療養指導管理料のいずれかの所定点数を算定する場合に，月1回に限り算定する」とあります。2つ以上の在宅療養指導管理を施行した場合，指導管理は主たるもののみ算定しますが，在宅療養指導管理材料加算はそれぞれ算定できますか。

A：在宅療養指導管理材料加算は，算定できない在宅療養指導管理料に関わる加算についても算定できます。〈保〉

Q8 2以上の在宅療養指導管理を行う場合

C109在宅寝たきり患者処置指導管理料を算定している患者に対し，もともと糖尿病があったことから，今月からインスリン製剤による血糖コントロールを行うことになりました。この場合，C101在宅自己注射指導管理料も併せて算定することができますか。

A：この場合，主たる指導管理料のみを算定します。C109在宅寝たきり患者処置指導管理料を主たるものと考え，C101在宅自己注射指導管理料については，指導管理料を算定せず，注入器加算や血糖自己測定器加算等の加算点数，インスリン製剤の薬剤料を算定することになります。

なお，主たる指導管理料を在宅自己注射指導管理料としても差しつかえありません。

Q9 非算定月の薬剤料や特定保険医療材料

在宅療養指導管理料を算定しない月に薬剤料や特定保険医療材料を算定することはできますか。

A：基本的に算定はできません。ただし，次の場合は例外的に算定できます。在宅療養指導管理を2つ行っている場合主たる指導料のみを算定し，片方の指導管理の指導料は算定不可ですが，薬剤料や特定保険医療材料が算定できます。

例えばC103在宅酸素療法指導管理料とC101在宅自己注射指導管理料を併施している場合，C103と材料加算を算定します。C101は算定不可ですが薬剤料等は算定可です。C101の薬剤料等が特例的に算定できるということです。

「通則4」退院日と退院月の指導

Q10 退院月の在宅療養指導管理料(1)

当院で退院時に在宅療養指導管理料を算定した場合，退院の日から1月以内であっても，翌月になれば在宅療養指導管理料を算定できますか。

A：算定できます。〈保〉

Q11 退院月の在宅療養指導管理料(2)

退院時に入院医療機関が在宅療養指導管理料を算定している場合，同月に別の診療所のかかりつけ医師が在宅療養指導管理を行ったとしてもその費用は算定できないのですか。

A：算定できます。退院時に在宅療養指導管理料を算定した入院していた医療機関以外の医療機関において在宅療養指導管理を行った場合は算定できます。診療報酬明細書の摘要欄に当該理由を記載して請求します。〈保〉

Q12 退院月の在宅療養指導管理料(3)

退院時に在宅療養指導管理料が算定されていない場合でも，その入院医療機関では，翌月にならなければ算定することはできないのですか。

A：退院時に在宅療養指導管理料が算定されていなければ，退院月であっても，その入院医療機関の外来受診時，往診・訪問診療時に算定することができます。〈保〉

Q13 退院月の在宅療養指導管理料(4)

退院月に別の保険医療機関で在宅療養指導管理料を算定する場合，診療報酬明細書の摘要欄に記載する算定理由は，どのような内容が想定されているのですか。

A：特に定められていませんので，例えば，入院医療機関と患者の自宅が離れているといった各患者ごとの理由を具体的に記入して下さい。〈保〉

Q14 退院月の在宅療養指導管理料(5)

入院医療機関と退院後に在宅医療を担当する医療機関が「特別の関係」であっても，退院月に在宅療養指導管理料を重複して算定できますか。

A：算定できます。〈保〉

Q15 退院月の在宅療養指導管理料(6)

同一月に入退院を繰り返した場合の在宅療養指導管理料算定はどうなりますか。

A：当該指導管理料は1医療機関ごとに，1月に1回を限度とするため，同月中に何度も入退院を繰り返した場合，前回退院時に算定済みの場合は，さらに算定することはできません。患者が自ら用いる薬剤料，特定保険医療材料については，投与のつど算定できます。

Q16 退院日の指導管理

在宅療養指導管理料について，「通則4」に，入院中の患者であっても，退院日に指導管理を行っていれば，退院の日1回に限り所定点数が算定できるとあります。レセプト上，どの項目で算定すべきですか。

A：入院レセプトの⑭「在宅」の欄に記載します。ただし，死亡退院，他の病院もしくは診療所に入院または老人保健施設に入所するため退院した場合には算定できません。

Q17　退院日の在宅療養指導管理料と入院基本料の併算定

在宅療養指導管理料を退院日に算定した場合，入院基本料の減算はありませんか。

A：ありません。入院基本料，在宅療養指導管理料をそれぞれ算定できます。

Q18　介護療養病床の退院日の在宅療養指導管理料の算定

介護療養型医療施設を退院する日に診療報酬の在宅療養指導管理料が算定できますか。

A：算定できます。

Q19　介護老人保健施設入所予定者への指導

介護老人保健施設への入所が決まっている患者の退院時に酸素療法の指導を行った場合，C103在宅酸素療法指導管理料は算定できますか。

A：算定できません。介護老人保健施設の入所者に対してはそもそも在宅酸素療法指導管理料を算定できないため，退院時に在宅酸素療法指導管理料を算定すべき指導を行っても算定できません。

なお，在宅酸素療法指導管理料を含め，第２節第１款に掲げる在宅療養指導管理料が算定できない施設への入所が決まっている患者については，退院時に在宅療養指導管理料は算定できません。

〈厚平20.12.26〉

２以上の医療機関での指導

Q20　在宅療養指導管理料の「通則」の例外

在宅療養指導管理料の「通則」に係る保医発通知⑸（『早見表』p.409）に，２以上の保険医療機関が同一の患者に同一の在宅療養指導管理を行っている場合，「特に規定する場合を除き」，主たる指導管理を行っている保険医療機関が算定するとありますが，「特に規定する場合」とはどのような場合を指すのですか。

A：在宅療養指導管理料は，同一の患者に対し同一の在宅療養指導管理料を同一月に２以上の保険医療機関が算定することは，保医発通知「在宅療養指導管理料の一般的事項」⑸により，原則として認められません。

ただし，C101在宅自己注射指導管理料に係る保医発通知⒆により，２以上の保険医療機関において異なった疾患に対する指導管理を行っている場合は，いずれの保険医療機関においても在宅自己注射指導管理料を算定できる扱いです。

さらに，保医発通知「在宅療養指導管理料の一般的事項」⑼により，退院日に入院保険医療機関において在宅療養指導管理料を算定した場合，入院医療機関以外の保険医療機関においても，明細書に理由を記載することにより，同一の在宅療養指導管理料を算定することが認められます。　〈オ〉

診療録への記載

Q21　指導内容の診療録への記録

指導内容を記録として残す必要はありますか。また，レセプトに添付しなければなりませんか。

A：在宅療養指導管理を行った場合，当該在宅療養を指示した根拠，指示事項（方法，注意点，緊急時の措置を含む），指導内容の要点を診療録に記載しなければなりません。なお，レセプトへの「指導内容」の添付は，特に必要ありません。

併算定の扱い

Q22　退院前訪問指導料等と在宅療養指導管理料の併算定

B007退院前訪問指導料とC100退院前在宅療養指導管理料については，在宅療養指導管理料と併せて算定できますか。

A：退院前訪問指導料と退院前在宅療養指導管理料のいずれも在宅療養指導管理料とは目的が異なるもので，要件を満たせばそれぞれ算定できます。

退院前訪問指導とは，患家の家屋構造，介護力等をあらかじめ訪問して把握し，退院後の療養について指導するものです。退院前在宅療養指導管理料は，外泊してテスト的に在宅療養についての指導を行うことを評価したものです。

在宅療養指導管理料は，在宅自己注射，在宅酸素療法などの医療を在宅で行わなければならない患者に，そのための指導を行った場合に算定できるものです。

Q23　退院時の診療情報提供料と在宅療養管理指導料の併算定

退院時の在宅療養指導管理料の通則（通知）には，「死亡退院の場合または他の病院もしくは診療所へ入院するため転院した場合には算定できない」とありますが，病院を退院後，近隣の診療所へ“通院加療”となった場合は診療情報提供料と退院時の在宅療養管理指導料は同時算定できますか。

A：併算定不可の規定はないため，それぞれ算定可能です。　〈オ〉

図表13　在宅療養指導管理料と注射，処置の併算定の可否

	在宅療養指導管理料		算定できない項目
注射療法	C101 在宅自己注射指導管理料		①**外来受診時（緊急時に受診した場合を除く）**：当該指導管理に係る皮筋注，静注の費用（当該注射薬剤の費用を含む） ②**在宅患者訪問診療料算定日**：皮筋注，静注，点滴注射（薬剤・材料の費用を含む） ③**同一月**：B001-2-12 外来腫瘍化学療法診療料，注射の部の外来化学療法加算
注射療法	C108 在宅麻薬等注射指導管理料 C108-2 在宅腫瘍化学療法注射指導管理料 C108-3 在宅強心剤持続投与指導管理料		①**在宅患者訪問診療料算定日**：皮筋注（C108-3 は算定可），静注，点滴注射，中心静脈注射，植込型カテーテルによる中心静脈注射の手技料，注射薬，特定保険医療材料の費用 ②**外来受診時**：当該指導管理に係る皮筋注（C108-3 は算定可），静注，点滴注射，中心静脈注射，植込型カテーテルによる中心静脈注射の手技料，注射薬，特定保険医療材料の費用 ③**（C108，C108-2 のみ）同一月**：B001-2-12 外来腫瘍化学療法診療料，注射の部の外来化学療法加算，G003 抗悪性腫瘍剤局所持続注入（薬剤の費用は算定可，入院で行った場合は算定可）
注射療法	C104 在宅中心静脈栄養法指導管理料		①**在宅患者訪問診療料算定日**：静注，点滴注射，植込型カテーテルによる中心静脈注射（薬剤・材料の費用を含む） ②**当管理料を算定する外来患者**：中心静脈注射，植込型カテーテルによる中心静脈注射
泌尿器系	C106 在宅自己導尿指導管理料	当該指導管理料を算定する外来患者	導尿（尿道拡張を要するもの），膀胱洗浄，後部尿道洗浄（ウルツマン），留置カテーテル設置（薬剤・材料の費用を含む）
泌尿器系	C102 在宅自己腹膜灌流指導管理料	当該指導管理料を算定する外来患者	①週２回目以降の人工腎臓（J038）又は腹膜灌流（J042）の「1　連続携行式腹膜灌流」（週１回は J038 又は J042 いずれか一方を算定可） ②他の医療機関における連続携行式腹膜灌流の所定点数
泌尿器系	C102-2 在宅血液透析指導管理料	当該指導管理料を算定する外来患者	週２回目以降の人工腎臓（J038）（週１回は算定可）
呼吸器系	C103 在宅酸素療法指導管理料	当該指導管理料を算定する外来患者	酸素吸入，突発性難聴に対する酸素療法，酸素テント，間歇的陽圧吸入法，体外式陰圧人工呼吸器治療，喀痰吸引，干渉低周波去痰器による喀痰排出，鼻マスク式補助換気法（酸素代，薬剤・材料の費用を含む）
呼吸器系	C107 在宅人工呼吸指導管理料	当該指導管理料を算定する外来患者	酸素吸入，突発性難聴に対する酸素療法，酸素テント，間歇的陽圧吸入法，体外式陰圧人工呼吸器治療，喀痰吸引，干渉低周波去痰器による喀痰排出，鼻マスク式補助換気法，人工呼吸（酸素代を除く）（薬剤・材料の費用を含む）
呼吸器系	C107-3 在宅ハイフローセラピー指導管理料	当該指導管理料を算定する外来患者	酸素吸入，突発性難聴に対する酸素療法，酸素テント，間歇的陽圧吸入法，体外式陰圧人工呼吸器治療，喀痰吸引，干渉低周波去痰器による喀痰排出，鼻マスク式補助換気法，ハイフローセラピー（酸素代，薬剤・材料の費用を含む）
呼吸器系	C112 在宅気管切開患者指導管理料	当該指導管理料を算定する外来患者	創傷処置（気管内ディスポーザブルカテーテル交換を含む），爪甲除去（麻酔を要しないもの），穿刺排膿後薬液注入，喀痰吸引，干渉低周波去痰器による喀痰排出
呼吸器系	C112-2 在宅喉頭摘出患者指導管理料	当該指導管理料を算定する外来患者	創傷処置（気管内ディスポーザブルカテーテル交換を含む），爪甲除去（麻酔を要しないもの），穿刺排膿後薬液注入，喀痰吸引，干渉低周波去痰器による喀痰排出
その他	C109 在宅寝たきり患者処置指導管理料	当該指導管理料を算定する外来患者	創傷処置，爪甲除去（麻酔を要しないもの），穿刺排膿後薬液注入，皮膚科軟膏処置，留置カテーテル設置，膀胱洗浄，後部尿道洗浄（ウルツマン），導尿（尿道拡張を要するもの），鼻腔栄養，ストーマ処置，喀痰吸引，干渉低周波去痰器による喀痰排出，介達牽引，矯正固定，変形機械矯正術，消炎鎮痛等処置，腰部又は胸部固定帯固定，低出力レーザー照射，肛門処置（薬剤・材料の費用を含む）
その他	C105 在宅成分栄養経管栄養法指導管理料 C105-2 在宅小児経管栄養法指導管理料 C105-3 在宅半固形栄養経管栄養法指導管理料		鼻腔栄養（当該指導管理料を算定する外来患者）

備考　1）　上記以外の在宅療養指導管理料については特に併算定不可の規定は設けられていない。
2）　上記中「薬剤・材料の費用を含む」は，「薬剤及び特定保険医療材料に係る費用を含む」の意。

Q24　在宅療養指導管理料と特定疾患処方管理加算

在宅療養指導管理料を算定している患者に，F100処方料またはF400処方箋料の特定疾患処方管理加算は算定できると聞きましたが，これはどういう意味でしょうか。

A：例えば，慢性肝炎を主病とする患者に対し，在宅自己注射指導管理に要する薬剤を支給した場合は，在宅医療の部で薬剤料を算定するため，処方料（または処方箋料）は算定できません。したがって，特定疾患処方管理加算も算定できません。

ただし，慢性肝炎を主病とする患者に当該指導管理料に用いる薬剤とは別に内服薬等を処方した場合は，処方料または処方箋料が算定できるため，特定疾患処方管理加算も算定できます。つまり，厚生労働大臣が定める疾患を主病とする患者に対して，在宅療養指導管理に要する薬剤以外の薬剤

を処方した場合は，特定疾患処方管理加算を算定できるということです。

なお，特定疾患処方管理加算は対象疾患を主病とする患者に限られますが，在宅療養指導管理料は対象疾患が主病でない場合も算定できます。〈オ〉

Q25　在宅療養指導管理料算定患者に対する注射・処置の費用

在宅療養指導管理料を算定している患者に対して，在宅患者訪問診療料を算定する日に行った注射や処置の費用は算定できますか。

A：図表13を参照してください。

Q26　特定疾患療養管理料の算定

特定疾患療養管理料の対象疾患を主病とする寝たきり患者に，月１回の訪問診療をして指導管理を行った場合，特定疾患療養管理料を算定してもよいのですか。

A：算定要件を満たせば，特定疾患療養管理料を算定できます。ただし，在宅医療の点数では在宅時医学総合管理料，施設入居時等医学総合管理料，在宅がん医療総合診療料，在宅療養指導管理料を算定する場合，併せて算定できません。〈保〉

算定できない医療材料

Q27　在宅療養指導管理に用いる医療材料(1)

在宅療養指導管理（加算における保険医療材料使用時を含む）に用いるアルコールなどの消毒薬，衛生材料（脱脂綿，ガーゼ，絆創膏等），酸素，注射器，注射針，翼状針，カテーテル，膀胱洗浄用注射器，クレンメ等は算定できますか。

A：特に規定する場合を除き所定点数に含まれているため，当該保険医療機関が患者に支給すべきものであり，別に算定できません。

なお，衛生材料は訪問看護ステーションからの情報提供により支給することもできます。また，保険薬局に指示をして，保険薬局から渡してもらうこともできますが，衛生材料等の費用は薬局と合議精算のうえ，医療機関が負担します。

Q28　イソジンゲルは消毒薬等に含まれるか

在宅療養指導管理に用いる「アルコール等の消毒薬等」のなかに，イソジンゲルは含まれますか。

A：含まれます。別に算定できません。ただし，寝たきり患者処置指導管理で創傷処置の管理を行っている場合，創傷の自己処置薬として使うのであれば在宅の薬剤として算定できます。

算定できる薬剤，材料

Q29　外泊時，退院時の薬剤・器材の算定

(1)　自己連続携行式腹膜潅流に用いる薬剤・器材を投与した場合は，外泊では薬剤・器材は算定不可，退院時は薬剤・器材は算定可との考え方で正しいでしょうか。また，レセプト記載の方法やコメント等も教えてください。

(2)　⑭コード「在宅」欄の材料，㊵コード「処置」欄の材料の使い分けの違いは⑭が患者使用，㊵が医師の使用する材料ということでいいのでしょうか。

A：(1)　外泊にあたって指導管理を行った場合は，C100退院前在宅療養指導管理料の所定点数により算定します。材料加算（紫外線殺菌器加算，自動腹膜灌流装置加算）はC100の算定日には加算できませんが，特定保険医療材料「腹膜透析交換セット」および薬剤料は算定できます。

また，退院時であれば，C102在宅自己腹膜灌流指導管理料と材料加算，特定保険医療材料，薬剤料が算定できます。

(2)　材料の費用の算定においては明細書の項目番号に注意が必要です。在宅療養指導管理にあたって材料価格基準「別表Ⅰ」に掲げる特定保険医療材料を患者に支給した場合は，⑭（在宅）に記載します。処置や手術の医療行為にあたって材料価格基準「別表Ⅱ」に掲げる特定保険医療材料を医師が使用した場合は㊵（処置），㊿（手術・麻酔）等に記載します。ただし，実施中の在宅療養指導管理に含まれる処置の処置料と使用した材料は算定できません。〈オ〉

Q30　院外処方

在宅医療に用いる薬剤を院外処方箋で出すことはできますか。また，処方箋料は算定できますか。

A：在宅療養指導管理に用いる薬剤を院外処方箋で出すことはできますが，その際の処方箋料は算定できません。投薬の薬剤と同時に処方するのであれば処方箋料が算定できます。

Q31　材料は薬局から渡してもらえるか

在宅医療に用いる特定保険医療材料は，調剤薬局から渡してもらうことはできますか。

A：処方箋で出すことのできる特定保険医療材料は次のとおりです。

①　インスリン製剤注射用ディスポーザブル注射器
②　ホルモン製剤等注射用ディスポーザブル注射器
③　腹膜透析液交換セット
④　在宅中心静脈栄養用輸液セット
⑤　在宅寝たきり患者処置用栄養用ディスポーザブルカテーテル
⑥　万年筆型注入器用注射針

⑦　携帯用ディスポーザブル注入ポンプ
⑧　在宅寝たきり患者処置用気管切開後留置用チューブ
⑨　在宅寝たきり患者処置用膀胱留置用ディスポーザブルカテーテル
⑩　在宅血液透析用特定保険医療材料（回路を含む）
⑪　皮膚欠損用創傷被覆材
⑫　非固着性シリコンガーゼ
⑬　水循環回路セット
⑭　人工鼻材料

注１　注射器，注射針のみを処方箋で出すことはできない。また，万年筆型インスリン注入器は調剤薬局で出すことはできない。
注２　①～⑭は調剤報酬点数表に特定保険医療材料として収載され調剤薬局から保険請求をすることが可能な材料である
注３　⑪⑫については保険薬局から渡した場合であっても，医療機関から渡した場合と同様に以下のア，イの要件を満たす場合のみ算定が可能である。
ア　いずれかの在宅療養指導管理料を算定している場合であって，在宅での療養を行っている通院困難な患者のうち，皮下組織に至る褥瘡（筋肉，骨等に至る褥瘡を含む）（DESIGN-R分類D3，D4及びD5）を有する患者の当該褥瘡に対して使用した場合
イ　在宅難治性皮膚疾患処置指導管理料を算定している患者に対して使用した場合

Q32　器具を消毒する消毒剤の投与

在宅人工呼吸，在宅成分栄養経管栄養，在宅中心静脈栄養などの指導管理料を算定している患者に対して，それらの器具を消毒するための消毒剤の投与は保険請求できますか。

A：在宅療養指導管理料の一般的事項の通知(12)に当該指導管理に関するアルコール等の消毒薬等の費用は，特に規定する場合を除き所定点数に含まれ算定できないとあるため，算定できません。

ただし，患者に褥瘡があり，自己処置に使う薬剤など患者の処置等に用いる薬剤は算定できます。〈オ〉

Q33　在宅療養指導管理に用いる医療材料

「在宅療養指導管理料」の一般的事項の通知（12）（『早見表』p.409）に「当該指導管理に要する消毒薬，衛生材料（中略）等は当該医療機関が提供すること。なお当該医療材料の費用は，別に診療報酬上の加算等として評価されている場合を除き所定点数に含まれ，別に算定できない」とありますが，具体的に何を指すのでしょうか。

A：別に評価されているとは，各在宅療養指導管理料の「注」加算や，「在宅療養指導管理材料加算」「特定保険医療材料料」，「薬剤料」として別に算定できる旨の規定しているものをいいます。

例えば，在宅自己注射の際の注入器用の注射針等などは，C101在宅自己注射指導管理料への加算が認められています。このように加算点数等が設定されている場合を指します。

また，この場合の「薬剤料」は，当該指導管理を行ううえで患者の注射や処置に必要となる薬剤（経管栄養用の人工栄養剤，膀胱洗浄用の膀胱洗浄液，自己注射用のインスリン製剤，CAPDの腹膜灌流液等）を指し，器具の洗浄等のための薬剤の費用は在宅療養指導管理料の所定点数に含まれます。〈オ〉

Q34　薬剤・材料の算定(1)

在宅療養指導管理で使用する薬剤や材料で算定できないものがあるのですか。

A：在宅療養指導管理に用いる「⑭在宅」欄で請求する薬剤，特定保険医療材料については，算定できます。算定できないのは，①衛生材料・特定保険医療材料以外の医療材料，②在宅療養指導管理料の算定患者に併せて算定できない処置，注射に係る薬剤・特定保険医療材料です。〈保〉

Q35　薬剤・材料の算定(2)

在宅自己注射指導管理料，在宅中心静脈栄養法指導管理料，在宅悪性腫瘍等患者指導管理料については，在宅患者訪問診療料を算定する日に算定できない皮下筋注，点滴注射等に係る薬剤および特定保険医療材料についても算定できませんが，指導管理の対象となる薬剤以外の薬剤についても，当該注射料，薬剤料，特定保険医療材料料が認められないのですか。

A：原則として，指導管理の対象となる薬剤以外の薬剤料，手技料については算定できます。〈保〉

Q36　薬剤・材料の算定(3)

在宅療養指導管理に伴う薬剤は在宅医療の部の薬剤料として算定し，院外処方箋の場合も処方箋料は算定できないとされますが，例えばC101在宅自己注射指導管理料は算定せずB000特定疾患療養管理料を算定している月に，注射薬と注射針のみを院外処方箋で支給する場合でも，処方箋料は算定できないのですか。

A：在宅医療の部の「通則」により，在宅療養指導管理に当たって薬剤や特定保険医療材料を使用した場合は，（第１節，第２節と併せて）在宅医療の部の薬剤料，特定保険医療材料料を合算して算定するとされています。

また，第２節第２款の「通則」により，在宅療

養指導管理材料加算は在宅療養指導管理料を算定する場合に算定するとされます。

よって，在宅医療の「通則」に鑑み，在宅療養指導管理料を算定する場合に，在宅療養指導管理に伴う注射薬や注入器用注射針を院外処方で支給することが認められ，投薬の部の処方箋料の算定は認められないと解されます。

なお，在宅療養指導管理に伴う薬剤を院内投与した場合は，投薬に係る費用としては，投薬の部の処方料は算定できず，在宅医療の部で薬剤料のみ算定します。〈オ〉

Q37 在宅患者に対する生食の投与

週3～4回膀胱洗浄している在宅患者に対して1度に渡せる生理食塩水は何本まででしょうか。また，褥瘡処置では生食は1カ月に何本まで使用可能でしょうか。

A：在宅療養指導管理にあたっての薬剤の投与量についての規定は特にありません。しかし，在宅療養指導管理料が「月1回の算定」であるため，一般には，月1回診察する前提で，1月分の投与をする例が多いようです。

膀胱洗浄用薬剤や褥瘡処置用薬剤の投与量は，1回の使用量と1月の施行回数等を勘案して算出されます。〈オ〉

Q38 乳幼児呼吸管理材料加算

乳幼児呼吸管理材料加算について，レセプト「摘要」欄への記載事項はありますか。

A：記載事項があり，以下のとおりです。

①貸与又は支給した機器等の名称及びその数量

②1カ月に3回分又は2回分の算定を行う場合は，当月分に加え，翌々月分，翌月分，前月分，前々月分のいずれを算定したのか又は当月分に加え，翌月分，前月分のいずれを算定したのかを選択して記載する。

Q39 文書交付による説明が必要か

各種加算の算定要件となる装置を患者に貸与し，装置の保守・管理を販売業者に委託する場合，医療機関は患者に対し保守・管理の内容を説明することとされていますが，患者への説明は文書の交付が必要ですか。

A：文書の交付による説明は義務付けられていません。口頭の説明で差し支えありません。〈保〉

Q40 訪問診療日以外に行った看護師の処置等

医師の指示で看護師等が処置等を行った場合に算定できるものはありますか。

A：使用した薬剤と特定保険医療材料の費用が算定できます。

また，医師の指示で検体採取を行った場合は，検体検査実施料・判断料が算定できます。

Q41 「点滴又は処置」に含まれるもの

看護師が行う「点滴又は処置」に，皮内，皮下及び筋肉内注射は含まれますか。含まれる場合，使用可能な薬剤は定められていますか。

A：「点滴又は処置等」には，皮内・皮下・筋肉内注射，静脈内注射が含まれます。従って，主治医が皮内・皮下・筋肉内注射，静脈内注射を看護師等（訪問看護ステーションや医療機関の看護師，准看護師）に指示をして，在宅で注射を行った場合に薬剤料が算定できます。

ただし，対象となる注射の薬剤は在宅医療における厚生労働大臣が定める投与することができる注射薬（インスリン製剤等・『早見表』p.437）に限られます。

なお，その他の薬剤についても必要がある場合は厚労省に問合せれば，検討するとのことでした。

特養ホームの入所者の医療の通知についても同様の追加があり，特別養護老人ホームの配置医師が特養ホーム看護師に指示した場合も同様の扱いになります。〈2016.8.6厚労省に口頭確認〉

C100 退院前在宅療養指導管理料

C100 退院前在宅療養指導管理料 120点

注1 入院中の患者が退院後の在宅療養に備えて一時的に外泊するに当たり，在宅療養に関する指導管理を行った場合に算定する。

注2 [乳幼児加算] 6歳未満の乳幼児に対して指導管理を行った場合に，**200点**を加算する。

Q1 退院前在宅療養指導管理は誰が行うのか

退院前在宅療養指導管理は看護師が行ってもよいのでしょうか。

A：看護師が加わるのはさしつかえありませんが，医師が指導管理を行う必要があります。

Q2 算定対象となる疾病

算定の対象になる疾病が決められているのでし

ょうか。

A：とくにありません。C101からC121に掲げられた在宅療養指導管理が必要かつ適応であると判断した患者について，要件を満たした場合に算定できるものです。

Q3　2回外泊した場合の算定日

退院前在宅療養指導管理料は「外泊の初日」に算定するとありますが，連続する3日間の外泊が1月に2回あり，2回目の外泊時に指導管理を行った場合，算定日はいつになりますか。

A：実際に指導管理を行った2回目の外泊時の初日になります。

Q4　外泊のつど算定可能か

同一疾病で入・退院を繰り返すとき，また，月に数日とびとびに外泊した場合，そのつど算定できますか。

A：通則で示しているとおり1月に1回しか算定できません。

Q5　月をまたがった外泊の場合

入院中の患者の外泊期間が月をまたがった場合どのように算定するのですか。

A：外泊の初日1回のみの算定です。

Q6　外泊時と退院時の指導管理料

退院前在宅療養指導管理料を外泊時に算定し，翌月の退院時にも算定することは可能ですか。

A：できません。外泊時には退院前在宅療養指導管理料を算定しますが，退院時には該当する在宅療養指導管理料（例：在宅酸素療法指導管理を行った場合は在宅酸素療法指導管理料）を算定します。

Q7　外泊扱いにならない「1泊2日の外泊」の場合

退院後，在宅医療に移行する予定の患者が11／3　10：00帰宅（朝食後），11／4　19：00帰院（夕食後）という場合，入院基本料算定上「外泊」扱いにはなりませんが，C100退院前在宅療養指導管理料は算定できるのでしょうか。

A：算定要件を満たせば，点数算定上外泊とならないような1泊2日の外泊でも算定できます。ただし，その旨をレセプトに記載しておくことをお勧めします。またC100は算定不可です。　〈オ〉

Q8　B007退院前訪問指導料との併算定

C100退院前在宅療養指導管理料とB007退院前訪問指導料は，併せて算定することができますか。

A：要件を満たせば，それぞれ算定できます。

Q9　外泊した月における他の在宅療養指導管理料との併算定

退院前在宅療養指導管理料を算定した月に他の在宅療養指導管理料を算定することはできますか。

A：同一月の併算定は可能ですが，同一日に在宅療養指導管理料（加算を含む）を算定することはできません。

Q10　外泊中における他の在宅療養指導管理料との併算定

外泊するにあたってC100退院前在宅療養指導管理料を算定した日には，他の在宅療養指導管理料（加算を含む）は算定できないと規定されていますが，外泊中にその他の在宅療養指導管理料や他の在宅医療料は算定できるのでしょうか。

A：外泊時は退院前在宅療養指導管理料のみを算定します。その他の在宅療養指導管理料は算定できない規定であり，また外泊中に他の在宅医療（訪問診療等）を行うことは一般的にはないものと考えられます。

なお，退院前在宅療養指導管理料を算定する場合は，在宅医療の部の特定保険医療材料料，薬剤料は算定できます。　〈オ〉

Q11　外泊の理由

退院前在宅療養指導管理料は，退院前に「試験外泊」をした場合に算定できるとあります。外泊の理由が，患者の都合で退院直前に家に帰る用事があったためとか，退院前日に外泊しそのまま退院となった場合等でも，算定できますか。

また，カルテに外泊期間，退院の状況の記載はあるものの，指導内容の記載がなかったり，「外泊した。問題なし」程度の記載でもよいのですか。

A：告示や通知で，退院後に患者が自己処置等を行う在宅医療に移行するための指導であり，在宅療養指導管理料を算定すべき指導管理を行った場合に算定することとされています。したがって，患者の都合とか，何も指導する必要がない場合などで，実際に指導管理が行われておらず，指導の記録がない場合は算定できません。　〈オ〉

Q12　外泊後に転院した場合

外泊後，帰院することなく転院した場合でも算定できますか。

A：当該指導管理料を算定できるのは，あくまでも退院のために外泊した場合であり，病状の悪化等により退院できなかった場合や，外泊後帰院することなく転院した場合には算定できません。

Q13　外泊時の酸素代

入院中の患者が在宅療養（在宅酸素療法）に備

え一時的に外泊するにあたり，退院前在宅療養指導管理料を算定し，酸素を供給した場合，酸素代の請求はできますか。

A：退院前在宅療養指導管理時では，在宅療養指導管理材料加算を併せて算定できません。酸素は在宅酸素療法指導管理料の酸素濃縮装置加算等の加算として評価されているため，請求できません。

Q14　外泊時の中心静脈注射用薬剤

入院患者の外泊時に中心静脈注射用の薬剤（高カロリー輸液等）を投与した場合，どのような算定になりますか。

A：在宅療養に備えての外泊の場合は，退院前在宅療養指導管理料＋薬剤料で算定します。

Q15　退院が翌月になった場合の退院前在宅療養指導管理料

C100退院前在宅療養指導管理料は，退院後にC101からC121を実施することが前提と考えるのですか。また通知に「あくまでも退院した場合であり，病状の悪化等により退院できなかった場合には算定できない」とありますが，「病状の悪化等」以外の理由で退院前在宅療養指導管理料の算定月に退院しなかった場合は，どうなるのですか。

A：C100退院前在宅療養指導管理料は，退院後にC101～C121に掲げられた在宅療養指導管理が必要かつ適応であると判断した患者について，外泊時の指導を行い，その後退院した場合に算定します。

月末に外泊し，翌月初めに退院した場合であっても退院前在宅療養指導管理料の算定は可能です。ただし，レセプトに退院月日を記載しましょう。レセプト提出までに退院ができなかった場合は，月遅れ請求とし，退院が確定してから退院前在宅療養指導管理料の算定をすることになります。〈オ〉

C101　在宅自己注射指導管理料

C101　在宅自己注射指導管理料

1　複雑な場合　**1,230点**

2　1以外の場合

　イ　月27回以下の場合　**650点**

　ロ　月28回以上の場合　**750点**

注1　別に厚生労働大臣が定める注射薬（『早見表』p.412）の自己注射を行っている入院患者以外の患者に対して，自己注射に関する指導管理を行った場合に算定する。ただし，同一月にB001-2-12外来腫瘍化学療法診療料又は第2章第6部の通則6に規定する外来化学療法加算を算定している患者については，当該管理料を算定できない。

注2　導入初期加算(1)　初回の指導を行った日の属する月から起算して3月以内の期間に当該指導管理を行った場合に，3月を限度として，**580点**を所定点数に加算する。

注3　導入初期加算(2)　処方内容に変更があった場合には，注2の規定にかかわらず，当該指導を行った日の属する月から起算して1月を限度として，1回に限り算定できる。

注4　バイオ後続品導入初期加算　患者に対し，バイオ後続品に係る説明を行い，バイオ後続品を処方した場合には，当該バイオ後続品の初回の処方日の属する月から起算して**3月**を限度として，**150点**を所定点数に加算する。

注5　別に厚生労働大臣が定める施設基準に適合しているものとして地方厚生局長等に届け出た保険医療機関において，在宅自己注射指導管理料を算定すべき医学管理を情報通信機器を用いて行った場合は，1又は2の「イ」若しくは「ロ」の所定点数に代えて，それぞれ**1,070点**又は**566点**若しくは**653点**を算定する。

C150　血糖自己測定器加算

1　月20回以上測定する場合　**350点**

2　月30回以上測定する場合　**465点**

3　月40回以上測定する場合　**580点**

4　月60回以上測定する場合　**830点**

5　月90回以上測定する場合　**1,170点**

6　月120回以上測定する場合　**1,490点**

7　間歇スキャン式持続血糖測定器によるもの　**1,250点**

注1　1から4までについては，入院中以外の患者であって次に掲げるものに対して，血糖自己測定値に基づく指導を行うため，血糖自己測定器を使用した場合に，**3月に3回**に限り，加算する。

　イ　インスリン製剤又はヒトソマトメジンC製剤の自己注射を1日1回以上行っている患者（1型糖尿病の患者及び膵全摘後の患者を除く）

　ロ　インスリン製剤の自己注射を1日に1回以上行っている患者（1型糖尿病の患者又は膵全摘後の患者に限る）

　ハ　12歳未満の小児低血糖症の患者

　ニ　妊娠中の糖尿病患者又は妊娠糖尿病の患者（別に厚生労働大臣が定める者に限る）

注2　5及び6については，入院中の患者以外の患者であって次に掲げるものに対して，血糖自己測定値に基づく指導を行うため，血糖自己測定器を使

用した場合に，**3月に3回**に限り，加算する。
イ　インスリン製剤の自己注射を1日に1回以上行っている患者（1型糖尿病の患者又は膵全摘後の患者に限る）
ロ　12歳未満の小児低血糖症の患者
ハ　妊娠中の糖尿病患者又は妊娠糖尿病の患者（別に厚生労働大臣が定める者に限る）

注3　7については，インスリン製剤の自己注射を1日に1回以上行っている入院中の患者以外の患者であって，血糖自己測定値に基づく指導を行うため，間歇スキャン式持続血糖測定器を使用した場合に，**3月に3回**に限り，加算する。

注4　血中ケトン体自己測定器加算　SGLT2阻害薬を服用している1型糖尿病患者に対して，血中ケトン体自己測定器を使用した場合，**3月に3回**に限り**40点**を更に加算する。

C151　注入器加算　300点

注　別に厚生労働大臣が定める注射薬の自己注射を行っている入院中以外の患者に対して，注入器を処方した場合に，加算する。

C152　間歇注入シリンジポンプ加算

1　プログラム付きシリンジポンプ　**2,500点**
2　1以外のシリンジポンプ　**1,500点**

注　別に厚生労働大臣が定める注射薬の自己注射を行っている入院中以外の患者に対して，間歇注入シリンジポンプを使用した場合に，**2月に2回**に限り，加算する。

C152-2　持続血糖測定器加算

1　間歇注入シリンジポンプと連動する持続血糖測定器を用いる場合
イ　2個以下の場合　**1,320点**
ロ　3個又は4個の場合　**2,640点**
ハ　5個以上の場合　**3,300点**

2　間歇注入シリンジポンプと連動しない持続血糖測定器を用いる場合
イ　2個以下の場合　**1,320点**
ロ　3個又は4個の場合　**2,640点**
ハ　5個以上の場合　**3,300点**

注1　別に厚生労働大臣が定める施設基準に適合しているものとして地方厚生局長等に届け出た保険医療機関において，別に厚生労働大臣が定める注射薬の自己注射を行っている入院中以外の患者に対して，持続血糖測定器を使用した場合に，**2月に2回**に限り，加算する。

注2　当該患者に対して，プログラム付きシリンジポンプ又はプログラム付きシリンジポンプ以外のシリンジポンプを用いて，トランスミッターを使用した場合は，それぞれ**3,230点**又は**2,230点**を加算する。ただし，この場合において，C152間歇注入シリンジポンプ加算は算定できない。

C152-4　持続皮下注入シリンジポンプ加算

1　月5個以上10個未満の場合　**2,330点**
2　月10個以上15個未満の場合　**3,160点**
3　月15個以上20個未満の場合　**3,990点**
4　月20個以上の場合　**4,820点**

注　別に厚生労働大臣が定める注射薬の自己注射を行っている入院中の患者以外の患者に対して，持続皮下注入シリンジポンプを使用した場合に，**2月に2回**に限り第1款の所定点数に加算する。

C153　注入器用注射針加算

1　治療上の必要があって，1型糖尿病若しくは血友病の患者又はこれらの患者に準ずる状態にある患者に対して処方した場合　**200点**
2　1以外の場合　**130点**

注　別に厚生労働大臣が定める注射薬の自己注射を行っている入院中以外の患者に対して，注入器用の注射針を処方した場合に，加算する。

C161　注入ポンプ加算　1,250点

注　次のいずれかに該当する入院中以外の患者に対して，注入ポンプを使用した場合に，**2月に2回**に限り，加算する。
イ　在宅中心静脈栄養法，在宅成分栄養経管栄養法又は在宅小児経管栄養法を行っている患者
ロ　次のいずれかに該当する患者
(1)　悪性腫瘍の患者であって，在宅において麻薬等の注射を行っている末期の患者
(2)　筋萎縮性側索硬化症又は筋ジストロフィーの患者であって，在宅において麻薬等の注射を行っている患者
(3)　(1)又は(2)に該当しない場合であって，緩和ケアを要する心不全又は呼吸器疾患の患者に対して，在宅において麻薬の注射を行っている末期の患者
ハ　悪性腫瘍の患者であって，在宅において抗悪性腫瘍剤等の注射を行っている患者
ニ　在宅強心剤持続投与を行っている患者
ホ　別に厚生労働大臣が定める注射薬の自己注射を行っている患者

Q1　在宅自己注導入前の指導

在宅自己注射指導管理料の算定要件について教えてください。

A：在宅自己注射の導入前に，以下の2つを行う必要があります。
①入院又は2回以上の外来，往診，訪問診療により，十分な教育期間をとって医師が指導を行う。
②指導内容を詳細に記載した文書を作成し患者に交付する。

（参考）　指導文書記載事項例

＿＿＿＿＿＿様（患者名を記載）
a）　現在の高血糖（HbA1c値）が経口血糖降下剤の効果を減弱させている（糖毒性の説明）。
b）　患者の現在の内因性インスリン（IRIまたはCPRの値を示す）の値を示しインスリン使用の必要性。
c）　インスリンを使うと疲れがとれ，体が楽になる（インスリンの効果）。
d）　抗GAD抗体値を示し緩徐進行型IDDMであり，インスリン使用が必須である場合。
e）　コントロール不良の2型糖尿病に対し早期にインス

リンにより代謝を改善すると3カ月位で経口血糖降下剤に戻ることがある。
f） 肝障害や腎障害などが重症でインスリンしか使用できない。
g） 感染症でコントロールが乱れた場合。
h） 糖尿病妊婦，妊娠可能な糖尿病患者の場合。
i） 外傷，壊疽，手術の前後，脳血管障害，心筋梗塞の場合インスリン治療が望ましい。
j） インスリンにより起こる可能性が高くなる低血糖の症状，低血糖の起こりえる時間。
k） 前治療の経口血糖降下剤は中止するか，または残した場合どのように内服するか。
l） インスリン薬剤の変更の理由。
m） 緊急時の医療側への連絡先。
〒○○○－○○○○　○○市○○町1－2－3
○○クリニック
医師（説明者）名　○○　○○

注1　文書を渡すときには，患者に説明する項目を選択し，その内容を記載する。
注2　必須ではないが，できれば患者名（同伴者）を記入する。
注3　説明書の写しはカルテに添付する。
（東京保険医新聞2014年4月25日号より引用）

Q2　初診月に算定できるか

在宅自己注射指導管理料は初診月でも算定できますか。

A：導入前の入院または外来で2回の指導を行い，その他の要件を満たしていれば算定できます。

Q3　在宅自己注射指導管理料の算定前月の請求

7月31日に外来でインスリンの自己注射の指導を行い，8月5日にC101在宅自己注射指導管理料を算定した場合，7月31日の注射手技料と薬剤料は算定できますか。

A：7月はC101在宅自己注射指導管理料を算定していないので，7月31日の注射手技料と薬剤料は算定できます。〈オ〉

「1」複雑な場合，「2」1以外の場合

Q4　「複雑な場合」とは

点数が「1　複雑な場合」と「2　1以外の場合」に区分されていますが，「複雑な場合」とは，どのような場合に算定するのですか。

A：間歇注入シリンジポンプを用いて自己注射を行っている患者に対して，ポンプの状態，投与量等について確認・調整等を行った場合に算定します。〈保〉

Q5　残薬があり薬剤の処方がない場合

在宅自己注射指導管理料「2」は自己注射の回数に応じた点数ですが，残薬があるため薬剤の支給がない場合あるいは指示した回数どおりに実施できなかった場合でも，医師が指示した自己注射の回数に応じて算定するのでしょうか。

A：指示した回数に応じて算定します。薬剤の支給がない場合は，レセプトの摘要欄に「残薬あり」との記載をする必要があります。

Q6　算定回数のカウント方法

在宅自己注射指導管理料について，指示した自己注射の回数で算定するのでしょうか。実施した回数で算定するのでしょうか。

A：指示回数により算定します。〈保〉

Q7　指示回数のカウント方法(1)

C101「2」は，“当該月の自己注射の指示回数に応じて算定”しますが，具体的にはどのように算定するのでしょうか。

A：例えば，1日1回のインスリン注射薬の自己注射を2月8日に指示（1月受診時も同様の指示あり）した場合，1カ月当たりの自己注射の回数は28回になるため，C101「2」「ロ」（月28回以上の場合）を算定する扱いとなります。〈読〉

Q8　指示回数のカウント方法(2)

「ヒュミラ皮下注」（2週に1回）の自己注射を行っている場合，月2回の皮下注のため「2」「イ」での算定となりますか。それとも14日間の効能であるため，14日×2回の28日間として「2」「ロ」での算定となりますか。

A：注射の「総回数」とは，自己注射の回数（医師が在宅で実施するよう指示した回数）のことです。したがって，ヒュミラ皮下注は月2回（受診の状況によっては3回）となり，本例の場合は，「2」「イ」（月27回以下）で算定します。〈オ〉

Q9　指示回数のカウント方法(3)

C101在宅自己注射指導管理料の通知(9)にある「医師が当該月に在宅で実施するよう指示した注射の総回数」の数え方を教えてください。

例えば，注射薬を2剤処方で，注射薬A「1日3回朝・昼・夕」，注射薬B「1日1回朝」の指示をした場合，1日の注射の回数は，何回と数えたらよいでしょうか。

A：C101に係る通知(9)における「医師が当該月に在宅で実施するよう指示した注射の総回数」とは，ご質問のケースでは，注射薬A，Bを合わせて1日4回とカウントするのが適当と解されます。ただし，朝，注射薬A，Bを混合注射する場合は，1日3回とカウントします。〈オ〉

Q10　月末に開始した場合のカウント方法

インスリンの在宅自己注射を週1回，月末26日から開始した場合，当月は1回のみの実施となり

ますが，当月分のC101在宅自己注射指導管理料は「27回以下」にて算定することになるのでしょうか。

A：通知に「医師が当該月に在宅で実施するよう指示した注射の総回数に応じて所定点数を算定する。～」とあります。お問合せのケースでは，「月27回以下」に該当します。〈オ〉

Q11　イミグランの自己注射

イミグランを偏頭痛発生時に使用させるために2キット（4アンプル）を処方した場合，在宅自己注射指導管理料は，算定できますか。

A：2キットの処方で，薬剤の数は4アンプル（4回）のため，「月27回以下の場合」で算定します。

患者への教育

Q12　患者の教育期間(1)

数週間に1回の自己注射が必要な患者であっても，2回以上の外来等による教育期間が必要ですか。自己注射の間隔に応じた適切な教育期間では要件を満たさないのでしょうか。

A：注射の回数にかかわらず，特に指導する期間は定められてはいませんが，2回以上の外来等による教育期間をとり，指導を行う必要があります（アドレナリン製剤を除く）。なお，2回目の教育が終了した同日に在宅自己注射指導管理を行い，要件を満たせば，在宅自己注射指導管理料が算定できます。〈厚平26.4.23，厚労省に口頭確認〉

Q13　患者の教育期間(2)

(1)　C101在宅自己注射指導管理料の通知(7)に「在宅自己注射の導入前に，入院又は2回以上の外来，往診若しくは訪問診療により，医師による十分な教育期間をとり，十分な指導を行った場合に限り算定する」とありますが，ここでいう「2回以上の外来，往診若しくは訪問診療」とは，在宅自己注射指導管理料を算定する日より前に2回以上実施するということですか。あるいは，在宅自己注射指導管理料を算定する日も含め2回でよいのですか。

例えば，月曜日＝教育指導，水曜日＝教育指導＋在宅自己注射指導管理料を算定する場合は，算定要件を満たしていますか。

(2)　在宅自己注射導入前の要件に，①入院又は2回以上の外来，往診，訪問診療により十分な教育期間をとって医師が指導を行う，②指導内容を詳細に記載した文書を作成し患者に交付する――があります。

上記①②について，他院にて在宅自己注射の指導を受けていた患者が転居により医療機関を変更した場合（診療情報提供書持参），変更後の医療機関でもインスリン製剤を処方して，指導を行った場合でも必要ですか。

A：(1)「2回以上の教育期間」は，ご質問の「月曜日：教育指導，水曜日：教育指導および在宅自己注射指導管理料算定」でも可です。

(2)　転居により，同一の在宅自己注射指導管理をA，B医療機関で継続して行う場合は，A医療機関で「在宅自己注射の導入前の教育指導」，文書の交付を終えているため，転居先のB医療機関で新たに「2回以上の教育」や文書の交付は要しないと解されます。なお，転院先の医療機関では，明細書に「他医にて在宅自己注射施行患者」のコメントを記すのが望ましいです。〈オ〉

Q14　外来受診時の（医療者による）教育期間中のインスリン注射

①　C101在宅自己注射指導管理料を算定していない教育期間中（自己注射指導前）のインスリン注射の注射手技料，薬剤料はC101に含まれて算定できないのでしょうか。

②　教育期間中にインスリンを算定する際は，どのコード番号で算定するのですか。

A：①外来患者については，C101の教育期間中であっても，C101の算定月でない場合は，注射手技料，薬剤料が算定できますが，C101の算定月は注射手技料，薬剤料ともに緊急時を除き算定不可となります。

一方，入院患者については，医師または医師の指示を受けた看護師が指導をしながらインスリンの注射をした場合は薬剤料が算定できます。

②外来・入院でインスリンの注射手技料，薬剤料が算定できる場合は，「皮下筋肉内」の項に記載します。〈オ〉

複数医療機関での算定

Q15　複数医療機関での算定(1)

2つの医療機関で，一方は骨粗鬆症に対してフォルテオ皮下注キットを，他方はII型糖尿病に対してインスリン製剤を投与しています。

「在宅療養指導管理料の一般的事項」の通知(5)では，「主たる医療機関で算定する」旨が示されていますが，C101在宅自己注射指導管理料を主たる医療機関で算定した場合，もう一方の医療機関では注射針のみを院外処方で投与できますか。

A：C101の通知（19）で，「2つ以上の医療機関が同一患者について，異なった疾患に対する当該指導管理を行っている場合はいずれの保険医療機関においても，当該在宅療養指導管理料を算定できる」とされています。なお，この場合，相互の医療機関で指導を行っている自己注射の薬剤を把握することとされています。〈オ〉

Q16　複数の医療機関での算定(2)

同一の患者について，2以上の医療機関で異なる疾患に対する指導管理を行っている場合，それぞれの医療機関で在宅自己注射指導管理料が算定できますが，以下の場合は算定できますか。
①　2以上の医療機関が特別の関係にある場合
②　同一医療機関で異なる診療科の医師が異なる疾患に対してそれぞれ在宅自己注射指導管理を行った場合

A：①　算定できます。
②　算定できません。〈保〉

Q17　複数の医療機関での算定(3)

在宅療養指導管理料は2つの医療機関で同一の指導管理料の算定はできないとありますが，糖尿病患者に対するインスリンについて，以下の例のような算定で正しいのでしょうか。
(例) A診療所で5月までC101在宅自己注射指導管理料を算定し，5月にB病院へ紹介。
6月は，B病院でC101＋C153注入器用注射針加算を算定（薬剤と注入器用注射針はA診療所にて院外処方）。
A診療所では，管理料算定なしで，処方箋料（インスリン，注入器用注射針を処方）を算定。

A：C153注入器用注射針加算は，指導したうえで注入器用注射針を処方（支給）した場合に，C101在宅自己注射指導管理料に併せて算定するものです。同月に院外処方した場合や他医療機関で処方している場合には，算定できません。

したがって，5月までA診療所でC101を算定していた患者が，6月からはB病院でC101を算定しているのであれば，C153はB病院でも算定可となりますが，ご質問のケースは，注入器用注射針を自院で処方（支給）していないため，算定不可となります。

一方，A診療所においては，6月にC101を算定しないで注入器用注射針を院外処方したとしても，保険請求は認められません。さらに在宅医療の薬剤と注入器用注射針のみの処方箋では，処方箋料は算定不可となります。〈オ〉

「注2」「注3」導入初期加算

Q18　薬剤の処方がなかった場合

8月より在宅自己注射の算定を導入した患者に対し，翌月9月に指導を行いました。前月に処方したインスリンの残薬があったため，薬剤の処方はありませんでしたが，血糖自己測定用の材料はなくなったため，処方しました。
この場合，C101在宅自己注射指導管理料と導入初期加算（2カ月目）およびC150血糖自己測定器加算の算定は可能ですか。

A：9月（2カ月目）に指導が行われているので，C101在宅自己注射指導管理料のほか，「注2」導入初期加算も算定できます。また，C150血糖自己測定器加算についても，要件を満たしていれば算定できます。〈オ〉

Q19　導入初期加算(1)

在宅自己注射指導管理と異なる在宅療養指導管理を2つ行い，在宅自己注射指導管理料を算定しなかった場合，導入初期加算は算定できますか。

A：導入初期加算は在宅療養指導管理材料加算と異なり，在宅自己注射指導管理料の加算となるため，在宅自己注射指導管理料を算定していない場合は算定することはできません。〈保〉

Q20　導入初期加算(2)

処方内容に変更があった場合，導入初期加算が再度算定できますが，どのような場合が該当するのでしょうか。

A：処方された特掲診療料の施設基準等の「別表第9」に掲げる注射薬に変更があった場合に該当します。〈保〉

Q21　導入初期加算(3)

処方内容の変更のたびに，導入初期加算は算定できるのでしょうか。

A：処方内容に変更があった場合，導入4月目以降に，1回に限り導入初期加算を算定できます。ただし，1年以内に使用した「別表第9」に掲げる別の薬剤に変更した場合には，算定できません。〈保〉

Q22　処方内容の変更

ランタス®注〔インスリングラルギン（遺伝子組換え）〕からトレシーバ®注〔インスリンデグルデグ（遺伝子組換え）〕に変更した場合は，処方内容の変更に該当すると考えてよいでしょうか。

A：いずれも同じインスリン製剤であるため，「処方の変更」には該当しません。

Q23　算定期間中に薬剤を変更した場合

導入初期加算を算定している3か月の間に，薬剤の種類を変更した場合は，導入初期加算を合計4か月間算定することができるのしょうか。

A：3か月の間に限り算定します。〈厚平26.4.4〉

Q24　算定期間中に医療機関を変更した場合

C101在宅自己注射指導管理料の導入初期加算を行っている患者が保険医療機関を変更した場合はどのように取り扱うのでしょうか。

A：変更前の保険医療機関から通算して取り扱います。 〈厚平26.4.10〉

Q25 処方の内容に変更があった場合

導入初期加算については，「新たに在宅自己注射を導入した患者に対し，3月の間月1回に限り算定する。ただし，処方の内容に変更があった場合は，さらに1回に限り算定することができる」となっていますが，
①さらに1回に限りとは，導入後3月の間に月2回算定する月があってもよいですか。
②あるいは，導入後4月目以降においても1回に限り算定可能ということですか。

A：①導入後3月の間に月2回は算定できません。②導入後4月目以降でも1回に限り算定できます。 〈厚平26.4.10〉

「注4」バイオ後続品導入初期加算

Q26 バイオ後続品とは

バイオ後続品とはどのようなものですか。

A：バイオ後続品（バイオシミラー）とは，すでに発売されているバイオ医薬品（先行バイオ医薬品）と品質や有効性，安全性が同等・同質と認められたバイオ医薬品です。構造が複雑なタンパク質であるため，先行バイオ医薬品とまったく同じ薬が製造できないことから，「後続品（シミラー）」と呼ばれています。

Q27 主なバイオ後続品と導入のメリット

バイオ後続品に該当する薬剤はどのようなものですか。また，導入するメリットは何ですか。

A：自己注射に用いるバイオ後続品の主なものは図表のとおりです。一般的にバイオ後続品の薬価は先発医薬品の7割程度の薬価であり，医療費の節約になり患者負担も軽減されます。

Q28 導入初期加算の併算定

導入初期加算と併算定できますか。

A：併算定可能です。 〈保〉

Q29 先行バイオ医薬品が同一の場合

バイオ後続品導入初期加算について，バイオ後続品から先行バイオ医薬品が同一である別のバイオ後続品に変更した場合，再度算定可能ですか。

A：算定できません。 〈厚令2.3.31〉

「注5」情報通信機器を用いた指導

Q30 届出は必要か

「情報通信機器を用いた場合」で算定する場合に届出は必要ですか。

A：初・再診料等の「情報通信機器を用いた場合」の届出を行われければなりません。

Q31 情報通信機器を用いた場合(1)

情報通信機器を用いた指導時にC101の加算は算定できますか。

A：「注2」「注3」の導入初期加算，「注4」のバイオ後続品導入初期加算は算定できませんが，血糖自己測定器加算，注入器加算，持続血糖測定器加算，注入器用注射針加算等の材料加算は算定できます。

Q32 情報通信機器を用いた場合(2)

情報通信機器を用いた指導時に処方箋を送付できますか。

A：送付できます。また郵送料は療養の給付と直接関係のないサービスであり，患者からの同意書を作成したうえで徴収しても差し支えありません。

C150 血糖自己測定器加算

Q33 測定回数のカウント方法(1)

C150血糖自己測定器加算は，1日2回，血糖測定を医師が指示した場合，1月（30日）で60回行うことになりますが，この場合，「4」月60回以上測定する場合の830点を算定するのですか。

A：そのとおりです。 〈オ〉

Q34 測定回数のカウント方法(2)

月末（例えば4/20に自己注開始）に，在宅自己注射1日1回の指示をした場合，当月の残りの日数が11日しかないため，C101「2」の「イ」月27回以下で算定しますが，C150血糖自己測定器加算についても，1日2回測定の場合，残りの日数「11日×2回＝22回」なので，C150「1」月20回以上測定する場合（350点）での算定となりますか。それとも，丸々1カ月測定した場合は1月に60回となることから，「4」月60回以上測定する場合（830点）での算定となりますか。

A：C150血糖自己測定器加算は，当月の測定指示回数ではなくて，1カ月の測定回数により算定するという考え方ですので，「4」月60回以上測定する場合（830点）で算定します。 〈オ〉

Q35 測定回数のカウント方法(3)

C150血糖自己測定器加算は，当月の測定指示回数ではなく，1カ月の測定回数により算定するということですが，例えば1日2回測定の患者の場合，2月は日数が28日か29日となるため，この月のみ「月40回以上」での算定となるのでしょうか。

また，２カ月分をまとめて算定する場合，「月60回以上×２」もしくは，「月60回以上×１，月40回以上×１」のいずれが正しい算定になりますか。

A：C150血糖自己測定器加算は，患者が実際に測定する回数ではなく，医師が患者に指示した測定回数に基づくものです。

暦の２月は30日に満たず，１日２回では実質的に「月60回」に達しませんが，１年12カ月を均して考えれば１月は平均30日以上であり，２月についても他の月と同様，「月60回以上測定する場合」での算定が妥当であると解されます。〈オ〉

Q36　3月に3回の考え方(1)

血糖自己測定器加算の算定要件について教えてください。

A：以前は月１回に限り算定するとされていましたが，血糖値が安定しており，インスリン製剤等の長期投与が可能な患者については，３月に３回に限り算定できることとされました。ただし注射針加算は月１回を限度に算定します。〈保〉

Q37　3月に3回の考え方(2)

C150血糖自己測定器加算は，“３月に３回に限り加算できる”とありますが，次の場合は，以下の①，②のどちらの解釈が正しいでしょうか。

２／１　インスリン製剤90日分処方。血糖自己測定器加算２月，３月，４月分の３回算定

４／15　インスリン製剤60日分処方。５月，６月分の２回算定

①２月に２～４月の３カ月分（３回）を算定済みなので，４月15日に算定してしまうと，３カ月間で４回以上の算定となるため，算定できない。

②まず２月１日には，２月を起算月として２～４月分の３回算定する。４月15日には新たに４月を起算月として４～６月分の３カ月分が算定可能だが，２月に４月分は算定済みであるため，４月分を除いた５～６月の２カ月分を算定する。したがって２月と４月で５回の算定となる。

A：４月15日は指導を行っていると考えられますので，C101在宅自己注射指導管理料を算定します。C150血糖自己測定器加算は，２月に４月分まで，３月に３回分を請求済みですので，５月分のレセプトで「患者の都合で４月に来院。４月分までのC150血糖自己測定器加算は請求済みであるが，５～６月分の材料を支給。４月には算定不可なので，５月分レセプトで，C150の５月分，６月分（３カ月分渡したのであれば５月～７月分）を請求する」旨の詳記をして請求してください。〈オ〉

Q38　1月に複数回の算定(1)

血糖自己測定器加算は３カ月に３回に限り加算できるとありますが，１月に当該加算を複数回算定できる場合とはどのような場合ですか。

A：インスリン製剤またはヒトソマトメジンC製剤を複数月分処方していることが必要であり，当該患者が１月に使用するインスリン製剤またはヒトソマトメジンC製剤を複数回に分けて処方した場合には算定できません。〈厚平20.3.28〉

Q39　1月に複数回の算定(2)

以下の場合，血糖自己測定器加算はどのように算定するのですか。

①　４月にインスリン製剤，血糖測定に必要な器材等を３カ月分処方した場合

②　４月にインスリン製剤，血糖測定に必要な器材等を２カ月分処方し，６月に２カ月分処方した場合

③　４月にインスリン製剤，血糖測定に必要な器材等を３カ月分処方し，７月に３カ月分処方した場合

A：①　４月に血糖自己測定器加算を３回分算定します。

②　４月，６月に血糖自己測定器加算をそれぞれ２回分算定します。

③　４月，７月に血糖自己測定器加算をそれぞれ３回分算定します。〈保〉

Q40　月1回ずつの算定

薬剤を１カ月分ずつ処方している場合，血糖自己測定器加算は月１回ずつ算定してよいですか。

A：算定可能です。〈保〉

Q41　加算を算定した翌月の指導管理

３カ月分のインスリン製剤等の長期投与をし，血糖自己測定器加算を３回分算定した患者に，翌月指導管理を行った場合は，在宅自己注射指導管理料を算定できますか。

A：算定できます。注射針の支給をしているのであれば，注射針加算も算定できます。ただし，血糖自己測定器加算は算定できません。〈保〉

Q42　要件をクリアした他院の医師の指示で行う場合

C150「７」間歇スキャン式持続血糖測定器によるものについて，専門の知識及び５年以上の経験を有する常勤の医師がいない保険医療機関で，他の保険医療機関の当該条件を満たす医師の指導の下で，糖尿病の治療を行う常勤の医師が間歇スキャン式持続血糖測定器を使用して血糖管理を行った場合には算定可能でしょうか。

A：算定できません。〈厚令2.7.20〉

Q43　間歇スキャン式持続血糖測定器の対象患者

C150「7」間歇スキャン式持続血糖測定器によるものについて，グルカゴン様ペプチド－1受容体アゴニストの自己注射を承認された用法及び用量に従い1週間に1回以上行っている者に対して，血糖自己測定値に基づく指導を行うために間歇スキャン式持続血糖測定器を使用した場合は，算定可能でしょうか。

A：算定不可です。〈厚令4.3.31〉

Q44　血糖試験紙等の費用

インスリン製剤の在宅自己注射を行っている患者で，血糖自己測定を行っている場合，グルコスティック等を給付しますが，これらの費用は算定できますか。

A：別に算定できません。血糖自己測定に使用される血糖試験紙，穿刺針および測定機器を患者に給付または貸与した場合の費用，その他血糖測定に係るすべての費用は，C150血糖自己測定器加算の所定点数に含まれます。

Q45　テストテープの追加

Ⅱ型糖尿病の患者でインスリン製剤によるC101在宅自己注射指導管理をし，血糖自己測定を1月60回以上行っているので830点を加算しています。窓口で，テストテープを3箱（30セット／1箱）出していますが，患者の希望で4箱欲しいと言われた場合，追加の1箱は実費請求できますか。

A：血糖自己測定回数による血糖自己測定加算を算定する場合，血糖試験紙（テストテープ）等の費用は所定点数に含まれており，追加で渡した場合も含めて実費請求はできません〔『早見表』p.428の血糖自己測定器加算の通知(1)〕。また，追加支給の申し出があっても，必要な測定回数分の試験紙を渡し，患者には検査の必要回数がなぜ現在の回数とされているのか，それ以上の試験紙は保険診療の規定では渡せないことを理解してもらうようにしてはいかがでしょうか。〈オ〉

Q46　尿糖試験紙の費用

血糖自己測定を行っている患者に尿糖試験紙を給付した場合，その費用は在宅自己注射指導管理料に含まれますか。含まれない場合は，自費（自己負担）請求してよいでしょうか。

A：血糖自己測定器加算には，血糖測定用機器，血糖試験紙の費用は含まれますが，尿糖試験紙の費用は含まれません。しかし，療養担当規則で保険診療にかかるものについて保険の一部負担金と保険外併用医療の自己負担金，往診等の交通費等以外の料金は徴収ができないこととされていますので，尿糖の試験紙代は徴収できません。

Q47　測定紙が余っているため，当月は支給しなかった場合の加算の算定

当院で測定器等を貸与している患者の受診時に，余っている血糖測定紙や固定化酵素電極があるため，それらを給付しなかった場合，C150血糖自己測定器加算は，以下のどちらに該当しますか。
①　上記を給付していないため算定不可
②　今回給付していなくても，足りるように調整しているだけでも算定可

A：C150血糖自己測定器加算「注1」に，「血糖自己測定値に基づく指導を行うため血糖自己測定器を使用した場合に……加算する」，また通知(1)に「医師が……血糖試験紙又は固定化酵素電極を給付し，在宅で血糖の自己測定をさせ，その記録に基づき指導を行った場合」に加算するとあります。

すなわち，「血糖自己測定器を使用させ，指導を行った場合」に，月の測定回数に基づき算定します。

よって，血糖自己測定器（血糖自己測定紙等を含む）を使用させている場合は，毎月の試験紙の支給枚数に基づくものではなく，1月の測定指示回数に基づき算定します。

以上より，ご質問については②が適当です。〈オ〉

Q48　測定器を購入させた場合

血糖自己測定器加算は，テスト・テープやバイオセンサー等を給付または貸与しない場合でも算定できますか。また，患者に血糖測定器を購入させた場合は算定できますか。

A：血糖測定器等の血糖自己測定にかかるすべての物品については，医療機関が給付または貸与することが加算点数を算定するための要件ですから，給付または貸与せず，患者に購入させた場合は算定できません。なお，転院患者で，前の医療機関からもらったものを持参して当面給付の必要がない場合においては算定可能です。

Q49　インスリン投与中ではない患者

在宅療養指導管理材料加算は要件を満たせば，別に算定できますが，インスリン投与中ではない患者に対しても，血糖自己測定器加算等は算定できますか。

A：糖尿病でもインスリンを投与しない患者には算定できません。なお，C101-2在宅小児低血糖患者指導管理料又はC101-3在宅妊娠糖尿病患者指導管理料を算定している患者には算定ができます。

〔編注：在宅医療点数には設定されていませんが，B001-3，B001-3-3生活習慣病管理料（Ⅰ）（Ⅱ）を算定している2型糖尿病の患者で，インスリン製剤を使用していない患者に対して血糖自己測定指導を行った場合は生活習慣病管理料の「注3」血糖自己測定指

導加算として500点（年１回）が算定できます〕

Q50　1月20回未満の場合

例えば，２型糖尿病で，血糖自己測定の回数が月に20回未満の場合でも，Ｃ150血糖自己測定器加算は算定できますか。

さらにこの患者が２カ月ごと受診の場合，１カ月で16回，２カ月で32回として，この20回未満の加算が１回分算定できるのでしょうか。

A：血糖値の変動が少なく，医学的に測定が月20回未満でよい場合は，Ｃ101在宅自己注射指導管理料のみの算定となり，Ｃ150血糖自己測定器加算は算定できません。

測定回数は１カ月ごとにカウントし，２カ月合計の回数での算定はできません。〈オ〉

Q51　点数を超えた分の実費請求(1)

１型糖尿病ではない患者が，１日３～６回自己血糖測定をされていて，クリニックから渡された自己血糖測定に必要な材料・器具代でも１万～３万円ほどかかり，算定点数以上の経費がかかってしまうケースがあります。点数を超えた分を実費で徴収することは認められますか。

また，失敗して材料を必要以上に使ってしまう患者へは，クリニックで指導管理をすべきだと思いますが，いかがでしょうか。

A：算定点数以上の経費がかかる場合でも，それを実費徴収することは認められていません。１型糖尿病ではない場合，血糖自己測定器加算は，最大でも「４」の「月60回以上測定する場合（830点）」です。何度も失敗する場合は，保険点数では想定されていませんが，必要な枚数は渡すものとされています。医療機関が指導をして，患者に慣れてもらうしかないでしょう。〈オ〉

Q52　点数を超えた分の実費請求(2)

在宅での血糖自己測定をするにあたって，患者に固定化電極の給付をしているのですが，その費用が所定点数を上回る場合，自費請求できますか。

A：自己血糖測定に係る測定器や試験紙等の費用が血糖自己測定器加算の所定点数を上回る場合であっても，患者から保険点数以上の額の実費徴収を求めることはできません。これは他の器具加算や特定保険医療材料（公定価格のもの）についても同様です。なお，患者に支給する試験紙等の量は，医療上の必要性に基づくものに限られます。〈オ〉

Q53　血糖自己測定器加算と傷病名

血糖自己測定器加算の対象者は１型糖尿病とその他に分類されますが，１型糖尿病の患者に血糖自己測定器加算を算定する場合，病名の記載は「糖尿病」だけでよいのでしょうか。

A：月90回以上（1170点）～月120回以上（1490点）を算定する場合は，「１型糖尿病」またはその他の算定対象者であることがわかるようなレセプト上の記載が必須となります。

糖尿病は，１型，２型，その他特定の型，妊娠糖尿病に大別されます。１型糖尿病は，従来，インスリン依存型といわれ，大部分はインスリン治療が不可欠であり，若年の発病が多くなっています。２型糖尿病は，糖尿病の９割以上を占め，従来のインスリン非依存型ですが，インスリン治療が必要な場合もあります。

Q54　在宅自己血糖測定用試験紙の院外処方

在宅自己血糖測定用試験紙は，院外処方箋を発行して，薬局で支給することはできますか。

A：医療機関が支給することとされていますので，薬局で支給することはできません。

Q55　退院時の血糖自己測定器加算(1)

退院時に在宅自己注射指導管理料を算定した場合，血糖自己測定器加算は算定できますか。

A：退院時に在宅自己注射指導管理を行った場合で，退院時に血糖自己測定に係る器具等を給付し，血糖自己測定値に基づく指導を行った場合は，血糖自己測定器加算が算定できます。

Q56　退院時の血糖自己測定器加算(2)

退院時の血糖自己測定は“血糖自己測定値に基づく指導を行うため血糖自己測定器を使用した場合に算定できる”とありますが，入院中に自己測定させることはほとんどないと思われますがいかがですか。

A：退院時に在宅で使用する器材や試験紙を渡したうえで，血糖自己測定に関する指導を行えば血糖自己測定器加算が認められています。〈オ〉

Q57　高カロリー輸液へのインスリンの混注

高カロリー輸液を使用して在宅中心静脈栄養法指導管理を行っています（ポートより注入）。インスリンを混注した場合，Ｃ150血糖自己測定器加算は算定できますか。

A：Ｃ150血糖自己測定器加算は，Ｃ101在宅自己注射指導管理料，Ｃ101-2在宅小児低血糖症患者指導管理料またはＣ101-3在宅妊娠糖尿病患者指導管理料のいずれかを算定した場合に加算する点数です。お問合せの場合は，Ｃ104在宅中心静脈栄養法指導管理料を算定されていますが，Ｃ101，Ｃ101-2，Ｃ101-3（以下「Ｃ101等」）を行っているのかが不明です。Ｃ101等を行っていなければＣ150は算定できません。

なお，「同一の保険医療機関において，２以上の指導管理を行っている場合は，主たる指導管理の所定点数を算定する。この場合にあって，在宅療養指導管理材料加算（中略）は，それぞれ算定できる」とされているため〔『早見表』p.427在宅療養指導管理材料加算の通知(2)〕，在宅中心静脈栄養法指導管理（C 104）と併せてC 101等を行っていた場合，C 101等は算定できませんが，C 150の算定は可能です。〈オ〉

Q58 在宅療養指導管理料を算定しない月の材料のみの算定等

1　C 101在宅自己注射指導管理料を算定しない月に，C 150血糖自己測定器加算，C 153注入器用注射針加算のみを算定できますか。

2　C 150血糖自己測定器加算について，1月にインスリン製剤を3カ月分投与した場合，再診が1回で実日数1日であっても3回の算定は可能ですか。

A：1　「通則1」により，在宅療養指導管理材料加算は，在宅療養指導管理料を算定した場合に，月1回に限り加算するのが原則です。

しかし通知により，在宅療養指導管理料を算定した日に材料加算を算定しない場合は，同月の別日に材料加算のみを算定することは可能と解されます。また，C 101ともう一つの指導管理を行い，C 101を算定せずにC 101の材料加算のみを算定することも可能です。

ただし，在宅療養指導管理料を算定しない月については，「通則1」により，材料加算のみを算定することは妥当でないと解釈されます。

2　C 150に係る通知により，インスリン製剤が3月分以上処方されている場合は，実日数1日であっても，3回の算定が可能です。〈読〉

Q59 血中ケトン体測定用電極を追加給付しない場合

C 150血糖自己測定器加算の「注4」に規定する血中ケトン体自己測定器加算について，「SGLT 2阻害薬を服用している1型糖尿病の患者に対し，糖尿病性ケトアシドーシスのリスクを踏まえ，在宅で血中のケトン体濃度の自己測定を行うために血中ケトン体自己測定器を給付した場合に算定する。なお，血中ケトン体測定用電極及び測定機器を患者に給付又は貸与した場合における…」とありますが，実際の使用状況を踏まえ，血中ケトン体測定用電極を追加的に給付しなかった場合であっても，算定可能でしょうか。

A：追加の給付の有無にかかわらず，血中ケトン体自己測定器を使用している患者であれば，算定可能です。〈厚令4.3.31〉

C 151　注入器加算

Q60 注入器の算定要件

①　C 101在宅自己注射指導管理料の注入器加算，注入器用注射針加算（注射針加算）の算定要件はどうなっていますか。具体的にどういうときに算定できますか。

②　注射器の種類別に教えてください。

A：①　医療機関が注入器を処方し実際に支給した場合に限り，注入器加算を月1回を限度として算定します。

②　注射器の種類別算定は下記のとおりです。

(a)「注入器一体型キット製剤」（使用薬剤の単位はキット）使用の場合で，注射針を支給した場合→「注射針加算」算定

(b)「万年筆型注入器」支給の場合（使用薬剤の単位は筒）→「注入器加算」算定（院外処方不可）。「注射針」支給の場合は，さらに「注射針加算」算定

(c)「ディスポーザブル注射器」支給の場合，（使用薬剤の単位はmL）→「注入器加算」算定

編注）注射針を院内で処方，薬剤を院外処方することは十数年前は認められませんでしたが，現在は院内・院外処方を併用を禁止・制限する規定は見あたりませんので，この組合せで院内処方と院外処方の併用は可能です。

Q61 注入器加算(1)

注入器加算では，“注入器を処方した場合…”となっていますが，器具を支給したときに限り加算ができるということでしょうか。

A：「処方した場合」とは患者に注入器を当月に支給した場合に限り算定できるということです。

Q62 注入器加算(2)

当月，在宅自己注射指導管理を行わず注入器のみ処方した場合，注入器加算は算定できますか。

A：加算点数のみの算定はできません。

Q63 注入器加算(3)

万年筆型インスリン注入器用注射針が，調剤報酬における特定保険医療材料として認められていますが，注射針を万年筆型注入器と一緒に院内で支給した場合は，注入器加算のほかに注射針の費用が算定できますか。

また，注入器と薬剤は院内で支給し，注射針のみを処方箋を発行し院外処方とすることはできますか。

A：万年筆型注入器（ノボペン等）を支給し，注射針を支給した場合は注入器加算と注射針加算（いずれも支給月のみ）を算定します。

また，薬剤を院内で，注射針のみを院外処方で

図表14　（C101）在宅自己注射指導管理料の対象薬剤（2024年6月1日現在）

	薬理作用／対象疾患（主なもの）	対象注射薬（一般名）	販売名（例）	用法（注射回数）
1	**インスリン補充**：インスリン依存型糖尿病（IDDM）	インスリン製剤	ノボラピッドミックス注	1日1～2回
			トレシーバ注	1日1回
	低血糖発作治療：IDDMの低血糖発作	グルカゴン製剤	グルカゴンGノボ注1mg	頓用
	インスリン分泌促進：2型糖尿病で他療法で効果不十分な場合	グルカゴン様ペプチド－1（GLP－1）受容体アゴニスト	ビクトーザ皮下注 パイエッタ皮下注 ウゴービ皮下注 （肥満症）	1日1回
	インスリン補充・インスリン分泌促進：2型糖尿病で他療法で効果不十分な場合	インスリン・グルカゴン様ペプチド－1受容体アゴニスト配合剤	ゾルトファイ配合注フレックスタッチ	1日1回皮下注
	インスリン分泌促進：GIP受容体・GLP－1受容体のアゴニスト	チルゼパチド製剤	マンジャロ皮下注	通常週1回
2	**成長促進**：成人成長ホルモン分泌不全症（低身長）	ヒト成長ホルモン製剤	ノルディトロピン	1週間に6～7回
		ヒトソマトメジンC製剤	ソマゾン注射用	1日1～2回皮下注
	成長抑制：先端巨大症，下垂体性巨人症	ソマトスタチンアナログ	サンドスタチン皮下注	1日2～3回
		ペグビソマント製剤	ソマバート皮下注	1日1回
	思春期早発抑制：中枢性思春期早発症	ゴナドトロピン放出ホルモン誘導体	セトロタイド注射用 ガニレスト皮下注	1日1回皮下注
3	**性腺機能低下に対する①②③** **①排卵誘発**（視床下部－下垂体機能障害または多嚢胞性卵巣症候群） **②精子形成の誘導**（低ゴナドトロピン性男子性腺機能低下症） **③生殖補助医療**	性腺刺激ホルモン製剤 販売名（例）：uFSH，HCGモチダ注射用，HCG「F」，HMG注，ゴナールエフ，ゴナトロピン注用5000単位，フォリスチム注，フォリルモンP，オビドレル皮下注，レコベル皮下注		略
	視床下部性腺機能低下症	性腺刺激ホルモン放出ホルモン剤	ヒポクライン注射液	1日12回皮下注，12週投与
4	**ヒト副甲状腺ホルモン補充**：骨折の危険の高い骨粗鬆症	テリパラチド製剤	フォルテオ皮下注	1日1回
		アバロパラチド酢酸塩製剤	オスタバロ皮下注	1日1回皮下注
5	**血液凝固因子補充**：血友病	血液凝固（Ⅶ，Ⅷ，Ⅸ）因子製剤	ベネフィクス，クロスエイトMC，クリスマシンM	症状に応じて適宜
		血液凝固第Ⅷ因子機能代替製剤（エミシズマブ製剤）	ヘムライブラ皮下注	1週間間隔で皮下注
	出血時の止血治療	血液凝固第Ⅹ因子加活性化第Ⅶ因子製剤	バイクロット配合静注用	静注，追加投与は8時間以上空ける
	血液凝固因子（Ⅷ，Ⅸ）インヒビター保有患者の出血傾向抑制	コンシズマブ製剤	アレモ皮下注	1日1回
6	**VW因子補充**：von Willebrand病の出血傾向の抑制	遺伝子組換えヒトvon Willebrand因子製剤	ボンベンディ静注用1300	出血時緩徐に静脈内投与
	VW因子抑制：後天性血栓性血小板減少性紫斑病	カプラシズマブ製剤	カブリビ注射用	1日1回皮下注
7	**顆粒球形成**：再生不良性貧血，先天性好中球減少症	顆粒球コロニー形成刺激因子製剤	グラン注射液 ノイトロジン注	1日1回皮下注または静注
8	**免疫グロブリン補充**：無または低ガンマグロブリン血症	pH4処理酸性人免疫グロブリン（皮下注射）製剤	ハイゼントラ皮下注 キュービトル皮下注	注入ポンプにより週1回皮下注

9	**レプチン補充**：脂肪萎縮症	メトレレプチン製剤	メトレレプチン皮下注	1日1回
10	**酵素補充療法**：低ホスファターゼ症	アスホターゼアルファ製剤	ストレンジック皮下注	週6回または週3回皮下注
11	**抗凝固作用**：血栓症を伴う流産を繰り返す妊婦（不育症，抗リン脂質抗体症候群合併妊娠患者）	ヘパリンカルシウム製剤	ヘパリンカルシウム皮下注	1日2回
12	**抗ウイルス作用**：C型慢性肝炎，C型代償性肝硬変，B型慢性肝炎，HTLV−1関連脊髄症（HAM）	インターフェロンアルファ製剤	スミフェロン注DS	1日1回連日または週3回
	真性多血症（既存治療薬不奏功の場合）	（ロペグインターフェロンアルファ2b製剤）	ベスレミ皮下注	2週に1回
	免疫調節作用：多発性硬化症	インターフェロンベータ製剤	ベタフェロン皮下注	皮下に隔日投与
13	**関節破壊抑制，関節炎の進行抑制**：関節リウマチ ＊1は，さらに若年性特発性関節炎，尋常性乾癬他の乾癬，強直性脊椎炎，ベーチェット病，クローン病，潰瘍性大腸炎，化膿性汗腺炎，ぶどう膜炎等 ＊2は，さらに尋常性乾癬他の乾癬，乾癬性紅皮症 ＊3は，さらに高安動脈炎，巨細胞性動脈炎 ＊4は，さらに潰瘍性大腸炎	エタネルセプト製剤	エンブレル皮下注	1日1回週1，2回
		アダリムマブ製剤	ヒュミラ皮下注＊1	2週に1回
		セルトリズマブペゴル製剤	シムジア皮下注＊2	2週に1回
		トシリズマブ製剤	アクテムラ皮下注＊3	2週に1回
		アバタセプト製剤	オレンシア皮下注	週1回
		ゴリムマブ製剤	シンポニー皮下注＊4	4週に1回皮下注
		サリルマブ製剤	ケブザラ皮下注	2週間隔で皮下注
		オゾラリズマブ製剤	ナノゾラ皮下注	4週間隔で皮下注
14	**皮膚および関節の炎症抑制**：関節症性，尋常性または膿疱性の難治性乾癬等（＊1は，さらに乾癬性紅皮症，＊2は，さらに強直性脊椎炎）	ブロダルマブ製剤	ルミセフ皮下注＊1	初回と1，2週後皮下注，以降は2週間隔で皮下注
		セクキヌマブ製剤	コセンティクス皮下注＊2	初回と1，2，3，4週後皮下注，以降4週間隔で皮下注
		イキセキズマブ製剤	トルツ皮下注＊2	初回，2週後から12週後までは2週間隔で皮下注，以降は4週間隔で皮下注
		メトトレキサート製剤	メトジェクト皮下注	週1回皮下注
	尋常性乾癬，嚢胞性乾癬，乾癬性紅皮症の炎症抑制	ビメキズマブ製剤	ビンゼレックス皮下注	初回から16週は4週間隔，以降は8週間隔
15	**肝機能異常改善**	グリチルリチン酸モノアンモニウム・グリシン・L－システイン塩酸塩配合剤	強力ネオミノファーゲンシー静注	1日1回
16	**頭痛治療**：片頭痛，群発頭痛	スマトリプタン製剤	イミグラン注，キット	頓用
	CGRP活性の阻害作用：片頭痛発作の発症抑制	ガルカネズマブ製剤	エムガルティ皮下注	通常，初回。以降1月間隔で皮下注
		エレヌマブ製剤	アイモビーグ皮下注	通常，4週に1回
		フレマネズマブ製剤	アジョビ皮下注	4週に1回皮下注に限り対象
17	**アナフィラキシー**（蜂毒，食物等に起因）**の補助治療**	アドレナリン製剤	エピペン注射液	頓用

18	**パーキンソン病の**（レボドパ効果切れに伴う）**オフ症状の改善**	アポモルヒネ塩酸塩製剤	アポカイン皮下注	頓用
	パーキンソン病の日内変動の改善	ホスレボドパ・ホスカルビドパ水和物配合剤	ヴィアレブ配合持続皮下注	24時間持続皮下注
19	**多発性硬化症の再発予防**	グラチラマー酢酸塩製剤	コパキソン皮下注	1日1回皮下注
	多発性硬化症の再発予防および身体的障害の進行抑制	オファツムマブ製剤	ケシンプタ皮下注	初回と1，2，4週後。以降は4週間隔
20	**全身型重症筋無力症**（ステロイド剤，免疫抑制剤が不奏功の場合）	ジルコプランナトリウム製剤	ジルビスク皮下注	1日1回
		エフガルチギモド　アルファ・ボルヒアルロニダーゼ　アルファ配合剤	ヒフデュラ配合皮下注	1週間隔で4回皮下投与
21	**LDL コレステロール低下作用**：高コレステロール血症	エボロクマブ製剤	レパーサ皮下注	2週間に1回または4週間に1回皮下投与
		アリロクマブ製剤		
22	**全身性エリテマトーデスの活性の抑制**	ベリムマブ製剤	ベンリスタ皮下注	1週間間隔で皮下注
23	**遺伝性血管性浮腫の急性発作治療**	イカチバント製剤	フィラジル皮下注	頻用。効果不十分，症状再発は追加投与可
	遺伝性血管性浮腫の急性発作の発症抑制	乾燥濃縮人C1－インアクチベーター製剤	ベリナート皮下注	週2回皮下投与
		ラナデルマブ製剤	タクザイロ皮下注	初回投与後，2週間隔。症状安定後は4週間隔
24	**アトピー性皮膚炎，気管支喘息**に対するインターロイキンの働き抑制	デュピルマブ製剤	デュピクセント皮下注	2週間隔で皮下注
	アトピー性皮膚炎に伴うそう痒に対するIL-31受容体結合阻止	ネモリズマブ製剤	ミチーガ皮下注（バイアル対象外）	4週間隔
	アトピー性皮膚炎	トラロキヌマブ製剤	アドトラーザ皮下注	2週間隔で皮下注
25	**気管支喘息（難治），好酸球性多発血管炎性肉芽腫症**	メポリズマブ製剤	ヌーカラ皮下注	4週間ごとに皮下注射
	気管支喘息（重症又は難治）	テゼペルマブ製剤	テゼスパイア皮下注	4週間隔で皮下注
	気管支喘息，特発性慢性蕁麻疹（季節性アレルギー性鼻炎除く）	オマリズマブ製剤	ゾレア皮下注，同シリンジ，ペン	通常，2または4週間ごとに皮下注射
26	**急性副腎皮質機能不全（副腎クリーゼ）時の救急処置**	ヒドロコルチゾンコハク酸エステルナトリウム製剤	ソル・コーテフ注射用	緊急時に筋注
27	**FGF23関連**：低リン血症性くる病，骨軟化症	ブロスマブ製剤	クリースビータ皮下注	通常，4週に1回
28	**視神経脊髄炎スペクトラム障害の再発予防**	サトラリズマブ製剤	エンスプリング皮下注	初回，2週後，4週後。以降4週間隔で皮下注射
29	**GLP-2ホルモンの補充**：短腸症候群	テデュグルチド製剤	レベスティブ皮下注	初回，2週後，4週後。以降4週間隔で皮下注射
30	**骨端線閉鎖を伴わない軟骨無形成症**	ボソリチド製剤	ボックスゾゴ皮下注	1日1回皮下注

31	フェニルケトン尿症	ペグバリアーゼ製剤	パリンジック皮下注	1日1回
32	発作性夜間ヘモグロビン尿症	ペグセタコプラン製剤	エムパベリ皮下注	注入ポンプにより週2回又は3日に1回皮下注
33	①中～重症の潰瘍性大腸炎，②中～重症の活動性クローン病の維持療法若しくは寛解導入療法	ベドリズマブ製剤（①②）	エンタイビオ皮下注	2週間隔で皮下注
		ミリキズマブ製剤（①のみ）	オンボー皮下注	4週間隔で皮下注

というような処方箋で材料のみを処方する方法は認められていません。処方箋には，少量でもよいですが薬剤の処方が含まれなければなりません。

Q64　注入器加算(4)

入院中の患者に対して退院時に在宅自己注射指導管理料を算定したときは，注入器加算も算定できますか。

A：退院時に，在宅自己注射指導管理料と注入器加算は算定できます。なお，入院明細書に退院時投与の表示が必要です。

Q65　注入器加算(5)

注入器加算は自己注射を開始する月にしか算定できなくなったということでしょうか。

A：携帯型（万年筆型）注入器や注射針一体型ディスポーザブル注射器等を「処方した場合（実際に渡した場合）」に算定でき，自己注射の開始月に限るということではありません。消耗等で新たに注入器を患者に処方すれば注入器加算は算定できます。〈保〉

C152　間歇注入シリンジポンプ加算

Q66　間歇注入シリンジポンプとは

C152の間歇注入シリンジポンプとはどのようなものですか。

A：インスリン，性腺刺激ホルモン放出ホルモン剤，性腺刺激ホルモン製剤，ソマトスタチンアナログを間歇的・自動的に注入するシリンジポンプをいいます。

Q67　対象患者

ADLが自立している患者がQOL等を理由にプログラム付きシリンジポンプでの治療を希望された場合でも適用としてもよいのですか。

A：間歇注入シリンジポンプ加算の通知(1)より，「『間歇注入シリンジポンプ』とは，インスリン，性腺刺激ホルモン放出ホルモン剤，ソマトスタチンアナログを間歇的かつ自動的に注入するシリンジポンプをいう」と記載されており，対象となる薬剤については規定されていますが，使用するシリンジポンプについて，または患者の状態等の規定は記載されていませんので，問合せのケースも適応となります。〈日事〉

Q68　「1」プログラム付きシリンジポンプを使用した場合

間歇注入シリンジポンプ加算は「1 プログラム付きシリンジポンプ」と「2　1以外のシリンジポンプ」に区分されていますが，「プログラム付きシリンジポンプ」を算定する場合，C101在宅自己注射指導管理料の「複雑な場合」の点数は算定できますか。

A：算定できます。〈保〉

Q69　間歇注入シリンジポンプ加算

在宅自己注射指導管理料の材料加算である「間歇注入シリンジポンプ加算」は，「2月に2回に限り」算定できますが，
①　1月に2回分の加算を算定する場合，前月分と合わせて2月とするのでしょうか，又は翌月分と合わせて2月とするのでしょうか。
②　例えば，毎月診察している患者が入院したためある月に診察できず，その翌月に患者が退院し診察を行った場合，間歇注入シリンジポンプ加算は前月分と合わせて2回分算定できますか。
③　1月に2回分の加算を算定する場合，前月分又は翌月分いずれの月の分を算定したのかがわかるように，レセプトにその旨を記載する必要がありますか。

A：①　患者が受診していない月の医学管理が適切に行われている場合には，いずれについても算定できます。
②　算定できます。
③　当月分に加え，前月分，翌月分のいずれかを算定したのか，レセプトの摘要欄に記載する。〈保〉

C152-2　持続血糖測定器加算

Q70　当該月に持続血糖測定器を処方していない場合

在宅療養指導管理材料加算の「編注」（「早見表」

《インスリン注入器の種類別在宅自己注射の算定例》

注入器加算及び注入器用注射針加算は医療機関が患者に処方（支給）した月に１回に限り算定できる。

■万年筆型インスリン注入器（ノボペン，ヒューマペンなど）（薬価表示１筒○円）

①院内処方の場合

			算定できるもの
医療機関	自己注射指導 注入器（ノボペン，ヒューマペンなど） 注射針（ペンニードル，マイクロファインプラス，ナノパスニードルなど） 薬剤（ペンフィル，ヒューマリンカートなど）	→	在宅自己注射指導管理料 注入器加算 注入器用注射針加算 薬剤料

②院外処方の場合

医療機関	自己注射指導 注入器（ノボペン，ヒューマペンなど）	→	在宅自己注射指導管理料 注入器加算
調剤薬局	薬剤（ペンフィル，ヒューマリンカートなど） 注射針（ペンニードル，マイクロファインプラス，ナノパスニードルなど）	→	薬剤料 特定保険医療材料料

※万年筆型の注入器は医療機関でのみ取り扱う。処方箋により薬局から出すことはできない。

■注入器一体型キット製剤（ミリオペン，フレックスペンなど）（薬価表示１キット○円）

①院内処方の場合

			算定できるもの
医療機関	自己注射指導 注射針（ペンニードル，マイクロファインプラス，ナノパスニードルなど） 薬剤（ノボラピット注，ランタス注，ヒューマリンミリオペン，ノボリン，フレックスペン，ビクトーザ皮下注など）	→	在宅自己注射指導管理料 注入器用注射針加算 薬剤料

②院外処方の場合

医療機関	自己注射指導	→	在宅自己注射指導管理料
調剤薬局	薬剤（ノボラピット注，ランタス注，ヒューマリンミリオペン，ノボリン，フレックスペン，ビクトーザ皮下注など） 注射針（ペンニードル，マイクロファインプラス，ナノパスニードルなど）	→	薬剤料 特定保険医療材料料

■注射針付一体型ディスポーザブル注射器（マイショットなど）（薬価表示：１バイアル○円）

①院内処方の場合

			算定できるもの
医療機関	自己注射指導 ディスポーザブル注射器 薬剤（ノボリン，ヒューマリンなどバイアル製剤）	→	在宅自己注射指導管理料 注入器加算 薬剤料

②院外処方の場合

医療機関	自己注射指導	→	在宅自己注射指導管理料
調剤薬局	薬剤（ノボリン，ヒューマリンなどバイアル製剤） ディスポーザブル注射器	→	薬剤料 特定保険医療材料料

（全国保険医団体連合会発行2016年４月「保険診療の手引」より引用，診療報酬改定により一部改変）

p.427）に，「C151注入器加算，C153注入器用注射針加算は，処方した場合に限り算定する。その他の材料加算は，当該材料を医療機関が給付（または貸与）し，使用させている場合は，新たに材料を給付しない月にあっても算定できる」とあります。

前回処方した持続血糖測定器が患者の手元に残っており，今月の受診時には新たに材料を給付しなかった場合でも，C152-2持続血糖測定器加算を算定できるということですか。

A：C151とC153以外は算定可能です。〈オ〉

Q71 適正使用指針とは

C152-2持続血糖測定器加算の「２」間歇注入シ

リンジポンプと連動しない持続血糖測定器を用いる場合における「関連学会が定める適正使用指針」とは，具体的には何を指すのですか。

A：日本糖尿病学会のリアルタイムＣＧＭ適正使用指針を指します。〈厚令2.3.31〉

Q72　適切な研修とは

C152-2持続血糖測定器加算の「２」間歇注入シリンジポンプと連動しない持続血糖測定器を用いる場合における「持続血糖測定器に係る適切な研修」とは何を指すのですか。

A：現時点では，日本糖尿病学会が主催するリアルタイムＣＧＭ適正使用のためのｅラーニングを指す。〈厚令2.3.31〉

C153　注入器用注射針加算

Q73　注入器を処方する場合とは

注入器を処方する場合とは，具体的にどのような場合でしょうか。処方せんが必要なのですか。

A：注入器加算の算定要件における「注入器を処方する場合」とは，医療機関が患者に注入器を供与する場合のことであり，処方せんの有無は問いませんが，診療録記載や指示書等への記載が行われているものと考えています（万年筆型の注入器に関する注入器加算については，供与した月のみの算定となります）。〈厚平16.3.30，一部修正〉

Q74　注射針が特定保険医療材料でない場合

注射器一体型の製剤（シリンジに薬剤が充填されている製剤を含む）を自己注射する患者に対し，使用する針が特定保険医療材料として設定されていない場合には，保険医療機関においてC153注入器用注射針加算を算定し，針を支給することでよいでしょうか。

A：その通りです。〈厚平24.3.30〉

Q75　自己注射に用いる針等の費用

外来患者については，疑義解釈資料の送付について（その１）（平成24年３月30日事務連絡）（上記「Q74」）において，自己注射に用いる針が特定保険医療材料として設定されていない場合には，医療機関において針を支給することとされており，衛生材料や特定保険医療材料以外の保険医療材料を用いる場合も，原則として医療機関から必要な量の当該材料が提供されるものと考えられますが，自己注射に用いる針等を在宅自己注射に用いる薬剤と一緒に交付するよう処方せんに記載されていた場合においては，自己注射に用いる針等の費用の取扱いについては，在宅患者における取扱いと同様と考えてよいでしょうか。

A：貴見のとおりです。〈厚平26.7.10〉

Q76　注入器用注射針加算の算定

在宅自己注射指導管理料を算定し，注射針を支給した場合は月１回を限度にC153注入器用注射針加算を算定しますが，次の場合はいかがですか。

(1)　インスリン注射は１日の使用量によっては分割できないため，１処方56日分になることもあります。患者によっては２カ月後に受診する人もいますが，もし，注射針が足りなくなり針だけ取りに来た場合は，どのように算定すればいいのでしょうか。

(2)　注射針は１処方でどのくらいの本数を支給するのが妥当ですか。また，月１回算定ということは，注射針の本数は１カ月に相当する本数とすべきですか。

A：(1)　注入器用注射針を院内で支給する場合は，注射針が不足したときに，注射針のみを追加で処方することも可能です（ただし，注射針加算は月１回のみです）。注射針を院外処方で支給する場合は，Ｆ400処方箋料に関する通知(9)（『早見表』p.586）により，注射針のみを処方箋により投与することはできません。なお，少量の薬剤と一緒に注射針を処方することは可能です。

(2)　在宅療養指導管理料は，１月に１回（以上）指導管理を行うことを前提として，材料加算の点数は「１月に使用する材料の費用に充当する」よう設定されています。したがって，指導管理は１月１回以上行い，患者に支給する注射薬や材料の量は，１月の使用量をもととすべきです。ただし自己血糖測定器加算等については３月に３回限り（３カ月分をまとめて）算定可となり，例外的な扱いとなっています。〈オ〉

Q77　注射針加算と院外処方による針の支給の併用

在宅自己注射指導管理料を算定する患者に，月初はC153注入器用注射針加算を算定し，院内で針を支給した後，月末の来院時に院外処方による針の支給は可能ですか。その場合，月初に算定した注射針加算は取り消さないといけませんか。

A：在宅療養指導管理材料加算の「通則２」（『早見表』p.427）に「在宅療養指導管理材料加算のうち，保険医療材料の使用を算定要件とするものについては，当該保険医療材料が調剤報酬として算定された場合は算定しない」とされています。したがって，月末に注射針を院外処方して調剤報酬が請求された場合，月初の注射針加算は算定不可となります。〈オ〉

Q78　月に複数回，針を支給した場合

注射針加算は医療機関が注射針を処方した場合

に月1回を限度に算定となっています。この場合の月1回とは何回処方しても点数算定は月1回という意味でしょうか。例えば，月初めに指導管理料と注射針加算を算定し，月末に翌月に使用する注射針を支給した場合でも月1回なのでしょうか。

A：在宅療養指導管理材料加算の「通則」により，翌月の使用分を含めて支給しても，複数回支給しても月1回しか算定できません。なお，血糖自己測定器加算は，インスリンも複数月分処方した場合は複数月分（3月分限度）が算定できるなど，例外的な取扱いもあります。〈オ〉

Q79 注入器一体型キット

フレックスペン，ヒューマカート・キット等の注入器一体型として薬価収載されている薬剤については注射針加算が算定できないのですか。

A：算定できます。フレックスペン，ヒューマカート・キット等については，薬剤と注入器の費用を評価したものです。別に注射針を医療機関で渡した場合は注入器用注射針加算が算定できます。ただし注入器加算は算定できません。〈保〉

Q80 インスリン製剤の剤形からみた注入器・注射針加算の可否

インスリン製剤の銘柄名から，注入器・注射針加算の算定の可否を判断できませんか。

A：インスリン注入器の種類別在宅自己注射の算定例はp.156の表のとおりです。

Q81 キット製剤を院外処方する場合

フレックスペン，ヒューマカート・キット等の注入器一体型のキット製剤を院外処方で投与する場合，従来は注射針の処方箋への記載は必要ありませんでしたが，医療機関で注射針加算を算定せず，調剤薬局から注射針を交付してもらう場合はどうするのですか。

A：キット製剤を処方する場合でも，処方箋に注射針の処方を明記する必要があります。〈保〉

Q82 注射針加算の算定回数

注射針加算は月1回を限度とするのですか。患者によっては月2回注射針を処方して渡す場合もありますが，その場合は2回加算できますか。

A：月1回を限度として加算します。2回処方しても2回は加算できません。〈保〉

Q83 注入器加算，注射針加算の算定回数

血糖自己測定器加算の算定要件は3月に3回ですが，注入器加算や注入器用注射針加算も1月に3回まで算定可能ですか。

A：注入器加算と注入器用注射針加算は月1回の算定です。

Q84 注射針加算の算定要件

「注入器一体型キット」について，注射針を院内で支給した場合は注射針加算を算定できるとありますが，C101の算定日と異なっても注射針の支給日の算定でよいのでしょうか。その場合，前月より継続して支給していない月は算定できないのでしょうか。

A：注射針加算は，C101を算定したうえで医療機関が注射針を処方した場合，すなわち医療機関が支給した場合に，月1回を限度として支給した日に算定します。支給しない場合は算定できません。指導管理料の算定日，注射薬の支給日と異なる日に注射針のみを支給した場合は，注射針加算のみを算定します。〈オ〉

Q85 注射針加算を算定できない注射器

注射針加算を算定できない針無圧力注射器とはどういうものですか。

A：島津製作所の「ShimaJET（シマジェット）」等が該当します（針の代わりとなるプラスチックノズル先端の小さな穴から，高い圧力でインスリンを直接皮下へ瞬時に噴出する方式）。〈保〉

Q86 注射針加算の対象となる患者

注射針加算「1」を算定できる「1型糖尿病あるいは血友病の患者又はこれらの患者に準ずる状態にある患者」とはどういう患者を指すのですか。

A：糖尿病で1日に概ね4回以上の自己注射が必要である患者または血友病で自己注射が必要な患者をいいます。2型の糖尿病の場合であっても，1日に概ね4回以上自己注射が必要な場合は「1」の200点を加算することができます。〈保〉

Q87 注射針加算と針の本数

注射針加算は，処方した針の本数に関係なく，1回に200点あるいは130点を算定するのですか。

A：注射回数の多い患者には多めに針を渡すことになりますが，点数算定は実際に渡した注射針の本数にかかわらず，1日に概ね4回以上の自己注射が必要な患者かどうかにより，4回以上は200点，その他は130点のいずれかを算定します。〈保〉

Q88 注射器や注射針のみの処方

在宅自己注射指導管理にあたって，注射器，注射針のみを処方箋により投与することは認められないそうですが，その根拠となる保医発通知の内容を教えてください。

A：F400処方箋料に関する通知(9)において「注射器，注射針又はその両者のみを処方箋により投与

することは認められない」と記されています（『早見表』p.586）。以上のような規定となっていますので，注射針が不足するときは，注射薬を少量で注射針は多めに処方するなど調整をします。〈オ〉

Q89 注射器の種類と相違点

在宅自己注射に用いる注入器で万年筆型注入器，ディスポーザブル注射器，ヒューマカート3/7注のような注入器一体型キットの算定上の相違点をご教示ください。

A：注射器は主に３種類に分類できます。

① 注入器一体型注射薬
② 万年筆型注入器
③ 通常のディスポーザブル注射器

在宅自己注射指導管理料の注入器加算は，②③については院内で支給した場合に算定できます。③については調剤薬局から出してもらうこともできます。①については，注入器の費用は注射薬の薬価に含まれており，注入器加算は算定できません。なお，①②は，別途注入器用注射針加算が算定できます。〈オ〉

入院時の取扱い

Q90 退院後の注入器用注射針加算のみの算定

外来でC101在宅自己注射指導管理料を算定し，同月に入院，退院時に針を処方して渡した場合，C153注入器用注射針加算は算定可能ですか。

A：在宅自己注射指導管理料を算定した月であれば，在宅自己注射指導管理料を算定した日と別の日に注入器用注射針加算のみ算定することは可能です。この場合は，「外来にて指導管理料算定済で退院時に注射針を渡した」等のコメントを記すのが好ましいです。〈オ〉

Q91 入院時の在宅自己注射の指導

在宅自己注射を行うため患者に入院してもらい自己注射の仕方を教育する際，インスリン注入器一体型キットを患者に処方して使用していますが，退院までに使用しきれず，また（教育を受けたが）在宅で自己注射できない場合，残った分は「残量廃棄」として薬剤料の請求は可能ですか。

A：注射薬の剤形が瓶の場合は，一般に複数回の使用が可能なため，残量を使用するのが原則です。インスリン製剤の注入器一体型キット製剤についても，残量を使用するのが原則ですが，他に使用する患者がいないなどの事情がある場合は，残量廃棄として１キット分の薬剤料を算定するのもやむを得ないと思われます。なお，その場合は明細書に「残量廃棄」との注記が必要です。〈オ〉

Q92 在宅自己注と難病外来指導管理の算定

インスリンの自己注射をしている難病患者（受給者証の交付あり）に難病指導管理を行いましたが，在宅自己注射指導管理料と難病外来指導管理料は両方とも算定できますか。

A：両方とも算定できます。〈保〉

他項目との併算定など

Q93 エピペン（アドレナリン製剤）

在宅において緊急補助的治療として使用するためにアドレナリン製剤（製品名：エピペン注射液）を処方された患者について，毎月，自己注射に関する指導管理を行った場合に，その都度，C101在宅自己注射指導管理料が算定できますか。

A：アドレナリン製剤を処方した際のC101在宅自己注射指導管理料については，処方と同時に自己注射に関する指導管理を行った場合に限り，算定できます。〈厚平24.3.30〉

Q94 外来管理加算や特定疾患療養管理料との併算定

在宅自己注射指導管理料を算定している患者に対して，外来管理加算および特定疾患療養管理料が同時に算定できますか。

A：外来管理加算については，A001再診料の「注８」に定める要件を満たしていれば算定できます。B000特定疾患療養管理料については，「注４」により管理の費用が在宅自己注射指導管理料に含まれるため，算定できません。

Q95 退院後同月内の算定は

ある病院の内科で在宅自己注射指導管理料を算定している糖尿病患者が，骨折のためその病院の整形外科に入院しました。入院期間中は，内科には受診はせず，インスリン注射を続けていました。その後，整形外科退院後，その退院と同月内に在宅自己注射指導管理料は算定できるでしょうか。

A：退院月であっても在宅自己注射指導管理料を算定することは可能です。

Q96 入退院を繰り返す場合

入退院を繰り返す場合でも，退院時に在宅自己注射指導管理料は算定できますか。

A：退院時に要件を満たしていれば算定できます。ただし，同一月に２回の算定はできません。

Q97 緊急時の注射薬の費用

C101在宅自己注射指導管理料を算定している患者が，緊急時に受診し，在宅自己注射指導管理に係る注射薬を投与した場合，G000皮内，皮下及び

筋肉内注射，G001静脈内注射を行った場合の費用及び当該注射に使用した当該患者が在宅自己注射を行うに当たり医師が投与を行っている特掲診療料の施設基準等の別表第9に掲げる注射薬の費用は算定可能ですか。

A：算定可能です。　〈厚令2.3.31〉

Q98　スプレキュア注（酢酸ブセレリン注射液）の投与

スプレキュア注は，在宅自己注射指導管理料の対象として認められますか。

A：スプレキュア注は性腺刺激ホルモン放出ホルモン剤ですから，在宅自己注射指導管理料の対象となります。中枢性思春期早発症に対する投与が認められています。

Q99　在宅自己注射指導管理料と薬剤管理指導料

糖尿病で入院中に投薬はなくインスリン注射のみ行われ，退院時にもイノレットなどの注射のみ処方した場合，退院時にC101在宅自己注射指導管理料とB008薬剤管理指導料の退院時加算は併算定できますか。

A：C101在宅自己注射指導管理料は医師が指導管理を行うものであり，B008薬剤管理指導料は医師の指示に従い薬剤師が薬学的管理指導を行うものであり，施行者が異なります。点数表上では，特に併算定を禁ずる規定はないので，併算定は可能と思われます。　〈オ〉

Q100　複数医療機関での同一月内の算定

10月7日にA病院（内科）を退院時にC101在宅自己注射指導管理料を算定後，同一月にB病院（整形外科）に骨折で入院。その入院中にインスリンの投与を行い，B病院で10月27日の退院時指導を行った場合，そこでもC101を算定できますか。

また，上記の例でさらに3番目に家の近くの診療所に外来通院して指導管理を受けた場合，そこでの指導管理料の請求はどうなりますか。

A：2以上の医療機関で同一の指導管理を行った場合は主たる医療機関でのみ算定するのが原則です。ただし，退院日に指導管理料を算定した医療機関以外の医療機関において，退院後に指導管理料を算定することは認められます。（明細書に「算定理由」を記載）。これは入院医療機関と通院医療機関が異なる場合の例外的取扱いです。

ご質問のケースでは，整形外科での入院では，骨折の治療を主とし，不足するインスリン投与のみを行ったもので，退院時の指導管理の必要性はなく，算定できないと解されます。なお，「家の近くの診療所に外来通院して指導管理を受けた場合」の算定は認められると解釈されます。　〈オ〉

Q101　他院で指導を受けた患者への注射針支給

他院で毎月C101在宅自己注射指導管理料を算定している糖尿病の患者に対して，当院で注射針だけを支給した場合（その月は他院でC101を算定済），注射針の費用は自費扱いになりますか。また，その月にまだ，他院で指導料を算定していなければ，当院でC101を算定できますか。

A：在宅療養指導管理料に係る通知(5)（『早見表』p.409）により「2以上の保険医療機関が同一の患者について同一の在宅療養指導管理料を算定すべき指導管理を行っている場合には，特に規定する場合を除き，主たる指導管理を行っている保険医療機関において当該在宅療養指導管理料を算定」します。

ご質問のように追加の注射針を別の医療機関が支給した場合は，保険診療では想定されていない方法ですので，理由を詳記して請求してみるなどの方法が考えられます。

なお，保険診療に係る材料費用等の患者実費負担は認められていません。　〈オ〉

Q102　在宅自己注患者へのインスリン注射

C101在宅自己注射指導管理料を算定している患者が糖尿病性ケトアシドーシスを起こし，「電解質div＋インスリンを管注」を実施した場合，インスリンの薬剤の費用は算定できますか。また，このときに自動輸液ポンプを使用した場合，精密持続点滴注射加算の算定は可能ですか。

A：在宅自己注射指導管理料を算定する患者に係る注射料，薬剤料は下記のように取り扱います。

1　外来受診時に行った場合

在宅自己注射指導管理料に係る皮内・皮下及び筋肉内注射の手技料・薬剤料は緊急受診時を除き包括されます。また，その他の注射の手技料・薬剤料については算定できます。よって点滴注射の精密持続点滴注射加算も算定可能です。

2　訪問診療時に行った場合

点滴注射の手技料は算定できません。よって精密持続点滴注射加算も算定できません。　〈オ〉

Q103　在宅自己注射指導管理料と外来化学療法加算の併算定

アバタセプト製剤などについて，同一月に在宅自己注射指導管理料と外来化学療法加算の併算定はできないとされていますが，同じ薬剤について前月に在宅自己注射指導管理料を算定し，当月に外来化学療法加算を算定することは可能ですか。

A：C101在宅自己注射指導管理料「注1」において，同一月に外来化学療法加算を算定している患者については，在宅自己注射指導管理料を算定できないとされているため，同一月に在宅自己注射

指導管理料を算定していない場合は，外来化学療法加算を算定できると解されます。〈オ〉

Q104　B001-2-12外来腫瘍化学療法診療料の併算定の可否

C101在宅自己注射指導管理料を算定中の患者にB001-2-12は算定できますか。

A：算定できません（C101「注1」による）。

Q105　月1回のみの診療

インターフェロンアルファ製剤，エタネルセプト製剤を用いた在宅自己注射指導管理は，月1回の診療の場合は算定できないのですか。

A：月1回の診療の場合でも算定できます。〈保〉

Q106　在宅自己注射指導管理料と関係のない注射の訪問診療日の手技料と薬剤料

在宅自己注射指導管理料に係る通知⒂において，算定できないものとして「(薬剤及び特定保険医療材料に係る費用を含む)」とありますが，当該指導管理料と関係のない薬剤等を注射した場合にも，注射の手技料と薬剤料等は算定できないでしょうか。

A：当該指導管理料に関係のない注射の手技料および薬剤料等は別に算定できます。

Q107　在宅自己注射用薬剤の単位の種類

在宅自己注射の種類について，「筒」と表示のあるものが万年筆型の注入器を使用するものを指すのでしょうか。

A：万年筆型注入器用製剤の薬価基準上の単位は『筒』となっています。なお，「注入器一体型キット製剤」は『キット』，「ディスポーザブル注射器用製剤」は『バイアル』と記されています。〈オ〉

Q108　在医総管と在宅自己注射指導管理料を併算定した場合の薬剤料

C002在宅時医学総合管理料とC101在宅自己注射指導管理料を併算定した場合で，インスリンを院内で処方する場合，その薬剤料は在宅自己注射指導管理料や在宅時医学総合管理料に含まれ算定できないのでしょうか。

A：在宅自己注射指導管理料に当たって投与した薬剤（インスリン製剤など）は在宅医療の部の薬剤料として算定しますが，いずれの管理料にも含まれず，別に算定できます。〈オ〉

Q109　調剤技術基本料の算定

在宅自己注射のためにインスリンを投与した場合，調剤技術基本料は算定できるでしょうか。

A：投薬ではなく，在宅の薬剤の処方ですから算定できません。

Q110　薬剤料の算定がない場合

当月，在宅自己注射にかかる薬剤料が算定されていなくても指導管理が行われていれば，在宅自己注射指導管理料は算定できますか。

A：薬剤料の算定がなくても，前月からの持越しの薬剤を使用しているなど在宅自己注射指導管理料算定要件が満たされていれば，算定できます。

Q111　在宅自己注射適応外の注射薬

在宅自己注射指導管理料を算定している患者が在宅自己注射適応以外の注射薬を持ち帰った場合，点数の算定はどうなりますか。

A：注射薬の投与（持ち帰り）は「厚生労働大臣の定める注射薬」のみ認められます（療養担当規則第20条）（『早見表』p.1539）。したがって，持ち帰った薬剤が厚生労働大臣の定める注射薬以外のものであれば保険点数算定は認められません。

Q112　月の途中から在宅自己注射

1型糖尿病と診断された外来患者で，月の前半までは病院へ来て指導を受けながらインスリン注射を打ちましたが，月の後半は自宅で打つようにするためインスリン製剤と注射器を渡しました。この場合，今月の算定はどうしたらいいのでしょう。

A：C101在宅自己注射指導管理料と加算を算定します。また，C101を算定している患者の場合，外来受診時の医療者によるインスリン注射については，注射手技料，薬剤料ともに算定できません。

Q113　外来受診時の（医療者による）インスリン注射

「Q109」において，インスリン製剤に係る在宅自己注射指導管理を行っている患者の外来受診時の医療者によるインスリン注射は注射手技料，薬剤料ともに算定できないとされていますが，C101在宅自己注射指導管理料に含まれるということでしょうか。また，指導中の薬剤だけを「在宅医療」もしくは「注射」の薬剤として算定できますか。

A：C101在宅自己注射指導管理料に関する通知⒀⒁（『早見表』p.411）において，在宅自己注射指導管理料を算定している患者の外来受診時に医療者が実施した当該在宅自己注射指導管理に係る注射（G000，G001）の手技料と薬剤料（在宅自己注射指導管理料の対象薬剤）は算定できないことが規定されており，インスリン製剤の注射は上記のケースに該当します。なお，2020年改定で緊急受診時は算定できるようになりました。

在宅自己注射指導管理と関係のない薬剤を注射した場合は，手技料・薬剤料ともに算定可能です。

緊急時にインスリンを注射した場合の記載方法は，『早見表』p.1660をご参照ください。〈オ〉

Q114 在宅自己注射薬剤のレセプト記載

在宅自己注射指導管理料を算定している患者さんに投与した在宅自己注射用のインスリン製剤は，レセプトのどこに記載すればいいのですか。

A：レセプトの⑭「在宅」欄の薬剤の項に総点数を記載します。また摘要欄には所定単位当たりの薬剤名，支給日数等を記載します。

Q115 在宅自己注射以外の注射の手技料，薬剤料

在宅自己注射指導管理料について，当該保険医療機関を受診した際の皮内，皮下及び筋肉内注射の費用は算定できないとありますが，在宅自己注射以外の薬剤についても，皮内，皮下及び筋肉内の手技料・薬剤料は算定できないのでしょうか。

A：緊急受診時を除き，在宅自己注射に関する薬剤のみ，外来受診時の皮内，皮下及び筋肉内注射の手技料および薬剤料が算定できません。

在宅自己注射薬以外の皮内，皮下及び筋肉内注射の手技料・薬剤料は算定できます。

Q116 B001「33」生殖補助医療管理料との併算定(1) 新

不妊治療の薬剤を使用するための在宅自己注射指導管理料は，B001「33」生殖補助医療管理料と同月に併せて算定できますか。

A：算定できます。〈保〉

Q117 B001「33」生殖補助医療管理料との併算定(2) 新

B001「33」生殖補助医療管理料を算定する医療機関が作成した治療計画に基づき，自院にて不妊治療で使用する注射薬剤を支給や自己注射の指導を行った場合，在宅自己注射指導管理料は算定できますか。

A：B001「33」生殖補助医療管理料を算定する他院から情報提供により依頼を受け，自己注射の管理を自院が行う場合は算定可能です。〈保〉

Q118 生活習慣病管理料（Ⅰ）（Ⅱ）との併算定

糖尿病が主病で，生活習慣病管理料（Ⅰ）または（Ⅱ）を算定している患者に対して，インスリンの自己注射を指導する場合，在宅自己注射指導管理料は算定できますか。

A：糖尿病が主病の生活習慣病管理料（Ⅰ）（Ⅱ）については併算定できません。

Q119 注入器を処方する場合とは

注入器を処方する場合とは，具体的にどのような場合ですか。処方箋が必要ですか。

A：注入器加算の算定要件における注入器を処方する場合とは，医療機関が患者に注入器を支給する場合のことで，診療録記載や指示書等への記載を行います。なお，万年筆型注入器を除き院外処方することも可能です。

Q120 月2回以上の注入器処方等の算定

C101在宅自己注射指導管理料に対する注入器加算・注射針加算は処方した場合に算定するとありますが，注入器については破損，紛失等のため月2回支給，注射針については5週まである月には2回になる場合があります。同月で注入器加算，注射針加算それぞれ2回の算定は可能でしょうか。

A：在宅療養指導管理材料加算の通則に在宅療養指導管理材料加算は，「特に規定する場合を除き，月1回に限り算定」するとあります。血糖自己測定器加算や酸素ボンベ加算のように「3月に3回に限り」と規定されていないものは月1回です。したがって，注入器加算・注射針加算は，月1回を限度とした算定になります。〈オ〉

Q121 針付一体型の製剤とは

「針付一体型の製剤」の取扱いを教えてください。

A：“針付一体型の製剤”は成長ホルモン製剤の「ジェノトロピンゴークイック」等があります。当製品については，1回分の注射液に，注入器と注射針がセットされており，注入器，注射針の費用は製剤の薬価に含まれています。したがって注入器加算，注入器用注射針加算は算定できません。〈オ〉

Q122 在宅療養用薬剤とその他薬剤の同一処方箋への併記

糖尿病でC101在宅自己注射指導管理料を算定しています。内服薬は高血圧，貧血，高尿酸血症などに院外処方箋で処方していますが，インスリンは内服薬とは別に処方箋を書かなくてはいけないのでしょうか。処方箋への記載は一緒でもいいのでしょうか。

A：「診療報酬請求書等の記載要領等」の「処方箋の記載上の注意事項」において，在宅療養用薬剤とその他の薬剤を同一の処方箋に記載することをとくに禁止する規定はありません。したがって一緒に記載してさしつかえありません。〈オ〉

Q123 在宅自己注射以外の薬剤の注射手技料の算定

在宅自己注射指導管理を行っている糖尿病患者に，骨粗鬆症の治療でエルシトニンを注射してい

ましたが，注射手技料が査定を受けました。同月算定はできないのでしょうか。

A：保医発通知により「緊急受診時を除き当該指導管理に係る薬剤の皮内，皮下及び筋肉内注射の費用は算定できない」とされています。したがって，当該指導管理にかかわらない薬剤については薬剤料と手技料が別に算定できます。再審査請求されてはいかがでしょうか。〈オ〉

Q124　薬剤情報提供料と薬剤管理指導料

フレックスペン，ヒューマリン等の在宅自己注射の薬剤を投与した場合にB011-3薬剤情報提供料を算定できますか。またB008薬剤管理指導料は算定できますか。

A：在宅療養指導管理に係る自己注射薬，人工栄養剤等については，薬剤情報提供料の算定対象となりません。また薬剤管理指導料は入院中の患者について算定します。入院中は自己注射用の薬剤が投与されませんので算定対象となりません。〈オ〉

Q125　在宅療養指導管理に係る薬剤の処方箋料

在宅自己注射を行っている患者に対し，院外処方箋でインスリン（ノボリンRフレックスペン）を出しました。この日は他の内服薬等の投薬はなく，インスリンのみの処方となったのですが，院外処方箋料を査定されました。なぜですか。

A：在宅療養指導管理に係る薬剤について処方箋交付を行った場合，在宅の部の薬剤として算定するため投薬の部の処方箋料は算定できません。なお投薬の薬剤が一緒に処方されていれば処方箋料が算定できます。

Q126　残薬使用の場合のコメント

前月末に渡した注射薬の残りを当月に使用している患者に対して，在宅自己注射指導管理料を算定しました。このように注射薬の処方がない場合，レセプトに「残薬有り」とのコメントが必要ですか。また，自己注射を一時中止している場合でも在宅自己注射指導管理料は算定できるのですか。

A：残薬による自己注射の場合，「残薬有り」とのコメントはしたほうがよいと思われます。また，在宅自己注射指導管理料は，自己注射に関する指導管理を行った場合に算定するものであり，指導の必要性もなく月初めから月末まで自己注射を行っていない場合は算定できません。

Q127　治験薬での在宅自己注射指導管理料の算定

注射薬が治験薬の場合，その注射薬を患者に自己注射してもらうことは可能ですか。その際はC101在宅自己注射指導管理料を請求できますか。

A：患者が治療計画に登録されていて，治験薬を用いて自己注射の治験を行う場合，医薬品の治験に係る診療の保険外併用療養費の扱い（『早見表』p.1551，参考の図表）において，在宅医療は企業負担の対象とされていないため，保険給付は可能と解されます。

なお，薬剤の費用は企業負担となります。〈オ〉

Q128　注射薬の投与日数

療養担当規則が改定され，注射薬は，厚生労働大臣が定めるものについてのみ投与日数の限度が設けられ，他は投与日数に制限のないものとされましたが，在宅自己注射指導管理料に係る注射薬についてはどうでしょうか。

A：在宅自己注射指導管理料に係る注射薬についても投与日数に制限はなくなりましたが，ただしその投与量は「症状の経過に応じたものでなければならない」とされています。ただし，例外的な取扱いを除き新たに薬価基準に収載された薬剤は，収載の翌月から1年の間は原則として2週間を限度に投与することになっているので留意してください。

Q129　在宅自己注射指導管理と採血料

当該指導管理料に係る薬剤を使用した皮内，皮下及び筋肉内注射の費用は外来では算定できないとありますが，糖尿病に付随する検査を外来で実施した場合（例　HbA1cやグルコース等），採血料は算定できますか。

A：在宅自己注射指導管理料を算定する患者について，とくに採血の費用算定を不可とする規定はないので，採血料は別に算定できます。〈オ〉

Q130　血糖自己測定の記録用紙の貼付

C101在宅自己注射指導管理料の血糖自己測定器加算を算定するにあたり，測定した記録用紙をカルテに貼付しておく必要はありますか。あるいは，測定回数・結果と指導した内容をカルテに記載してあればよいですか。

A：「血糖自己測定器加算」は“在宅で血糖自己測定をさせ，その記録に基づき指導を行った場合”に算定が認められます。診療録には「血糖自己測定値に基づく指導内容」を記す必要があり，自己測定値の記録（カルテへの測定記録用紙の貼付を含む）と検査結果の評価があることが必要です。〈オ〉

Q131　特定入院料算定患者への退院時自己注射指導

特定入院料を算定している患者に対し，退院時に自己注射指導をしたときの算定はどうなります

か。インスリン注射液は在宅の薬剤として算定するのでしょうか。

A：退院の日に，在宅自己注射指導管理料と注入器加算，注入器用注射針加算が算定できます。血糖自己測定器加算についても算定要件を満たしていれば算定できます。また，薬剤料は在宅医療の部の薬剤として算定します。なお，特定入院料も併せて算定できます。〈オ〉

Q132　2型糖尿病患者で血糖自己測定を4回行っている場合

2型糖尿病の患者で，注射針を処方し，指導に基づき血糖自己測定を1日4回行っている場合，血糖自己測定加算「6」（月120回以上）と注入器用注射針加算「1」の算定となるのでしょうか。

A：C150の血糖自己測定器加算の「注」により，1型以外の糖尿病患者については，1日4回以上の測定をしていても，「月60回以上」の血糖自己測定器加算「4」を算定します。しかし注入器用注射針加算は1型糖尿病以外であっても，1日4回以上注射を行う場合は「1」が算定できます。〈オ〉

Q133　退院時のインスリン注射薬支給

C101在宅自己注射指導管理料を退院時に算定した患者に，入院中はインスリン注射を1日量で算定していましたが，退院時は残りのインスリンをどのように計算すればよいですか。

A：退院にあたって，自己注射指導を行い入院中に使用していたインスリン注射液の残量を支給した場合は，その残量を退院時に支給した量として薬剤料を算定します。〈オ〉

Q134　糖尿病で他院に通院中の患者が別疾患で当院に入院

他院（A病院）に通院して糖尿病の治療をしている患者が，別の病気のため当院に入院し，入院期間中に糖尿病に対するインスリンがA病院から処方されました。当院（B病院）ではインスリンの不足分だけ処方しましたがA病院でフォローしていることから，在宅自己注射指導管理料はA病院で算定するのでしょうか。あるいは当院退院時に在宅自己注射指導管理料を算定するのでしょうか。当院とA病院で同月に指導した場合はともに在宅自己注射指導管理料が算定できるでしょうか。

A：他院（A病院）に通院しているときに投与されたインスリンをB病院入院中に使用するのは差し支えありません。しかしそういうものがなければ，B病院に入院中はA病院より情報提供してもらい，B病院でインスリンを注射すべきです。

B病院入院中に，A病院でインスリンを投与してもらった場合は，入院患者の他医療機関受診の算定方法（『早見表』p.68）により，保険請求（ただし，他医療機関で在宅医療点数は算定不可）や合議精算をします。

また，B病院で退院時に指導を行っていれば，退院時に在宅自己注射指導管理料を算定できます。B病院で算定後A病院の外来に戻り指導を行った場合，同月であってもその必要性をレセプト摘要欄に記載することで，A病院でも在宅自己注射指導管理料は算定可能です。〈オ〉

Q135　特養における手技料・薬剤料の算定

当院の医師は特別養護老人ホームの配置医師をしています。骨粗鬆症治療剤でフォルテオ皮下キット600μgを使用する場合，保険請求はC101在宅自己注射指導管理料ですることになっていますが，特養では同管理料が算定できないとされています。他に算定方法はありますか。

A：「特別養護老人ホーム等における療養の給付の取扱いについて」（『早見表』p.1530）より，特養の配置医師は，C101在宅自己注射指導管理料は算定できませんが，薬剤料と材料加算は算定できます。なお，配置医師以外は在宅療養指導管理料，薬剤料，材料加算は算定できます。

また，在宅自己注射の薬剤としてではなく，訪問診療する日以外に，特養ホームの看護師等に指示をして注射（皮下筋注も含む）を行った場合は薬剤料の算定ができます。〈オ〉

Q136　緊急時の皮下筋注等のレセプト記載

レセプト記載はどうなりますか。

A：「外来受診時の皮内，皮下・筋肉内注射，静脈内注射」について緊急に受診した場合は，在宅自己注射を行っている薬剤であっても算定できることになりました。レセプト「摘要」欄に緊急時の受診である旨とそれを実施した年月日を記載して請求します。

C101-2　在宅小児低血糖症患者指導管理料

C101-2　在宅小児低血糖症患者指導管理料　**820点**

注　12歳未満の小児低血糖症であって入院中以外の患者に対して，重篤な低血糖の予防のために適切な指導管理を行った場合に算定する。

C150　血糖自己測定器加算

1　月20回以上測定する場合　**350点**

2　月30回以上測定する場合　**465点**
3　月40回以上測定する場合　**580点**
4　月60回以上測定する場合　**830点**
5　月90回以上測定する場合　**1,170点**
6　月120回以上測定する場合　**1,490点**
7　間歇スキャン式持続血糖測定器によるもの　**1,250点**

Q1　薬物療法の実施などの算定要件

薬物療法，経管栄養法または手術療法を現に行っていなければ算定できないのですか。

A：当該療法終了後６月以内であれば，現に療法を行っていなくても，患者や家族に対し適切な療養指導を行っていれば算定できます。〈保〉

Q2　血糖自己測定器加算との併算定

当該患者に血糖試験紙（テスト・テープ）または固定化酵素電極（バイオセンサー）を給付し，在宅で血糖の自己測定をさせ，その記録に基づき指導を行った場合，C 150血糖自己測定器加算は算定できますか。

A：算定できます。12歳未満の小児低血糖症の患者も算定対象です。〈保〉

C101-3　在宅妊娠糖尿病患者指導管理料

C101-3　在宅妊娠糖尿病患者指導管理料
1　在宅妊娠糖尿病患者指導管理料１　**150点**
2　在宅妊娠糖尿病患者指導管理料２　**150点**
注１　１については，妊娠中の糖尿病患者又は妊娠糖尿病の患者（別に厚生労働大臣が定める者に限る）であって入院中の患者以外の患者に対して，周産期における合併症の軽減のために適切な指導管理を行った場合に算定する。
注２　２については，１を算定した入院中の患者以外の患者に対して，分娩後も継続して血糖管理のために適切な指導管理を行った場合に，当該分娩後12週の間，**１回**に限り算定する。

C150　血糖自己測定器加算
1　月20回以上測定する場合　**350点**
2　月30回以上測定する場合　**465点**
3　月40回以上測定する場合　**580点**
4　月60回以上測定する場合　**830点**
5　月90回以上測定する場合　**1,170点**
6　月120回以上測定する場合　**1,490点**
7　間歇スキャン式持続血糖測定器によるもの　**1,250点**

Q1　在宅妊娠糖尿病患者指導管理料１

「１」はどのような患者が対象になるのですか。

A：血糖自己測定値に基づく指導のために血糖測定器を使用している次の者が対象となります。
妊娠中の糖尿病患者または妊娠糖尿病患者のうち，次の①または②に該当する者
①次のいずれかを満たす糖尿病である場合（妊娠時に診断された明らかな糖尿病）
ア　空腹時血糖値が126mg/dL以上
イ　HbA1cがJDS値で6.1％（NGSP値で6.5％）以上
ウ　随時血糖値が200mg/dL以上
（注）空腹時血糖値またはHbA1cで確認
エ　糖尿病網膜症が存在する場合
②ハイリスクな妊娠糖尿病である場合
ア　HbA1cがJDS値で6.1％未満（NGSP値で6.5％未満）で75gOGTT　２時間値が200mg/dL以上
イ　75gOGTTを行い，次に掲げる項目に2項目以上該当する場合又は非妊娠時のBMIが25以上であって，次に掲げる項目に1項目以上該当する場合
(イ)　空腹時血糖値が92mg／dL以上
(ロ)　１時間値が180mg／dL以上
(ハ)　２時間値が153mg／dL以上　〈保〉

Q2　管理料１と２ 新

在宅妊娠糖尿病患者指導管理料１及び２は，具体的にどのような場合に算定が可能ですか。

A：それぞれ以下の場合に算定できます。
○　在宅妊娠糖尿病患者指導管理料１については，妊娠中の糖尿病患者又は妊娠糖尿病の患者（別に厚生労働大臣が定める者に限る）であって入院中の患者以外の患者に対して，周産期における合併症の軽減のために適切な指導管理を行った場合に算定します。
○　在宅妊娠糖尿病患者指導管理料２については，１を算定した入院中の患者以外の患者に対して，分娩後も継続して血糖管理のために適切な指導管理を行った場合に，当該分娩後12週の間，１回に限り算定します。
〈厚令5.8.30〉

Q3 分娩後における血糖管理とは

C101-3「2」在宅妊娠糖尿病患者指導管理料2について，「分娩後における血糖管理」とは，血糖測定器を使用して血糖自己測定を行う必要がある場合に限定されるのでしょうか。

A：血糖自己測定の必要の有無は問われません。

〈厚令2.3.31〉

Q4 レセプト記載

レセプト摘要欄の記載事項を教えてください。

A：分娩年月日を記載します。

C102 在宅自己腹膜灌流指導管理料

C102 在宅自己腹膜灌流指導管理料 **4,000点**

注1 在宅自己連続携行式腹膜灌流を行っている入院中の患者以外の患者に対して，当該指導管理を行った場合に算定する。頻回に指導管理を行う必要がある場合は，同一月内の**2回目以降**1回につき**2,000点**を**月2回**に限り算定する。

注2 同一月内にJ038人工腎臓又はJ042腹膜灌流「1」(連続携行式腹膜灌流）を算定する場合は，注1に掲げる2回目以降の費用は，算定しない。(**編注：他院で行ったJ042は算定不可**)

注3 遠隔モニタリング加算 「注1」に規定する患者であって継続的に遠隔モニタリングを実施したものに対して本指導管理を行った場合は，**月1回**に限り**115点**を加算する。

C154 紫外線殺菌器加算 **360点**

注 在宅自己連続携行式腹膜灌流を行っている入院中の患者以外の患者に対して，紫外線殺菌器を使用した場合に，加算する。

C155 自動腹膜灌流装置加算 **2,500点**

注 在宅自己連続携行式腹膜灌流を行っている入院中の患者以外の患者に対して，自動腹膜灌流装置を使用した場合に，加算する。

「注1」頻回の指導管理の加算

Q1 退院月の頻回指導管理

当院からの退院時に在宅自己腹膜灌流指導管理料を算定した患者が，糖尿病で血糖コントロールが困難だったため，同一月内に頻回に指導管理を行った場合，頻回指導管理を算定できますか。

A：頻回指導管理の要件は満たしていても，在宅療養指導管理料の「通則」により，退院時に在宅療養指導管理料を算定している場合は退院の日の属する月に行った在宅療養指導管理の費用は算定できないため，同一月内の頻回指導管理は別に算定できません。

Q2 入院中のJ042「1」の算定

入院中の患者にJ042腹膜灌流「1」を行い，退院後の同月に，外来でC102在宅自己腹膜灌流指導管理料の「注1」頻回指導管理を行いましたが，「注1」の加算が査定されました。査定の根拠は「注2」に「同一月内に…J042に規定する腹膜灌流の1を算定する場合は，注1に規定する2回目以降の費用は算定しない」とあるためでした。

「注1」に「入院中の患者以外」に指導管理を行った場合とあるので，外来で行った指導管理のみをカウントするのではないでしょうか。

A：在宅療養指導管理料「通則4」により，退院時の指導管理は算定可能であり，「頻回指導管理加算」に関する“同一月内の指導管理の回数”にカウントするものと解されます。

C102「注2」に，「同一月内に（中略）J042に規定する腹膜灌流の1を算定する場合は，注1に規定する2回目以降の費用は，算定しない」と規定されているため，外来・入院を問わず同一月内にJ042「1」を算定した場合は，C102「注1」の2回目以降の頻回指導管理は算定できないと解されます。

〈オ〉

「注2」 人工腎臓，腹膜灌流との併施

Q3 人工腎臓との併施

J038人工腎臓と併施した場合はどうなりますか。

A：在宅自己腹膜灌流指導料の算定患者に対して，週1回を限度に，人工腎臓又は連続携行式腹膜灌流のいずれか（他医療機関で行ったものを除く）を併算定できます。ただし，併算定した場合は，在宅自己腹膜灌流指導管理料の頻回指導管理（2000点）については算定できません。なお，薬剤料や特定保険医療材料は算定できます。

Q4 包括項目にかかる薬剤料等の算定

他院で在宅自己腹膜灌流指導管理料を算定している患者に，人工腎臓等の所定点数は算定できま

すか。また，包括されない薬剤料，特定保険医療材料料の算定可否はいかがでしょうか。

A：算定できます。在宅自己腹膜灌流指導管理料を算定する医療機関では，レセプト摘要欄に人工腎臓を算定する医療機関名と実施の必要性について記載が必要です。

Q5　2回目以降の人工腎臓の薬剤料

在宅自己腹膜灌流指導管理料を算定している患者が週2回人工腎臓を行った場合，2回目の手技は算定できませんが，包括薬剤（エリスロポエチン・ダルベポエチン製剤）は別に算定できますか。

A：薬剤費は別途算定できます。ただし，週2回人工腎臓を行った場合については，1回目の「手技料」をJ038「4」の「その他の場合」で算定します。なお，この場合，在宅自己腹膜灌流指導管理料の「注1」に規定する2回目以降の費用は算定しません。　〈厚平22.3.29，一部修正〉

Q6　人工腎臓との併算定と諸加算

自己腹膜灌流指導管理をしている医療機関でJ038人工腎臓とJ042腹膜灌流を併施している患者に対して，C102在宅自己腹膜灌流指導管理料を算定した場合は，人工腎臓に係る薬剤と特定保険医療材料は算定できますが，人工腎臓の導入期加算，障害者加算の算定はできないのでしょうか。

また，在宅自己腹膜灌流指導管理料を算定しなければ，B001「15」慢性維持透析患者外来医学管理料と人工腎臓は算定できますか。

A：①　保医発通知より，「在宅自己腹膜灌流指導管理料を算定している患者は，週1回を限度として，管理をしている医療機関で行った人工腎臓又は腹膜灌流（連続携行式腹膜灌流に限る）のいずれか一方を算定できる」とされています。この場合，各所定点数の加算項目となっている導入期加算，障害者加算等についても算定要件を満たせば算定できます。

②　慢性維持透析患者外来医学管理料は，人工腎臓を行っている患者が対象で，腹膜灌流を行っている場合は対象となりません。　〈オ〉

「注3」遠隔モニタリング加算

Q7　いつ算定するのか

遠隔モニタリング加算は，モニタリングを行った時点で算定できますか。

A：モニタリングを行った時点では算定できません。次回以降の指導管理時に算定します。

Q8　施設基準は設定されたのか

算定するには施設基準の届出や研修の受講，医師の経験年数等の実績は必要ですか。

A：施設基準や医師の研修，実績等の要件等は特に設定されていません。

Q9　他の医療機関で人工腎臓を行った場合

人工腎臓の点数は算定できますか。

A：C102在宅自己腹膜灌流指導管理料の算定患者が他の医療機関で人工腎臓を行った場合，他の医療機関で人工腎臓が算定できます。C102を算定する医療機関ではレセプト「摘要」欄に「人工腎臓を行う他医療機関名」と「人工腎臓の必要性」を記載して請求します。

その他の算定方法

Q10　同月2回以上の算定

1カ月に2回以上在宅自己腹膜灌流指導管理料を算定した場合，レセプト摘要欄へのコメント記載が必要ですか。

A：レセプトの摘要欄に必要と認めた理由の電算処理システム用コードを選択して記載します。なお，紙レセプトの場合は，必要と認めた理由を記載します。

Q11　イソジン液の院外処方は

在宅自己腹膜灌流指導管理料を算定している患者に，灌流液と併せてイソジン液を院外処方してよいですか。

A：消毒液は当該医療機関で支給すべきものです。院外処方はできません。

Q12　慢性維持透析患者外来医学管理料と在宅自己腹膜灌流指導管理料の算定

CAPD（自己連続式腹膜灌流）を導入している患者で，毒素の引きが悪く，CAPDを3カ月行った後，血液透析を3カ月行うといった経過を繰り返しています。

血液透析への移行を勧めていますが，患者の希望が強くこのような状態が続いています。すべて通院での治療なのですが，B001「15」慢性維持透析患者外来医学管理料やC102在宅自己腹膜灌流指導管理料はそのつど算定してもよいでしょうか。

A：C102在宅自己腹膜灌流指導管理料は「在宅CAPDを行っている患者に対して在宅CAPDに関する指導管理を行った場合」に算定できるものなので，CAPDを行っていない月については算定できないと思われます。また，CAPDを実施している患者には，慢性維持透析患者外来医学管理料は算定できない扱いです。同一月内にCAPDを行わず，J038人工腎臓のみの月は慢性維持透析患者外来医学管理料を算定できると思われます。ただし，慢性維持透析患者外来医学管理料は，安定した状態にある慢性維持透析患者（透析導入後３カ月が経過し，定期的に透析を必要とする入院中の患者以外の患者）に対し算定可ですので，この要件も満たす場合に限ります。〈オ〉

Q13　交換用熱殺菌器の使用

在宅自己連続携行式腹膜灌流液交換用熱殺菌器を使用した場合は，どのように算定するのですか。

A：C154の紫外線殺菌器加算に準じて算定します。

C102-2　在宅血液透析指導管理料

C102-2　在宅血液透析指導管理料　**10,000点**

注１　施設基準に適合しているものとして地方厚生局長等に届け出た保険医療機関において，在宅血液透析を行っている入院中以外の患者に対して，在宅血液透析に関する指導管理を行った場合に算定する。頻回に指導管理を行う必要がある場合は，当該指導管理料を最初に算定した日から起算して２月までの間は，同一月内の**２回目以降**１回につき**2,000点**を**月２回**に限り算定する。

注２　同一月内にＪ038人工腎臓を算定する場合は，注１の２回目以降の費用は算定しない。

注３　遠隔モニタリング加算　「注１」の患者であって継続的に遠隔モニタリングを実施したものに対して本指導管理を行った場合，**月１回**に限り，**115点**を加算する。

C156　透析液供給装置加算　**10,000点**

注　在宅血液透析を行っている入院中の患者以外の患者に対して，透析液供給装置を使用した場合に，第１款の所定点数に加算する。

Q1　対象患者は

どんな患者が対象ですか。また頻回指導管理の対象になるのはどんな患者ですか。

A：維持血液透析を必要とし，かつ安定した病状にある患者が対象です。

頻回の指導管理が必要な患者さんとは，在宅血液透析の導入期にあるもの，合併症の管理が必要なもの，その他医師が特に必要と認めるものです。

Q2　届出の必要性

算定するには届出が必要ですか。

A：地方厚生局長等への届出が必要です。〈保〉

Q3　設備・機器

在宅血液透析指導管理の届出をする保険医療機関が備えるべき設備・器具はどのようなものですか。

A：病床があり，かつ専用透析室および人工腎臓装置を備えている必要があります。

Q4　参照するガイドライン

指導管理をするにあたり，参照すべきガイドラインはありますか。

A：日本透析医会の「在宅血液透析管理マニュアル」に基づいて指導管理を行うことが保医発通知によって示されています。

Q5　導入期の頻回指導管理について

在宅血液透析指導管理料の導入期の頻回指導管理について，導入期に頻回の指導を行う場合，最初に当該指導管理料を算定した日から起算して２月までの間は，同一月内の２回目以降１回につき2,000点を月２回に限り算定できます。当該指導管理料は月１回の点数ですが，頻回の指導は，初回算定日を起算としてよいのですか。

例えば４月15日が初回算定日とした場合，４月15日～30日，５月１日～31日，６月１日～14日で，それぞれ月の２回まで2,000点が算定できるということでしょうか。

A：初回算定日を起算日とします。したがって，設問の例では４月と５月は月２回まで算定でき，６月の１日～14日についても２回まで１回2,000点が算定可能です。

また月に２回以上在宅血液透析指導管理料を算定する場合は，①初回の指導管理を行った月日と，②頻回に行う理由を選択してレセプトの「摘要」欄に記載します。

Q6　最初に算定した日とは

在宅血液透析指導管理料を最初に算定した日から２月までは，頻回指導管理を月２回まで算定できることとされましたが，「最初に算定した日」とはいつのことを指すのですか。

A：患者が初めて在宅血液透析を行う日を指します。したがって，患者がすでに他医療機関で当該指導管理料を算定している場合は，医療機関を変更して在宅血液透析を行っても「最初に算定した日」には該当しません。〈保〉

Q7　導入期以外の時期で頻回の指導は

在宅血液透析指導管理料において，導入期の加算について，２月経過後は加算できないのですか。

A：２カ月経過後は算定できません。

Q8　人工腎臓の併算定は

人工腎臓と併施した場合はどうなりますか。

A：在宅血液透析指導管理料を算定している患者に対して人工腎臓を行った場合，週１回を限度に併せて算定できます。ただし，併算定した場合，在宅血液透析指導管理料の頻回指導管理（2000点）については算定できません。なお，薬剤料や特定保険医療材料料は別に算定できます。

Q9　慢性維持透析患者外来医学管理料との併算定は

在宅血液透析指導管理料を算定している患者が，医療機関に赴いて，特定の検査結果に基づいて計画的な治療管理を行った場合，慢性維持透析患者外来医学管理料は別に算定できますか。

A：別に算定できます。

Q10　透析液供給装置加算

透析液供給装置加算にはフィルターの費用は含まれますか。

A：透析液供給装置は患者１人に対して１台を貸与しますが，加算には，逆浸透を用いた水処理装置・前処理のためのフィルターの費用を含みます。

C103　在宅酸素療法指導管理料

C103　在宅酸素療法指導管理料

１　チアノーゼ型先天性心疾患の場合　**520点**

２　その他の場合　**2,400点**

注１　在宅酸素療法を行っている入院中の患者以外の患者に対して，在宅酸素療法に関する指導管理を行った場合に算定する。

注２　[遠隔モニタリング加算]　２を算定する患者について，前回受診月の翌月から今回受診月の前月までの期間，遠隔モニタリングを用いて療養上必要な指導を行った場合に**150点**に当該期間の月数（指導を行った月に限り，**２月を限度**とする）を乗じた点数を加算する。

C157　酸素ボンベ加算

１　携帯用酸素ボンベ　**880点**

２　１以外の酸素ボンベ　**3,950点**

注　在宅酸素療法を行っている入院中の患者以外の患者（チアノーゼ型先天性心疾患の患者を除く）に対して，酸素ボンベを使用した場合に，３月に３回に限り，加算する。

C158　酸素濃縮装置加算　4,000点

注　在宅酸素療法を行っている入院中の患者以外の患者（チアノーゼ型先天性心疾患の患者を除く）に対して，酸素濃縮装置を使用した場合に，３月に３回に限り，加算する。ただし，この場合において，C157酸素ボンベ加算の「２」は算定できない。

C159　液化酸素装置加算

１　設置型液化酸素装置　**3,970点**

２　携帯型液化酸素装置　**880点**

注　在宅酸素療法を行っている入院中の患者以外の患者（チアノーゼ型先天性心疾患の患者を除く）に対して，液化酸素装置を使用した場合に，３月に３回に限り，加算する。

C159-2　呼吸同調式デマンドバルブ加算　291点

注　在宅酸素療法を行っている入院中の患者以外の患者（チアノーゼ型先天性心疾患の患者を除く）に対して，呼吸同調式デマンドバルブを使用した場合に，３月に３回に限り，加算する。

C171　在宅酸素療法材料加算

１　チアノーゼ型先天性心疾患の場合　**780点**

２　その他の場合　**100点**

注　在宅酸素療法を行っている入院中の患者以外の患者に対して，当該療法に係る機器を使用した場合に，３月に３回に限り，加算する。

Q1　算定回数

在宅酸素療法指導管理料は，「３月に３回に限り」算定できるのですか。

A：「月１回に限り」算定する取扱いですので，「３月に３回」の算定はできません。〈保〉

Q2　チアノーゼ型先天性心疾患の場合

在宅酸素療法の対象となるチアノーゼ型先天性心疾患とは，どのような患者ですか。

A：ファロー四徴症，大血管転位症，三尖弁閉鎖症，総動脈幹症，単心室症などのチアノーゼ型先天性心疾患患者のうち，発作的に低酸素または無酸素状態になる患者です。

Q3　チアノーゼ型先天性心疾患の場合(2)

チアノーゼ型先天性心疾患患者に使用した小型酸素ボンベまたはクロレート・キャンドル型酸素発生器の費用はどうなるのですか。

A：在宅酸素療法材料加算の所定点数に含まれていて，当該保険医療機関から患者に支給されるものです。

Q4 「その他の場合」の対象疾患

C103在宅酸素療法指導管理料の「2　その他の場合」の対象疾患は，高度慢性呼吸不全，肺高血圧症，慢性心不全，重度の群発頭痛とありますが，うっ血性心不全は適応になりませんか。

A：C103在宅酸素療法指導管理料の「その他の場合」は，通知により「諸種の原因による高度慢性呼吸不全例，肺高血圧症の患者，慢性心不全の患者のうち，安定した病態にある退院患者および手術待機の患者又は重度の群発頭痛の患者について，在宅で自らが酸素吸入を実施するもの」をいいます。

ご質問の「うっ血性心不全」については，「慢性」であって，通知に定める要件を満たす場合は当該指導管理料の算定対象となります。〈オ〉

Q5 重度の群発頭痛の場合の記載

C103在宅酸素療法指導管理料「2」その他の場合を重度の群発頭痛の患者に対して算定する場合も，動脈血酸素分圧の測定結果または経皮的動脈血酸素飽和度のレセプトへの記載は必要ですか。

A：在宅酸素療法指導管理料に係る保医発通知（5）において，「在宅酸素療法指導管理料の算定に当たっては，動脈血酸素分圧の測定を月1回程度実施し，その結果について診療報酬明細書に記載する。この場合，…経皮的動脈血酸素飽和度測定器による酸素飽和度を用いることができる」（「早見表」p.416）とあるため，群発頭痛についてもレセプトへの記載は必要と解されます。〈オ〉

Q6 在宅酸素療法指導管理と酸素濃縮装置加算が適応となる疾患

C103在宅酸素療法指導管理料とC158酸素濃縮装置加算はどのような疾患に適応となるのでしょうか（高度慢性呼吸不全，低酸素血症，肺気腫等でよいのでしょうか）。

A：諸種の原因による高度慢性呼吸不全例のうち，①在宅酸素療法導入時に動脈血酸素分圧55mmHg以下の者および動脈血酸素分圧60mmHg以下で睡眠時または運動負荷時に著しい低酸素血症をきたす者であって，医師が在宅酸素療法を必要であると認めた者，②慢性心不全患者のうち，医師の診断により，NYHA Ⅲ度以上であると認められ，睡眠時のチェーンストークス呼吸がみられ，無呼吸低呼吸指数（1時間当たりの無呼吸数及び低呼吸数をいう）が20以上であることが睡眠ポリグラフィー上確認されている症例，③群発頭痛と診断されている患者のうち，群発期間中であって，1日平均1回以上の頭痛発作を認める者が対象です。

お問い合わせの疾患で上記の要件を満たす場合は算定可です。〈オ〉

遠隔モニタリング加算

Q7 療養上の指導が不要だった場合

C103，C107-2の遠隔モニタリング加算について，モニタリングを行った結果，その時点で急を要する指導事項がなく，療養上の指導を行わなかった場合にも算定できますか。

A：遠隔モニタリング加算は，予め作成した診療計画に沿って，モニタリングにより得られた臨床所見に応じて，療養上の指導等を行った場合の評価であり，モニタリングを行っても，療養上の指導を行わなかった場合は，算定できません。

〈厚平30.7.10，一部修正〉

Q8 システム利用料の徴収

C103，C107-2の遠隔モニタリング加算について，モニタリング及び指導に用いたシステムの利用料は別途徴収できるのでしょうか。

A：別途徴収できません。

〈厚平30.7.10，一部修正〉

Q9 電話等で指導を行った場合

C103，C107-2の遠隔モニタリング加算について，「療養上必要な指導を行った場合」とありますが，ビデオ等のリアルタイムの視覚情報を含まない，電話等の情報通信機器を用いて指導が完結した場合も含まれますか。

A：原則として，リアルタイムでの画像を介したコミュニケーションが可能な情報通信機器を用いたものでなくてはなりません。遠隔モニタリング加算については，予め作成した診療計画に沿って，モニタリングにより得られた臨床所見に応じて，療養上の指導等を行った場合の評価であり，この場合の療養上の指導は，厚生労働省の定める情報通信機器を用いた診療に係る指針に沿って指導します。

ただし，このような診療計画に沿ったモニタリング及び指導を行う場合であって，患者から事前に合意を得ている場合に限り，当該指導をリアルタイムの視覚情報を含まない電話等の情報通信機器を用いて行っても差し支えないものとします。

〈厚平30.10.9，一部修正〉

Q10 基本診療料の算定 新

遠隔モニタリング加算について，遠隔モニタリングを用いて療養上必要な指導を行った場合，情報通信機器を用いた診療に係る基本診療料は別に算定できますか。

A：当該診療に係る基本診療料については，遠隔モニタリング加算に包括されており，別に算定できません。〈厚令4.3.31〉

器材の使用

Q11　在宅酸素療法と気管内カテーテル

C 103在宅酸素療法指導管理料を算定している患者のレセプトに，気管内ディスポーザブルカテーテルが器材として出てくることがあります。気管内ディスポーザブルカテーテルは気管切開をしている患者が使用するものと考えられますが，在宅酸素療法との関連を教えてください。

A：材料価格基準「別表Ⅰ」の「003在宅寝たきり患者処置用気管内ディスポーザブルカテーテル」（別表Ⅱの038気管切開後留置用チューブと実質的に同一）は，気管切開後の留置用カテーテル交換に用いられます。当材料は名称からはC 109在宅寝たきり患者処置指導管理（料）にあたって支給できる材料ですが，C 112在宅気管切開患者指導管理（料）にあたって支給した場合も対象になると解されます。

在宅酸素療法指導管理，在宅寝たきり患者処置指導管理，在宅気管切開患者指導管理を同一月に併せて行った場合は，主たる指導管理料のみを算定し，各材料加算，特定保険医療材料を加算する扱いですので，在宅酸素療法指導管理料と気管内ディスポーザブルカテーテルとの併算定のケースはあり得ます。〈オ〉

Q12　在宅療養用医療機器の入院中の使用

在宅で在宅酸素療法を行っている患者が入院した際，携帯酸素ボンベと酸素濃縮装置を持参しました。機器のレンタル料と携帯酸素ボンベの酸素補充手数料は患者負担として業者と契約してもらっていいのでしょうか。

A：入院中は在宅療養用の酸素濃縮装置等の使用は不適当です。当該医療機器の使用は入院前または退院後の在宅酸素療法指導管理を伴う在宅療養でのみ使用が認められます。その費用についてはC 103在宅酸素療法指導管理料を算定した月の加算としてのみ算定が認められます。

入院中の治療に必要とした酸素療法は病院が行うべきで費用の患者実費負担（業者とのレンタル契約による患者負担も）は認められません。〈オ〉

Q13　在宅酸素療法と人工呼吸器加算

C 107在宅人工呼吸指導管理料の対象とならず，C 103在宅酸素療法指導管理料を算定している患者に対してC 164人工呼吸器加算を算定できますか。この場合，指導管理料もC 107在宅人工呼吸指導管理料にしないと算定できないでしょうか。

A：C 107在宅人工呼吸指導管理料の算定要件に該当しない場合に，C 107に係る材料加算である「C 164人工呼吸器加算」を算定することはできません。

なお，同一月にC 103在宅酸素療法指導管理（料）とC 107在宅人工呼吸指導管理（料）を併せて行った場合には，指導管理料は点数の高い（主たる指導管理料である）C 107の所定点数のみ算定し，材料加算はC 107に係るC 164の加算の他にC 103に係る材料加算C 157，C 158，C 159，C 159-2，C 171についても算定できます。〈オ〉

材料加算

Q14　材料加算の算定回数

在宅酸素療法指導管理料の材料加算である「酸素ボンベ加算」「酸素濃縮装置加算」「液化酸素装置加算」「呼吸同調式デマンドバルブ加算」「在宅酸素療法材料加算」と，在宅持続陽圧呼吸療法指導管理料の材料加算である「在宅持続陽圧呼吸療法用治療器加算」「在宅持続陽圧呼吸療法材料加算」は「3月に3回に限り」算定できますが，以下の場合，どのように算定すればよいでしょうか。

①毎月診察している患者が6月の後半に入院したため，7月は診察できず，8月に患者が退院し診察を行った場合，酸素ボンベ加算等は7月分と合わせて2回分算定できますか。

②毎月患者を診察し，加算を月1回算定することはできますか。

A：①7月は在宅で療養していないので算定不可で，8月分は算定できます。
②算定できます。〈保〉

Q15　材料加算の併算定

在宅酸素療法材料加算は，酸素ボンベ加算，酸素濃縮装置加算，液化酸素装置加算，呼吸同調式デマンドバルブ加算と併せて算定できますか。

A：算定できます。〈保〉

Q16　C 157酸素ボンベ加算⑴

C 157酸素ボンベ加算等について，3月に3回に限り算定することとなりましたが，次の2カ月と合わせて3月とするのでしょうか，または前の2カ月と合わせて3月とするのでしょうか。

A：患者が受診していない月の医学管理が適切に行われている場合には，いずれについても可です。
〈厚平24.3.30，一部修正〉

Q17　酸素ボンベ加算⑵

在宅酸素療法を行っている患者で，その月中に当該指導管理が行われなかった場合でも，在宅で酸素ボンベを使用していれば，C 157酸素ボンベ加算のみ算定できますか（C 107在宅人工呼吸指導管

理料等は別に算定していない）。

A：在宅酸素療法の指導管理が行われていなければ，算定できません。

Q18　携帯用酸素ボンベ加算(1)

医療機関への通院時に使い捨ての携帯用酸素ボンベを使った場合も算定できますか。

A：携帯用酸素ボンベはおおむね1,500L以下の詰め替え可能なものであって，使い捨てのものは含まれません。通院等外出時に実際に，詰め替え可能な携帯用小型酸素ボンベを使用した場合，月に1回に限り算定できます。

Q19　携帯用酸素ボンベ加算(2)

在宅酸素療法指導管理を行っている患者で，酸素ボンベと濃縮装置の併用は主たるもののみの加算になりますが，さらに患者が外来通院時に携帯用酸素ボンベを使用した場合は，携帯用酸素ボンベ使用加算を併せて算定できますか。

A：併せて加算できます。

Q20　携帯用酸素ボンベ加算(3)

携帯用酸素ボンベ使用時に，ボンベを乗せるために使ったカート代は自費になるのですか。それとも，ボンベを運ぶためのものとして加算点数に含まれているのですか。

A：保医発通知「療養の給付と直接関係ないサービス等の扱い」（『早見表』p.1582）により，保険診療においては「療養の給付に直接関係するサービス等」は患者実費負担とできず，「療養の給付に直接関係しないサービス等」についてのみ，患者実費徴収ができる扱いです。

携帯用酸素ボンベの支給に当たって（ボンベを乗せる）カートを必要とした場合は，C159液化酸素装置加算に係る通知(2)に「…なお，使用した…流量計，加湿器等の費用は加算点数に含まれ，別に算定できない」とあり，またC164人工呼吸器加算に係る通知「療養上必要な回路部品その他付属品…の費用は所定点数に含まれる」等により，その費用は所定点数に含まれると解されます。　〈オ〉

Q21　C158酸素濃縮装置加算(1)

C158酸素濃縮装置加算の算定要件に「ただし，この場合において，区分番号C157に掲げる酸素ボンベ加算の2（携帯用以外の酸素ボンベ）は算定できない」とありますが，次の場合，酸素濃縮装置加算および酸素ボンベ加算は算定できますか。

①4月：酸素ボンベ加算（携帯用酸素ボンベ以外）×1（当月分），酸素濃縮装置加算×1（翌月分）

5月：酸素濃縮装置加算×1（翌月分）

②4月：酸素濃縮装置加算×2（今月分および翌月分）

5月：酸素ボンベ加算（携帯用酸素ボンベ以外）×1（翌月分）

A：①，②とも算定できます。　〈厚平24.8.29〉

Q22　酸素濃縮装置加算(2)

在宅酸素療法指導管理料を退院時に算定するとき，酸素濃縮装置を使用する患者には，C158酸素濃縮装置加算の4,000点の加算も算定できますか。

A：算定できます。

Q23　C159液化酸素装置加算(1)

「1」設置型液化酸素装置と「2」携帯型液化酸素装置とは，それぞれどのようなものですか。

A：「1」は20～50Lの内容積の設置型液化酸素装置または1L前後の内容積の携帯型液化酸素装置のことです。使用した酸素の費用および流量計，加湿器，チューブ等の費用は，すべて加算点数に含まれます。

「2」の加算を算定するには，設置型の装置から携帯型の装置へ液化酸素の移充填を行う場合の方法，注意点，緊急時の措置等を患者に指導することが必要です。

Q24　液化酸素装置加算(2)

液化酸素装置の加算は，液化酸素でないと算定できませんか。気化とか発生装置ではだめですか。

A：「気化」というのが最初から気体状の酸素を用いた場合ということであれば，酸素ボンベおよび携帯用酸素ボンベの加算点数が算定できます。また「発生装置」というのが酸素濃縮装置のことを意味しているのであれば酸素濃縮装置の加算点数を算定すればよいことになります。

Q25　液化酸素装置加算(3)

C157酸素ボンベ加算または携帯用酸素ボンベ加算と，C159液化酸素装置加算は同時に算定可能ですか。

A：①酸素ボンベと設置型液体酸素装置，②携帯用酸素ボンベと携帯型液体酸素装置を併用した場合，①，②とも両者の同時算定はできません。どちらか一方の算定となります。

Q26　C159-2呼吸同調式デマンドバルブ加算

呼吸同調式デマンドバルブ加算は，設置型を使用した場合であっても算定できますか。

A：算定できません。携帯型のみ算定できます。　〈保〉

Q27 C 171在宅酸素療法材料加算の算定(1)

在宅酸素療法材料加算はどのようなときに算定しますか。

A：以下のように算定します。

① 在宅酸素療法材料加算１（780点）は，在宅酸素療法指導管理料「１」を算定するチアノーゼ型先天性心疾患の患者に対し，医療機関から小型酸素ボンベまたはクロレート・キャンドル型酸素発生器を提供した場合に算定する。

② 在宅酸素療法材料加算２（100点）は，在宅酸素療法指導管理料「２」を算定する患者に対し，医療機関から在宅酸素療法装置が提供される場合に算定できる。

なお，在宅酸素療法材料加算「１」「２」には在宅酸素療法装置に必要な回路部分その他の附属品等に係る費用が含まれる。〈保〉

Q28 在宅酸素療法材料加算の算定(2)

C 171在宅酸素療法材料加算は，C 157酸素ボンベ加算，C 158酸素濃縮装置加算，C 159液化酸素装置加算，C 159-2呼吸同調式デマンドバルブ加算又はC 164人工呼吸器加算と併せて算定することは出来ますか。

A：それぞれ要件を満たせば算定可能です。

〈厚平28.3.31・一部抜粋〉

その他の算定

Q29 医療機関で行った酸素吸入

在宅酸素療法指導管理料を算定している患者が，通院時に病院で酸素吸入を行った場合，J 024酸素吸入を算定することはできますか。

A：通院時に，保険医療機関内で行った酸素吸入（酸素代も含む）については，算定できません。

なお，往診時や訪問診療時にも算定できません。

Q30 訪問診療時の鼻マスク式補助換気法

在宅酸素療法指導管理料を算定している患者で，在宅患者訪問診療料を算定する日に行ったJ 026-2鼻マスク式補助換気法は算定できますか。

A：算定できません。

Q31 精製水の費用

在宅酸素療法に使用した精製水の費用は別に算定できますか。

A：算定できません。

Q32 喀痰吸引装置の保険外料金の徴収は

喀痰吸引装置を使用させている場合，医療機関が患者から保険外料金を徴収できますか。

A：できません。医学的必要があれば貸与すべきものです。

Q33 処置と酸素の費用

在宅酸素療法指導管理料を算定している患者（入院中の患者を除く）については，酸素吸入，酸素テント，間歇的陽圧吸入法，喀痰吸引，鼻マスク式補助換気法などの費用は算定できないものとされていますが，これらの処置に伴う酸素の費用も別に算定できないのですか。

A：算定できません。酸素吸入の際の酸素代だけでなく，その他掲げられた処置に使用した酸素代も算定できないこととされています。〈保〉

Q34 退院患者が再入院した場合

退院時にC 103在宅酸素療法指導管理料を算定した患者が，退院当日に急性増悪で再入院しました。在宅酸素療法指導管理料を当月の入院レセで請求することは可能でしょうか。

A：退院当日の再入院については，「前回入院の継続」として取り扱うのが適当と解されます。在宅療養指導管理を行う必要性も認められません。

よって，在宅療養指導管理料（材料加算含む）は取消しとし，算定しないのが適当と思われます。

〈オ〉

Q35 退院時・退院後の外来受診

9/26　外来受診：在宅酸素療法指導管理
9/30　自院に入院
10/3　退院：在宅酸素療法について退院時指導
10/26　外来受診：在宅酸素療法指導管理

この場合，入院前の9/26と10/3の退院時に在宅酸素療法指導管理料は算定できますか。10/26は算定できますか。

A：9/26と10/3は算定できます。10/3に算定した場合，10/26は算定できません。〈オ〉

Q36 退院時にC 103在宅酸素療法指導管理料を算定した場合のSPO₂算定は

C 103の費用にD 223経皮的動脈血酸素飽和度測定（SPO_2）は包括されますが，退院時にC 103を算定した場合，それ以前に実施していたSPO_2は算定できますか。

A：退院時にC 103を算定した場合でも，入院中に行った経皮的動脈血酸素飽和度測定については，所定点数が算定できると通知で定められている酸素吸入等に伴うものであれば，算定できます。

Q37 慢性心不全患者の夜間悪化の場合

慢性心不全の患者について，夜間の呼吸状態の悪化を経皮的動脈血酸素飽和度測定確認した場合

は算定できますか。

A：算定要件を満たすことを終夜睡眠ポリグラフィー上確認することが必要です。

〈厚平16.3.30，一部修正〉

Q38　慢性心不全の患者のレセプト記載

慢性心不全で在宅酸素療法指導管理料を算定した患者については，特にレセプトへの記載が求められている点がありますか。

A：慢性心不全で適用になった患者についても，初回月において終夜睡眠ポリグラフィーの実施日および無呼吸指数等レセプト記載要領で記載すべきとされている事項を併せて記載する必要があります。〈保〉

Q39　経皮的動脈血酸素飽和度測定の費用

月１回程度動脈血酸素分圧または経皮的動脈血酸素飽和度の測定が必要ですが，経皮的動脈血酸素飽和度測定の費用は別途算定できますか。

A：算定できません。〈病〉

Q40　酸素吸入器を外すと危険になる患者の場合

動脈血酸素分圧測定を実施する際に酸素吸入器を外すと危険になる患者の場合，酸素吸入を行ったままの測定でよいのですか。

A：酸素吸入を行ったままの測定結果の記載でかまいません。〈保〉

Q41　動脈血酸素分圧測定結果が60mmHgを超えた場合

すでに在宅酸素療法指導管理料を算定している患者に対して実施した動脈血酸素分圧の測定結果が60mmHgを超えた場合，引き続き在宅酸素療法指導管理料は算定できますか。

A：算定できます。ただし導入時の数値は算定要件に合致していなければなりません。〈保〉

Q42　酸素飽和度を睡眠ポリグラフィーで代用は可能か

対象疾患に慢性心不全の患者が追加され，「…睡眠ポリグラフィー上確認されている症例…」とありますが，この適応患者の判定に経皮的動脈血酸素飽和度測定器による酸素飽和度測定を睡眠ポリグラフィーに代用することができるでしょうか。

A：代用はできません。

Q43　動脈血酸素分圧測定の対象患者は

動脈血酸素分圧測定または経皮的動脈血酸素飽和度測定の測定数値を記録することが必要な患者は「チアノーゼ型先天性心疾患」，「高度慢性呼吸不全例」，「肺高血圧症」，「慢性心不全」，「重度群発性頭痛」のいずれの患者でしょうか。

A：質問のすべての患者です。

Q44　血液ガス分析の算定

在宅酸素療法指導管理料を算定している患者に対して行ったD223 経皮的動脈血酸素飽和度測定，D223-2終夜経皮的動脈血酸素飽和度測定の費用は算定できませんが，D007「36」血液ガス分析は算定できますか。

A：算定できます。〈保〉

C104　在宅中心静脈栄養法指導管理料

C104　在宅中心静脈栄養法指導管理料　3,000点

注　在宅中心静脈栄養法を行っている入院中の患者以外の患者に対して，在宅中心静脈栄養法に関する指導管理を行った場合に算定する。

C160　在宅中心静脈栄養法用輸液セット加算　2,000点

注　在宅中心静脈栄養法を行っている入院中の患者以外の患者に対して，輸液セットを使用した場合に，加算する。

C161　注入ポンプ加算　1,250点

注　次のいずれかに該当する入院中の患者以外の患者に対して，注入ポンプを使用した場合に，２月に２回に限り，加算する。

イ　在宅中心静脈栄養法，在宅成分栄養経管栄養法又は在宅小児経管栄養法を行っている患者
ロ　次のいずれかに該当する患者
　(1)　悪性腫瘍の患者であって，在宅において麻薬等の注射を行っている末期の患者
　(2)　筋萎縮性側索硬化症又は筋ジストロフィーの患者であって，在宅において麻薬等の注射を行っている患者
　(3)　(1)又は(2)に該当しない場合であって，緩和ケアを要する心不全又は呼吸器疾患の患者に対して，在宅において麻薬の注射を行っている末期の患者
ハ　悪性腫瘍の患者であって，在宅において抗悪性腫瘍剤等の注射を行っている患者
ニ　在宅強心剤持続投与を行っている患者
ホ　別に厚生労働大臣が定める注射薬の自己注射を行っている患者

Q1　対象疾患(1)

悪性腫瘍は対象疾患に含まれますか。

A：対象は，原因疾患にかかわらず，腸管大量切除術例または腸管機能不全例であって，本法以外に栄養維持が困難な場合です。悪性腫瘍の患者であっても，その要件を満たせば算定可能です。

Q2　対象患者(2)

在宅中心静脈栄養法の対象患者は経口摂取をしている患者なのでしょうか。

A：在宅中心静脈栄養法は，何らかの原因により，経口摂取による栄養維持が困難な患者が対象です。在宅にて高カロリー輸液を中心静脈内に持続的に点滴静注する輸液療法をいいます。点数表上，対象疾患は限定されていません。　〈オ〉

Q3　初診日の算定と中心静脈注射の費用

C 104在宅中心静脈栄養法指導管理料は，初診往診の日に算定できますか。

また，その際にG 005中心静脈注射の費用は算定できますか。

A：初診であっても主治医が他院からの診療情報提供等で患者の病状を十分把握し，在宅中心静脈栄養法指導管理の必要を認め指導管理を行った場合は，初診の往診時でもC 104の算定は可能です。この場合，初診時から指導管理が必要とされた理由をレセプトに記載したほうがよいでしょう。

なお，保医発通知により，在宅中心静脈栄養法指導管理料を算定している場合，G 005中心静脈注射の費用は算定できません。　〈オ〉

C 160　在宅中心静脈栄養法用輸液セット加算

Q4　輸液セットの代金

輸液セット加算の他に輸液セットの代金を別途算定することは可能ですか。

A：加算点数に含まれるため算定できません。ただし，1月に7組以上用いる場合は，7組目以降について特定保険医療材料として算定します。

Q5　輸液セットの交換

輸液セットの交換はどのくらいで行わなければならないですか。

A：輸液ライン（フィルターを含む）の交換は，間歇的輸液法の場合の輸液実施ごとですが，持続注入の場合は週2回以上です。

Q6　輸液セットを院外処方した場合

在宅中心静脈栄養法指導管理で注射薬剤（在宅中心静脈栄養法用輸液）と輸液セットを院外処方しています。注入ポンプは院内で支給（貸与）しています。この場合，輸液セット加算，注入ポンプ加算を算定してよいですか。

A：輸液セット加算，注入ポンプ加算等は，院内で器具を支給または貸与した場合にのみ算定できます。輸液セットは院外処方できますが，院外処方で支給した場合は「輸液セット加算」は算定できません。

Q7　輸液セットの“組”の意味

輸液セットの“組”の意味を教えてください。

例えば，チューブを月30本出している場合，6本をその加算で算定，残り24本を特定保険医療材料で24組として算定してよいでしょうか。

A：チューブの本数ではありません。チューブセット〔輸液バッグ，輸液ライン（フィルター，プラグ，延長チューブ，フーバー針を含む），注射器，穿刺針を含む〕の数で数えます。

なお，7組以上用いる場合は6組目までは輸液セット加算に含まれるので，7組目以降について特定保険医療材料として算定します。　〈オ〉

Q8　7組目以上の輸液セットの算定

在宅中心静脈栄養法用輸液セットで，7組目以降の費用については，特定保険医療材料料を算定することとされていますが，もし7組目を使用した場合，在宅中心静脈栄養法用輸液セット加算2000点と7組目の材料代の両方を算定してもよいのでしょうか。

A：在宅中心静脈栄養法用輸液セット加算＋特定保険医療材料料が算定できます。　〈オ〉

Q9　1回に14組処方する場合

輸液セットは1月に7組以上用いる場合において，7組目以降について算定となっています。1回に14組処方する場合は，実日数1日で，輸液セット加算2,000点のほかに輸液セット本体，フーバー針，輸液バッグについて8組分を別途，算定できますか。

A：輸液セット加算2,000点＋特定保険医療材料の点数は（輸液セット1,520円＋フーバー針419円＋輸液バッグ414円）×8÷10として算定できます。また，請求する輸液セット数が多くなる場合は，必要になった理由をレセプトに記載することが望ましいでしょう。　〈オ〉

注射薬

Q10　在宅中心静脈栄養法用輸液とは

在宅中心静脈栄養法用の輸液には具体的な注射薬の取決めがありますか。例えばブドウ糖＋アミノ酸製剤にビタミン類が同時に処方されないと栄

養法用輸液とは認められないのでしょうか。

A：C104在宅中心静脈栄養法指導管理にあたって，患者に投与できる在宅中心静脈栄養法用輸液は，通知により高カロリー輸液および血液凝固阻止剤をいい，高カロリー輸液以外にビタミン剤を投与することができます〔『早見表』p.437 通知(3)〕。ビタミン剤を実際に投与するかどうかは医師の判断によります。また，傷病名からビタミン剤の必要性が明らかでない場合には，必要性をレセプトに記載します。〈オ〉

Q11　高カロリー輸液患者へのビタミン剤

在宅中心静脈栄養法施行患者を含め，中心静脈注射などにより高カロリー輸液を行っている患者に対して，ビタミン剤の投与は必要ですか。

A：高カロリー輸液療法実施中の患者に対するビタミン剤の投与は「食事からのビタミン摂取が不十分である場合」に認められる扱いですが，当該患者に対するビタミンB_1の投与を欠くと重篤な副作用（アシドーシス）が起こることがあるので十分な注意が必要です。なお，ここで言うビタミン剤には，高カロリー輸液用総合ビタミン剤も該当します。また，傷病名からビタミン剤の必要性が明らかでない場合には，必要性をレセプトに記載します。

Q12　厚生労働大臣の定める注射薬以外の投与

C104在宅中心静脈栄養法指導管理料で，高カロリー輸液を含む在宅医療で投与可能な薬剤一覧表（『早見表』p.436）以外の薬剤を投与した場合，算定できますか。

A：在宅医療の部第3節薬剤料に係る保医発通知「厚生労働大臣の定める注射薬」（『早見表』p.437）は，在宅療養指導管理に当たって患者に支給できる注射薬です。よって，C104在宅中心静脈栄養法指導管理（料）に当たって，「厚生労働大臣の定める注射薬」以外の注射薬を患者に支給することはできません。〈オ〉

C161注入ポンプ加算

Q13　在宅麻薬等注射指導管理の注入ポンプ

C103在宅酸素療法指導管理料「2」その他の場合，C104在宅中心静脈栄養法指導管理料，C108在宅麻薬等注射指導管理料に該当する指導管理を行っている重症終末期患者がいます。

在宅医療の部第2節第1款の「通則」（『早見表』p.408）により2以上の指導管理料は併算定できないため，当院ではC104を算定し，同療法で注入ポンプを使用しているため，C161注入ポンプ加算（1250点）を算定しています。

併せて在宅における鎮痛療法でもPCAポンプを使用しているため，C108は算定せず，その分のC161注入ポンプ加算のみを請求したところ，「1250×2」が「1250×1」に減点査定されました。

第1款の指導管理料を算定していない場合，C161は算定できないのでしょうか。

A：在宅麻薬等注射指導管理に伴う鎮痛療法のためのPCAポンプは，一般に携帯型ディスポーザブル注入ポンプが用いられるため，C166携帯型ディスポーザブル注入ポンプ加算の算定が適当です。

よって，ご質問のケースでは，C104（在宅中心静脈栄養法指導管理料）の所定点数と併せて，C161注入ポンプ加算とC166携帯型ディスポーザブル注入ポンプ加算の算定が適当です。

ただし，C104とC108について，それぞれ（携帯型ディスポーザブルではない）PCAポンプを使用しているのであれば，症状詳記でその必要性を記載したうえで，C161注入ポンプ加算×2で請求あるいは再請求をしてみてはいかがでしょうか。

なお，算定にあたっては，レセプトには在宅麻薬等注射指導管理を実施していることを記す必要があります。〈オ〉

その他の算定

Q14　中心静脈注射用植込型カテーテル設置の費用

在宅中心静脈栄養法指導管理を行う患者に中心静脈注射用植込型カテーテルを設置する場合，どのように算定するのですか。

A：手術のK618中心静脈注射用植込型カテーテル設置で算定します。

Q15　携帯用ジャケット・ショルダーバッグ

携帯用ジャケットやショルダーバッグの費用は保険請求できますか。

A：できません。患者の自己負担になります。

Q16　病診連携の場合

病院で高カロリー輸液等の薬剤および輸液セットを支給し，診療所の医師が訪問診療のときに指導管理を行うという場合，診療所では薬剤を投与しませんが，在宅中心静脈栄養法指導管理料の算定は認められますか。

A：2以上の医療機関が，同一患者について，同一の在宅療養指導管理を行っている場合，主たる指導管理を行っている医療機関でのみ当該指導管理料を算定する扱いです。設問の場合，当該指導管理料は病院において算定し，診療所は病院との合議のうえ，病院よりその報酬を受けるのが妥当と思われます。

Q17　IVHに伴う「生へパ」の算定

在宅でIVH（経静脈高カロリー輸液）施行時に，ヘパロック（ヘパリンおよび生食）は算定できますか。

A：C104在宅中心静脈栄養法指導管理に伴い，患者に支給できる薬剤として，血液凝固阻止剤，生理食塩液が通知されています。ヘパリンは血液凝固阻止剤に該当しますので⑭コードの在宅の薬剤として算定します。

Q18　ガスターの薬剤料

在宅中心静脈栄養法指導管理料を算定する患者について，在宅の薬剤として高カロリー輸液の他にガスター注射液を算定できますか。

A：ガスター注射液（H_2遮断剤）は，通知により厚生労働大臣の定める注射液となっていますので，在宅の薬剤として算定できます。

C105　在宅成分栄養経管栄養法指導管理料
C105-2　在宅小児経管栄養法指導管理料
C105-3　在宅半固形栄養経管栄養法指導管理料

C105　在宅成分栄養経管栄養法指導管理料

2,500点

注　在宅成分栄養経管栄養法を行っている入院中の患者以外の患者に対して，在宅成分栄養経管栄養法に関する指導管理を行った場合に算定する。

C105-2　在宅小児経管栄養法指導管理料

1,050点

注　在宅小児経管栄養法を行っている入院中の患者以外の患者（別に厚生労働大臣が定める者に限る）に対して，在宅小児経管栄養法に関する指導管理を行った場合に算定する。

C105-3　在宅半固形栄養経管栄養法指導管理料

2,500点

注　在宅半固形栄養経管栄養法を行っている入院中の患者以外の患者（別に厚生労働大臣が定める者に限る）に対し，当該指導管理を行った場合に，**最初に算定した日から起算して１年を限度**として算定する。

C161　注入ポンプ加算　1,250点

注　次のいずれかに該当する入院中の患者以外の患者に対して，注入ポンプを使用した場合に，**２月に２回**に限り，加算する。

イ　在宅中心静脈栄養法，在宅成分栄養経管栄養法又は在宅小児経管栄養法を行っている患者
ロ　次のいずれかに該当する患者
(1)　悪性腫瘍の患者であって，在宅において麻薬等の注射を行っている末期の患者
(2)　筋萎縮性側索硬化症又は筋ジストロフィーの患者であって，在宅において麻薬等の注射を行っている患者
(3)　(1)又は(2)に該当しない場合であって，緩和ケアを要する心不全又は呼吸器疾患の患者に対して，在宅において麻薬の注射を行っている末期の患者
ハ　悪性腫瘍の患者であって，在宅において抗悪性腫瘍剤等の注射を行っている患者
ニ　在宅強心剤持続投与を行っている患者
ホ　別に厚生労働大臣が定める注射薬の自己注射を行っている患者

C162　在宅経管栄養法用栄養管セット加算

2,000点

注　在宅成分栄養経管栄養法，在宅小児経管栄養法又は在宅半固形栄養経管栄養法を行っている入院中の患者以外の患者（在宅半固形栄養経管栄養法を行っている患者については，C105-3在宅半固形栄養経管栄養法指導管理料を算定しているものに限る）に対して，栄養管セットを使用した場合に，加算する。

C105　在宅成分栄養経管栄養法指導管理料

Q1　指導管理は看護師でもよいか

当該指導管理は医師が必ず在宅患者を訪問しないと算定できませんか。たとえば，看護師が，医師の指示を受けて，訪問看護時に指導した場合は，算定できないのでしょうか。

A：在宅療養指導管理料は，訪問診療・往診を行ったとき，あるいは患者が来院したときに，医師が直接行うものです。看護師が行えるのは看護と指導であり，管理は行えません。

Q2　対象患者

心身障害児は対象患者になりますか。

A：対象患者の定めはありません。患者の腸管機能の程度に応じて医師が未消化態タンパクを含ま

ない栄養剤を必要と認める患者が対象となります。

Q3　家族や介護者が栄養法を実施した場合

在宅成分栄養経管栄養法指導管理料に関する保医発通知で，「在宅において患者自らが実施する栄養法」である旨の記述がありますが，寝たきり状態のような患者で家族など介護に当たる者が実施した場合は算定できないのでしょうか。

A：在宅療養は患者自らが実施するのが原則ですが，やむを得ない場合は，家族などが患者に代って行うことは認められます。

Q4　鼻腔栄養の費用

在宅成分栄養経管栄養法指導管理料を算定している患者に，訪問診療時に行った鼻腔栄養の費用は算定できますか。

A：在宅成分栄養経管栄養法指導管理料または在宅寝たきり患者処置指導管理料を算定している患者については，Ｊ120鼻腔栄養の費用は算定できません。

Q5　2以上の在宅療養指導管理を行った場合

在宅酸素療法指導管理料を算定している患者に，在宅成分栄養経管栄養法指導管理を行った場合，重複して算定できるでしょうか。また，この場合，セット加算は算定できますか。

A：２以上の在宅療養指導管理を行った場合は，主たる指導管理の所定点数（点数の高いもの）のみを算定します。ただし，在宅療養指導管理材料加算や薬剤料，特定保険医療材料料はそれぞれ算定できます。

Q6　適用となる鼻腔栄養

在宅療養での「鼻腔栄養」を行っていますが，在宅成分栄養経管栄養法指導管理料の適用となるのはどんな場合ですか。

A：腸管機能が著しく低下しており，未消化態タンパクを含まない人工栄養剤を用いて，鼻腔栄養または胃瘻より注入を行う場合です。

なお，未消化態タンパクを含まない人工栄養剤は窒素源を含まないアミノ酸を用いたものであり，2024年10月現在，エレンタール，エレンタールＰ，ツインラインNFのみが該当します。

Q7　対象とならない栄養剤

食品や消化態タンパクを含む栄養剤以外（未消化態タンパクを含む栄養剤）による経管栄養法を行った場合の指導管理料はどうなりますか。また，経口で投与した場合はいかがでしょうか。

A：食品，未消化態タンパクを含む栄養剤による経管栄養（鼻腔栄養または胃瘻より注入）については，「Ｃ109在宅寝たきり患者処置指導管理料」を算定します。食品を除き経口による場合は，単に人工栄養剤の内服薬投与としての扱いになり，在宅療養指導管理料の対象となりません。

C105-2　在宅小児経管栄養法指導管理料

Q8　対象患者

どのような患者が対象になるのですか。

A：在宅で療養を行っている次のいずれかに該当する者で，原因疾患の如何にかかわらず，在宅小児経管栄養法以外に栄養の維持が困難だと医師が必要性を認めた者が対象となります。

①経口摂取が著しく困難な15歳未満の者

②15歳以上の者であって経口摂取が著しく困難である状態が15歳未満から継続している者（体重が20kg未満である場合に限る）　〈保〉

Q9　胃瘻にて経管栄養法を行っている場合

胃瘻にて在宅小児経管栄養法を行っている場合は算定できますか。

A：算定できます。なお，当該指導管理料を算定する患者については，鼻腔栄養の費用は算定できません。　〈保〉

Q10　併算定不可の管理料等

併算定不可な管理料等はありますか。

A：特掲診療料に関する通則通知より，「第１部に規定するＢ000特定疾患療養管理料，Ｂ001特定疾患治療管理料の『１』ウイルス疾患指導料，Ｂ001『４』小児特定疾患カウンセリング料，Ｂ001『５』小児科療養指導料，Ｂ001『６』てんかん指導料，Ｂ001『７』難病外来指導管理料，Ｂ001『８』皮膚科特定疾患指導管理料，Ｂ001『17』慢性疼痛疾患管理料，Ｂ001『18』小児悪性腫瘍患者指導管理料及びＢ001『21』耳鼻咽喉科特定疾患指導管理料並びに第２部第２節第１款の各区分に規定する在宅療養指導管理料及び第８部精神科専門療法に掲げるＩ004心身医学療法は特に規定する場合を除き同一月に算定できない」と記載されています（『早見表』p.350）。

また，Ｂ001-２小児科外来診療料の「注３」より，小児科外来診療料が算定不可となります。

さらに，第２節在宅療養指導管理料「通則３」より，①在支診・在支病から紹介を受けた医療機関（紹介月に限る）と，②在宅療養後方支援病院では，Ｃ104在宅中心静脈栄養法指導管理料，Ｃ105在宅成分栄養経管栄養法指導管理料，Ｃ109在宅寝たきり患者処置指導管理料，Ｃ105-3在宅半固形栄養経管栄養法指導管理料を算定している場合，算定不可となります。　〈日事〉

Q11　対象薬剤

対象薬剤は定められているのですか。

A：対象薬剤に定めはなく，エンシュアリキッド等未消化態栄養剤を使用した場合や，薬剤ではなく薬価基準未収載流動食を使用した場合でも算定できます。〈保〉

Q12　栄養剤の併用

C105在宅成分栄養経管栄養法指導管理料の対象栄養剤は，エレンタール，エレンタールP，ツインラインNF（未消化態タンパクを含まないもの）のみで，エンシュアやラコールとの併用は不可ですが，C105-2在宅小児経管栄養法指導管理料の場合は，エレンタールとエネーボの併用時に算定できますか。

A：C105-2在宅小児経管栄養法指導管理料は，原則として「経口摂取が著しく困難な15歳未満の患者」が対象となり，経口栄養剤の消化態，半消化態等の種類を問いません。エレンタールとエネーボ（いずれも半消化態栄養剤）の併用は可能です。〈オ〉

Q13　15歳未満の患者にエレンタール，エレンタールP，ツインラインNFを使用して経管栄養法を行っている場合

栄養の維持のため，15歳未満の患者にエレンタール，エレンタールP，ツインラインNFを使用して経管栄養法を行っている場合，指導管理料は何を算定するのですか。

A：15歳未満等で在宅小児経管栄養法の対象者であっても，エレンタール等の薬剤を用いて要件を満たせば，在宅成分栄養経管栄養法指導管理料を算定できます。〈保〉

C105-3　在宅半固形栄養経管栄養法指導管理料

Q14　薬価基準に収載されていない流動食

「胃瘻により体内に投与後，胃液等により液体状から半固形状に変化する栄養剤等」及び「市販時に液体状の栄養剤等を半固形化させるものを加え，半固形状に調整した栄養剤等」は，算定の対象となる薬価基準に収載されていない流動食に該当しますか。

A：半固形栄養剤等を在宅での療養を行っている患者自らが安全に使用する観点から，いずれも該当しません。〈厚平30.7.10〉

Q15　対象薬剤

C105-3在宅半固形栄養経管栄養法指導管理料について，薬価収載されている薬剤ではどの薬剤が対象となりますか。また，通知では市販薬でも算定可能とのことですが，対象となる薬剤はどれになりますか。

A：在宅半固形栄養経管栄養法指導管理料の対象となる栄養（剤）は，経胃瘻投与を行う「半固形状の栄養剤等」であって，薬価基準に収載されている医薬品または市販されているものです。

薬価基準に収載されている医薬品としては，現時点では「ラコールNF配合経腸用半固形剤」があり，市販品としては，(株）明治「メイグッド300K・400K」，ニュートリー（株）「カームソリッド300・400・500」などがあります（日本静脈経腸栄養学会資料参照）。

なお，「半固形経腸栄養剤」は，通常の食魂に近い形状のため，胃が有する本来の貯留能や排泄能の発揮が期待でき，短時間の注入が可能で，逆流や下痢の軽減が期待できるとされます。〈オ〉

Q16　栄養剤の併用

C105-3在宅半固形栄養経管栄養法指導管理料は，ラコール半固形栄養剤とエンシュアの併用時に算定可能ですか。

A：C105-3在宅半固形栄養経管栄養法指導管理料は，(胃瘻から）ラコールNF配合経腸用半固形剤等の半固形栄養剤（または半固形食品）を投与する場合に対象となります。その他の半消化態栄養剤との併用については，半固形栄養剤を「主として」使用する場合には対象となると解されますが，最終的には審査機関の判断によります。〈オ〉

材料加算ほか（C161はC105と105-2共通，C162はC105・105-2・105-3共用）

Q17　材料加算

どのような材料加算が算定できるのですか。

A：要件を満たせば，C161注入ポンプ加算，C162在宅経管栄養法用栄養管セット加算が算定できます。〈保〉

Q18　栄養管セット・注入ポンプ

栄養管セット，注入ポンプとは，それぞれどのようなものでしょうか。経鼻（口）によりカテーテルを挿入しているだけでもよいのでしょうか。

A：「栄養管セット」は“間歇的注入”時に使用するカテーテル等が該当します。「注入ポンプ」は“持続注入”時に使用するもので，注入ポンプを使用する場合は，栄養管セット加算も併せて算定することになります。

Q19　注入ポンプ

患者さんが購入した注入ポンプでも「注入ポンプ加算」は算定できますか。

A：医療機関が支給したものでなければ算定できません。

Q20　栄養管セットの交換頻度

栄養管セット（経鼻チューブ，注入用バッグ等）の交換はどのくらいで行わなければなりませんか。

A：経鼻チューブは，栄養剤投与後必ず洗浄（フラッシング）します。交換頻度はチューブの状態にもよりますが，２週間ごとの交換が多いようです。また，注入用の容器には，洗浄，消毒，乾燥させることで繰り返し使用できるイルリガートル等のボトルタイプと，原則として使用ごとに交換が必要なバッグタイプのものがあります（バッグタイプでは洗浄後の乾燥が不十分になることがあり，細菌感染の原因となるため再使用はしません）。

Q21　栄養管セットの費用

１カ月に供給した器具の費用が栄養管セット加算（2,000点）の額を超える場合，その経費は誰が負担するのですか。

A：月に使用する器材（消耗品で支給するもの）の費用の平均価格が器具使用加算の点数として設定されています。したがって，実際の費用が加算点数を下回った場合でも，上回った場合でも，所定点数のみにより算定します（超えた額を患者から徴収することはできず，医療機関が負担することになります）。

Q22　経鼻チューブの費用

在宅成分栄養経管栄養法指導管理料および栄養管セット加算を算定していますが，経鼻チューブは特定保険医療材料として別途算定できますか。

A：経鼻チューブの費用は「栄養管セット加算」に含まれており，別に算定できません。

Q23　経鼻チューブの院外処方

在宅で鼻腔栄養を行うためエレンタール等の「消化態栄養剤」を支給し，在宅成分栄養経管栄養法指導管理料を算定しました。

この場合，「経鼻チューブ」を『在宅寝たきり患者処置用栄養用ディスポーザブルカテーテル』として院外処方し，それ以外の栄養バッグや延長チューブを院内で支給した場合，「栄養管セット加算」は算定できますか。

A：院外処方が認められている「在宅寝たきり患者処置用栄養用ディスポーザブルカテーテル」は，在宅寝たきり患者処置指導管理料の対象となる鼻腔栄養を行う場合にのみ対象となります。

また，栄養管セットの一部を渡しただけでは加算の対象となりません。

Q24　経鼻チューブ

C162在宅経管栄養法用栄養管セット加算には，経鼻カテーテルが含まれますが，在宅寝たきり患者処置用栄養用ディスポーザブルカテーテルとどう違いますか。

A：在宅経管栄養法用栄養管セット加算には“注入バッグ・ボトル，経鼻チューブ，延長チューブ等”が含まれます。

一方，在宅寝たきり患者処置用栄養用ディスポーザブルカテーテルは，上記の経鼻チューブのみを指します。〈オ〉

Q25　交換用胃瘻カテーテル 新

C162在宅経管栄養法用栄養管セット加算において，特定保険医療材料である交換用胃瘻カテーテルを使用した場合は，特定保険医療材料の費用を別に算定することができるのですか。

A：算定できます。〈厚令4.12.21〉

Q26　院外処方

薬剤を院外処方した場合，レセプトの在宅の薬剤欄に薬剤名を記載するのですか。薬剤名を記載しない場合，消化態栄養剤を処方したことがわからない（未消化態でもこのケースでは算定可能となってしまう）のではないでしょうか。

A：院外処方の場合，レセプトへの薬剤名記載はとくに必要としません。院外処方による場合は，支払基金や国保連合会の突合点検で，レセプト審査が行われ，不適切なものは減点されます。

また，保険者においても，医療機関と保険薬局のレセプトの突合が行われ，「不適切な薬剤が使用されている」と考えられるものについては，審査支払機関（支払基金，国保連合会）に審査を申し出ることができます。（審査の結果）不適切な場合は，医療機関の請求分について査定（医療機関の診療報酬と相殺）が行われます。

Q27　在宅経管栄養法用栄養管セット加算の算定

C105-3在宅半固形栄養経管栄養法指導管理料を算定している患者にカテーテルチップ（2～3本）のみを渡した場合でも，C162在宅経管栄養法用栄養管セット加算の算定はできますか。また，栄養管セット加算は何の材料をいくつ提供すれば算定できるのでしょうか。

A：C162は，在宅で患者等が在宅半固形栄養経管栄養法を行うのに必要な材料を過不足なく渡した場合に算定できる点数です。渡す材料の分量は定められていません。また，前月までに渡した材料を当月使用することも可能です。

お問合せの場合，前月までに栄養管セット等が渡してあり，当月はカテーテルチップのみを渡せば患者等が経管栄養法を行うことができる――といった状況であれば，C162は算定可能です。〈オ〉

C106　在宅自己導尿指導管理料

C106　在宅自己導尿指導管理料　1,400点

注1　在宅自己導尿を行っている入院中の患者以外の患者に対して，在宅自己導尿に関する指導管理を行った場合に算定する。

注2　カテーテルの費用は，第２款に定める所定点数により算定する。

C163　特殊カテーテル加算

1　再利用型カテーテル　**400点**

2　間歇導尿用ディスポーザブルカテーテル

イ　親水性コーティングを有するもの

(1)　60本以上90本未満の場合　**1,700点**

(2)　90本以上120本未満の場合　**1,900点**

(3)　120本以上の場合　**2,100点**

ロ　イ以外のもの　**1,000点**

3　間歇バルーンカテーテル　**1,000点**

注　在宅自己導尿を行っている入院中の患者以外の患者に対して，再利用型カテーテル，間歇導尿用ディスポーザブルカテーテル又は間歇バルーンカテーテルを使用した場合に，**3月に3回**に限り，加算する。

Q1　対象患者

在宅自己導尿指導管理料が算定できるのはどのような患者ですか。

A：①　諸種の原因による神経因性膀胱

②　下部尿路通過障害（前立腺肥大症，前立腺癌，膀胱頸部硬化症，尿道狭窄等）

③　腸管を利用した尿リザーバー造設術の術後

上記の患者のうち，残尿を伴う排尿困難を有する患者で，在宅自己導尿を行うことを医師が必要と認めた者です。

①～③には該当しないが，在宅自己導尿が必要な場合は，「C109在宅寝たきり患者処置指導管理料」で算定します。

Q2　訪問診療時の導尿・膀胱洗浄

訪問診療の際，医師が行った導尿・膀胱洗浄の処置料は別に算定できますか。

A：所定点数に含まれ別に算定できません。

Q3　難病外来指導管理料との併算定

在宅自己導尿指導管理料とB001「７」難病外来指導管理料は同一月に算定できますか。

A：特掲診療料全般にかかわる通則（『**早見表**』p.350）により同一月には算定できません。

C163　特殊カテーテル加算

Q4　間歇導尿用ディスポーザブルカテーテル

C163「１」が算定できる間歇導尿用ディスポーザブルカテーテルとはどういうものですか。

またカテーテルと生食も一緒に処方した場合，生食は別途算定できますか，それとも指導管理料に含まれますか。

A：間歇導尿用ディスポーザブルカテーテルとは間歇導尿を行うためのディスポ式（使い捨て）のカテーテルのことをいいます。間歇導尿とは，持続導尿に対応する用語で，カテーテルを尿道に留置することなく，時間を区切って１日数回導尿する方法です。カテーテルを留置するのに比べて，逆行性細菌感染を起こすことが少なく，また膀胱の自然な拡張と収縮が繰り返されるため，膀胱機能の回復にも好影響があります。

生食の算定可否については，自己導尿に用いるカテーテルを消毒洗浄する目的で生食や精製水を患者に渡した場合には，別に算定できません。なお，膀胱洗浄などの自己処置に使うためのものであれば在宅医療の薬剤料として算定できます。〈オ〉

Q5　再利用型カテーテル

「再利用型カテーテル」とはどのようなもので，いつ算定するのですか。

A：繰り返し使用するカテーテルの費用については，在宅療養指導管理材料加算の特殊カテーテル加算に「１　再利用型カテーテル」として点数が設定されています。例えば，セフティカテやDIBマイセルフカテーテルなどが該当します。在宅自己導尿指導管理料の算定月にカテーテルを渡した日に算定します。

Q6　前月に渡したカテーテルを使用する場合

C163特殊カテーテル加算の告示の「注」では，「再利用型カテーテル，間歇導尿用ディスポーザブルカテーテル又は間歇バルーンカテーテルを使用した場合に加算をする」という規定になっています。前月に渡したカテーテルを患者が使用して，当月，医療機関が指導を行った場合は，C106在宅自己導尿指導管理料とC163特殊カテーテル加算が算定で

きるのでしょうか。

A：前月に渡した材料を使っていて，当月に指導をしている場合でも，３月に３回までは特殊カテーテル加算「３」（1,000点）を算定できます。具体的には，以下のように算定します。

例）**４月15日**／指導を行ったので，C106在宅自己導尿指導管理料（1,400点）を算定。また，間歇バルーンカテーテル１箱を渡したので特殊カテーテル加算「３」（1,000点）を算定。

※間歇バルーンカテーテルは１箱・２本入りであり２カ月分に相当する

５月15日／指導を行ったので，C106在宅自己導尿指導管理料（1,400点）を算定。前月に渡したものを使用しているので，５月は間歇バルーンカテーテルは渡さないが，間歇バルーンカテーテル加算（1,000点）は算定可能。〈保〉

Q7　複数のカテーテルを使用した場合

再利用型カテーテル，間歇導尿用ディスポーザブルカテーテル，間歇バルーンカテーテルのいずれかを併せて使用した場合，それぞれ算定できますか。

A：主たるもののみ算定します。〈保〉

Q8　異なる種類のカテーテルの併用

C163特殊カテーテル加算の「２」の「イ」親水性コーティングを有するものについて，親水性コーティングを有するもの以外のカテーテルを合わせて用いた場合にも算定できますか。

A：親水性コーティングを有するものを１月あたり60本以上使用した場合は，主たるものの所定点数を算定できます。〈厚令2.3.31〉

Q9　２月に２回の算定

C163特殊カテーテル加算について，在宅自己導尿を行っている入院中の患者以外の患者に対して，再利用型カテーテル，間歇導尿用ディスポーザブルカテーテル又は間歇バルーンカテーテルを使用した場合に，３月に３回に限り，第１款の所定点数に加算するとされましたが，患者の受診状況等に応じて２月に２回としても算定できますか。

A：算定できます。ただし，同一月に使用する分としては，１回分を超える算定はできません。例えば，１月目に当月分と翌月分の２回分算定し，３月目に当月分と翌月分の２回分算定することは可能ですが，１月目に当月分と翌月分の２回分算定し，２月目に当月分と翌月分の２回分算定することはできません。〈厚令2.6.2〉

その他の算定

Q10　常時カテーテルを留置している場合

神経因性膀胱などで，カテーテルを常時留置して排尿しており，再診時または訪問診療時に医師がカテーテルの交換を行っている場合，在宅自己導尿指導管理料を算定できますか。

A：カテーテルを一時的に挿入して排尿後に抜去することを「導尿」といい，カテーテルを留置して持続的に導尿することを「持続導尿」といいます。単に「導尿」という場合は前者を指します。設問については，「持続導尿」に該当し，C106在宅自己導尿指導管理料（患者自らが「導尿」するもの）の対象にはなりません。

なお，寝たきり患者等で自ら「留置カテーテル設置（交換）」を行う場合は，在宅寝たきり患者処置指導管理料の対象となります。

Q11　カテーテルを病院で交換し，自宅で洗浄の場合

留置カテーテルを病院で交換し，病院で抗生剤のバイアル，ウロバッグ，生理食塩液等をもらって自宅で洗浄している患者の場合，在宅自己導尿指導管理料は算定できますか。

A：C106の在宅自己導尿は「一時的導尿」を指し，「持続導尿（留置カテーテル設置）」は指しません。在宅における留置カテーテル設置，膀胱洗浄については，C109在宅寝たきり患者処置指導管理料が適応となります。また，家族による処置等については，患者自ら行ったものと同じ扱いとされます。

Q12　在宅患者に使用するカテーテルの請求

一般の在宅患者に，膀胱留置用ディスポーザブルカテーテルを使用した場合の請求はどのようになりますか。

A：在宅自己導尿指導管理料を算定している場合は請求できません。なお，在宅寝たきり患者処置指導管理を行う場合は患者に支給したカテーテルは⑭「在宅」欄での請求になります。

Q13　カテーテル交換と算定

カテーテルを月２回交換した場合は，どのように算定するのですか。

A：在宅自己導尿指導管理料はカテーテル交換の回数により別の点数を算定することはありません。カテーテルの費用は特殊カテーテル加算に定めるものを除き，所定点数に含まれます。

Q14　導尿困難でバルーンカテーテルを留置

在宅自己導尿指導管理料を算定中の患者が，導尿困難なため，外来で一時期バルーンカテーテル

を留置した場合，導尿（尿道拡張を要する），膀胱洗浄の算定ができますか。

A：在宅自己導尿指導管理料を算定中の患者が尿道閉塞をきたして医療機関に来院し，導尿後にカテーテルを留置したのであれば，それにかかる費用は在宅自己導尿指導管理料に含まれます。またカテーテル留置中の膀胱洗浄の費用も別に算定できません。

なお，間歇バルーンカテーテルを使用した場合は，C163特殊カテーテル加算「3」が算定できます。

Q15　在宅自己導尿指導管理料の複数算定

A病院を退院時にC106在宅自己導尿指導管理料とC163特殊カテーテル加算を算定し，同月にB病院の外来でもC106とC163の加算を算定しました。さらに同月にA病院に再入院しました。

A病院・B病院のどちらかでC106およびC163の加算は査定されますか。また，同月に再入院した場合，算定不可となりますか。

A：在宅療養指導管理料は通知「在宅療養指導管理料の一般的事項」(9)（『早見表』p.409）によりA病院退院時に当指導管理料を算定し，退院後の同月に，B病院で同一の指導管理料を算定することも可能です（B病院の明細書に算定理由の記載が必要です）また，C106を算定した場合は，算定した病院の外来で導尿，膀胱洗浄，留置カテーテル設置の費用は算定できません。

なお，同一の医療機関では，同一の指導管理料は月に1回のみ算定します。したがって，同月に再入院し，同月に退院した場合でも，当指導管理料を月に2回算定することはできません。

〈オ〉

C107　在宅人工呼吸指導管理料

C107　在宅人工呼吸指導管理料　2,800点

注　在宅人工呼吸を行っている入院中の患者以外の患者に対して，在宅人工呼吸に関する指導管理を行った場合に算定する。

C164　人工呼吸器加算

1　陽圧式人工呼吸器　**7,480点**

注　気管切開口を介した陽圧式人工呼吸器を使用した場合に算定する。

2　人工呼吸器　**6,480点**

注　鼻マスク又は顔マスクを介した人工呼吸器を使用した場合に算定する。

3　陰圧式人工呼吸器　**7,480点**

注　陰圧式人工呼吸器を使用した場合に算定する。

注　在宅人工呼吸を行っている入院中の患者以外の患者に対して，人工呼吸器を使用した場合に，いずれかを加算する。

C170　排痰補助装置加算　1,829点

注　人工呼吸を行っている入院中の患者以外の神経筋疾患等の患者に対して，排痰補助装置を使用した場合に，加算する。

C173　横隔神経電気刺激装置加算　600点

注　別に厚生労働大臣が定める施設基準を満たす保険医療機関において，在宅人工呼吸を行っている入院中の患者以外の患者に対して，横隔神経電気刺激装置を使用した場合に，加算する。

Q1　在宅酸素療法との違い

C103在宅酸素療法指導管理料との違いはどのようなことでしょうか。また，対象となる疾患の定めはありますか。

A：在宅人工呼吸指導管理料は，筋萎縮性疾患など呼吸筋の機能低下などにより自発呼吸の困難な患者で，長期にわたり人工呼吸に依存せざるをえず，かつ，安定した病状にある患者が対象になります。

一方，在宅酸素療法指導管理料は，高度慢性呼吸不全またはチアノーゼ型先天性心疾患などにより肺の機能が低下し，酸素摂取量の不足する患者が対象となります。

Q2　月3回算定可能か

在宅酸素療法指導管理と在宅人工呼吸指導管理を行っている患者について，入院等のため前月に診察できず，その翌月に診察を行った場合，酸素ボンベ加算は3月に3回の算定が可能なため，診察した月に3回分の加算を算定することができます。同じように，人工呼吸器加算についても3回分算定できますか。

A：算定できません。人工呼吸器加算は月1回に限り算定する取扱いに変更はありません。　〈保〉

Q3　気道内陽圧呼吸法でも算定可か

胸部外陰圧人工呼吸と気道内陽圧人工呼吸法がありますが，どちらの場合でも算定できますか。

A：通常，体外式陰圧型人工呼吸を用いると考えられますが，管理が十分できれば後者でも算定できます。

Q4　退院日の加算

入院患者については，退院の日に在宅人工呼吸指導管理料を算定できますが，その際，人工呼吸

器加算の点数も算定できますか。

A：人工呼吸器加算も算定できます。

Q5　附属品に含まれるもの(1)

「通知」に人工呼吸装置は患者に貸与すべきであり，付属品等に係る費用についても所定点数に含まれるとありますが，気管切開カニューレも附属品に含まれるのでしょうか。

A：気管切開カニューレの交換は，医師の診療時の処置行為のなかで行うものであり，人工呼吸装置の付属品等には含まれないと考えられます。

また，医師が行っても在宅療養指導管理料に含まれる処置の薬剤や特定保険医療材料は算定不可ですが，気管切開カニューレ交換はそれには該当しませんので，気管切開カニューレが特定保険医療材料の要件に該当するのであれば，処置の特定保険医療材料として算定可です。

Q6　附属品に含まれるもの(2)

在宅人工呼吸指導管理料を算定しているALSの患者について，①O_2飽和度計，②足踏み式吸引器，③低圧持続吸引器，④カフチェッカーなどは，自費で購入するのですか。それとも在宅人工呼吸器指導管理料の加算に含まれますか。

A：C 107に係る通知に，「人工呼吸装置は患者に貸与し，装置に必要な回路部品その他の附属品等に係る費用は所定点数に含まれ，別に算定できない」とあります（『早見表』p.418）。

したがって，人工呼吸指導管理料等を算定する場合，衛生材料や保険医療材料等の費用，人工呼吸装置等の機材の費用は，原則として当該指導管理料に含まれています。高額なものもあり，赤字が生じることも多いのですが，別に算定できず，患者から実費徴収をすることもできません。

なお，C 170排痰補助装置加算の対象は，カフアシストのみで，その他の機器では算定できません。

〈オ〉

Q7　機種の指定はあるか

人工呼吸器の機種に指定があるのでしょうか。また病院所有のものに限られるのですか。あるいはリースでもよいでしょうか。

A：機種の定めはとくにありません。また，病院が借り上げたうえで貸し出すことは認められます。

Q8　動脈血ガス分析装置

動脈血ガス分析装置（緊急時に入院するための施設が備えるべき機械）については，携帯用パルスオキシメーターでもよいでしょうか。

A：認められません。

Q9　鼻マスク式補助換気法

在宅人工呼吸指導管理料を算定している患者で，在宅患者訪問診療料を算定する日に行った鼻マスク式補助換気法は算定できますか。

A：算定できません。

Q10　在宅療養指導管理料と気管切開後留置用チューブの費用

C 107在宅人工呼吸指導管理料とC 164人工呼吸器加算「1」（陽圧式人工呼吸器）を算定している患者が外来を受診した際，気管切開後留置用チューブを交換して算定していたところ，査定を受けました。審査機関の担当者によれば，気管切開後留置用チューブは陽圧式人工呼吸器加算に含まれるということでした。在宅療養指導管理料の通則に関する一般的事項の「⑿」（『早見表』p.409）におけるカテーテルには，気管切開後留置用チューブも含まれるのでしょうか。

A：気管切開後留置用チューブは，医療機関で医療者がチューブを交換した場合，処置の部で特定保険医療材料「038気管切開後留置用チューブ」として算定できます。したがって外来受診時に医療者が交換した場合は算定可です。

なお，C 107を算定している場合にカテーテルを提供したケースは，点数は算定できません。　〈オ〉

Q11　NPPVとASVの違い

在宅人工呼吸指導管理において使用されるNPPV（マスク式人工呼吸器）と，C107在宅持続陽圧呼吸療法指導管理において使用されるASV（オートセットCS）の違いについて教えてください。

A：NPPVは，挿管チューブを使わず，鼻と口にマスクをつけて，それに人工呼吸器をつけて行うものです。挿管チューブを口から入れて，それに人工呼吸器をつけて行う方法より，患者の苦痛が軽度であり，非侵襲的陽圧換気法と言われています。諸疾患の呼吸不全治療の場面において呼吸補助を目的として使用されます。

ASVは簡易型の人工呼吸器で，呼吸気の流速をモニターし，自発呼吸の80％くらいの呼吸回数で，自動的かつ速やかに呼吸時気道陽圧を高めて人工呼吸を行い，目標換気量を維持するものです。呼吸器疾患のほか，心不全患者の肺うっ血に起因する呼吸不全の治療にも用いられています。　〈オ〉

Q12　滅菌精製水・精製水を支給した場合

C 107在宅人工呼吸指導管理料を算定している患者に対して，NIPPVの加湿用（喉を潤し乾燥させないために自宅で使用）に滅菌精製水または精製水を「⑭在宅」で支給することは可能でしょうか。それとも所定点数に含まれるのでしょうか。

A：C107に係る通知において「人工呼吸器使用に伴う精製水」の薬剤料の扱いは示されていませんが，J045人工呼吸「注１」に「使用した精製水の費用は所定点数に含まれる」とあるため，在宅人工呼吸に当たって使用する精製水についても，C164人工呼吸器加算の所定点数に含まれると解釈されます。〈オ〉

材料加算

Q13　人工呼吸器加算「2」の複数医療機関での算定

10日にA病院退院時に，C107在宅人工呼吸指導管理料，C164人工呼吸器加算「２」を算定した場合，退院月の15日にBクリニックでC107は算定できますが，C164「２」はA病院と合議により，どちらか１カ所での算定となりますか。または同月でもそれぞれ算定できますか。さらに，診療報酬明細書の摘要欄の記載に決まりがありますか。

A：A病院で，退院時に人工呼吸の指導管理，人工呼吸器の貸与をして，退院後にBクリニックでも必要があって同一月に人工呼吸の指導管理，人工呼吸器の貸与をした場合は，A病院とBクリニックの両方でC107在宅人工呼吸指導管理料，C164人工呼吸器加算が算定できます。

Bクリニックで人工呼吸を改めて貸与しなかった場合は，C107のみを算定します。また，Bクリニックの診療報酬明細書の摘要欄にC107，C164の算定理由を記載することとされています。〈オ〉

Q14　排痰補助装置とはどのような機器か

排痰補助装置加算は，どのような医療機器を使用した場合に算定できますか。

A：カフアシスト等，気道粘液除去装置であって，人工的に咳を作り出すことで排痰を促すものを使用した場合に算定できます。〈保〉

Q15　在宅人工呼吸指導管理料の加算

C107在宅人工呼吸指導管理料を算定する場合，C158酸素濃縮装置加算，C159「２」携帯型液化酸素装置加算は算定できますか。

A：C158，C159はC103在宅酸素療法指導管理料の加算であり，C107の加算ではありません。ただし，在宅人工呼吸指導管理と在宅酸素療法指導管理をともに行っている場合は，主たる指導管理料とそれぞれの材料加算を算定することができます。

《算定例》

在宅人工呼吸指導管理料	2,800点
鼻マスク・顔マスクを介した人工呼吸器加算	6,480点
酸素濃縮装置加算	4,000点
携帯用酸素ボンベ加算	880点

(在宅酸素療法指導管理料は算定しない)

なお，携帯型液化酸素装置は，設置型液化酸素装置と併せて使用されますが，酸素濃縮装置と併せて使用されることはありません。〈オ〉

C107-2　在宅持続陽圧呼吸療法指導管理料

C107-2　在宅持続陽圧呼吸療法指導管理料

1　在宅持続陽圧呼吸療法指導管理料１　**2,250点**

2　在宅持続陽圧呼吸療法指導管理料２　**250点**

注１　在宅持続陽圧呼吸療法を行っている入院中の患者以外の患者に対して，在宅持続陽圧呼吸療法に関する指導管理を行った場合に算定する。

注２　遠隔モニタリング加算　２を算定し，CPAPを用いている患者について，前回受診月の翌月から今回受診月の前月までの期間，遠隔モニタリングを用いて療養上必要な管理を行った場合に，**150点**に当該期間の月数（管理を行った月に限り，２月を限度とする）を乗じた点数を加算する。

注３　届出保険医療機関において，在宅持続陽圧呼吸療法指導管理料「２」の指導管理を情報通信機器を用いて行った場合，「２」の所定点数に代えて，**218点**を算定する。

C165　在宅持続陽圧呼吸療法用治療器加算

1　ASVを使用した場合　**3,750点**

2　CPAPを使用した場合　**960点**

注　在宅持続陽圧呼吸療法を行っている入院中の患者以外の患者に対して，持続陽圧呼吸療法用治療器を使用した場合に，**３月に３回**に限り，加算する。

C171-2　在宅持続陽圧呼吸療法材料加算　100点

注　在宅持続陽圧呼吸療法を行っている入院中の患者以外の患者に対して，当該療法に係る機器を使用した場合に，**３月に３回**に限り，加算する。

Q1　対象患者

在宅持続陽圧呼吸療法とは，どんな疾病に対するどのような呼吸療法ですか。

A：睡眠時無呼吸症候群または慢性心不全の患者

に対して，在宅で実施する呼吸療法です。

「１」は，①慢性心不全（NYHAⅢ度以上），②睡眠時無呼吸症候群（無呼吸低呼吸指数が20以上），③CPAP療法にもかかわらず無呼吸低呼吸指数が15以下にならない者に対してASV療法を実施――のすべて該当するものが対象です。

「２」は，①慢性心不全（NYHAⅢ度以上）と睡眠時無呼吸症候群（無呼吸低呼吸指数が20以上）を合併している患者でASV療法を実施している者（「１」の対象患者以外）②心不全の患者でASV療法を実施している者――等の要件のいずれかに該当する場合が対象です。　〈保〉

Q2　ASV療法とは

C107-2在宅持続陽圧呼吸療法指導管理料や，C165在宅持続陽圧呼吸療法用治療器加算に関係する，「ASV療法」とはどのようなものでしょうか。

A：ASV療法とは心不全患者に行う呼吸療法で，CPAP療法と同様，マスクを装着して行う治療です。CPAPは気道に酸素を送り込む機械ですが，ASVは呼吸に合わせて空気を送り，圧を調整する呼吸療法です。　〈オ〉

Q3　月の算定回数

在宅持続陽圧呼吸療法指導管理料は，「３月に３回に限り」算定できるのですか。

A：「月１回に限り」算定する取り扱いに変更ありません。

Q4　レセプト記載

在宅持続陽圧呼吸療法指導管理料を算定したとき，レセプトには何を記載すればよいですか。

A：レセプトの「摘要」欄に，①初回の指導管理を行った月日，②直近の無呼吸低呼吸指数，③睡眠ポリグラフィー上の所見と実施年月日，④当該管理料を算定する日の自覚症状等の所見を記載します。その他詳細はレセプト記載要領通知を参照してください。

また，遠隔モニタリング加算を算定する際は，指導管理料の直近の算定年月を記載します。

そのほか，C165，C171-2の材料加算を１月に２回または３回分の算定をする場合は，翌々月分，翌月分，前月分，前々月分のいずれの算定であるかを記載します。また電子請求の場合はレセプトコードにより記載します。紙レセプトで請求する場合は，その理由を記載します。　〈保，一部変更〉

Q5　ASV療法を継続せざるを得ない場合

C107-2在宅持続陽圧呼吸療法指導管理料「2」について，通知の⑶のイの「心不全である者のうち，日本循環器学会・日本心不全学会によるASV適正使用に関するステートメントに留意した上で，ASV療法を継続せざるを得ない場合」に該当し，当該管理料を算定する場合，診療報酬明細書の「摘要」欄に直近の無呼吸低呼吸指数及び睡眠ポリグラフィー上の所見並びに実施年月日の記載は必要でしょうか。

A：現時点では，不要です。なお，初回の指導管理を行った月日，当該管理料を算定する日の自覚症状等の所見及び２月を超えて当該療法の継続が可能であると認める場合はその理由を記載する必要があることに留意してください。〈厚平28.6.30〉

Q6　携帯用装置での診断

「睡眠ポリグラフィー上」の診断は，携帯用装置を用いてもよいでしょうか。

A：携帯用装置での診断は不可能です。要件を満たしません。

Q7　在宅持続陽圧呼吸療法と酸素吸入

C103在宅酸素療法指導管理を行っている外来患者に対して，C107-2在宅持続陽圧呼吸療法指導管理料「２」（CPAP使用）とC103在宅酸素療法指導管理料またはＪ024酸素吸入は併算定できるのでしょうか。

A：在宅において，在宅持続陽圧呼吸療法を行う場合は，空気を鼻マスク式陽圧呼吸（CPAP）により吸入させ，酸素は一般に使用されませんので，C103とC107-2の併算定は一般的ではありません。またC103を算定の場合はＪ024は算定不可です。

なお，酸素療法を行わないためにC103を算定せずにC107-2在宅持続陽圧呼吸療法指導管理料を算定する場合は，持続陽圧呼吸療法装置の費用は所定点数に含まれますが，来院時や訪問診療時の酸素吸入（酸素代加算含む）の費用は別に算定できます。　〈オ〉

Q8　退院月の算定

①　８月１日に初診，10～11日に入院して終夜睡眠ポリグラフィー検査を行い，27日に外来受診して検査結果を説明し，CPAP治療を開始した場合，27日にC107-2在宅持続陽圧呼吸療法指導管理料は算定できますか。

②　８月１日に他院を退院して，２日に当院を外来受診，３～４日に入院して終夜ポリグラフィー検査を行い，20日に外来受診して検査結果を説明し，CPAPを開始した場合，20日にC107-2は算定できますか。また翌月９月になればいつでも算定できますか。

A：設問のケースでは①②とも算定できます。②の場合は８月20日に算定し，９月１日に算定することも可能です。

在宅療養指導管理料は，在宅療養指導管理料に関する通則により「月１回の算定を限度」としま

在宅Q&A
指導
持呼吸

すが，B000特定疾患療養管理料などにある「初診から1月以内は算定不可」,「自院の退院から1月以内は算定不可」等の規定はありません。〈オ〉

「注2」遠隔モニタリング加算

Q9　算定要件の概要

在宅持続陽圧呼吸療法指導管理料の遠隔モニタリング加算の算定要件を教えてください。

A：C107-2「2」を算定し，CPAPを用いる患者を対象とする「注2」遠隔モニタリング加算について，①療養上必要な指導を行った場合または患者の状態を踏まえた療養方針について診療録に記載した場合にも算定できることと，②電話による指導でもよいこととされています。

Q10　医師以外が行った場合

C107-2在宅持続陽圧呼吸療法指導管理料の遠隔モニタリング加算について，「療養上必要な指導」を医師以外が行った場合であっても，加算を算定することができますか。

A：医師以外が指導を行った場合は，算定することはできません。〈厚平30.10.9〉

※C107-2「注2」遠隔モニタリング加算に関するその他のQAは，C103在宅酸素療法指導管理料の「遠隔モニタリング加算」の項（p.170）を参照のこと。

「注3」情報通信機器を用いた指導管理

Q11　他医療機関でのCPAP療法 新

C107-2在宅持続陽圧呼吸療法指導管理料の「注3」について，「情報通信機器を用いた指導管理については，CPAP療法を開始したことにより睡眠時無呼吸症候群の症状である眠気やいびきなどの症状が改善していることを対面診療で確認した場合に実施すること」とされていますが，他の保険医療機関でCPAP療法を開始した患者が紹介された場合の取扱いはどうなりますか。

A：当該指導管理を実施する保険医療機関において，CPAP療法を開始したことにより睡眠時無呼吸症候群の症状である眠気やいびきなどの症状が改善していることを対面診療で確認した場合に算定可能です。なお，当該診療に係る初診日及びCPAP療法を開始したことにより，睡眠時無呼吸症候群の症状である眠気やいびきなどの症状が改善していることを，当該指導管理を実施する保険医療機関において対面診療で確認した日を診療録及び診療報酬明細書の摘要欄に記載してください。〈厚令6.4.26〉

材料加算

Q12　装置・付属品の費用

在宅持続陽圧呼吸療法指導管理を行う装置やその回路部品，付属品等の費用の請求はどのようになりますか。

A：持続陽圧呼吸療法装置は患者に貸与し，装置に必要な回路部品，その他付属品等に係る費用は，C171-2在宅持続陽圧呼吸療法材料加算として算定します。

Q13　在宅持続陽圧呼吸療法用治療器とは

ASVやCPAP器を使用させた場合，何か算定できる点数はありますか。

A：C165在宅持続陽圧呼吸療法用治療器加算の「ASVを使用した場合」または「CPAPを使用した場合」を算定します。〈オ〉

Q14　加湿器用の滅菌精製水の算定

在宅持続陽圧呼吸療法指導管理料を算定している患者に，加湿器用の滅菌精製水を投与した場合，滅菌精製水は薬剤料として算定できますか。

A：保険診療における薬剤の給付は，療養の給付として患者に対して治療目的で行われるものに限ります。機器・装置類に使用するものは指導管理料に含まれ薬剤料としては算定できません。

Q15　持続陽圧呼吸療法用治療器加算

「在宅持続陽圧呼吸療法用治療器加算」は，「3カ月に3回に限り」算定できますが，以下についてはいかがでしょうか。

①　1月に3回分の加算を算定する場合，前々月分，前月分と合わせて3月とするのか，または翌月分，翌々月分と合わせて3月とするのか。

②　例えば，毎月診察している患者が入院したため，入院月には指導管理が行えず，その翌々月に患者が退院し診察を行った場合，在宅持続陽圧呼吸療法用治療器加算等は前々月分，前月分と合わせて3回分算定できるのか。

③　1月に3回分の加算を算定する場合，前々月分，前月分，翌月分，翌々月分のいずれの月の分を算定したのかがわかるように，レセプトにその旨を記載する必要はあるのか。

④　従前どおり毎月患者を診察し，加算を月1回算定することはできるのか。

A：①患者が受診していない月の医学管理が適切に行われている場合には，いずれについても算定できます（平24.3.30事務連絡）

②入院の翌月は月初から月末まで在宅での療養はしていませんので，入院月と翌々月の退院月の2回分が算定できます。

③算定月を該当する電算処理システム用コードに

より記載する必要があります。
④算定できます。

Q16　併算定できる項目

C171-2在宅持続陽圧呼吸療法材料加算について，C171-2在宅持続陽圧呼吸療法用治療器加算「1」又は「2」と併せて算定することはできますか。

A：算定可能です。　〈厚平28.3.31・一部抜粋〉

C107-3　在宅ハイフローセラピー指導管理料

C107-3　在宅ハイフローセラピー指導管理料
2,400点

注　在宅ハイフローセラピーを行っている患者に対して，在宅ハイフローセラピーに関する指導管理を行った場合に算定する。

C171-3　在宅ハイフローセラピー材料加算　100点

注　在宅ハイフローセラピーを行っている患者に対して，当該療法に係る機器を使用した場合に，3月に3回に限り算定する。

C174　在宅ハイフローセラピー装置加算

1　自動給水加湿チャンバーを用いる場合　**3,500点**
2　1以外の場合　**2,500点**

注　在宅ハイフローセラピーを行っている患者に対して，在宅ハイフローセラピー装置を使用した場合に，3月に3回に限り算定する。

Q1　算定できる場合

在宅ハイフローセラピー指導管理料は，どのような治療等を行えば算定できますか。

A：加温加湿された高流量ガスを侵襲性の低い経鼻カニューラで供給する呼吸療法を，在宅で行っている患者等に対して指導管理を行っている場合に算定できます。さらに以下のア～エも満たす必要があります。なお施設基準は設定されていません。

ア　患者が使用する装置の保守・管理を十分に行う（委託の場合を含む）。
イ　装置に必要な保守・管理の内容を患者に説明する。
ウ　夜間・緊急時の対応等を患者に説明する。
エ　その他，療養上必要な指導管理を行う。

Q2　算定対象患者

どのような患者に算定できますか。

A：対象患者は，在宅ハイフローセラピー導入時に以下のいずれも満たす慢性閉塞性肺疾患（ＣＯＰＤ）の退院患者で，病状が安定し，在宅でのハイフローセラピーを行うことが適当と医師が認めた者とします。

ア　呼吸困難，去痰困難，起床時頭痛・頭重感等の自覚症状を有する。
イ　在宅酸素療法を実施している患者であって，次のいずれかを満たす。
　（イ）　在宅酸素療法導入時又は導入後に動脈血二酸化炭素分圧45mmHg以上55mmHg未満の高炭酸ガス血症を認める。
　（ロ）　在宅酸素療法導入時又は導入後に動脈血二酸化炭素分圧55mmHg以上の高炭酸ガス血症を認める患者であって，在宅人工呼吸療法が不適である。
　（ハ）　在宅酸素療法導入後に夜間の低換気による低酸素血症を認める（終夜睡眠ポリグラフィー又は経皮的動脈血酸素飽和度測定を実施し，経皮的動脈血酸素飽和度が90％以下となる時間が５分間以上持続する場合又は全体の10％以上である場合に限る）

Q3　在宅療養中にも算定できるのか

算定要件に「退院患者」とあるが，退院時のみでなく，在宅患者についても算定できますか。

A：退院時のみでなく退院月以降に在宅で指導を行った場合でも算定できます。

Q4　備えるべき医療機器等

医療施設において，どのような機械等を備えなければなりませんか。

A：在宅ハイフローセラピーを実施する保険医療機関又は緊急時に入院するための施設は，次の機械及び器具を備えなければなりません。

ア　酸素吸入設備
イ　気管内挿管または気管切開の器具
ウ　レスピレーター
エ　気道内分泌物吸引装置
オ　動脈血ガス分析装置（常時実施できる状態であるもの）
カ　スパイロメトリー用装置（常時実施できる状態であるもの）
キ　胸部エックス線撮影装置（常時実施できる状態であるもの）

Q5　併算定が可能な材料加算

併算定が可能な材料加算には，どのようなもの

がありますか。

A：在宅ハイフローセラピー装置加算，在宅ハイフローセラピー材料加算があります。また，在宅酸素療法で使用されている酸素濃縮装置加算等を算定できる場合があります。

Q6　併算定不可の点数

併算定できない点数はありますか。

A：在宅ハイフローセラピー指導管理料を算定患者（入院中の患者を除く）には，J024酸素吸入，J024-2突発性難聴に対する酸素療法，J025酸素テント，J026間歇的陽圧吸入法，J026-3体外式陰圧人工呼吸器治療，J018喀痰吸引，J018-3干渉低周波去痰器による喀痰排出，J026-2鼻マスク式補助換気法及びJ026-4ハイフローセラピー（これらに係る酸素代も含む）の費用（薬剤及び特定保険医療材料に係る費用を含む）は算定できません。

Q7　診療録やレセプト記載

診療録やレセプトの記載事項を教えてください。

A：①　指導管理の内容を診療録に記載します。

②　在宅ハイフローセラピー材料加算，在宅ハイフローセラピー装置加算を算定した場合，1月に2～3回分を算定する場合は，「当月分」と併せて「翌月分」「翌々月分」又は「前月分」「前々月分」を記載します。電子レセプト請求の場合は，レセプト電算処理システム用コードを選択して記載します。

C108　在宅麻薬等注射指導管理料
C108-2　在宅腫瘍化学療法注射指導管理料
C108-3　在宅強心剤持続投与指導管理料
C108-4　在宅悪性腫瘍患者共同指導管理料

C108　在宅麻薬等注射指導管理料

1　悪性腫瘍の場合　**1,500点**

2　筋萎縮性側索硬化症又は筋ジストロフィーの場合　**1,500点**

3　心不全又は呼吸器疾患の場合　**1,500点**

注1　1は，入院中の患者以外の末期の悪性腫瘍患者に，在宅での麻薬等の注射に関する指導管理を行った場合に算定する。

注2　2は，入院中の患者以外の筋萎縮性側索硬化症又は筋ジストロフィーの患者に，在宅における麻薬等の注射に関する指導管理を行った場合に算定する。

注3　3は，1又は2に該当しない，緩和ケアを要する入院中の患者以外の心不全又は呼吸器疾患の末期の患者に，在宅における麻薬の注射に関する指導管理を行った場合に算定する。

C108-2　在宅腫瘍化学療法注射指導管理料　**1,500点**

注　悪性腫瘍の患者であって，入院中の患者以外の患者に対して，在宅における抗悪性腫瘍剤等の注射に関する指導管理を行った場合に算定する。

C108-3　在宅強心剤持続投与指導管理　**1,500点**

注　厚生労働大臣が定める注射薬の持続投与を行っている入院中の患者以外の患者に，在宅心不全管理に関する指導管理を行った場合に算定する。

C108-4　在宅悪性腫瘍患者共同指導管理料　**1,500点**

注　別に厚生労働大臣が定める保険医療機関の保険医が，他の保険医療機関においてC108在宅麻薬等注射指導管理料の1又はC108-2在宅腫瘍化学療法注射指導管理料を算定する指導管理を受けている患者に対し，当該他の保険医療機関と連携して，同一日に当該患者に対する麻薬等又は抗悪性腫瘍剤等の注射に関する指導管理を行った場合に算定する。

C161　注入ポンプ加算　**1,250点**

注　次のいずれかに該当する入院中の患者以外の末期の患者又は別に厚生労働大臣が定める注射薬の自己注射を行っている入院中の患者以外の患者に対して，注入ポンプを使用した場合に，**2月に2回**に限り，加算する。

イ　在宅中心静脈栄養法，在宅成分栄養経管栄養法又は在宅小児経管栄養法を行っている患者

ロ　次のいずれかに該当する患者

(1)　悪性腫瘍の患者であって，在宅において麻薬等の注射を行っている末期の患者

(2)　筋萎縮性側索硬化症又は筋ジストロフィーの患者であって，在宅において麻薬等の注射を行っている患者

(3)　(1)又は(2)に該当しない場合であって，緩和ケアを要する心不全又は呼吸器疾患の患者に対して，在宅において麻薬の注射を行っている末期の患者

ハ　悪性腫瘍の患者であって，在宅において抗悪性腫瘍剤等の注射を行っている患者

ニ　在宅強心剤持続投与を行っている患者
ホ　別に厚生労働大臣が定める注射薬の自己注射を行っている患者

C166　携帯型ディスポーザブル注入ポンプ加算
2,500点

注　次のいずれかに該当する入院中の患者以外の患者に対して，携帯型ディスポーザブル注入ポンプを使用した場合に，加算する。

イ　悪性腫瘍の患者であって，在宅において麻薬等の注射を行っている末期の患者
ロ　悪性腫瘍の患者であって，在宅において抗悪性腫瘍剤等の注射を行っている患者
ハ　イ又はロに該当しない場合であって，緩和ケアを要する心不全又は呼吸器疾患の患者に対して，在宅において麻薬の注射を行っている末期の患者

在宅麻薬等注射指導管理料

Q1　対象患者

末期ではない悪性腫瘍の患者に化学療法を行った場合は，算定できないのですか。

A：対象となるのは，麻薬等の注射を行う末期の悪性腫瘍患者です。なお，悪性腫瘍の患者に化学療法を行った場合は，C108－2在宅腫瘍化学療法注射指導管理料の算定対象となります。

Q2　C108算定患者に対する点滴手技料と薬剤料

C108在宅麻薬等注射指導管理料を算定している患者に対し，訪問診療日にソルデムの点滴を実施した場合は，点滴手技料と薬剤の算定はできますか。また，往診日にモルヒネ注の皮下注を実施した場合は，皮下注の手技料とモルヒネ注の薬剤は算定できますか。

A：**1．訪問診療時のソルデム注の注射料，薬剤料**

C108在宅麻薬等注射指導管理料に係る通知（9）に「在宅麻薬等注射指導管理料を算定している患者については，…C001在宅患者訪問診療料（Ⅰ）…を算定する日に行った点滴注射等の手技料，注射薬及び特定保険医療材料の費用は算定できない」旨が記されていますが，当該指導管理に係る薬剤以外の薬剤には適用されません。

よって，訪問診療時にソルデム（電解質製剤）を点滴注射した場合，その薬剤料は算定でき，併せて当指導管理料の対象薬剤（悪性腫瘍等の鎮痛療法のための薬剤）を点滴注射していない場合は，点滴注射の手技料も算定できると解されます。

2．往診時のモルヒネ注の注射料，薬剤料

訪問診療料算定日以外に行った「往診（料）」については，特に規定はないため，往診（料）時に使用したモルヒネ注の注射料，薬剤料は算定できます。〈オ〉

Q3　抗悪性腫瘍剤局所持続注入との併算定

C108在宅麻薬等注射指導管理料，C108-2在宅腫瘍化学療法指導管理料を算定する月に入院をして，G003抗悪性腫瘍剤局所持続注入を行った場合は算定できますか。

A：当該月において，外来で行ったG003抗悪性腫瘍剤局所持続注入は算定できませんが，入院で行ったG003抗悪性腫瘍剤局所持続注入については算定できます。〈厚平22.3.29，一部修正〉

Q4　「在宅がん医療総合診療料」との併算定

C002在宅時医学総合管理料とC108在宅麻薬等注射指導管理料を算定している患者が，月の途中に悪性腫瘍によって危篤状態に陥り，C003在宅がん医療総合診療料を算定した場合，同月に在宅がん医療総合診療料と在宅時医学総合管理料，在宅麻薬等注射指導管理料は併せて算定が可能でしょうか。

A：在宅がん医療総合診療料と在宅時医学総合管理料は同一月に併算定できません。また在宅がん医療総合診療料算定中は「注3」により，診療にかかる費用は緊急時の往診，ターミナルケアにかかる費用を除き，すべて所定点数に含まれます。したがって，当該総合診療料を算定した場合は，在宅麻薬等注射指導管理料を同月に別に算定することはできません。

ただし，在宅がん医療総合診療料の算定開始前に在宅麻薬等注射指導管理料の算定要件を満たせば同月に算定することは可能です。

Q5　処方箋による給付

携帯型ディスポーザブル注入ポンプセット（バクスター等）は，処方箋により給付することはできますか。

A：院外処方箋により給付できます。〈保〉

Q6　薬剤の処方日数の限度

鎮痛療法に用いるフェンタニルクエン酸塩製剤，複方オキシコドン製剤は30日分処方することはできますか。

A：フェンタニルクエン酸塩製剤は30日分処方することができますが，複方オキシコドン製剤は麻薬に該当するため1回に14日分を限度に処方します。

Q7　関係学会の定める診療に関する指針 新

C108在宅麻薬等注射指導管理料において，「実

施に当たっては，関係学会の定める診療に関する指針を遵守すること」とありますが，具体的にはどのようなものがあるのですか。

A：現時点では，以下のものを指します。

・　日本循環器学会及び日本心不全学会の「急性・慢性心不全診療ガイドライン」
・　日本呼吸器学会及び日本呼吸ケア・リハビリテーション学会の「非がん性呼吸器疾患緩和ケア指針2021」
・　日本緩和医療学会の「進行性疾患患者の呼吸困難の緩和に関する診療ガイドライン」

〈厚令6.5.10〉

Q8　併算定の可否 新

C 108在宅麻薬等注射指導管理料又はC 108-2在宅腫瘍化学療法注射指導管理料を算定する月に入院をして，G 003抗悪性腫瘍剤局所持続注入を行った場合は算定できますか。

A：当該月において，外来で行ったG 003抗悪性腫瘍剤局所持続注入は算定できませんが，入院で行ったG 003抗悪性腫瘍剤局所持続注入については算定できます。〈厚令6.5.10〉

在宅腫瘍化学療法注射指導管理料

Q9　抗悪性腫瘍剤の投与 新

C 108-2在宅腫瘍化学療法注射指導管理料の「注」に規定する「在宅における抗悪性腫瘍剤の注射」について，例えば，末期ではない急性白血病の患者等に対し，携帯型ディスポーザブル注入ポンプ若しくは輸液ポンプを用いて中心静脈注射若しくは植込型カテーテルアクセスにより抗悪性腫瘍剤を注入する場合は該当しますか。

A：該当します。〈厚令6.3.28〉

Q10　在宅腫瘍化学療法注射指導管理料を算定できない化学療法

C 108-2在宅腫瘍化学療法注射指導管理料に関する保医発通知(3)に規定する「外来で抗悪性腫瘍剤の注射を行い，注入ポンプなどを用いてその後も連続して自宅で抗悪性腫瘍剤の注入を行う等の治療法」とはどのような治療法ですか。

A：例えば，FOLFOX療法，FOLFIRI療法等が該当します。〈厚平22.3.29，一部修正〉

Q11　FOLFOX療法等にかかる薬剤料

外来化学療法に引き続き，在宅で化学療法を行う場合は，在宅で使用する，019携帯型ディスポーザブル注入ポンプ「一般型」（編注；「化学療法用」）の特定保険医療材料料，注入ポンプに詰めて患者に支給する注射の薬剤料（数日分）は，診療報酬明細書の注射の項に記載するのですか。注射の項に記載する場合は，注射薬剤料の単位は，1日量でなく，1回に投与（支給）した総量とするのでしょうか。

A：外来化学療法加算（注射の部）を算定する場合に，外来から連続して自宅で用いる携帯型ディスポーザブル注入ポンプ及び薬剤料については注射の項で算定します。なお，当該薬剤料については，外来化学療法及び在宅にて使用するもの全てを1回の薬剤料として算定のうえ，「摘要欄」に所要単位当たりの使用薬剤の薬名，使用量及び回数等に加え，「在宅使用薬剤○日分含む」と記載してください。〈厚平22.7.28〉

Q12　対象外の抗悪性腫瘍剤を注入した場合

在宅腫瘍化学療法注射指導管理料を算定する月は，G 003抗悪性腫瘍剤局所持続注入の費用は算定できないとされていますが，患者の管理の対象となる抗悪性腫瘍剤以外の抗悪性腫瘍剤を注入した場合も算定できないのですか。

A：算定できません。ただし，薬剤料については算定できます。〈保〉

Q13　点滴注射と外来化学療法加算

在宅腫瘍化学療法注射指導管理料を算定している患者については点滴注射の費用を算定できないことになっていますが，「通則」の外来化学療法加算については算定できますか。

また在宅腫瘍化学療法注射指導管理料を算定していない日に，点滴注射と外来化学療法加算の算定は可能でしょうか。

A：在宅腫瘍化学療法注射指導管理料を算定している外来患者については，通知により，当管理料に係る薬剤についての点滴注射等の手技料は算定できません。

また，同一月に，B 001-2-12外来腫瘍化学療法診療料，注射の「通則」の外来化学療法加算も算定できない扱いです。

ただし，在宅腫瘍化学療法注射指導管理料を算定した月は，通院患者については指導管理の対象となる薬剤以外であれば，点滴注射の手技料，薬剤料，特定保険医療材料は算定できます。〈オ〉

在宅強心剤持続投与指導管理料

Q14　診療に関する指針 新

C 108-3在宅強心剤持続投与指導管理料における「関係学会の定める診療に関する指針」とは，具体的には何を指すのですか。

A：現時点では，日本心不全学会及び日本在宅医療連合学会の「重症心不全患者への在宅静注強心薬投与指針」を指します。〈厚令6.3.28〉

Q15 患者の状態 新

在宅強心剤持続投与指導管理料について，心不全の原因となった疾患に関わらず，循環血液量の補正のみではKillip分類classⅣ相当の心原性ショックからの離脱が困難な心不全の患者であれば，当該加算を算定可能ですか。

A：要件を満たせば算定できます。 〈厚令6.3.28〉

材料加算

Q16 携帯型ディスポーザブル注入ポンプ(1)

在宅麻薬等注射指導管理等に用いる携帯型ディスポーザブル注入ポンプが在宅医療に規定する特定保険医療材料にもあります。当該材料を使用した場合は，加算として算定するのか，材料費として算定するのか，どちらでしょうか。

A：携帯型ディスポーザブル注入ポンプの６組目までは，在宅療養指導管理材料加算に規定する携帯型ディスポーザブル注入ポンプ加算（月１回2,500点）で算定します。頻回の疼痛管理等で月に７組以上用いる場合に，７組目以降の注入ポンプについて在宅医療の特定保険医療材料として算定します。 〈保，一部修正〉

Q17 携帯型ディスポーザブル注入ポンプ(2) 新

調剤報酬点数表の特定保険医療材料として携帯型ディスポーザブル注入ポンプを算定する場合も７組目以降の算定となるのですか。

A：７組目以降の算定となるのは，C166携帯型ディスポーザブル注入ポンプ加算を算定した場合に限られます。１組目から特定保険医療材料として算定した場合はC166携帯型ディスポーザブル注入ポンプ加算は算定できません。 〈厚平22.3.29〉

Q18 携帯型ディスポーザブル注入ポンプ加算との併算定

C108在宅麻薬等注射指導管理料とC166携帯型ディスポーザブル注入ポンプ加算を算定しています。前月末に注射による鎮痛療法を行い，モルヒネを投与していましたが，今月1日に訪問し，在宅麻薬等注射指導管理を行い，2日に死亡した場合，C108とC166は算定できますか。

今月はモルヒネ等の注射薬の処方も新たにポンプにつめての投与もしていません。前月末にフューザーにつめたモルヒネを投与中です。

A：C166の「注」に，「携帯型ディスポーザブル注入ポンプを使用した場合に（中略）加算する」とあります（『早見表』p.434）。当月に「使用した場合」とされているので，前月に投与したものでも当月に使用していればC166はC108と併せて算定できると解されます。 〈オ〉

C109 在宅寝たきり患者処置指導管理料

C109 在宅寝たきり患者処置指導管理料 **1,050点**

注１ 在宅における創傷処置等の処置を行っている入院中の患者以外の患者であって，現に寝たきりの状態にあるものまたはこれに準ずる状態にあるものに対して，当該処置に関する指導管理を行った場合に算定する。

注２ B001「８」皮膚科特定疾患指導管理料を算定している患者については，算定しない。

注）在医総管・施医総管を算定した場合，寝たきり患者処置指導管理料と自己処置対象の処置料は含まれるが，自己処置用の薬剤，特定保険医療材料のみ算定できる。

なお，皮膚欠損用創傷被覆材，非固着性シリコンガーゼが在宅の特定保険医療材料に収載されているが，C114在宅難治性皮膚疾患処置指導管理料の算定患者に使用した場合，またはいずれかの在宅療養指導管理料を算定している重度の褥瘡患者の褥瘡に対して使用した場合は算定可である。

指導管理の算定対象となる処置等

Q1 創傷処置等の処置とは

「注１」の「在宅における創傷処置等の処置」という場合の「等」には何が含まれますか。また，その他に算定できない処置はありますか。

A：「在宅における創傷処置等の処置」とは，寝たきり処置指導管理の対象となる10項目の処置のことですが，その他，寝たきり処置指導管理の算定患者に訪問診療・往診・外来受診時に行っても算定不可の９項目の処置が規定されています。これらに該当する処置は以下のとおりです。

(a) 「在宅における創傷処置等の処置」

①Ｊ000創傷処置（気管内ディスポーザブルカテ

ーテル交換を含む）
② J 053皮膚科軟膏処置
③ J 063留置カテーテル設置
④ J 060膀胱洗浄
⑤ J 064導尿（尿道拡張を要するもの）
⑥ J 120鼻腔栄養
⑦ J 043-3ストーマ処置
⑧ J 018喀痰吸引
⑨ J 118介達牽引
⑩ J 119消炎鎮痛等処置
※(a)の在宅での自己処置に用いる薬剤・特定保険医療材料を支給した場合は別に算定できます。

(b)　指導管理料に含まれ別に算定できないもの
⑪ J 001-7爪甲除去（麻酔を要しないもの）
⑫ J 001-8穿刺排膿後薬液注入
⑬ J 060-2後部尿道洗浄（ウルツマン）
⑭ J 018-3干渉低周波去痰器による喀痰排出
⑮ J 118-2矯正固定
⑯ J 118-3変形機械矯正術
⑰ J 119-2腰部又は胸部固定帯固定
⑱ J 119-3低出力レーザー照射
⑲ J 119-4肛門処置
※(a)の在宅での自己処置とは別に医療機関が処置（上記①～⑲）を行った場合，処置に伴い使用する薬剤，特定保険医療材料も算定できません。

Q2　熱傷に対する創傷処置

在宅寝たきり患者処置指導管理料を算定している患者に対し，熱傷によって往診した場合の処置料は別に算定できますか。

A：熱傷に対する処置は熱傷処置であり，在宅寝たきり患者処置指導管理料の対象処置ではないので，別に算定できます。〈保〉

Q3　在宅寝たきり患者処置と褥瘡処置

在宅寝たきり患者処置指導管理料の対象となる処置に褥瘡処置は含まれているのでしょうか。

A：褥瘡処置とは創傷処置であり，「対象となる処置」に含まれます。なお，重度褥瘡処置は対象外の処置で別に算定できます。〈オ〉

Q4　下肢創傷処置等との併算定の可否

在宅寝たきり患者処置指導管理料の算定患者に，B001「36」下肢創傷処置管理料及びJ002-2下肢創傷処置は算定できますか。

A：算定できます。

対象患者

Q5　対象患者(1)

在宅療養での「鼻腔栄養」の扱いで，在宅寝たきり患者処置指導管理料の適応となるのはどんな場合ですか。

A：寝たきりの状態にある者等に対して，たとえば経口摂取障害，意識障害などの理由で経口摂取が困難なため，鼻腔栄養を行う場合です。

Q6　対象患者(2)

レセプト点検時，一部の医療機関で白癬症に対するマイコスポール液10mLのみの処方や，皮膚掻痒症に対するレスタミン軟膏10gの処方で，C109在宅寝たきり患者処置指導管理料を算定しているケースがあります。このような軟膏処方程度なら薬剤の窓口での説明で十分かと思いますが，指導管理料は算定可能なのでしょうか。

A：設問にある白癬症に対するマイコスポール液や掻痒症に対するレスタミン軟膏等の外用薬の投与は，処置指導管理が必要な皮膚科軟膏処置が必要な場合を除き当指導管理料に伴う薬剤としてではなく，投薬の部の外用薬として投与するのが適当と思われます。その程度にもよりますが，当該指導管理料は算定できないケースも多いようです。在宅療養指導管理料は在宅で患者自らまたは家族が行う，身体代謝機能の維持のための療法を日常的に継続して行うために必要な指導管理の点数です。その対象となる軟膏処置や創傷処置等は褥瘡処置や気管カニューレの交換等の処置を想定しているようです。〈オ〉

Q7　対象患者(3)

胆管癌でPTCDを行っていてカテーテルの入っている患者が，自宅で患部やカテーテルの消毒をする場合，在宅寝たきり患者処置指導管理料を算定できますか。また，消毒に用いる薬剤の算定はいかがですか。

A：C109の対象となる処置は，Q1の①～⑩のとおりです。

PTCDカテーテル挿入部の創傷処置は上記に該当していません。よって，明確な扱いは通知等で示されていませんが，使用する薬剤（外用薬）のみ投薬の部で算定してみてはいかがでしょう（投薬料が包括される点数を算定している場合を除く）。〈オ〉

Q8　留置カテーテルを装置している患者

留置カテーテルを装置している在宅患者に対して，C109在宅寝たきり患者処置指導管理料は算定できるでしょうか。医師からは「寝たきりではないため算定不可」と言われました。「寝たきり」の基準は何かありますか。

また，C109を算定しても，「⑭在宅」の材料を算定できますか。

A：C109在宅寝たきり患者処置指導管理料は，「寝たきりの状態にあるもの，またはこれに準ずる状態にあるもの」が対象です。なお,「これに準ずる状態」とは,C109に関する通知(2)に規定されるとおり,難病法や特定疾患治療研究事業の対象疾患で,常時介護を要する状態にあるものを指します(『早見表』p.423)。

また,処置に必要な薬剤や特定保険医療材料を必要量支給した場合,薬剤料等は「⑭」で算定可能ですが,訪問診療時等に医師が処置に使用したものは算定できません。

さらに,C109は,C002在医総管,C002-2施医総管の算定患者には算定できず,患者に支給した薬剤,特定保険医療材料のみ「⑭」で算定します。

〈オ〉

Q9 在宅寝たきり患者処置の鼻腔栄養,在宅成分栄養経管栄養法の違い

鼻腔栄養を行うC109在宅寝たきり患者処置指導管理料とC105在宅成分栄養経管栄養法指導管理料,この2つは腸管機能が正常か低下かで区別する以外に違いはあるのでしょうか。また,用いる薬剤の違いや算定基準の違いを教えてください。

A:在宅成分栄養経管栄養法は,種々の原因によって経口摂取が困難な患者に対し,栄養成分の明らかなタンパク質がアミノ酸,ジペプチド,トリペプチドの状態で含まれている非常に消化されやすい経腸栄養剤(消化態経腸栄養剤)を在宅で経管的に投与する方法です。対象となる薬剤は,エレンタール,エレンタールP,ツインラインNFで,点数表上は対象疾患は定められていません。ただし,経腸栄養剤を薬剤料として算定しますので,薬剤の適応に該当する患者のみが対象となります。

在宅寝たきり患者処置指導管理料は,未消化態タンパクを含む栄養剤あるいは流動食など,消化態栄養剤以外による経管栄養(鼻腔栄養等)を行っている患者が対象です。点数表上,対象疾患は限定されていません。結果的に使用する薬剤の適応に該当する患者のみが対象となります。〈オ〉

Q10 寝たきり患者が来院した場合

「原則として,当該医師が患家に訪問して指導管理を行った場合」とありますが,患者が来院した場合は算定できないのでしょうか。

A:原則として算定できないのですが,寝たきり状態またはこれに準ずる状態の患者が家族等に介助され来院した場合に,例外的に在宅寝たきり患者処置指導管理料が算定できます。この場合,レセプトにはその旨症状詳記をします。

薬剤と特定保険医療材料

Q11 在宅寝たきり患者処置指導管理料の包括範囲

在宅寝たきり患者処置指導管理料において,外来受診や往診の際に算定できない処置が規定されていますが,薬剤料や特定保険医療材料料も含まれますか。

A:当該指導管理を行い,薬剤料や特定保険医療材料料を必要量支給すれば,指導管理料とは別に算定可能です。ただし,外来受診時や往診,訪問診療時に医師が処置に使用したものは算定できません。

Q12 薬剤・材料の算定可否

通知に,“C109在宅寝たきり患者処置指導管理料を算定している患者(入院中の患者を除く)については,J000創傷処置からJ119-4肛門処置の費用(薬剤および特定保険医療材料に係る費用を含む)までの19項目の処置の費用は算定できない”とされています。

これは,在宅寝たきり患者処置指導管理料を算定している患者に対し,外来受診時や往診時,訪問診療時に医師が処置を行った場合に,そのとき使用した薬剤および特定保険医療材料に係る費用は算定できないが,自宅で使用する処置に必要な薬剤および特定保険医療材料(軟膏など)を支給した場合は算定できるということなのですか。

A:そのとおりです。在宅寝たきり患者処置指導管理料を算定する患者に,医師が訪問診療や往診時に創傷処置や肛門処置等の処置を行った場合,処置料と医療者(医師)が使用した薬剤・特定保険医療材料は算定できません。しかし,在宅寝たきり患者処置指導管理(自己処置)用の薬剤や特定保険医療材料を患者に支給した場合は,別に算定が可能です。〈オ〉

Q13 薬剤・材料の算定欄

在宅寝たきり患者処置指導管理に係る薬剤及び特定保険医療材料(在宅医療の部で規定する材料に限る)を算定要件を満たして支給した場合,レセプト「⑭在宅」欄で算定するのですか。

A:その通りです。〈保〉

Q14 処置で使用する薬剤等の算定

C109在宅寝たきり患者処置指導管理料を算定している患者には算定できない処置(創傷処置等)がありますが,ここには薬剤および特定保険医療材料に係る費用が含まれますか。例えば,寝たきりで膀胱留置用カテーテルを留置している患者の在宅交換用カテーテルや薬剤,胃瘻造設をされている患者の退院時に処方するエンシュアリキッド

が算定できないのでしょうか。

A：C109在宅寝たきり患者処置指導管理料を算定している外来患者については，通知に定める創傷処置～肛門処置までの処置を医師が訪問診療，往診時に行った場合の処置料および処置に伴う薬剤や特定保険医療材料の費用が算定できない扱いです。ご質問の在宅療養指導管理に伴い患者に支給する特定保険医療材料や薬剤，退院時の人工栄養剤の投与等は，医療者（医師）が施行する上記の処置には該当しないため，当該費用は包括されず，別に算定できます。〈オ〉

Q15　包括されない手技の薬剤・材料

医師が重度褥瘡処置を行った場合，手技料，薬剤料，皮膚欠損用創傷被覆材は「㊵処置」欄で算定できますか。

A：在宅寝たきり患者処置指導管理料に包括されない処置なので，手技料，薬剤料，皮膚欠損用創傷被覆材は「㊵処置」欄で算定できます。〈保〉

Q16　在宅寝たきり患者処置指導管理料を算定しない月の包括範囲

C109在宅寝たきり患者処置指導管理料を算定している患者は，通知より，「創傷処置～肛門処置」までの処置を医師が行った場合は，処置に伴う薬剤・材料を算定できないとあります。C109在宅寝たきり患者処置指導管理料を算定しない月については，訪問診療での処置料は算定できますか。

A：当該月に寝たきり処置指導管理料や在宅時医学総合管理料を算定していない場合，訪問診療には処置料が包括されないので，処置の手技料等が算定できます。〈オ〉

Q17　在宅療養指導管理に伴う薬剤

在宅寝たきり患者処置指導管理を算定している患者に，膀胱洗浄に使用する生食などを処方箋により投与することは認められるでしょうか。

A：在宅療養指導管理に伴う薬剤は，「在宅医療」の部の薬剤として扱いますが，院外処方箋により投与することも可能です。ただし，衛生材料や消毒薬など所定点数に含まれるものは，保医発通知により医療機関が患者に支給すべきものとされています。なお，薬局から渡してもらうこともできますが，その費用は在宅療養指導管理料に含まれていますので，医療機関がその費用を負担します。

また，設問の生食は，膀胱洗浄液として患者または家族が使用するものであれば，処方箋により投与できます。一方，訪問診療時に行う処置に使用する薬剤は，所定点数に含まれ，院外処方による投与は妥当ではありません。

Q18　処置指導に伴う薬剤や特定保険医療材料の算定について

在宅寝たきり患者処置指導管理料を算定している患者に対し，以下は算定できますか。

①　褥瘡処置に使用した皮膚欠損用創傷被覆材，非固着性シリコンガーゼ
②　鼻腔栄養に使用した経腸栄養剤
③　胃瘻カテーテル交換法に使用した交換用胃瘻カテーテル

A：①　自己処置用の皮膚欠損用被覆剤，非固着性シリコンガーゼは，「C114在宅難治性皮膚疾患処置指導管理料を算定する患者」または「何らかの在宅療養指導管理料を算定する重度褥瘡の患者」に算定できます。しかし，C109在宅寝たきり患者処置指導管理料の算定患者については，J000創傷処置（褥瘡処置）が包括されるため，手技料も皮膚欠損用創傷被覆材等は算定できません。

ただし，J001-4重度褥瘡処置は，在宅寝たきり患者処置指導管理料に包括されないので，手技料，皮膚欠損用創傷被覆材等ともに算定できます。

②　患者に自己処置用として支給した「⑭在宅」欄で請求するものについては算定できますが，往診や訪問診療時に医師がC109に含まれる処置を行い，その処置に用いた薬剤は算定できません。

③　カテーテル交換後の確認を画像診断等で行い胃瘻カテーテル交換法を行う場合は，処置料と交換用胃瘻カテーテルの材料費が算定できます。〈保〉

Q19　在宅寝たきり患者の処置と医療材料

在宅寝たきり患者処置指導管理料を算定している場合，患者に渡した膀胱留置用ディスポーザブルカテーテル2管一般（Ⅰ）と生理食塩水は⑭在宅欄で算定できますか。

A：材料価格基準告示の010在宅寝たきり患者処置用膀胱留置用ディスポーザブルカテーテル(1)2管一般（Ⅰ）と処置に用いる生理食塩水を在宅の部で算定します。ただし，生理食塩水のうち器具洗浄など処置以外に用いたものは算定できません。〈オ〉

Q20　院外処方できる特定保険医療材料

寝たきり処置指導管理に使用する特定保険医療材料で，院外処方できるものはありますか。

A：処置指導管理に使用する特定保険医療材料のうち，医師の処方箋に基づき保険薬局でも交付できるものは，以下のとおりです。

・在宅寝たきり患者処置用気管切開後留置用チューブ
・在宅寝たきり患者処置用膀胱留置用ディスポー

ザブルカテーテル
・在宅寝たきり患者用栄養用ディスポーザブルカテーテル

この取扱いの詳細は，第4節の「特定保険医療材料」の項を参照してください。

Q21　訪問診療で指導管理に使用した材料

訪問診療で，在宅寝たきり患者処置指導管理料を算定した場合に処置指導のために膀胱留置カテーテルを1本使用し，別に2本を患者に支給した場合，合計3本算定できますか。

A：可能です。3本支給したうちの1本を処置指導に使用した場合と解され，3本とも⑭「在宅」欄で特定保険医療材料である「在宅寝たきり患者処置用膀胱留置用ディスポーザブルカテーテル」として算定します。

Q22　膀胱洗浄用滅菌精製水の投与

在宅寝たきり患者処置指導管理料を算定している患者に，膀胱洗浄に用いる滅菌精製水を投与することはできますか。可能なら1回何日分投与できますか。

A：訪問診療時の患者の状況により患者または家族が創傷処置等の処置に用いるものであれば投与できます。投与日数上限は決められていません。投与量は医師が必要と判断する期間分です。なお，器具洗浄用の滅菌精製水は必要量を支給しなければなりませんが，所定点数に含まれ別に算定できません。

Q23　膀胱留置用ディスポーザブルカテーテルの分類

「2管」，「特定」とはどのような用途によって分類されているのですか。

A：**2管（2way）**…単なる導尿に使用します。
特定…小児あるいは尿道狭窄が認められる患者の導尿に使用します。

さらにこれらは，カテーテルの材質によりⅠ，Ⅱ，Ⅲ型等に分類され，それぞれ請求価格が異なります。この他に，圧迫止血用（前立腺手術後の止血に使用）がありますが，在宅寝たきり患者処置用膀胱留置用ディスポーザブルカテーテルとしては認められていません。（『早見表』p.440）

Q24　鼻腔栄養の薬剤と器材の算定

在宅寝たきり患者処置指導管理料を算定する場合，薬剤や経鼻チューブ等の費用は，別に算定できますか。

A：在宅寝たきり患者処置指導管理料の鼻腔栄養に用いる未消化態タンパクを含む栄養剤（薬価基準に収載されているもの）は，低栄養状態等の人工栄養剤の適応とされている疾患や状態の患者が該当します。1回に医師が予見できる必要期間分を投与し薬剤料として算定できます。また，特定保険医療材料となっている経鼻チューブは，在宅寝たきり患者処置用栄養用ディスポーザブルカテーテルとして請求できます（注入用バッグや延長チューブなどの費用は別に請求できません）。

Q25　鼻腔栄養を行った場合のC109在宅寝たきり患者処置指導管理料の算定方法

鼻腔栄養をしているのですが，栄養カテーテル，経鼻型ニューエンテラルフィーディングチューブについて材料費として算定してもよいのですか，それとも鼻腔栄養に含まれるのですか。

A：いずれも在宅の部の005在宅寝たきり患者処置用栄養用ディスポーザブルカテーテルとして，特定保険医療材料に該当しますので別途請求できます。なお，注入用バッグや延長チューブなどの費用は別に請求できません。〈オ〉

Q26　保険医療材料を院外処方できるか

在宅寝たきり患者処置指導管理を行っている患者に「気管内チューブ」「栄養用カテーテル」を院外処方で支給できますか。

A：以下のとおりです。

(1)　**気管切開後留置用チューブ**：在宅寝たきり患者指導管理に係る「気管内チューブ」は，保険薬局から処方箋により支給できます。なお，別表Ⅱ（処置・手術等用の特定保険医療材料）の「038　気管切開後留置用チューブ」と同一です（別表Ⅱの「027　気管内チューブ」ではありません）。よって，医療機関で気管切開術を行い，在宅で患者自ら『気管切開後留置用チューブ』（いわゆる気管カニューレ）の交換を行う寝たきり患者等が支給の対象となります。

(2)　**栄養用ディスポーザブルカテーテル**：在宅寝たきり患者処置指導管理の対象となる鼻腔栄養に用いる特定保険医療材料「006　在宅寝たきり患者処置用栄養用ディスポーザブルカテーテル」等は医療機関での支給，院外処方での支給のいずれも可能です。〈読〉

Q27　褥瘡処置の薬剤の算定

患者に褥瘡等があり創傷処置を行いますが，寝たきり患者処置指導管理の対象の処置となっています。その処置に使う薬剤は投薬の請求でしょうか。それとも在宅の薬剤で請求するべきでしょうか。例えば，褥瘡の自己処置に使用するために投与したオルセノン軟膏などは調剤料，処方料は算定できないのでしょうか。

A：患者に自己処置のため投与した処置の薬剤は在宅の部で算定するため，調剤料，処方料は算定できません。医師が往診または訪問診療時の創傷処置を行った場合，処置料と使用した薬剤は算定できません。自己処置用の薬剤は「⑭在宅」の薬剤として算定しますので，調剤料や処方料は算定できません。〈オ〉

Q28 処置指導管理をしないで胃瘻カテーテルからの投与

胃瘻カテーテル造設後，医師が胃瘻カテーテルよりエンシュアリキッド等の人工栄養剤投与のみ行っている場合，どのように算定するのですか。

A：胃瘻カテーテルからの薬剤注入に関する手技料については，鼻腔栄養に準じて点数算定をします。また，その他薬剤料が算定できます。

Q29 退院時の薬剤，特定保険医療材料

入院患者が退院する際に「在宅寝たきり患者処置指導管理料」を算定した場合，その際に支給した薬剤料，特定保険医療材料料は請求できますか。

A：退院時に「在宅寝たきり患者処置指導管理料」を含む在宅療養指導管理を行った場合は，退院日に１回算定できることになっています。その際支給した薬剤料や特定保険医療材料も⑭在宅の薬剤等として請求できます。

衛生材料

Q30 衛生材料の支給

寝たきり処置指導管理を行っている患者に対して，医師の診断に基づき，衛生材料は医療機関から直接出さなければなりませんか。

A：保険薬局に指示をして，保険薬局から渡してもらうこともできますが，衛生材料等の費用は薬局から請求できませんので，医療機関が負担します。また，寝たきり処置指導管理に限りませんが，訪問看護ステーションからの情報提供により医療機関から支給することも可能です。

Q31 衛生材料の費用

在宅寝たきり患者処置指導管理料で，創傷処置等の処置に用いる衛生材料は算定できますか。

A：アルコール等の消毒薬，脱脂綿，絆創膏，ガーゼ等の衛生材料の費用は所定点数に含まれ，別に算定できません。

Q32 衛生材料等提供加算について

C109在宅寝たきり患者処置指導管理料算定中の患者に対して衛生材料等提供加算は算定できませんか。また，アルコール等の消毒液，脱脂綿，絆創膏，ガーゼ以外の衛生材料があれば教えてください。

A：「衛生材料等提供加算」はC007訪問看護指示料，I012-2精神科訪問看護指示料の加算であり，当該診療料を算定した月のみ，当該訪問看護指示料への加算が認められています（医療機関の看護師等が訪問看護をする場合は加算はできません）。

なお，当該加算は，C002在宅時医学総合管理料，C002-2施設入居時等医学総合管理料，C003在宅がん医療総合診療料，C005-2在宅患者訪問点滴注射管理指導料，在宅療養指導管理料（C100～C121）を算定した場合は，算定できません。

また，この場合の「衛生材料等」とは，特定保険医療材料以外の医療材料が該当します。〈オ〉

その他の算定

Q33 胃瘻造設部の処置

胃瘻造設患者に２，３日に１回，胃瘻のイソジン消毒と胃瘻に入っているカテーテルのチェックをしますが，当該行為はＪ000創傷処置に該当するのでしょうか。

A：胃瘻の造設部や気管切開部等の処置については術後創傷処置で算定しますが，瘻孔完成後（一般的には１週間後）の瘻孔部の処置は基本診療料に含まれ別に算定できません。

Q34 在宅患者訪問看護・指導料との併算定

在宅寝たきり患者処置指導管理料は，C005在宅患者訪問看護・指導料と併算定できますか。

A：医師が訪問診療時に処置指導管理を行い，別の日に訪問看護が行われているのであれば併算定できます。

Q35 他の在宅療養指導管理料との併算定

在宅寝たきり患者処置指導管理と在宅中心静脈栄養法指導管理料等を同時に行った場合どのように算定するのですか。

A：同一の患者に対して，２以上の指導管理を行っている場合は，特に規定する場合を除き，主たる指導管理料の所定点数のみにより算定します。ただし，各区分の在宅療養指導管理材料加算，薬剤料，特定保険医療材料料はそれぞれ算定できます。

Q36 在宅時医学総合管理料との併算定

在宅時医学総合管理料または施設入居時等医学総合管理料を算定している患者に寝たきり患者処置指導管理を行っていますが，点数の算定方法はどうなりますか。

A：在宅時医学総合管理料または施設入居時等医学総合管理料に寝たきり患者処置指導管理料は包括され算定できません。ただし，患者や家族が自己処置に用いる薬剤，特定保険医療材料は算定できますので，「⑭在宅」欄に記載して請求します。

Q37 寝たきり患者以外への在宅での鼻腔栄養

在宅で経口摂取だけでは栄養が足りず，鼻腔栄養（エンシュアリキッド，ラコール等を使用）も行っていますが，寝たきり状態でも寝たきりに準ずる状態でもない患者に，在宅で鼻腔栄養を行う場合，在宅療養指導管理料は何を算定すればよいでしょうか。

A：在宅で鼻腔栄養を行う場合の在宅療養指導管理料には，腸管機能が低下し経口摂取が著しく困難である場合に算定するC105在宅成分栄養経管栄養法指導管理料とC109在宅寝たきり患者処置指導管理料があります。いずれの要件も満たさない場合は，投薬した人工栄養剤のみを投薬の部の（21）内服薬として算定します。なお，投薬として請求する場合は「栄養用カテーテル」等の医療材料の費用については保険請求できません。〈オ〉

Q38 入院中に行った膀胱洗浄の併算定

C109在宅寝たきり患者処置指導管理料を退院時（日）に算定した場合，入院中に実施したJ060膀胱洗浄は別に算定可能でしょうか。薬剤および特定保険医療材料についてはいかがでしょうか。

A：C109在宅寝たきり患者処置指導管理料の通知に，在宅寝たきり患者処置指導管理料を算定している患者については，J060膀胱洗浄（薬剤及び特定保険医療材料に係る費用を含む）は算定できない扱いとありますが，「入院中の患者を除く」と解釈されています。

よって，月の途中で退院した患者の退院時に，在宅寝たきり患者処置指導管理料を算定した場合，当該月の入院中に行った指導管理料に包括される処置は算定できる扱いです。薬剤料，特定保険医療材料についても算定可能です。〈オ〉

C110 在宅自己疼痛管理指導管理料
C110-2 在宅振戦等刺激装置治療指導管理料
C110-3 在宅迷走神経電気刺激治療指導管理料
C110-4 在宅仙骨神経刺激療法指導管理料

C110 在宅自己疼痛管理指導管理料 1,300点

注 疼痛除去のため植込型脳・脊髄刺激装置を植え込んだ後に，在宅において自己疼痛管理を行っている入院中の患者以外の難治性慢性疼痛の患者に対し，在宅自己疼痛管理に関する指導管理を行った場合に算定する。

C110-2 在宅振戦等刺激装置治療指導管理料 810点

注1 振戦等除去のため植込型脳・脊髄刺激装置を植え込んだ後に，在宅において振戦等管理を行っている入院中の患者以外の患者に対して，在宅振戦等管理に関する指導管理を行った場合に算定する。

注2 導入期加算 植込術を行った日から3月以内に行った場合に，140点を加算する。

C110-3 在宅迷走神経電気刺激治療指導管理料 810点

注1 てんかん治療のため植込型迷走神経電気刺激装置を植え込んだ後に，在宅においててんかん管理を行っている入院中の患者以外の患者に対して，在宅てんかん管理に関する指導管理を行った場合に算定する。

注2 導入期加算 植込術を行った日から3月以内に行った場合に，140点を加算する。

C110-4 在宅仙骨神経刺激療法指導管理料 810点

注 便失禁又は過活動膀胱に対するコントロールのため植込型仙骨神経刺激装置を植え込んだ後に，患者の同意を得て，在宅において，自己による便失禁管理又は過活動膀胱管理を行っている入院中の患者以外の患者に対して，在宅便失禁管理又は在宅過活動膀胱管理に関する指導管理を行った場合に算定する。

C167 疼痛等管理用送信器加算 600点

注 疼痛除去等のため植込型脳・脊髄刺激装置又は植込型迷走神経刺激装置を植え込んだ後に，在宅疼痛管理，在宅振戦管理又は在宅てんかん管理を行っている入院中の患者以外の患者に対して，疼痛等管理用送信器（患者用プログラマを含む）を使用した場合に，第1款の所定点数に加算する。

Q1 他の医療機関で指導管理を行う場合

植込型脳・脊髄電気刺激装置を植え込んだ医療機関以外の医療機関で，在宅自己疼痛管理指導管理を行い，その点数を算定することはできますか。

A：算定できます。

Q2 他の在宅療養指導管理料との併算定

**在宅自己疼痛管理指導管理料と他の在宅療養指

導管理料は併せて算定できますか。

A：できません，主たるもののみの算定となります。

C110-5　在宅舌下神経電気刺激療法指導管理料

C110-5　在宅舌下神経電気刺激療法指導管理料　810点
注　施設基準を満たす医療機関において，在宅において舌下神経電気刺激療法を行っている患者に対して，在宅舌下神経電気刺激療法に関する指導管理を行った場合に算定する。

C111　在宅肺高血圧症患者指導管理料

C111　在宅肺高血圧症患者指導管理料　1,500点
注　肺高血圧症の患者であって入院中の患者以外の患者に対して，プロスタグランジンI_2製剤の投与等に関する医学管理等を行った場合に算定する。

C168　携帯型精密輸液ポンプ加算　10,000点
注　肺高血圧症の患者であって入院中の患者以外のものに対して，携帯型精密輸液ポンプを使用した場合に，加算する。

C168-2　携帯型精密ネブライザ加算　3,200点
注　肺高血圧症の患者であって入院中の患者以外のものに対して，携帯型精密ネブライザを使用した場合に，加算する。

Q1　カセットや延長チューブの費用

C168携帯型精密輸液ポンプ加算を算定する場合でも，カセットや延長チューブ等の費用は別に算定できますか。

A：C168の加算にはカセット，延長チューブその他携帯型精密輸液ポンプ，携帯型精密ネブライザに必要な機器等の費用がすべて含まれていますので，別に算定はできません。

Q2　対象となる薬剤

「プロスタグランジンI_2製剤の投与等に関する指導管理等を行った場合」とありますが，エポプロステノールナトリウム（商品名フローラン静注用）は対象薬剤ですか。

A：フローラン静注用は対象薬剤です。

Q3　プロスタグランジンI_2製剤の投与等

「プロスタグランジンI_2製剤の投与等」とありますが，プロスタグランジンI_2製剤投与以外の指導管理もあるのですか。

A：今のところ，これ以外の指導管理は対象になっていません。

「プロスタグランジンI_2製剤の投与等に関する医学管理等」というのは，在宅で原発性肺高血圧症患者自らが携帯型精密輸液ポンプまたは携帯型精密ネブライザーを用いてプロスタグランジンI_2製剤を施用する場合に，医師が患者または患者の看護に当たる者に対して，この療法の方法，注意点および緊急時の対応方法等に関する指導を行い，この患者の医学管理を行うことをいいます。

C112　在宅気管切開患者指導管理料

C112　在宅気管切開患者指導管理料　900点
注　気管切開を行っている患者であって入院中の患者以外のものに対して，在宅における気管切開に関する指導管理を行った場合に算定する。
〔編注：一般的には気管切開しているが人工呼吸管理を行っていない在宅患者について算定する〕

C169　気管切開患者用人工鼻加算　1,500点
注　気管切開を行っている患者であって入院中の患者以外のものに対して，人工鼻を使用した場合に，第1款の所定点数に加算する。

Q1　永久気管（孔）が設置されている患者

永久気管（孔）が設置されている患者について気管切開患者指導管理料の算定は可能ですか。

A：在宅気管切開患者指導管理料は，通知により“諸種の原因により気管切開を行った患者のうち，安定した病態にある退院患者”が対象です。気管切開孔が一時的か永久的かは特に示されていませんが，対象となる要件中の，安定した病態にあるという記述からは，主として永久気管孔を設置している患者さんが対象となるものと思われます。〈オ〉

Q2　処置との併算定

在宅気管切開患者指導管理料を算定している患者に，気管内ディスポーザブルカテーテル交換を行った場合，併せて算定できますか。

A：在宅気管切開患者指導管理料を算定している患者については，指導管理料に含まれる創傷処置（気管内ディスポーザブルカテーテル交換を含む）爪甲除去（麻酔を要しないもの），穿刺排膿後薬液注入，喀痰吸引，干渉低周波去痰器による喀痰排出の費用は算定できません。

Q3　「気管切開チューブ」で特定保険医療材料料の算定は

在宅気管切開患者指導管理料を算定する患者に「気管切開チューブ」を支給した場合，特定保険医療材料料を算定できますか。

A：材料価格基準告示の別表Ⅰ（在宅医療の部の特定保険医療材料）には「003在宅寝たきり患者処置用気管切開後留置用チューブ」が収載されています。この材料は，在宅寝たきり患者処置指導管理（料）の対象となる「創傷処置（気管内ディスポーザブルカテーテル交換）」にあたって，患者に支給した場合に算定できます。在宅気管切開患者指導管理にあたって「気管切開チューブ」を患者に支給した場合は「在宅寝たきり患者処置用気管切開後留置用チューブ」を準用して算定できるものと解します。なお，当該患者が「寝たきり患者」である場合は，在宅寝たきり患者処置指導管理料の所定点数に上記特定保険医療材料料およびC169気管切開患者用人工鼻加算を算定できます。

〔編注：「003在宅寝たきり患者処置用気管切開後留置用チューブ」は，実質的には別表Ⅱの「038気管切開後留置用チューブ」と同一であり，別表Ⅱの「027気管内チューブ」ではありません〕

C169　気管切開患者用人工鼻加算

Q4　人工鼻とは

気管切開患者用人工鼻とはどういうものですか。

A：気管切開することにより吸気が鼻腔を通過しないので，加湿，加温，フィルター作用が低下するという問題が発生します。そこで必要となるのが人工鼻です。人工鼻は吸気の乾燥を避けるために微多孔性のペーパーエレメントを用いて，呼気中の熱と水分をいったん吸着し，吸気時にそれを放出します。気管カニューレに直接単独で取り付ける軽量のもの，ベンチレーターと気管カニューレや気管内チューブの間に接続するタイプなど各種あります。〈保〉

Q5　昼間は人工鼻，睡眠中は人工呼吸器を使用の場合

在宅気管切開患者指導管理料を算定している患者で，昼間は自発呼吸で人工鼻を使用し，睡眠中は陽圧式人工呼吸器が必要な患者の場合は，C107在宅人工呼吸指導管理料2,800点にC164人工呼吸器加算「1」（陽圧式人工呼吸器）7,480点とC169気管切開患者用人工鼻加算1,500点が加算できますか。

A：同一医療機関で複数の在宅療養指導管理を行っている場合は，主たる指導管理の点数を算定します。この場合，2以上の指導管理にかかる材料加算，薬剤料，特定保険医療材料料はそれぞれ算定できます。したがってこの場合は，C107在宅人工呼吸指導管理料2,800点，C164「1」（陽圧式人工呼吸器）7,480点と，C169気管切開患者用人工鼻加算1,500点が算定できます。

C112-2　在宅喉頭摘出患者指導管理料

C112-2　在宅喉頭摘出患者指導管理料　900点

注　喉頭摘出を行っている患者に対して，在宅における人工鼻材料の使用に関する指導管理を行った場合に算定する。

C114　在宅難治性皮膚疾患処置指導管理料

C114　在宅難治性皮膚疾患処置指導管理料　1,000点

注1　皮膚科又は形成外科を担当する医師が，別に厚生労働大臣が定める疾患の患者で，在宅において皮膚処置を行っている入院中の患者以外のものに対して，当該処置に関する指導管理を行った場合に算定する。

注2　B001「7」難病外来指導管理料又はB001「8」皮膚科特定疾患指導管理料を算定している患者については，算定しない。

Q1　指導管理と処置を行った場合

当該指導管理を行っている患者に処置を行った場合の費用は算定できますか。

A：算定できます。処置に伴う薬剤及び特定保険医療材料も算定できます。〈保〉

Q2　皮膚欠損用創傷被覆材を使用した場合

当該指導管理の実施にあたり，患者または家族が使用するディオアクティブ等の皮膚欠損用創傷被覆材は，「⑭在宅」欄で請求できますか。

A：請求できます。皮膚欠損用創傷被覆材と非固着性シリコンガーゼは在宅難治性皮膚疾患処置指導管理に係る在宅特定保険医療材料です。〈保〉

Q3　針やメス刃の提供

在宅療養指導管理料の通則（通知）には，「保険医療機関が在宅療養指導管理料を算定する場合には，当該指導管理に要するアルコール等の消毒液，衛生材料（脱脂綿，ガーゼ，絆創膏等），酸素，注射器，注射針，翼状針，カテーテル，膀胱洗浄用注射器，クレンメ等は，当該保険医療機関が提供する」とある。また，在宅難治性皮膚疾患処置指導管理料には，「特定保険医療材料以外のガーゼ等の衛生材料は当該指導管理料に含まれる」とされています。

これらのことから，在宅難治性皮膚疾患処置指導管理料を算定する患者について，患者自らが水泡の処置を行うための針やメス刃を，医療機関が提供することは可能ですか。

A：針やメス刃については，患者もしくは患者の家族が，自ら水泡の処置を目的として使用することは，薬事法上問題ないことから，医学的に必要があれば，患者に提供して差し支えありません。〈厚平23.12.12〉

C116　在宅植込型補助人工心臓（非拍動流型）指導管理料

C116　在宅植込型補助人工心臓（非拍動流型）指導管理料　45,000点

注　別に厚生労働大臣が定める施設基準〔※在宅医療における施設基準第4・6の7〕に適合しているものとして地方厚生局長等に届け出た保険医療機関において，体内植込型補助人工心臓（非拍動流型）を使用している患者であって入院中の患者以外のものに対して，療養上必要な指導を行った場合に，月1回に限り算定する。

Q1　電話で確認・指導した場合

電話により，出向いている看護師等と必要な点検，確認を行い指導した場合には，C116在宅植込型補助人工心臓（非拍動流型）指導管理料は算定できますか。

A：算定できません。〈厚平24.8.9，一部修正〉

C117　在宅経腸投薬指導管理料

C117　在宅経腸投薬指導管理料　1,500点

注　入院中の患者以外の患者であって，レボドパ・カルビドパ水和物製剤の経腸投薬を行っているものに対し，投薬等に関する医学管理等を行った場合に算定する。

C152-3　経腸投薬用ポンプ加算　2,500点

注　別に厚生労働大臣が定める内服薬の経腸投薬を行っている入院中以外の患者に対して，経腸投薬用ポンプを使用した場合に，**2月に2回**に限り第1款の所定点数に加算する。

C118　在宅腫瘍治療電場療法指導管理料

C118　在宅腫瘍治療電場療法指導管理料　2,800点

注　届出保険医療機関において，入院中の患者以外の患者であって，在宅腫瘍治療電場療法を行っているものに対し，療養上必要な指導を行った場合に算定する。

C119　在宅経肛門的自己洗腸指導管理料

C119　在宅経肛門的自己洗腸指導管理料800点

注1　届出保険医療機関において，在宅で経肛門的に自己洗腸を行っている入院中の患者以外の患者に対し，経肛門的自己洗腸療法に関する指導管理を行った場合に算定する。

2　導入初期加算　経肛門的自己洗腸を初めて実施する患者について，初回の指導を行った場合，初回の指導を行った月に限り500点を加算する。

C172　在宅経肛門的自己洗腸用材料加算　2,400点

注　在宅で経肛門的に自己洗腸を行っている入院中の患者以外の患者に対して，自己洗腸用材料を使用した場合に，**3月に3回**に限り，第1款の所定点数に加算する。

Q1　関係学会による指針

C119在宅経肛門的自己洗腸指導管理料における「関係学会による指針」とは何を指すのですか。

A：日本大腸肛門病学会による「経肛門的自己洗腸の適応及び指導管理に関する指針」及び日本脊髄障害医学会，日本大腸肛門病学会並びに日本ストーマ・排泄リハビリテーション学会による「脊髄障害による難治性排便障害に対する経肛門的洗腸療法（transanal irrigation：TAI）の適応および指導管理に関する指針」を指します。〈厚令2.4.16〉

C172　在宅経肛門的自己洗腸用材料加算

Q2　対象患者 新

経肛門的自己洗腸が必要な患者とはどういった患者を指すのでしょうか。

A：C119在宅経肛門的自己洗腸指導管理料の対象となる患者を指します。〈厚令2.3.31〉

C120　在宅中耳加圧療法指導管理料

C120　在宅中耳加圧療法指導管理料　1,800点

注　在宅中耳加圧療法を行っている入院中の患者以外の患者に対して，在宅中耳加圧療法に関する指導管理を行った場合に算定する。

C121　在宅抗菌薬吸入療法指導管理料

C121　在宅抗菌薬吸入療法指導管理料　800点

注1　在宅抗菌薬吸入療法を行っている患者に対して，在宅抗菌薬吸入療法に関する指導管理を行った場合に算定する。

注2　導入初期加算　在宅抗菌薬吸入療法を初めて実施する患者に，初回の指導を行った場合，**初回の指導を行った月に1回**に限り**500点**を加算する。

C175　在宅抗菌薬吸入療法用ネブライザ加算

1　1月目　7,480点

2　2月目以降　1,800点

注　在宅抗菌薬吸入療法を行っている患者に対して，超音波ネブライザを使用した場合に算定する。

第3節　薬　剤　料

C200　薬　剤

　薬剤価格が15円を超える場合は，薬価から15円を控除した額を10円で除して得た点数につき1点未満の端数を切り上げて得た点数に1点を加算して得た点数とする。

$$\frac{薬剤価格-15円}{10円}+1点$$

（1点未満の端数切上げ）

注1　薬価が15円以下である場合は算定しない。

注2　使用薬剤の薬価は，別に厚生労働大臣が定める。

Q1　投与日数に制限のある注射薬

薬価基準収載1年以内の薬剤は，30日分処方することはできますか。

A：薬価基準収載時に「30日分投与可」とされている新薬を除いて，30日分の処方はできません。14日分を限度に処方します。なお，薬価基準収載日の1年後の翌月1日からは30日分投与が可能となります。

Q2　在宅療養の薬剤の算定(1)

在宅療養（在宅療養指導管理）に当たって使用する薬剤は，どのように算定すればよいのですか。

A：在宅療養指導管理に伴って自己注射，自己処置に用いるために投与する薬剤については，投薬料の薬剤ではなく⑭「在宅」欄の薬剤として算定します。

Q3　在宅療養の薬剤の算定(2)

在宅療養指導管理で使用する薬剤は算定できないものがありますか。

A：在宅療養指導管理に用いる「⑭在宅」欄で請求する薬剤については，算定できます。算定できないのは，在宅療養指導管理料の算定患者に併せて算定できない処置，注射に係る薬剤，器具の消毒用薬剤です。なお，特定保険医療材料も同様の取扱いとなります。

Q4　ラコール注入の場合

胃瘻より経管栄養としてラコールを注入している場合，C105在宅成分栄養経管栄養法指導管理料とC109在宅寝たきり患者処置指導管理料のどちらで算定するべきですか。

A：C105在宅成分栄養経管栄養法指導管理料の対象となる人工栄養剤は，消化態栄養剤または成分栄養剤（エレンタール，エレンタールP，ツインラインNF）のみです。未消化態タンパクを含む栄養剤（ラコール等）を用いる場合は，C109在宅寝たきり患者処置指導管理料の対象となります。〈オ〉

Q5　複方オキシコドン製剤

在宅医療に用いることのできる注射薬について，フェンタニルクエン酸塩製剤は30日分を限度に投与できますが，複方オキシコドン製剤も30日分を限度に投与できますか。

A：投与できません。複方オキシコドン製剤は14日分を限度に投与できます。〈保〉

Q6　注射用抗菌薬(1)

『厚生労働大臣の定める注射薬のうち，「注射用抗菌薬」とは，病原体に殺菌的又は静菌的に作用する注射薬をいう』とありますが，抗真菌薬と抗インフルエンザ薬についても該当しますか。

A：該当します。〈厚平26.9.5，一部修正〉

Q7　注射用抗菌薬(2)

「厚生労働大臣が定める注射薬」に注射用抗菌薬等がありますが，往診料又は在宅患者訪問診療料と併せて当該薬剤料を算定することは可能でしょうか。

A：可能です。〈厚平26.9.5，一部修正〉

第４節　特定保険医療材料料

C300　特定保険医療材料

材料価格を10円で除して得た点数（１点未満の端数は四捨五入）

注　使用した特定保険医療材料の材料価格は，別に厚生労働大臣が定める。

●告示①　別表Ⅰ　調剤点数表に規定する材料価格基準（在宅医療の部・処方箋で処方できる材料）（告示58：令4.3.4）

001 インスリン製剤等注射用ディスポーザブル注射器
(1)標準型　17円
(2)針刺し事故防止機能付加型　17円

003 ホルモン製剤等注射用ディスポーザブル注射器　11円

004 腹膜透析液交換セット
(1)交換キット　554円
(2)回路
①Ｙセット　884円
②APDセット　5,470円
③IPDセット　1,040円

腹膜透析液交換セットの算定
ア　交換キットは，キャップ又はクラムシェルの場合は１個を，ウエハーの場合は２枚を１キットとし，１交換当たり１キットを限定として算定する。
イ　交換キットは，自動腹膜透析装置を使用する場合は，APDセット１個当たり４キット分を限度として算定する。
ウ　交換キットは，バッグ再利用式（排液バッグ付き腹膜透析液又は回路を使用しない方法）により腹膜透析液を交換した場合は，１交換当たり２キット分を限度として算定する。

005 在宅中心静脈栄養用輸液セット
(1)本体　1,400円
(2)付属品
①フーバー針　419円
②輸液バッグ　414円

在宅中心静脈栄養用輸液セットの算定
夜間の中心静脈栄養等で，在宅中心静脈栄養用輸液セットを１月につき７組以上用いる場合において，７組目以降の中心静脈栄養用輸液セットについて算定する。

006 在宅寝たきり患者処置用栄養用ディスポーザブルカテーテル
(1)経鼻用
①一般用　183円
②乳幼児用
ア　一般型　94円
イ　非DEHP型　147円
③経腸栄養用　1,600円
④特殊型　2,110円
(2)腸瘻用　3,870円

007 万年筆型注入器用注射針
(1)標準型　17円
(2)超微細型　18円

008 携帯型ディスポーザブル注入ポンプ
(1)化学療法用　3,180円
(2)標準型　3,080円
(3)PCA型　4,270円
(4)特殊型　3,240円

携帯型ディスポーザブル注入ポンプの算定
ア　携帯型ディスポーザブル注入ポンプは，疼痛管理又は化学療法を目的として使用した場合に限り算定できる。
イ　携帯型ディスポーザブル注入ポンプは，１月につき６個以下の使用の場合はＣ166携帯型ディスポーザブル注入ポンプ加算を算定し，７個目以降の携帯型ディスポーザブル注入ポンプは本区分で算定する。

009 在宅寝たきり患者処置用気管切開後留置用チューブ
(1)一般型
①カフ付き気管切開チューブ
ア　カフ上部吸引機能あり
ⅰ　一重管　4,020円
ⅱ　二重管　5,690円
イ　カフ上部吸引機能なし
ⅰ　一重管　3,800円
ⅱ　二重管　6,080円
②カフなし気管切開チューブ　4,080円
(2)輪状甲状膜切開チューブ　2,030円
(3)保持用気管切開チューブ　6,140円

010 在宅寝たきり患者処置用膀胱留置用ディスポーザブルカテーテル
(1)２管一般（Ⅰ）　233円
(2)２管一般（Ⅱ）
①標準型　561円
②閉鎖式導尿システム　862円
(3)２管一般（Ⅲ）
①標準型　1,650円
②閉鎖式導尿システム　2,030円
(4)特定（Ⅰ）　741円
(5)特定（Ⅱ）　2,060円

011 在宅血液透析用特定保険医療材料

（回路を含む）

⑴ダイアライザー

①Ⅰa型	1,440円
②Ⅰb型	1,500円
③Ⅱa型	1,450円
④Ⅱb型	1,520円
⑤S型	2,220円
⑥特定積層型	5,590円

⑵吸着型血液浄化器

（β_2-ミクログロブリン除去用） **21,700円**

在宅血液透析用特定保険医療材料の算定

ア　吸着型血液浄化器（β_2-ミクログロブリン除去用）は，関節痛を伴う透析アミロイド症であって，以下のａからｃまでのいずれの要件も満たしている患者に対して，人工腎臓（血液透析に限る）を行う際に用いた場合に，初回の使用日から１年を限度として算定する。

また，透析アミロイド症の治癒又は軽快により，一旦使用を終了した後再び疼痛等の症状の出現を認めた場合は，以下のｂ及びｃの要件を満たすことを確認した場合に限り，更に１年を限度として算定できる。３度目以降の使用にあっても同様の取扱いとする。

ａ　手術又は生検により，β_2-ミクログロブリンによるアミロイド沈着が確認されている。

ｂ　透析歴が10年以上であり，以前に手根管開放手術を受けている。

ｃ　画像診断により骨嚢胞像が認められる。

なお，吸着型血液浄化器（β_2-ミクログロブリン除去用）を使用した場合は，診療報酬明細書の摘要欄に当該材料の使用開始日を記載する。

イ　人工腎臓用特定保険医療材料の材料価格には，回路の費用が含まれ算定できない。

012 皮膚欠損用創傷被覆材

⑴真皮に至る創傷用	1 cm^2当たり	6円
⑵皮下組織に至る創傷用		
①標準型	1 cm^2当たり	10円
②異形型	1 g当たり	35円
⑶筋・骨に至る創傷用	1 cm^2当たり	25円

皮膚欠損用創傷被覆材の算定

本材料は，①いずれかの在宅療養指導管理料を算定している場合であって，在宅での療養を行っている通院困難な患者のうち，皮下組織に至る褥瘡（筋肉，骨等に至る褥瘡を含む）（DESIGN-R分類D3，D4及びD5）を有する患者の当該褥瘡に対して使用した場合，②Ｃ114在宅難治性皮膚疾患処置指導管理料を算定している患者に対して使用した場合――に限り算定できる。

皮膚欠損用創傷被覆材について，同一の部位に対し複数の創傷被覆材を用いた場合は，主たるもののみ算定する。

Ｃ114算定患者以外の場合，いずれも原則３週間を限度とし，それ以上算定する場合は，詳細な理由を記載する。

013 非固着性シリコンガーゼ

⑴広範囲熱傷用	1,080円
⑵平坦部位用	142円
⑶凹凸部位用	309円

非固着性シリコンガーゼの算定

本材料は，①いずれかの在宅療養指導管理料を算定している場合であって，在宅での療養を行っている通院困難な患者のうち，皮下組織に至る褥瘡（筋肉，骨等に至る褥瘡を含む）（DESIGN-R分類D3，D4及びD5）を有する患者の当該褥瘡に対して使用した場合，②Ｃ114在宅難治性皮膚疾患処置指導管理料を算定している患者に対して使用した場合――に限り算定できる。

Ｃ114算定患者以外の場合，いずれも原則３週間を限度とし，それ以上算定する場合は，詳細な理由を記載する。

014 水循環回路セット　1,100,000円

水循環回路セットの算定

前回算定日から３か月以内に算定する場合は，詳細な理由を記載する。

015 人工鼻材料

⑴人工鼻

①標準型	492円
②特殊型	1,000円

⑵接続用材料

①シール型

ア　標準型	675円
イ　特殊型	1,150円
②チューブ型	16,800円
③ボタン型	22,100円
⑶呼気弁	51,100円

別表Ⅱ　材料価格基準（在宅患者に使用する材料価格基準等）

039 膀胱瘻用カテーテル　3,770円

膀胱瘻用カテーテルの算定

⑴膀胱瘻用カテーテルは，24時間以上体内留置した場合に算定できる。

⑵原則として１個を限度として算定する。２個以上算定する場合は，その詳細な理由を診療報酬明細書の摘要欄に記載する。

167 交換用経皮経食道胃瘻カテーテル

⑴交換用経皮経食道胃管カテーテル　**17,200円**

159 局所陰圧閉鎖処置用材料　1 cm^2当たり　18円

局所陰圧閉鎖処置用材料の算定

ア　局所陰圧閉鎖処置用材料は以下の場合にのみ算定できる。

ａ　外傷性裂開創（一次閉鎖が不可能なもの）

ｂ　外科手術後離開創・開放創

ｃ　四肢切断端開放創

ｄ　デブリードマン後皮膚欠損創

ｅ　術後縫合創（手術後の切開創手術部位感染のリスクを低減する目的で使用した場合に限る）

イ　主として創面保護を目的とする被覆材の費用は，当該材料を使用する手技料の所定点数に含まれ，別に算定できない。

ウ　局所陰圧閉鎖処置用材料は局所陰圧閉鎖処置開始日より３週間を標準として算定できる。特に必要と認められる場合については４週間を限度として算定できる。３週間を超えて算定した場合は，診療報酬明細書の摘要欄にその理由及び医学的な根拠を詳細に記載する。ただし，感染等により当該処置を中断した場合にあっては，当該期間は治療期間に含めない。

エ　局所陰圧閉鎖処置用材料を使用した場合は，処置開始日を診療報酬明細書の摘要欄に記載する。

オ　ア「ｅ」については，Ａ301特定集中治療室管理料，Ａ301-3脳卒中ケアユニット入院医療管理料，Ａ301-4小児特定集中治療室管理料，Ａ302新生児特定集中治療室管理料又はＡ303総合周産期特定集中治療室管理料を算定する患者であって，次に掲げる患者に対して使用した場合に限り算定できる。その際，次に掲げる患者のいずれに該当するかを診療報酬明細書の摘要欄に詳細に記載する。

ａ　BMIが30以上の肥満症の患者

ｂ　糖尿病患者のうち，ヘモグロビンA1c（HbA1c）がJDS値で6.6％以上（NGSP値で7.0％以上）の者

c　ステロイド療法を受けている患者
d　慢性維持透析患者
e　免疫不全状態にある患者
f　低栄養状態にある患者
g　創傷治癒遅延をもたらす皮膚疾患又は皮膚の血流障害を有する患者
h　手術の既往がある者に対して，同一部位に再手術を行う患者

カ　ア「e」について，オ以外の患者に対して使用した場合は，局所陰圧閉鎖処置用材料に係る費用はそれぞれの手術の所定点数に含まれ，局所陰圧閉鎖処置用材料は算定できない。

180 陰圧創傷治療用カートリッジ　19,800円

陰圧創傷治療用カートリッジの算定

ア　陰圧創傷治療用カートリッジは以下の場合に算定する。
a　入院中の患者以外の患者に対して使用した場合
b　入院中の患者に対して使用した場合（術後縫合創に対して，手術後の切開創手術部位感染のリスクを低減する目的で使用した場合に限る）

イ　ア「b」については，A301特定集中治療室管理料，A301-3脳卒中ケアユニット入院医療管理料，A301-4小児特定集中治療室管理料，A302新生児特定集中治療室管理料又はA303総合周産期特定集中治療室管理料を算定する患者であって，次に掲げる患者に対して使用した場合に限り算定できる。その際，次に掲げる患者のいずれに該当するかを診療報酬明細書の摘要欄に詳細に記載する。
a　BMIが30以上の肥満症の患者
b　糖尿病患者のうち，ヘモグロビンA1c（HbA1c）がJDS値で6.6％以上（NGSP値で7.0％以上）の者
c　ステロイド療法を受けている患者
d　慢性維持透析患者
e　免疫不全状態にある患者
f　低栄養状態にある患者
g　創傷治癒遅延をもたらす皮膚疾患又は皮膚の血流障害を有する患者
h　手術の既往がある者に対して，同一部位に再手術を行う患者

ウ　ア「b」について，イ以外の患者に対して使用した場合は，陰圧創傷治療用カートリッジに係る費用はそれぞれの手術の所定点数に含まれ，陰圧創傷治療用カートリッジは算定できない。

207 人工鼻材料

(1)人工鼻
①標準型　492円
②特殊型　1,000円
(2)接続用材料
①シール型
ア　標準型　675円
イ　特殊型　1,150円
②チューブ型　16,800円
③ボタン型　22,100円
(3)呼気弁　51,100円

人工鼻材料の算定

(1)　人工鼻は，1月当たり60個を限度として算定できる。ただし，1月当たり60個を超えて算定が必要な場合は，診療報酬明細書の摘要欄にその医学的必要性について記載する。

(2)　接続用材料・シール型・標準型及び接続用材料・シール型・特殊型は，合わせて1月当たり30枚を限度として算定できる。ただし，合わせて1月当たり30枚を超えて算定が必要な場合は，診療報酬明細書の摘要欄にその医学的必要性について記載する。

Q1　特定保険医療材料の算定方法

在宅療養指導管理をしている患者に医療材料を支給した場合の算定はどうなりますか。

A：在宅療養指導管理に係る医療材料の算定は，①「在宅療養指導管理材料加算」，②医療機関が支給する特定保険医療材料，さらに③院外処方できる特定保険医療材料に分かれ，その他の医療材料の費用は所定点数に含まれます。

Q2　皮膚欠損用創傷被覆材等の算定

皮膚欠損用創傷被覆材（ディオアクティブ等），非固着性シリコンガーゼは，「⑭在宅」，「㊵処置」欄いずれの場合でも請求できないのですか。

A：以下のような扱いとなります。

(1)　**C109在宅寝たきり患者処置指導管理料を算定する患者**

①J000創傷処置（薬剤及び特定保険医療材料を含む）が包括されているため，創傷処置として褥瘡処置を行っても，皮膚欠損用創傷被覆材，非固着性シリコンガーゼは別に算定できない。

②J001-4重度褥瘡処置は在宅寝たきり患者処置指導管理料に包括されないので，皮下組織に至る褥瘡に対して重度褥瘡処置を行い，皮膚欠損用創傷被覆材，非固着性シリコンガーゼを使用した場合は，「処置」欄でJ001-4重度褥瘡処置及び皮膚欠損用創傷被覆材ともに請求できる。

(2)　**C109在宅寝たきり患者処置指導管理料を算定しない患者**

訪問診療又は往診で患家に赴き，創傷処置として褥瘡処置を行った場合，「処置」欄でJ000創傷処置および皮膚欠損用創傷被覆材ともに請求できる。なお，重度褥瘡の場合は(1)の②と同じ扱いになる。

(3)　いずれかの在宅療養指導管理料を算定している場合であって，在宅での療養を行っている通院困難な患者のうち，皮下組織に至る褥瘡（筋肉，骨等に至る褥瘡を含む）（DESIGN分類D3，D4およびD5）を有する患者の当該褥瘡に対して使用した場合は，皮膚欠損用創傷被覆材は算定できます。

〈保〉

Q3　皮膚欠損用創傷被覆材，非固着性シリコンガーゼが請求可能な場合

皮膚欠損用創傷被覆材，非固着性シリコンガーゼは，どのような場合にレセプトの「⑭在宅」欄にて保険請求できますか。

A：以下の場合に保険請求することができます。

図表15　在宅療養指導管理に伴う「材料加算」と「特定保険医療材料」等一覧表

在宅療養指導管理の種別	A　第2款　在宅療養指導管理材料加算	B　C300特定保険医療材料料	C　院外処方で支給できる特定保険医療材料
C101 在宅自己注射指導管理料	C150 血糖自己測定器 C151 注入器（＊1） C152 間歇注入シリンジポンプ C152-2 持続血糖測定器 C152-4 持続皮下注入シリンジポンプ C153 注入器用注射針（＊2） C161 注入ポンプ		インスリン，ホルモン製剤等注射用ディスポ注射器（＊1） 万年筆型注入器用注射針（＊2）
C101-2 在宅小児低血糖症患者指導管理料 **C101-3 在宅妊娠糖尿病患者指導管理料**	C150 血糖自己測定器		
C102 在宅自己腹膜灌流指導管理料	C154 紫外線殺菌器 C155 自動腹膜灌流装置	腹膜透析液交換セット	
C102-2 在宅血液透析指導管理料	C156 透析液供給装置	ダイアライザー 吸着型血液浄化器	
C103 在宅酸素療法指導管理料	C157 酸素ボンベ C158 酸素濃縮装置 C159 液化酸素装置 C159-2 呼吸同調式デマンドバルブ C171 在宅酸素療法材料		
C104 在宅中心静脈栄養法指導管理料	C160 輸液セット（＊4） C161 注入ポンプ	在宅中心静脈栄養用輸液セット（1月7組目より算定）	在宅中心静脈栄養用輸液セット（＊4）
C105 在宅成分栄養経管栄養法指導管理料 **C105-2 在宅小児経管栄養法指導管理料**	C161 注入ポンプ C162 栄養管セット		
C105-3 在宅半固形栄養経管栄養法指導管理料	C162 栄養管セット		
C106 在宅自己導尿指導管理料	C163 特殊カテーテル		
C107 在宅人工呼吸指導管理料	C164 人工呼吸器 C170 排痰補助装置 C173 横隔神経電気刺激装置加算		
C107-2 在宅持続陽圧呼吸療法指導管理料	C165 在宅持続陽圧呼吸療法用治療器 C171-2 在宅持続陽圧呼吸療法材料		
C107-3 在宅ハイフローセラピー指導管理料	C171-3 在宅ハイフローセラピー材料 C174 在宅ハイフローセラピー装置		
C108 在宅麻薬等注射指導管理料 **C108-2 在宅腫瘍化学療法注射指導管理料** **C108-3 在宅強心剤持続投与指導管理料** **C108-4 在宅悪性腫瘍患者共同指導管理料**	C161 注入ポンプ C166 携帯型ディスポ注入ポンプ（＊3）（C108「2」，C108-3はC166の対象外）	携帯型ディスポ注入ポンプ（1月7個目より算定）	インスリン，ホルモン製剤等注射用ディスポ注射器 携帯型ディスポ注入ポンプ（＊3）
C109 在宅寝たきり患者処置指導管理料		気管切開後留置用チューブ 膀胱留置用ディスポカテーテル 栄養用ディスポカテーテル	

C110 在宅自己疼痛管理指導管理料 C110-2 在宅振戦等刺激装置治療指導管理料 C110-3 在宅迷走神経電気刺激治療指導管理料	C167 疼痛等管理用送信器		
C111 在宅肺高血圧症患者指導管理料	C168 携帯型精密輸液ポンプ C168-2 携帯型精密ネブライザ		
C112 在宅気管切開患者指導管理料	C169 気管切開患者用人工鼻		
C112-2 在宅喉頭摘出患者指導管理料		人工鼻材料	
C116 在宅植込型補助人工心臓（非拍動流型）指導管理料		水循環回路セット	
C117 在宅経腸投薬指導管理料	C152-3 経腸投薬用ポンプ		
C118 在宅腫瘍治療電場療法指導管理料		体表面用電場電極	
C119 在宅経肛門的自己洗腸指導管理料	C172 在宅経肛門的自己洗腸用材料加算		
C121 在宅抗菌薬吸入療法指導管理料	C175 在宅抗菌薬吸入療法用ネブライザ		

備考　1．A欄の＊1～＊4の材料加算は，C欄の院外処方でそれぞれ対応する＊1～＊4の材料を支給した場合は算定できない。
2．A欄の在宅自己注射の「注入器」，「注入器用注射針」は，処方した場合に限り算定できる。
3．C300特定保険医療材料の「皮膚欠損用創傷被覆材」「非固着性シリコンガーゼ」は，C114在宅難治性皮膚疾患処置指導管理料の算定患者に使用した場合に算定・院外処方可。あるいは，いずれかの在宅療養指導管理を行っている場合で，皮下組織に至る褥瘡に使用した場合に算定・院外処方可（C114の算定患者以外では，原則として３週間まで）。
4．C300特定保険医療材料には，上記のほか，「膀胱瘻用カテーテル」「交換用胃瘻カテーテル」「局所陰圧閉鎖処置用材料」「陰圧創傷治療用カートリッジ」がある。

①いずれかの在宅療養指導管理料を算定している場合であって，在宅での療養を行っている通院困難な患者のうち，皮下組織に至る褥瘡（筋肉，骨等に至る褥瘡を含む）（DESIGN分類D３，D４およびD５）を有する患者の当該褥瘡に対して使用した場合
②在宅難治性皮膚疾患処置指導管理料を算定している患者に対して使用した場合　〈保〉

Q4　皮膚欠損用創傷被覆材等の支給

皮膚欠損用創傷被覆材，非固着性シリコンガーゼは保険薬局から渡してもらうことはできますか。

A：Q３の算定要件を満たす場合医師が処方箋で指示して保険薬局から渡してもらうこともできます。この場合，保険薬局が保険請求します。

Q5　皮下組織に至る褥瘡を有する患者に対する皮膚欠損用創傷被覆材

皮下組織に至る褥瘡を有する患者に対する皮膚欠損用創傷被覆材について，
①在宅酸素療法指導管理料を算定している重度の褥瘡患者に対して，皮膚欠損用創傷被覆材を支給した場合は算定できますか。
②皮膚欠損用創傷被覆材を患者に支給した場合，レセプトにはどのように記載しますか。

A：①算定できます。
②レセプトの「摘要」欄に特定保険医療材料の総点数を記載し，名称，セット数および支給日数を記載します。電子レセプト請求の場合は，レセプト電算処理システム用コードを選択して「特定器材コード」を記載します。　〈保〉

Q6　皮膚欠損用創傷被覆材の処方

腰部褥瘡Ⅲ度に対して皮膚欠損用創傷被覆材（ハイドロサイト）を院外処方しました。３週間が限度ですが，その１カ月後にも院外処方しました。その後，新しく踵が褥瘡Ⅲ度になったのですが，腰部褥瘡が治癒していない場合，踵に対してハイドロサイトを院外処方できますか。要するに，３週間が限度とされる皮膚欠損用創傷被覆材は，処方する部位が増えるたびに，部位ごとに３週間を限度に処方できるのですか。

A：在宅医療の部における特定保険医療材料「008 皮膚欠損用創傷被覆材」は，保医発通知（**『早見表』p.442**）により，使用期間は，C114在宅難治性皮膚疾患処置指導管理料以外の在宅療養指導管理料算定患者については，原則として３週間を限度とするとされ，それ以上の期間算定が必要な場合は明細書の摘要欄に詳細な理由を記載する――とされています。この場合の使用期間は，同一部位についてと解されますので，部位ごとに上記使用期

間が適用されると解釈されます。〈オ〉

Q7 付属品のみの算定

特定保険医療材料の在宅中心静脈栄養用輸液セットが本体と付属品に分けて収載されていますが，7組目以降について特定保険医療材料で算定する場合，付属品（フーバー針，輸液バッグ）のみ算定することはできますか。

A：算定できます。7組目以降については，使用したものについて出来高で算定できます。〈保〉

Q8 老健施設入所者のカテーテル交換

老健施設入所者に対して施設外の医師が往診して気管カニューレなどのカテーテル交換を行った場合，その手技料・材料料は保険請求できますか。

A：老健施設には常勤医師が勤務するため，入所者が医療機関に受診した場合や医療機関から往診した場合，簡単な処置や検査等の費用は医療機関は算定できない扱いです（『早見表』p.894）。気管カニューレ交換は，創傷処置に準ずる簡単な処置とみなされ，処置料と気管カニューレ代は算定できません。また施設外の医師が在宅療養指導管理を行っている場合，在宅療養指導管理料と薬剤料は算定できませんが，材料加算や特定保険医療材料は算定可です。〈オ〉

Q9 膀胱留置カテーテルの算定

第2部在宅医療「通則3」には，特定保険医療材料を支給した場合は算定できる旨規定があり，一方，同部第2節在宅療養指導管理料の通則に係る通知には，「…アルコール等の消毒薬，衛生材料，…カテーテル，…等は，…所定点数に含まれ…」とあります。たとえば，C109在宅寝たきり患者処置指導管理料を算定している患者に，膀胱留置カテーテルを支給した場合，算定はどうなりますか。

A：第2節在宅療養指導管理料の通則の通知は，“特定保険医療材料に該当しない材料”について述べています。したがって，「膀胱留置カテーテル」は，在宅医療の部のC300特定保険医療材料に該当しており，「在宅寝たきり患者処置用膀胱留置用ディスポーザブルカテーテル」として算定できます。なお，医師が処方箋により指示をして保険薬局から渡してもらうことも可能です。この場合は保険薬局が保険請求します。

Q10 ウロバッグの算定

在宅医療においてウロバッグのような蓄尿バッグの算定はどうなりますか。

A：ウロガードをはじめとした蓄尿バッグは，特定保険医療材料にはなっておりませんので，点数算定はできません。また，医療機関から支給するものであり患者負担にもできません。

Q11 在宅での交換用胃瘻カテーテル使用

胃瘻チューブから栄養物を投与している在宅患者に交換用胃瘻カテーテル交換を行いました。どのように算定したらよいですか。

A：在宅医療の特定保険医療材料である「交換用胃瘻カテーテル」を算定します。なお，カテーテル交換後の確認を超音波検査で行った場合は，超音波検査の点数（D215「2」「イ」）が算定できます。

レセプト記載例は以下のとおりです。

・医師が交換した場合

㊵	＊経管栄養・薬剤投与用カテーテル 交換法	200×1
	＊交換用経皮経食道胃瘻カテーテル 17,200円1本	1720×1
㊿	＊超音波・断層撮影法（訪問診療時）	400×1

※交換用胃瘻カテーテルは処置用の材料として算定

・医師に指示された看護師が交換した場合

⑭	＊在宅患者訪問看護指導料（看護師）	580×1
	＊交換用経皮経食道胃瘻カテーテル 17,200円1本	1720×1

※訪問看護ステーションが訪問看護を行った場合の訪問看護の費用は訪問看護ステーションが請求する

Q12 胃瘻チューブ

胃瘻チューブは胃瘻造設時にも交換時にも保険請求できないのですか。

A：「胃瘻」は，造設時にはK664胃瘻造設術またはK725腸瘻，虫垂瘻造設術が請求できます。ただし，造設時に使用する器材「胃瘻造設キット（ボタン型胃瘻チューブ含む）」は，手技料に含まれ算定できません。

医師が画像診断を実施して交換をすればJ043-4経管栄養カテーテル交換法200点と，特定保険医療材料として交換用経皮経食道胃瘻カテーテルは，特定保険医療材料「交換用胃瘻カテーテル」（公定価格）として保険請求できます。

Q13 胃瘻カテーテル再挿入の場合の手技料

胃瘻造設をしている患者が，自己抜去してしまいました。そこで医師が内視鏡下にて交換用胃瘻カテーテルを再挿入したのですが，手技料はどのように算定すればいいのですか。

A：処置料としてJ043-4経管栄養・薬剤投与用カテーテル交換法200点を算定します。また，材料費交換用経皮経食道胃ろうカテーテルの費用が算定できます。〈オ〉

Q14　胃瘻カテーテルの交換

医師が胃瘻カテーテル交換術を内視鏡的に行った場合，あるいは透視下にて胃瘻カテーテルを交換した場合，手技料はどのように算定するのですか。また，内視鏡的に行わず，キシロカインゼリー等のみを使って交換した場合はどのように算定しますか。

A：D308または透視下で行う交換は，J043-4経管栄養カテーテル交換法200点で算定します。なお，J043-4の通知に「その際行われる画像診断等の費用はJ043-4の算定日当日に限り1回限り算定する」とありますので，内視鏡等の点数も算定できます。一方，検査等はしないでキシロカインゼリーのみで入れた場合は処置料も材料代も請求できません。〈オ〉

Q15　胃瘻カテーテルの交換頻度

医師が胃瘻造設後に胃瘻カテーテル交換を行った場合は，毎月1回あるいは月2回でも必要とした場合はそのつど算定してよいでしょうか。

A：胃瘻カテーテルの交換頻度は通知されていませんので，医師の医学的判断によります。頻繁に交換が必要な場合はレセプトに理由を明記したほうがよいと思われます。〈オ〉

Q16　算定できない特定保険医療材料

在宅療養指導管理で使用する材料は算定できないものがありますか。

A：在宅療養指導管理に用いる自己注射，自己処置に用いる「⑭在宅」欄で請求する特定保険医療材料については，算定できます。算定できないのは，在宅療養指導管理料の算定患者に併せて算定できない処置，注射に係る特定保険医療材料です。なお，薬剤についても同様の取扱いとなります。その他，特定保険医療材料や材料加算として評価されていない保険医療材料，衛生材料も算定できません。

Q17　看護師が行った場合の材料料

訪問診療日以外に訪問看護師等が医師の指示を受けて点滴，処置等を行った場合は，特定保険医療材料は算定できますか。

A：算定できます。薬剤料も算定可能です。

〈参考〉その他

Q1　死後の処置の費用

死後の処置は，保険請求できるのでしょうか。手技料が算定できない場合，材料代だけでも請求は認められるでしょうか。

A：「死後の処置」は保険請求できません。剖検（解剖）時に採取した検体の検査の費用も，請求できません。医療保険は“病気の治療”を目的としているため死後の処置や検査は対象となりません。死後の処置に要した費用については，遺族の了承を得れば実費徴収が可能と思われます。

第3章
訪問看護ステーションQ&A
（医療保険）

1．訪問看護

訪問看護制度には，①高齢者の医療の確保に関する法律や健康保険法による訪問看護（疾病等により居宅において，継続して療養を受ける状態にあるもので，かかりつけ医が訪問看護の必要を認めたもの）と，（週３日程度の）②介護保険による要支援・要介護の認定を受けた者に対する通常の訪問看護があります。

訪問看護ステーションを開設する場合には介護保険法上の事業者指定を受けなければなりません。その指定を受けるためには，「指定居宅サービス等の事業の人員，設備および運営に関する基準」等に記載されている，①基本方針，②人員基準，③設備基準，④運営基準を満たす必要があります。

また，病院，診療所の場合は，保険医療機関であれば，介護保険法により介護保険の指定事業所とみなされます（みなし指定）。みなし指定であっても，「指定基準」に従ったサービス提供が必要です。なお，訪問看護事業を介護予防訪問看護事業が，同一の事業所において一体的に運営されている場合，「人員基準」「設備基準」に関しては，訪問看護事業の基準を満たしていれば，介護予防訪問看護事業の基準を満たしているものとみなされます。

①　要支援・要介護者に対するケアプランに基づく訪問看護　➡**介護保険**
②　自立の方または介護保険のサービスを希望しない場合　➡**医療保険**
③　急性増悪時の訪問看護　➡**医療保険**
④　末期の悪性腫瘍や厚生労働大臣の定める疾病等*の患者の場合　➡**医療保険**
⑤　精神科訪問看護　➡**医療保険**

＊厚生労働大臣の定める疾病等

別表第７　在宅患者訪問診療料(I)及び在宅患者訪問診療料(II)並びに在宅患者訪問看護・指導料及び同一建物居住者訪問看護・指導料に規定する疾病等

末期の悪性腫瘍／多発性硬化症／重症筋無力症／スモン／筋萎縮性側索硬化症／脊髄小脳変性症／ハンチントン病／進行性筋ジストロフィー症／パーキンソン病関連疾患〔進行性核上性麻痺，大脳皮質基底核変性症及びパーキンソン病（ホーエン・ヤールの重症度分類がステージ３以上であって生活機能障害度がⅡ度又はⅢ度のものに限る)〕／多系統萎縮症（線条体黒質変性症，オリーブ橋小脳萎縮症及びシャイ・ドレーガー症候群）／プリオン病／亜急性硬化性全脳炎／ライソゾーム病／副腎白質ジストロフィー／脊髄性筋萎縮症／球脊髄性筋萎縮症／慢性炎症性脱髄性多発神経炎／後天性免疫不全症候群／頸髄損傷／人工呼吸器を使用している状態

2．介護保険の訪問看護

【対象者】

病状が安定期で，主治医が訪問看護の必要を認めた「要支援・要介護」の者

【介護報酬】

ケアプランに位置づけられた内容の訪問看護を行うのに要する標準的な時間で所定単位数を算定します。たとえば，ケアプラン上「30分未満」となっていれば実施時間が１時間でも「30分未満」の単位数で算定します（**図表16，17**）。

【ケアプランとのかかわり】

1．居宅療養管理指導を除く居宅サービス（訪問看護，訪問リハビリ，通所リハビリ等）は，居宅介護支援事業者が作成するケアプランに位置づけられてはじめて実施できます。
2．1カ月間に利用できる額には要介護度に応じた「区分支給限度額」が設けられており，基本的にケアプランはその限度額内で作成されます。
3．サービス提供内容の変更が生じた場合は，ケアマネジャーとの連絡・調整によってケアプランを修正し，サービスを提供します。

【診療録の記載】

1．医師は医療保険の診療録に記載してかまいませんが，下線を引いたり，枠で囲むなどして介護保険の記載と医療保険の記載を区別します。
2．診療録の備考欄には「介護保険の保険者番号」「介護保険の被保険者番号」「要介護状態区分」「要介護認定の有効期間」を記入します。
3．急性増悪等により一時的に頻回の訪問看護を行う必要があって医療保険の給付対象となる場合には，頻回の訪問看護が必要な理由，その期間等について診療録に記載します。

図表16　介護保険における訪問看護費の単位数と各種加算

	20分未満	30分未満	30分以上１時間未満	１時間以上１時間30分未満
訪問看護ステーション	314単位	471単位	823単位	1,128単位
訪問看護ステーションの理学療法士・作業療法士・言語聴覚士(※５)１回20分	294単位			
医療機関	266単位	399単位	574単位	844単位

※１　定期巡回・随時対応訪問介護看護事業所と連携する場合　2,961単位／月
※２　20分未満の訪問について，日中の訪問も算定可。ただし当該利用者に週１回以上は20分以上の訪問看護が実施され，事業所が24時間訪問看護が実施できる体制にあること
※３　准看護師の場合は，所定点数の90／100（定期巡回・随時対応訪問介護看護事業所と連携する場合は，98／100）
※４　事業所と同一建物の利用者又はこれ以外の同一建物の利用者20人以上にサービスを行う場合
　＊20人以上にサービスを行う場合：90／100　　＊50人以上にサービスを行う場合：85／100
※５　理学療法士等が１日に２回を超えて訪問看護を行う場合，１回につき90／100で算定

各種加算項目	加算率・加算単位	備　考
高齢者虐待防止措置未実施減算	所定単位数の-1/100	
業務継続計画未策定減算	所定単位数の-1/100	
夜間加算（18時～22時）	所定単位数の25/100	
早朝加算（６時～８時）	所定単位数の25/100	
深夜加算（22時～６時）	所定単位数の50/100	
複数名訪問看護加算(Ⅰ)(Ⅱ)　30分未満	(Ⅰ)254単位　(Ⅱ)201単位(※１)	
30分以上	(Ⅰ)402単位　(Ⅱ)317単位(※１)	
長時間訪問看護加算　１回につき	300単位	１時間以上１時間30分未満の訪問看護に引き続き行い，通算で１時間30分以上
特別地域加算（※２）	所定単位数の15/100	
中山間地域等小規模事業所加算　１回につき(※２)	所定単位数の10/100	
中山間地域等居住者サービス提供加算　１回につき(※２)	所定単位数の5/100	
緊急時訪問看護加算(Ⅰ)（訪問看護ST）（※２）	600単位／月	１月１利用者につき
（医療機関）（※２）	325単位／月	１月１利用者につき
緊急時訪問看護加算(Ⅱ)（訪問看護ST）（※２）	574単位／月	１月１利用者につき
（医療機関）（※２）	315単位／月	１月１利用者につき
特別管理加算(Ⅰ)（※２）	500単位／月	１月１利用者につき
(Ⅱ)（※２）	250単位／月	１月１利用者につき
専門管理加算（緩和ケア等の研修を受けた看護師）	250単位／月	１月１回限度
（特定行為研修修了看護師）	250単位／月	１月１回限度
ターミナルケア加算（※２）	2,500単位（死亡月）	死亡日及び死亡日前14日以内に２日以上ターミナルケアを行った場合
遠隔死亡診断補助加算	150単位	
要介護５の場合の加算	800単位／月	定期巡回・随時対応訪問介護看護事業所との連携時に限る
医療保険での頻回訪問看護指示期間時の減算	－97単位／日	（同上）
理学療法士・作業療法士・言語聴覚士の訪問回数が看護職員の訪問回数を超えている場合又は特定の加算を算定していない場合	－８単位／回	
初回加算(Ⅰ)(Ⅱ)	(Ⅰ)350単位　(Ⅱ)300単位	１月につき
退院時共同指導加算	600単位	１回につき（STの訪問看護の場合のみ）
看護・介護職員連携強化加算	250単位	１月につき
看護体制強化加算(Ⅰ)(Ⅱ)	(Ⅰ)550単位　(Ⅱ)200単位	１月につき
口腔連携強化加算	50単位／月	１月１回限度
サービス提供体制強化加算（※２）（※３）	「イ」「ロ」(Ⅰ)６単位　(Ⅱ)３単位 「ハ」(Ⅰ)50単位　(Ⅱ)25単位	１回につき（下記の場合以外） １月につき（定期巡回・随時対応訪問介護看護事業所との連携時に限る）

※1　（Ⅰ）は看護師等＋看護師等，（Ⅱ）は看護師等＋看護補助者
※2　支給限度額管理の対象外
※3　「イ」は訪問看護ST，「ロ」は病院または診療所，「ハ」は定期巡回・随時対応訪問介護看護事業所との連携時に限る

図表17　訪問看護における介護保険と医療保険のちがい

	介護保険	医療保険		
算定額	1回単位の訪問時間別の所定単位数	1日単位の所定点数または療養費		
地域差	あり（10円～11.40円まで8段階）	なし		
回数制限	なし（原則区分支給限度額の範囲内）	あり（通常週3回まで。厚生労働大臣の定める患者を除く）		
交通費	訪問看護費に含まれる（実施地域内のみ）	利用者から徴収		
利用料（一部負担金）	原則として「単位数表により算定した単位数×地域別の1単位単価」の1割		一般	現役並み所得者
		70歳未満	療養費の3割 ※義務教育就学前2割	
		70～74歳	2割	3割
		75歳以上(※)	1割	3割

※　一定以上所得者は2022年10月1日より2割（外来受診については施行後3年間負担軽減あり）

訪問看護ステーション療養費（医療保険）

訪問看護療養費

通則

1　健康保険法に規定する指定訪問看護及び高齢者の医療の確保に関する法律に規定する指定訪問看護の費用の額は，02の注7に規定する場合を除き，01又は01-2（訪問看護基本療養費）により算定される額に02（訪問看護管理療養費）から06（訪問看護ベースアップ評価料）までにより算定される額を加えた額とする。

2　前号の規定により算定する指定訪問看護の費用の額は，別に厚生労働大臣が定める場合を除き，介護保険法第62条に規定する要介護被保険者等については，算定しないものとする。

3　01の注2及び注4，01-2の注1から注3まで及び注10，02の注1から注3まで，注10，注12及び注13，05の注4並びに06の注1及び注2における届出については，届出を行う訪問看護ステーションの所在地を管轄する地方厚生局長等に対して行う。ただし，当該所在地を管轄する地方厚生（支）局の分室がある場合には，当該分室を経由して行う。

01　訪問看護基本療養費（1日につき）

1　訪問看護基本療養費（Ⅰ）

イ　保健師，助産師又は看護師による場合（ハを除く）

(1)　週3日目まで　**5,550円**
(2)　週4日目以降　**6,550円**

ロ　准看護師による場合

(1)　週3日目まで　**5,050円**
(2)　週4日目以降　**6,050円**

ハ　悪性腫瘍の利用者に対する緩和ケア，褥瘡ケア又は人工肛門ケア及び人工膀胱ケアに係る専門の研修を受けた看護師による場合　**12,850円**

ニ　理学療法士，作業療法士又は言語聴覚士による場合　**5,550円**

2　訪問看護基本療養費（Ⅱ）

イ　保健師，助産師又は看護師による場合（ハを除く）

(1)　同一日に2人
　①　週3日目まで　**5,550円**
　②　週4日目以降　**6,550円**
(2)　同一日に3人以上
　①　週3日目まで　**2,780円**
　②　週4日目以降　**3,280円**

ロ　准看護師による場合

(1)　同一日に2人
　①　週3日目まで　**5,050円**
　②　週4日目以降　**6,050円**
(2)　同一日に3人以上
　①　週3日目まで　**2,530円**
　②　週4日目以降　**3,030円**

ハ　悪性腫瘍の利用者に対する緩和ケア，褥瘡ケア又は人工肛門ケア及び人工膀胱ケアに係る専門の研修を受けた看護師による場合　**12,850円**

ニ　理学療法士，作業療法士又は言語聴覚士による場合

(1)　同一日に2人　**5,550円**
(2)　同一日に3人以上　**2,780円**

3　訪問看護基本療養費（Ⅲ）　**8,500円**

注1　1（ハを除く）については，指定訪問看護を受けようとする者（注3に規定する同一建物居住者を除く）に対して，その主治医（保険医療機関の保険医又は介護老人保健施設若しくは介護医療院の医師に限る）から交付を受けた訪問看護指示書及び訪問看護計画書に基づき，訪問看護ステーショ

ンの看護師等が指定訪問看護を行った場合に，利用者１人につき，訪問看護基本療養費（Ⅱ）（ハを除く）並びに01-2の精神科訪問看護基本療養費（Ⅰ）及び（Ⅲ）を算定する日と合わせて週３日を限度〔別に厚生労働大臣が定める疾病等の利用者（「別表第７」p.212と「別表第８」p.220）に対する場合を除く〕として算定する。

注２　１のハについては，悪性腫瘍の鎮痛療法若しくは化学療法を行っている利用者，真皮を越える褥瘡の状態にある利用者（診療報酬の算定方法別表第一区分番号C013に掲げる在宅患者訪問褥瘡管理指導料を算定する場合にあっては真皮までの状態の利用者）又は人工肛門若しくは人工膀胱を造設している者で管理が困難な利用者（いずれも同一建物居住者を除く）に対して，それらの者の主治医から交付を受けた訪問看護指示書及び訪問看護計画書に基づき，別に厚生労働大臣が定める基準に適合しているものとして地方厚生局長等に届け出た訪問看護ステーションの緩和ケア，褥瘡ケア又は人工肛門ケア及び人工膀胱ケアに係る専門の研修を受けた看護師が，他の訪問看護ステーションの看護師若しくは准看護師又は当該利用者の在宅療養を担う保険医療機関の看護師若しくは准看護師と共同して同一日に指定訪問看護を行った場合に，当該利用者１人について，それぞれ月１回を限度として算定する。この場合において，同一日に02に掲げる訪問看護管理療養費は算定できない。

注３　２（ハを除く）については，指定訪問看護を受けようとする者であって，同一建物居住者であるものに対して，その主治医から交付を受けた訪問看護指示書及び訪問看護計画書に基づき，訪問看護ステーションの看護師等が指定訪問看護を行った場合に，利用者１人につき，訪問看護基本療養費（Ⅰ）（ハを除く）並びに01-2の精神科訪問看護基本療養費（Ⅰ）及び（Ⅲ）を算定する日と合わせて週３日を限度〔別に厚生労働大臣が定める疾病等の利用者（「別表第７」と「別表第８」）に対する場合を除く〕として算定する。

注４　２のハについては，悪性腫瘍の鎮痛療法若しくは化学療法を行っている利用者，真皮を越える褥瘡の状態にある利用者（医科点数表の区分番号C013に掲げる在宅患者訪問褥瘡管理指導料を算定する場合にあっては真皮までの状態の利用者）又は人工肛門若しくは人工膀胱を造設している者で管理が困難な利用者（いずれも同一建物居住者に限る）に対して，それらの者の主治医から交付を受けた訪問看護指示書及び訪問看護計画書に基づき，別に厚生労働大臣が定める基準に適合しているものとして地方厚生局長等に届け出た訪問看護ステーションの緩和ケア，褥瘡ケア又は人工肛門ケア及び人工膀胱ケアに係る専門の研修を受けた看護師が，他の訪問看護ステーションの看護師若しくは准看護師又は当該利用者の在宅療養を担う保険医療機関の看護師若しくは准看護師と共同して同一日に指定訪問看護を行った場合に，当該利用者１人について，それぞれ月１回を限度として算定する。この場合において，同一日に02に掲げる訪問看護管理療養費は算定できない。

注５　３については，指定訪問看護を受けようとする者（入院中のものに限る）であって，在宅療養に備えて一時的に外泊をしている者（別に厚生労働大臣が定める者に限る）に対し，その者の主治医から交付を受けた訪問看護指示書及び訪問看護計画書に基づき，訪問看護ステーションの看護師等が指定訪問看護を行った場合に，入院中１回（注１に規定する別に厚生労働大臣が定める疾病等の利用者である場合にあっては，入院中２回）に限り算定できる。この場合において，同一日に02に掲げる訪問看護管理療養費は算定できない。

注６　１及び２（いずれもハを除く）については，指定訪問看護を受けようとする者の主治医（介護老人保健施設又は介護医療院の医師を除く）から当該者の急性増悪等により一時的に頻回の訪問看護の必要がある旨の訪問看護指示書（以下「特別訪問看護指示書」という）の交付を受け，当該特別訪問看護指示書及び訪問看護計画書に基づき，訪問看護ステーションの看護師等が指定訪問看護を行った場合には，注１及び注３の規定にかかわらず，１月に１回（別に厚生労働大臣が定める者については，月２回）に限り，当該指示があった日から起算して14日を限度として算定する。

注７　１及び２（いずれもハを除く）については，注１に規定する別に厚生労働大臣が定める疾病等の利用者又は注６に規定する特別訪問看護指示書の交付を受けた利用者に対して，必要に応じて１日に２回又は３回以上指定訪問看護を行った場合は，**難病等複数回訪問加算**として，次に掲げる区分に従い，１日につき，いずれかを所定額に加算する。

イ　１日に２回の場合

(1)	同一建物内１人又は２人	**4,500円**
(2)	同一建物内３人以上	**4,000円**

ロ　１日に３回以上の場合

(1)	同一建物内１人又は２人	**8,000円**
(2)	同一建物内３人以上	**7,200円**

注８　訪問看護ステーションの看護師等が，最も

合理的な経路及び方法による当該訪問看護ステーションの所在地から利用者の家庭までの移動にかかる時間が1時間以上である者に対して指定訪問看護を行い，次のいずれかに該当する場合，**特別地域訪問看護加算**として，所定額の100分の50に相当する額を加算する。

イ　別に厚生労働大臣が定める地域に所在する訪問看護ステーションの看護師等が指定訪問看護を行う場合

ロ　別に厚生労働大臣が定める地域外に所在する訪問看護ステーションの看護師等が，別に厚生労働大臣が定める地域に居住する利用者に対して指定訪問看護を行う場合

注9　1及び2（いずれもハを除く）については，利用者又はその家族等の求めに応じて，その主治医（診療所又は医科点数表のC000の注1に規定する在宅療養支援病院の保険医に限る）の指示に基づき，訪問看護ステーションの看護師等が緊急に指定訪問看護を実施した場合には，**緊急訪問看護加算**として，1日につきいずれかを所定額に加算する。

イ　月14日目まで　**2,650円**

ロ　月15日目以降　**2,000円**

注10　1及び2（いずれもハを除く）については，別に厚生労働大臣が定める長時間の訪問を要する者に対し，訪問看護ステーションの看護師等が，長時間にわたる指定訪問看護を行った場合には，**長時間訪問看護加算**として，**週1日**（別に厚生労働大臣が定める者の場合にあっては週3日）**を限度**として，**5,200円を所定額に加算**する。

注11　1及び2（いずれもハを除く）については，6歳未満の乳幼児に対し，訪問看護ステーションの看護師等が指定訪問看護を行った場合には，**乳幼児加算**として，1日につき**1,300円**（別に厚生労働大臣が定める者に該当する場合にあっては，1,800円）を所定額に加算する。

注12　1及び2（いずれもハを除く）については，同時に複数の看護師等又は看護補助者による指定訪問看護が必要な者として別に厚生労働大臣が定める者に対し，訪問看護ステーションの看護職員が，当該訪問看護ステーションのその他職員と同時に指定訪問看護を行うことについて，利用者又はその家族等の同意を得て，指定訪問看護を行った場合には，**複数名訪問看護加算**として，次に掲げる区分に従い，1日につき，いずれかを所定額に加算する。ただし，イ又はロの場合にあっては週1日を，ハの場合にあっては週3日を限度として算定する。

イ　所定額を算定する指定訪問看護を行う看護職員が他の看護師等（准看護師を除く）と同時に指定訪問看護を行う場合

(1)　同一建物内1人又は2人　**4,500円**

(2)　同一建物内3人以上　**4,000円**

ロ　所定額を算定する指定訪問看護を行う看護職員が他の准看護師と同時に指定訪問看護を行う場合

(1)　同一建物内1人又は2人　**3,800円**

(2)　同一建物内3人以上　**3,400円**

ハ　所定額を算定する指定訪問看護を行う看護職員がその他職員と同時に指定訪問看護を行う場合（別に厚生労働大臣が定める場合を除く）

(1)　同一建物内1人又は2人　**3,000円**

(2)　同一建物内3人以上　**2,700円**

ニ　所定額を算定する指定訪問看護を行う看護職員がその他職員と同時に指定訪問看護を行う場合（別に厚生労働大臣が定める場合に限る）

(1)　1日に1回の場合

①　同一建物内1人又は2人　**3,000円**

②　同一建物内3人以上　**2,700円**

(2)　1日に2回の場合

①　同一建物内1人又は2人　**6,000円**

②　同一建物内3人以上　**5,400円**

(3)　1日に3回以上の場合

①　同一建物内1人又は2人　**10,000円**

②　同一建物内3人以上　**9,000円**

注13　1及び2（いずれもハを除く）については，夜間（午後6時から午後10時までの時間をいう。以下同じ）又は早朝（午前6時から午前8時までの時間をいう。以下同じ）に指定訪問看護を行った場合は，**夜間・早朝訪問看護加算**として**2,100円**を所定額に加算し，深夜（午後10時から午前6時までの時間をいう。以下同じ）に指定訪問看護を行った場合は，**深夜訪問看護加算**として**4,200円**を所定額に加算する。

注14　利用者が次のいずれかに該当する場合は，所定額は算定しない。ただし，別に厚生労働大臣が定める場合については，この限りでない。

イ　病院，診療所，介護老人保健施設，介護医療院等の医師又は看護師若しくは准看護師が配置されている施設に現に入院又は入所している場合

ロ　介護保険法第8条第11項に規定する特定施設入居者生活介護又は同条第20項に規定する認知症対応型共同生活介護の提供を受けている場合

ハ　他の訪問看護ステーションから現に指定訪問看護（注2及び注4の場合を除く）を受けている場合（次に掲げる場合を除く）

(1) 注１に規定する別に厚生労働大臣が定める疾病等の利用者が現に他の１つの訪問看護ステーションから指定訪問看護を受けている場合

(2) 特別訪問看護指示書の交付の対象となった利用者であって週４日以上の指定訪問看護が計画されているものが現に他の１つの訪問看護ステーションから指定訪問看護を受けている場合

(3) 注１に規定する別に厚生労働大臣が定める疾病等の利用者であって週７日の指定訪問看護が計画されているものが現に他の２つ以下の訪問看護ステーションから指定訪問看護を受けている場合

(4) 注２又は注４に規定する緩和ケア，褥瘡ケア又は人工肛門ケア及び人工膀胱ケアに係る専門の研修を受けた看護師の指定訪問看護を受けようとする場合

01-2　精神科訪問看護基本療養費（１日につき）

1　精神科訪問看護基本療養費（Ⅰ）

イ　保健師，看護師又は作業療法士による場合

(1) 週３日目まで 30分以上の場合　**5,550円**
(2) 週３日目まで 30分未満の場合　**4,250円**
(3) 週４日目以降 30分以上の場合　**6,550円**
(4) 週４日目以降 30分未満の場合　**5,100円**

ロ　准看護師による場合

(1) 週３日目まで 30分以上の場合　**5,050円**
(2) 週３日目まで 30分未満の場合　**3,870円**
(3) 週４日目以降 30分以上の場合　**6,050円**
(4) 週４日目以降 30分未満の場合　**4,720円**

2　削除

3　精神科訪問看護基本療養費（Ⅲ）

イ　保健師，看護師又は作業療法士による場合

(1) 同一日に２人
① 週３日目まで 30分以上の場合　**5,550円**
② 週３日目まで 30分未満の場合　**4,250円**
③ 週４日目以降 30分以上の場合　**6,550円**
④ 週４日目以降 30分未満の場合　**5,100円**

(2) 同一日に３人以上
① 週３日目まで 30分以上の場合　**2,780円**
② 週３日目まで 30分未満の場合　**2,130円**
③ 週４日目以降 30分以上の場合　**3,280円**
④ 週４日目以降 30分未満の場合　**2,550円**

ロ　准看護師による場合

(1) 同一日に２人
① 週３日目まで 30分以上の場合　**5,050円**
② 週３日目まで 30分未満の場合　**3,870円**
③ 週４日目以降 30分以上の場合　**6,050円**
④ 週４日目以降 30分未満の場合　**4,720円**

(2) 同一日に３人以上
① 週３日目まで 30分以上の場合　**2,530円**
② 週３日目まで 30分未満の場合　**1,940円**
③ 週４日目以降 30分以上の場合　**3,030円**
④ 週４日目以降 30分未満の場合　**2,360円**

4　精神科訪問看護基本療養費（Ⅳ）　**8,500円**

注１　１については，指定訪問看護を受けようとする精神障害を有する者又はその家族等（注2に規定する同一建物居住者を除く）に対して，その主治医（保険医療機関の保険医であって精神科を担当するものに限る。以下この区分番号において同じ）から交付を受けた精神科訪問看護指示書及び精神科訪問看護計画書に基づき，別に厚生労働大臣が定める基準に適合しているものとして地方厚生局長等に届け出た訪問看護ステーションの保健師，看護師，准看護師又は作業療法士（精神障害を有する者に対する看護について相当の経験を有するものに限る。以下この区分番号において「保健師等」という）が指定訪問看護を行った場合に，利用者１人につき，精神科訪問看護基本療養費（Ⅲ）並びに01の訪問看護基本療養費（Ⅰ）（ハを除く）及び（Ⅱ）（ハを除く）を算定する日と合わせて週３日（当該利用者の退院後３月以内の期間において行われる場合は週５日）を限度として算定する。

注２　３については，指定訪問看護を受けようとする精神障害を有する者又はその家族等であって，同一建物居住者であるものに対して，その主治医から交付を受けた精神科訪問看護指示書及び精神科訪問看護計画書に基づき，別に厚生労働大臣が定める基準に適合しているものとして地方厚生局長等に届け出た訪問看護ステーションの保健師等が指定訪問看護を行った場合に，利用者１人につき，精神科訪問看護基本療養費（Ⅰ）並びに01の訪問看護基本療養費（Ⅰ）（ハを除く）及び（Ⅱ）（ハを除く）を算定する日と合わせて週３日（当該利用者の退院後３月以内の期間において行われる場合は週５日）を限度として算定する。

注３　４については，指定訪問看護を受けようとする精神障害を有する者（入院中のものに限る）であって，在宅療養に備えて一時的に外泊をしている者（別に厚生労働大臣が定める者に限る）に対し，その主治医から交付を受けた精神科訪問看護指示書及び精神科訪問看護計画書に

基づき，別に厚生労働大臣が定める基準に適合しているものとして地方厚生局長等に届け出た訪問看護ステーションの保健師等が指定訪問看護を行った場合に，入院中１回（01の注１に規定する別に厚生労働大臣が定める疾病等の利用者の場合にあっては，入院中２回）に限り算定できる。この場合において，同一日に02に掲げる訪問看護管理療養費は算定できない。

注４　１及び３については，指定訪問看護を受けようとする精神障害を有する者の主治医から精神科特別訪問看護指示書の交付を受け，当該精神科特別訪問看護指示書及び精神科訪問看護計画書に基づき，訪問看護ステーションの保健師等が指定訪問看護を行った場合には，注１及び注２の規定にかかわらず，１月に１回に限り，当該指示があった日から起算して14日を限度として算定する。

注５　訪問看護ステーションの保健師等が，最も合理的な経路及び方法による当該訪問看護ステーションの所在地から利用者の家庭までの移動にかかる時間が１時間以上である者に対して指定訪問看護を行い，次のいずれかに該当する場合，**特別地域訪問看護加算**として，**所定額の100分の50**に相当する額を加算する。

イ　別に厚生労働大臣が定める地域に所在する訪問看護ステーションの保健師等が指定訪問看護を行う場合

ロ　別に厚生労働大臣が定める地域外に所在する訪問看護ステーションの保健師等が，別に厚生労働大臣が定める地域に居住する利用者に対して指定訪問看護を行う場合

注６　１及び３については，利用者又はその家族等の求めに応じて，その主治医（診療所又は在宅療養支援病院の保険医に限る）の指示に基づき，訪問看護ステーションの保健師等が緊急に指定訪問看護を実施した場合には，**精神科緊急訪問看護加算**として，次に掲げる区分に従い，１日につき，いずれかを所定額に加算する。

イ　月14日目まで　**2,650円**
ロ　月15日目以降　**2,000円**

注７　１及び３については，別に厚生労働大臣が定める長時間の訪問を要する者に対し，訪問看護ステーションの保健師等が，長時間にわたる指定訪問看護を行った場合には，**長時間精神科訪問看護加算**として，週１日（別に厚生労働大臣が定める者の場合にあっては週３日）を限度として，**5,200円を所定額に加算**する。

注８　１及び３（いずれも30分未満の場合を除く）については，訪問看護ステーションの保健師又は看護師が，当該訪問看護ステーションの他の保健師等，看護補助者又は精神保健福祉士と同時に指定訪問看護を行うことについて，利用者又はその家族等の同意を得て，指定訪問看護を行った場合には，**複数名精神科訪問看護加算**として，次に掲げる区分に従い，１日につき，いずれかを所定額に加算する。ただし，ハの場合にあっては週１日を限度として算定する。

イ　所定額を算定する指定訪問看護を行う保健師又は看護師が他の保健師，看護師又は作業療法士と同時に指定訪問看護を行う場合
(1)　１日に１回の場合
①　同一建物内１人又は２人　**4,500円**
②　同一建物内３人以上　**4,000円**
(2)　１日に２回の場合
①　同一建物内１人又は２人　**9,000円**
②　同一建物内３人以上　**8,100円**
(3)　１日に３回以上の場合
①　同一建物内１人又は２人　**14,500円**
②　同一建物内３人以上　**13,000円**

ロ　所定額を算定する指定訪問看護を行う保健師又は看護師が准看護師と同時に指定訪問看護を行う場合
(1)　１日に１回の場合
①　同一建物内１人又は２人　**3,800円**
②　同一建物内３人以上　**3,400円**
(2)　１日に２回の場合
①　同一建物内１人又は２人　**7,600円**
②　同一建物内３人以上　**6,800円**
(3)　１日に３回以上の場合
①　同一建物内１人又は２人　**12,400円**
②　同一建物内３人以上　**11,200円**

ハ　所定額を算定する指定訪問看護を行う保健師又は看護師が看護補助者又は精神保健福祉士と同時に指定訪問看護を行う場合
①　同一建物内１人又は２人　**3,000円**
②　同一建物内３人以上　**2,700円**

注９　１及び３については，夜間又は早朝に指定訪問看護を行った場合は，**夜間・早朝訪問看護加算**として**2,100円を所定額に加算**し，深夜に指定訪問看護を行った場合は，**深夜訪問看護加算**として**4,200円**を所定額に加算する。

注10　１及び３については，別に厚生労働大臣が定める基準に適合しているものとして地方厚生局長等に届け出た訪問看護ステーションの保健師等が，医科点数表のＩ016に掲げる精神科在宅患者支援管理料を算定する利用者に対して，その主治医の指示に基づき，１日に２回又は３回以上指定訪問看護を行った場合は，**精神科複数回訪問加算**として，次に掲げる区分に従い，１日につき，いずれかを所定額に

加算する。
イ　1日に2回の場合
(1)　同一建物内1人又は2人　**4,500円**
(2)　同一建物内3人以上　**4,000円**
ロ　1日に3回以上の場合
(1)　同一建物内1人又は2人　**8,000円**
(2)　同一建物内3人以上　**7,200円**

注11　利用者が次のいずれかに該当する場合は，所定額は算定しない。ただし，別に厚生労働大臣が定める場合については，この限りでない。
イ　病院，診療所，介護老人保健施設，介護医療院等の医師又は看護師若しくは准看護師が配置されている施設に現に入院又は入所している場合
ロ　介護保険法第8条第11項に規定する特定施設入居者生活介護又は同条第20項に規定する認知症対応型共同生活介護の提供を受けている場合
ハ　他の訪問看護ステーションから現に指定訪問看護（01の注2及び注4の場合を除く）を受けている場合（次に掲げる場合を除く）
(1)　01の注1に規定する別に厚生労働大臣が定める疾病等の利用者が現に他の1つの訪問看護ステーションから指定訪問看護を受けている場合
(2)　精神科特別訪問看護指示書の交付の対象となった利用者であって週4日以上の指定訪問看護が計画されているものが現に他の1つの訪問看護ステーションから指定訪問看護を受けている場合
(3)　01の注1に規定する別に厚生労働大臣が定める疾病等の利用者であって週7日の指定訪問看護が計画されているものが現に他の2つ以下の訪問看護ステーションから指定訪問看護を受けている場合

02　訪問看護管理療養費

1　月の初日の訪問の場合
イ　機能強化型訪問看護管理療養費1　13,230円
ロ　機能強化型訪問看護管理療養費2　10,030円
ハ　機能強化型訪問看護管理療養費3　8,700円
ニ　イからハまで以外の場合　7,670円

2　月の2日目以降の訪問の場合
イ　訪問看護管理療養費1　**3,000円**
ロ　訪問看護管理療養費2　**2,500円**

注1　指定訪問看護を行うにつき※安全な提供体制が整備されている訪問看護ステーション（1のイ，ロ及びハ並びに2のイ及びロについては，別に厚生労働大臣が定める基準に適合しているものとして地方厚生局長等に届け出た訪問看護ステーションに限る）であって，利用者に対して訪問看護基本療養費及び精神科訪問看護基本療養費を算定すべき指定訪問看護を行っているものが，当該利用者に係る訪問看護計画書及び訪問看護報告書並びに精神科訪問看護計画書及び精神科訪問看護報告書を当該利用者の主治医（保険医療機関の保険医又は介護老人保健施設若しくは介護医療院の医師に限る。以下同じ）に対して提出するとともに，当該利用者に係る指定訪問看護の実施に関する計画的な管理を継続して行った場合に，訪問の都度算定する。

※　安全な提供体制とは
ア　安全管理に関する基本的な考え方，事故発生時の対応方法等が文書化されていること。
イ　訪問先等で発生した事故，インシデント等が報告され，その分析を通した改善策が実施される体制が整備されていること。
ウ　日常生活の自立度が低い利用者につき，褥瘡に関する危険因子の評価を行い，褥瘡に関する危険因子のある利用者及び既に褥瘡を有する利用者については，適切な褥瘡対策の看護計画を作成，実施及び評価を行うこと。なお，褥瘡アセスメントの記録については，参考様式（褥瘡対策に関する看護計画書）を踏まえて記録すること。
エ　災害等が発生した場合においても，指定訪問看護の提供を中断させない，又は中断しても可能な限り短い期間で復旧させ，利用者に対する指定訪問看護の提供を継続的に実施できるよう業務継続計画を策定し必要な措置を講じていること。
オ　毎年8月において，褥瘡を有する利用者数等について地方厚生（支）局長へ報告を行うこと。

注2　別に厚生労働大臣が定める基準に適合しているものとして地方厚生局長等に届け出た訪問看護ステーションが，利用者又はその家族等に対して当該基準に規定する24時間の対応体制にある場合（指定訪問看護を受けようとする者の同意を得た場合に限る）には，**24時間対応体制加算**として，次に掲げる区分に従い，月1回に限り，いずれかを所定額に加算する。ただし，当該月において，当該利用者について他の訪問看護ステーションが24時間対応体制加算を算定している場合は，算定しない。
イ　24時間対応体制における看護業務の負担軽減の取組を行っている場合　**6,800円**
ロ　イ以外の場合　**6,520円**

注３　別に厚生労働大臣が定める基準に適合しているものとして地方厚生局長等に届け出た訪問看護ステーションが，指定訪問看護に関し特別な管理を必要とする利用者（別に厚生労働大臣が定める状態等にある利用者※2に限る。以下この注において同じ）に対して，当該基準に定めるところにより，当該利用者に係る指定訪問看護の実施に関する計画的な管理を行った場合には，**特別管理加算**として，**月１回に限り，2,500円を所定額に加算**する。ただし，特別な管理を必要とする利用者のうち**重症度等の高いもの**として別に厚生労働大臣が定める状態等にある利用者については，**5,000円を所定額に加算**する。

※２　特別管理加算の対象者

1. 在宅麻薬等注射指導管理，在宅腫瘍化学療法注射指導管理又は在宅強心剤持続投与指導管理若しくは在宅気管切開患者指導管理を受けている状態にある者又は気管カニューレ若しくは留置カテーテルを使用している状態にある者
2. 在宅自己腹膜灌流指導管理，在宅血液透析指導管理，在宅酸素療法指導管理，在宅中心静脈栄養法指導管理，在宅成分栄養経管栄養法指導管理，在宅自己導尿指導管理，在宅人工呼吸指導管理，在宅持続陽圧呼吸療法指導管理，在宅自己疼痛管理指導管理又は在宅肺高血圧症患者指導管理を受けている状態にある者
3. 人工肛門又は人工膀胱を設置している状態にある者
4. 真皮を越える褥瘡の状態にある者
5. 在宅患者訪問点滴注射管理指導料を算定している者

（特掲診療料の施設基準等「別表第８」）

注４　指定訪問看護を受けようとする者であって，保険医療機関又は介護老人保健施設若しくは介護医療院に入院中又は入所中のものの退院又は退所に当たり，当該訪問看護ステーションの看護師等（准看護師を除く）が，当該保険医療機関，介護老人保健施設又は介護医療院の主治医又は職員と共同し，当該者又はその看護に当たっている者に対して，在宅での療養上必要な指導を行い，その内容を文書により提供した場合には，退院又は退所後の最初の指定訪問看護が行われた際に，**退院時共同指導加算**として，当該退院又は退所につき**１回に限り8,000円を所定額に加算**する。ただし，01の注１に規定する別に厚生労働大臣が定める疾病等の利用者については，当該退院又は退所につき２回に限り加算できる。

注５　注４に規定する者が注３本文に規定する別に厚生労働大臣が定める状態等にある場合には，**特別管理指導加算**として，**更に2,000円を所定額に加算**する。

注６　退院時共同指導加算は，他の訪問看護ステーションにおいて当該加算を算定している場合（01の注１に規定する別に厚生労働大臣が定める疾病等の利用者にあっては，当該加算を２回算定している場合）は，算定しない。

注７　指定訪問看護を受けようとする者が，退院支援指導を要する者として別に厚生労働大臣が定める者に該当する場合に，保険医療機関から退院するに当たって，訪問看護ステーションの看護師等（准看護師を除く）が，退院日に当該保険医療機関以外において療養上必要な指導を行ったときには，**退院支援指導加算**として，退院日の翌日以降初日の指定訪問看護が行われた際に**6,000円**（01の注10に規定する別に厚生労働大臣が定める長時間の訪問を要する者に対し，長時間にわたる療養上必要な指導を行ったときにあっては，8,400円）**を所定額に加算**する。ただし，当該者が退院日の翌日以降初日の指定訪問看護が行われる前に死亡又は再入院した場合においては，死亡日又は再入院することとなったときに算定する。

注８　訪問看護ステーションの看護師等（准看護師を除く）が，利用者の同意を得て，訪問診療を実施している保険医療機関を含め，歯科訪問診療を実施している保険医療機関又は訪問薬剤管理指導を実施している保険薬局と文書等により情報共有を行うとともに，共有された情報を踏まえて療養上必要な指導を行った場合に，**在宅患者連携指導加算**として，月１回に限り，**3,000円を所定額に加算**する。

注９　訪問看護ステーションの看護師等（准看護師を除く）が，在宅で療養を行っている利用者であって通院が困難なものの状態の急変等に伴い，当該利用者の在宅療養を担う保険医療機関の保険医の求めにより，当該保険医療機関の保険医等，歯科訪問診療を実施している保険医療機関の保険医である歯科医師等，訪問薬剤管理指導を実施している保険薬局の保険薬剤師又は医科点数表のＢ005の注３に規定する介護支援専門員若しくは相談支援専門員と共同でカンファレンスに参加し，それらの者と共同で療養上必要な指導を行った場合には，**在宅患者緊急時等カンファレンス加算**として，月２回に限り，**2,000円を所定額に加算**する。

注10　別に厚生労働大臣が定める基準に適合しているものとして地方厚生局長等に届け出た訪問看護ステーションの保健師，看護師，准看護師又は作業療法士が，当該利用者（医科点数表のＩ016に掲げる精神科在宅患者支援管理料２を現に

算定する利用者に限る）に対して，当該利用者の在宅療養を担う保険医療機関と連携して，支援計画等に基づき，定期的な訪問看護を行った場合には，**精神科重症患者支援管理連携加算**として，月１回に限り，次に掲げる区分に従い，いずれかを所定額に加算する。

イ　精神科在宅患者支援管理料２のイを算定する利用者に定期的な訪問看護を行う場合　**8,400円**

ロ　精神科在宅患者支援管理料２のロを算定する利用者に定期的な訪問看護を行う場合　**5,800円**

注11　別に厚生労働大臣が定める者について，訪問看護ステーションの看護師又は准看護師が，登録喀痰吸引等事業者又は登録特定行為事業者と連携し，喀痰吸引等が円滑に行われるよう，喀痰吸引等に関してこれらの事業者の介護の業務に従事する者に対して必要な支援を行った場合には，**看護・介護職員連携強化加算**として，月１回に限り**2,500円を所定額に加算**する。

注12　別に厚生労働大臣が定める基準に適合しているものとして地方厚生局長等に届け出た訪問看護ステーションの緩和ケア，褥瘡ケア若しくは人工肛門ケア及び人工膀胱ケアに係る専門の研修を受けた看護師又は保健師助産師看護師法第37条の２第２項第５号に規定する特定行為研修を修了した看護師が，指定訪問看護の実施に関する計画的な管理を行った場合には，**専門管理加算**として，月１回に限り，次に掲げる区分に従い，いずれかを所定額に加算する。

イ　緩和ケア，褥瘡ケア又は人工肛門ケア及び人工膀胱ケアに係る専門の研修を受けた看護師が計画的な管理を行った場合〔悪性腫瘍の鎮痛療法若しくは化学療法を行っている利用者，真皮を越える褥瘡の状態にある利用者（医科点数表のC013在宅患者訪問褥瘡管理指導料を算定する場合にあっては真皮までの状態の利用者）又は人工肛門若しくは人工膀胱を造設している者で管理が困難な利用者に対して行った場合に限る〕　**2,500円**

ロ　特定行為研修を修了した看護師が計画的な管理を行った場合（医科点数表のC007の注３又はI012-2の注３に規定する手順書加算を算定する利用者に対して行った場合に限る）　**2,500円**

注13　別に厚生労働大臣が定める基準に適合しているものとして地方厚生局長等に届け出た訪問看護ステーションの看護師等（准看護師を除く）が，健康保険法第３条第13項の規定による電子資格確認により，利用者の診療情報を取得等した上で指定訪問看護の実施に関する計画的な管理を行った場合は，**訪問看護医療ＤＸ情報活用加算**として，月１回に限り，**50円を所定額に加算**する。

03　訪問看護情報提供療養費

１　訪問看護情報提供療養費１　　1,500円

２　訪問看護情報提供療養費２　　1,500円

３　訪問看護情報提供療養費３　　1,500円

注１　１については，別に厚生労働大臣が定める疾病等の利用者について，訪問看護ステーションが，当該利用者の同意を得て，当該利用者の居住地を管轄する市町村等又は指定特定相談支援事業者等に対して，当該市町村等又は当該指定特定相談支援事業者等からの求めに応じて，指定訪問看護の状況を示す文書を添えて，当該利用者に係る保健福祉サービスに必要な情報を提供した場合に，利用者１人につき月１回に限り算定する。ただし，他の訪問看護ステーションにおいて，当該市町村等又は当該指定特定相談支援事業者等に対して情報を提供することにより訪問看護情報提供療養費１を算定している場合は，算定しない。

注２　２については，別に厚生労働大臣が定める疾病等の利用者のうち，学校等へ通園又は通学する利用者について，訪問看護ステーションが，当該利用者の同意を得て，当該学校等からの求めに応じて，指定訪問看護の状況を示す文書を添えて必要な情報を提供した場合に，利用者１人につき各年度１回に限り算定する。また，入園若しくは入学又は転園若しくは転学等により当該学校等に初めて在籍することとなる月については，当該学校等につき月１回に限り，当該利用者に対する医療的ケアの実施方法等を変更した月については，当該月に１回に限り，別に算定できる。ただし，他の訪問看護ステーションにおいて，当該学校等に対して情報を提供することにより訪問看護情報提供療養費２を算定している場合は，算定しない。

注３　３については，保険医療機関等に入院し，又は入所する利用者について，当該利用者の診療を行っている保険医療機関が入院し，又は入所する保険医療機関等に対して診療状況を示す文書を添えて紹介を行うに当たって，訪問看護ステーションが，当該利用者の同意を得て，当該保険医療機関に指定訪問看護に

係る情報を提供した場合に，利用者１人につき月１回に限り算定する。ただし，他の訪問看護ステーションにおいて，当該保険医療機関に対して情報を提供することにより訪問看護情報提供療養費３を算定している場合は，算定しない。

05　訪問看護ターミナルケア療養費

１　訪問看護ターミナルケア療養費１　25,000円

２　訪問看護ターミナルケア療養費２　10,000円

注１　１については，訪問看護基本療養費及び精神科訪問看護基本療養費を算定すべき指定訪問看護を行っている訪問看護ステーションの看護師等が，在宅で死亡した利用者（ターミナルケアを行った後，24時間以内に在宅以外で死亡した者を含む）又は特別養護老人ホーム等で死亡した利用者（ターミナルケアを行った後，24時間以内に特別養護老人ホーム等以外で死亡した者を含み，看取り介護加算等を算定している利用者を除く）に対して，その主治医の指示により，その死亡日及び死亡日前14日以内に，２回以上指定訪問看護（02の注７に規定する退院支援指導加算の算定に係る療養上必要な指導を含む）を実施し，かつ，訪問看護におけるターミナルケアに係る支援体制について利用者及びその家族等に対して説明した上でターミナルケアを行った場合に算定する。

注２　２については，訪問看護基本療養費及び精神科訪問看護基本療養費を算定すべき指定訪問看護を行っている訪問看護ステーションの看護師等が，特別養護老人ホーム等で死亡した利用者（ターミナルケアを行った後，24時間以内に特別養護老人ホーム等以外で死亡した者を含み，看取り介護加算等を算定している利用者に限る）に対して，その主治医の指示により，その死亡日及び死亡日前14日以内に，２回以上指定訪問看護（02の注７に規定する退院支援指導加算の算定に係る療養上必要な指導を含む）を実施し，かつ，訪問看護におけるターミナルケアに係る支援体制について利用者及びその家族等に対して説明した上でターミナルケアを行った場合に算定する。

注３　１及び２については，他の訪問看護ステーションにおいて訪問看護ターミナルケア療養費を算定している場合には，算定しない。

注４　別に厚生労働大臣が定める基準に適合しているものとして地方厚生局長等に届け出た訪問看護ステーションの情報通信機器を用いた在宅での看取りに係る研修を受けた看護師が，医科点数表のＣ001の注８（Ｃ001-2の注６の規定により準用する場合を含む）に規定する死亡診断加算を算定する利用者（別に厚生労働大臣が定める地域に居住する利用者に限る）について，その主治医の指示に基づき，情報通信機器を用いて医師の死亡診断の補助を行った場合は，遠隔死亡診断補助加算として，**1,500円**を所定額に加算する。

06　訪問看護ベースアップ評価料

１　訪問看護ベースアップ評価料(Ⅰ)　780円

２　訪問看護ベースアップ評価料(Ⅱ)

イ	訪問看護ベースアップ評価料(Ⅱ)１	**10円**
ロ	訪問看護ベースアップ評価料(Ⅱ)２	**20円**
ハ	訪問看護ベースアップ評価料(Ⅱ)３	**30円**
ニ	訪問看護ベースアップ評価料(Ⅱ)４	**40円**
ホ	訪問看護ベースアップ評価料(Ⅱ)５	**50円**
ヘ	訪問看護ベースアップ評価料(Ⅱ)６	**60円**
ト	訪問看護ベースアップ評価料(Ⅱ)７	**70円**
チ	訪問看護ベースアップ評価料(Ⅱ)８	**80円**
リ	訪問看護ベースアップ評価料(Ⅱ)９	**90円**
ヌ	訪問看護ベースアップ評価料(Ⅱ)10	**100円**
ル	訪問看護ベースアップ評価料(Ⅱ)11	**150円**
ヲ	訪問看護ベースアップ評価料(Ⅱ)12	**200円**
ワ	訪問看護ベースアップ評価料(Ⅱ)13	**250円**
カ	訪問看護ベースアップ評価料(Ⅱ)14	**300円**
ヨ	訪問看護ベースアップ評価料(Ⅱ)15	**350円**
タ	訪問看護ベースアップ評価料(Ⅱ)16	**400円**
レ	訪問看護ベースアップ評価料(Ⅱ)17	**450円**
ソ	訪問看護ベースアップ評価料(Ⅱ)18	**500円**

注１　１については，別に厚生労働大臣が定める基準に適合しているものとして地方厚生局長等に届け出た訪問看護ステーションが，主として医療に従事する職員の賃金の改善を図る体制にある場合には，02の１を算定している利用者１人につき，訪問看護ベースアップ評価料(Ⅰ)として，月１回に限り算定する。

注２　２については，別に厚生労働大臣が定める基準に適合しているものとして地方厚生局長等に届け出た訪問看護ステーションが，主として医療に従事する職員の賃金の改善を図る体制にある場合には，訪問看護ベースアップ評価料(Ⅰ)を算定している利用者１人につき，訪問看護ベースアップ評価料(Ⅱ)として，当該基準に係る区分に従い，月１回に限り，それぞれ所定額を算定する。

第1　訪問看護療養費に係る訪問看護ステーションの基準

1　通則

(1)　地方厚生局長又は地方厚生支局長（以下「地方厚生局長等」という）に対して届出を行う前6月間において，当該届出に係る事項に関し不正又は不当な届出（法令の規定に基づくものに限る）を行ったことがないこと。

(2)　地方厚生局長等に対して届出を行う前6月間において，健康保険法第94条第1項又は高齢者の医療の確保に関する法律第81条第1項の規定に基づく検査等の結果，健康保険法第88条第1項に規定する指定訪問看護及び高齢者の医療の確保に関する法律第78条第1項に規定する指定訪問看護（以下「指定訪問看護」と総称する）の内容又は訪問看護療養費の請求に関し，不正又は不当な行為が認められたことがないこと。

(3)　指定訪問看護の事業の人員及び運営に関する基準（平成12年厚生省令第80号）第2条に規定する員数を満たしていること。

2　訪問看護基本療養費の注2及び注4に規定する基準

緩和ケア，褥瘡ケア又は人工肛門ケア及び人工膀胱ケアに係る専門の研修を受けた看護師が配置されていること。

3　訪問看護基本療養費の注6に規定する大臣が定める者

特掲診療料の施設基準等（平成20年厚生労働省告示第63号）第4の4の3に掲げる者

4　精神科訪問看護基本療養費（Ⅰ），（Ⅲ）及び（Ⅳ）の基準

精神疾患を有する者に対して指定訪問看護を行うにつき，必要な体制が整備されていること。

5　精神科訪問看護基本療養費の注10に規定する基準

24時間対応体制加算を届け出ている事業所であって，精神科の重症患者に対して，保険医療機関と連携しながら複数回の訪問看護を行う体制その他必要な体制が整備されていること。

6　訪問看護管理療養費の基準

(1)　機能強化型訪問看護管理療養費1の基準

次のいずれにも該当するものであること。

イ　常勤の保健師，助産師，看護師又は准看護師の数が7以上であること。

ロ　指定訪問看護の事業の人員及び運営に関する基準第2条第1項に規定する看護師等のうち，6割以上が同項第1号に規定する看護職員であること。

ハ　24時間対応体制加算を届け出ていること。

ニ　ターミナルケア並びに重症児及び特掲診療料の施設基準等別表第7に掲げる疾病等の者に対する訪問看護について十分な実績を有すること。

ホ　介護保険法第8条第24項に規定する居宅介護支援事業，障害者の日常生活及び社会生活を総合的に支援するための法律第5条第18項に規定する特定相談支援事業又は児童福祉法第6条の2の2第7項に規定する障害児相談支援事業を行うことができる体制が整備されていること。

ヘ　地域の保険医療機関，訪問看護ステーション又は住民等に対する研修や相談への対応について実績を有すること。

ト　専門の研修を受けた看護師が配置されていること。

(2)　機能強化型訪問看護管理療養費2の基準

次のいずれにも該当するものであること。

イ　常勤の保健師，助産師，看護師又は准看護師の数が5以上であること。

ロ　(1)のロを満たすものであること。

ハ　24時間対応体制加算を届け出ていること。

ニ　ターミナルケア並びに重症児及び特掲診療料の施設基準等別表第7に掲げる疾病等の者に対する訪問看護について相当な実績を有すること。

ホ　介護保険法第8条第24項に規定する居宅介護支援事業，障害者の日常生活及び社会生活を総合的に支援するための法律第5条第18項に規定する特定相談支援事業又は児童福祉法第6条の2の2第7項に規定する障害児相談支援事業を行うことができる体制が整備されていること。

ヘ　地域の保険医療機関，訪問看護ステーション又は住民等に対する研修や相談への対応について実績を有すること。

(3)　機能強化型訪問看護管理療養費3の基準

次のいずれにも該当するものであること。

イ　常勤の保健師，助産師，看護師又は准看護師の数が4以上であること。

ロ　(1)のロを満たすものであること。

ハ　24時間対応体制加算を届け出ていること。

ニ　特掲診療料の施設基準等別表第7に掲げる疾病等の者，特掲診療料の施設基準等別表第8に掲げる者若しくは精神科の重症患者に対する指定訪問看護又は他の訪問看護ステーションと共同して行う指定訪問看護について相当な実績を有すること。

ホ　退院時の共同指導及び主治医の指示に係る保険医療機関との連携について相当な実績を有すること。

ヘ　地域の保険医療機関の看護職員による勤務について実績があること。

ト　地域の保険医療機関，訪問看護ステーション又は住民等に対する研修や相談への対応について相当な実績を有すること。

(4)　訪問看護管理療養費1の基準

訪問看護ステーションの利用者のうち，同一建物居住者（当該者と同一の建物に居住する他の者に対して当該訪問看護ステーションが同一日に指定訪問看護を行う場合の当該者をいう。以下同じ）であるものが占める割合が7割未満であって，次のイ又はロに該当するものであること。

イ　特掲診療料の施設基準等別表第7に掲げる疾病等の者及び特掲診療料の施設基準等別表第8に掲げる者に対する訪問看護について相当な実績を有すること。

ロ　精神科訪問看護基本療養費を算定する利用者のうち，GAF尺度による判定が40以下の利用者の数が月に5人以上であること。

(5)　訪問看護管理療養費2の基準

訪問看護ステーションの利用者のうち，同一建物居住者であるものが占める割合が7割以上であること又は当該割合が7割未満であって(4)のイ若しくはロのいずれにも該当しないこと。

(6)　訪問看護管理療養費の注2に規定する24時間対応体制加算の基準

イ　利用者又はその家族等から電話等により看護に関する意見を求められた場合に，常時対応できる体制にある場合であって，計画的に訪問することとなっていない緊急時訪問を必要に応じて行うことができる体制にあること。

ロ　訪問看護管理療養費の注2のイを算定する

場合には，イに加え，24時間対応体制における看護業務の負担の軽減に資する十分な業務管理等の体制が整備されていること。

(7)　訪問看護管理療養費の注３に規定する特別管理加算の基準

指定訪問看護に関し特別な管理を必要とする利用者に対する指定訪問看護を行うにつき，当該利用者又はその家族等から電話等により看護に関する意見を求められた場合に常時対応できる体制その他必要な体制が整備されていること。

(8)　訪問看護管理療養費の注10に規定する精神科重症患者支援管理連携加算の基準

精神疾患を有する者に対して指定訪問看護を行うにつき必要な体制が整備されており，特掲診療料の施設基準等に掲げる精神科在宅患者支援管理料を届け出た保険医療機関と連携しながら訪問看護を行う体制その他必要な体制が整備されていること。

(9)　訪問看護管理療養費の注12に規定する専門管理加算の基準

次のいずれかに該当するものであること。

イ　緩和ケア，褥瘡ケア又は人工肛門ケア及び人工膀胱ケアに係る専門の研修を受けた看護師が配置されていること。

ロ　保健師助産師看護師法第37条の２第２項第５号に規定する指定研修機関において，同項第１号に規定する特定行為のうち訪問看護において専門の管理を必要とするものに係る研修を修了した看護師が配置されていること。

(10)　訪問看護管理療養費の注13に規定する訪問看護医療ＤＸ情報活用加算の基準

次のいずれにも該当するものであること。

イ　訪問看護療養費及び公費負担医療に関する費用の請求に関する命令第１条に規定する電子情報処理組織の使用による請求を行っていること。

ロ　健康保険法第３条第13項に規定する電子資格確認を行う体制を有していること。

ハ　医療DX推進の体制に関する事項及び質の高い訪問看護を実施するための十分な情報を取得し，及び活用して訪問看護を行うことについて，当該訪問看護ステーションの見やすい場所に掲示していること。

ニ　ハの掲示事項について，原則として，ウェブサイトに掲載していること。

7　訪問看護ターミナルケア療養費の注４に規定する遠隔死亡診断補助加算の基準

情報通信機器を用いた在宅での看取りに係る研修を受けた看護師が配置されていること。

8　訪問看護ベースアップ評価料の基準

(1)　訪問看護ベースアップ評価料(I)

次のいずれにも該当するものであること。

イ　主として医療に従事する職員（以下「対象職員」という）が勤務していること。

ロ　対象職員の賃金の改善を実施するにつき必要な体制が整備されていること。

(2)　訪問看護ベースアップ評価料(II)

次のいずれにも該当するものであること。

イ　訪問看護ベースアップ評価料(I)を届け出ていること。

ロ　訪問看護ベースアップ評価料(I)により算定する見込みの金額が，対象職員の給与総額に当該訪問看護ステーションの利用者の数に占める医療保険制度の給付の対象となる訪問看護を受けた者の割合を乗じた数の１分２厘未満であること。

ハ　当該訪問看護ステーションにおける常勤の対象職員の数が，２以上であること。ただし，基本診療料の施設基準等別表第６の２に掲げる地域に所在する訪問看護ステーションにあっては，この限りではない。

ニ　主として保険診療等からの収入を得る訪問看護ステーションであること。

ホ　対象職員の賃金の改善を実施するにつき十分な体制が整備されていること。

第２　指定訪問看護に係る厚生労働大臣の定める疾病等の利用者等

1　訪問看護基本療養費の注１に規定する厚生労働大臣が定める疾病等の利用者

週３日を超えて訪問看護を行う必要がある利用者であって，次のいずれかに該当する者

(1)　特掲診療料の施設基準等別表第７に掲げる疾病等の者

(2)　特掲診療料の施設基準等別表第８に掲げる者

2　訪問看護基本療養費の注５及び精神科訪問看護基本療養費の注３に規定する厚生労働大臣が定める者

次のいずれかに該当する者

(1)　特掲診療料の施設基準等別表第７に掲げる疾病等の者

(2)　特掲診療料の施設基準等別表第８に掲げる者

(3)　その他在宅療養に備えた一時的な外泊に当たり，訪問看護が必要であると認められた者

3　訪問看護基本療養費の注10及び精神科訪問看護基本療養費の注７に規定する長時間訪問看護加算及び長時間精神科訪問看護加算に係る厚生労働大臣が定める長時間の訪問を要する者及び厚生労働大臣が定める者

(1)　厚生労働大臣が定める長時間の訪問を要する者

長時間の訪問看護を要する利用者であって，次のいずれかに該当するもの

イ　15歳未満の超重症児又は準超重症児

ロ　特掲診療料の施設基準等別表第８に掲げる者

ハ　特別訪問看護指示書又は精神科特別訪問看護指示書に係る指定訪問看護を受けている者

(2)　厚生労働大臣が定める者

イ　15歳未満の超重症児又は準超重症児

ロ　15歳未満の小児であって，特掲診療料の施設基準等別表第８に掲げる者

4　訪問看護基本療養費の注11に規定する乳幼児加算に係る厚生労働大臣が定める者

(1)　超重症児又は準超重症児

(2)　特掲診療料の施設基準等別表第７に掲げる疾病等の者

(3)　特掲診療料の施設基準等別表第８に掲げる者

5　訪問看護基本療養費の注12に規定する複数名訪問看護加算に係る厚生労働大臣が定める者並びに訪問看護基本療養費の注12のハ及びニに規定する厚生労働大臣が定める場合

(1)　訪問看護基本療養費の注12に規定する複数名訪問看護加算に係る厚生労働大臣が定める者

１人の看護師等による指定訪問看護が困難な利用者であって，次のいずれかに該当するもの

イ　特掲診療料の施設基準等別表第７に掲げる疾病等の者

ロ　特掲診療料の施設基準等別表第８に掲げる者

ハ　特別訪問看護指示書に係る指定訪問看護を受けている者

ニ　暴力行為，著しい迷惑行為，器物破損行為

等が認められる者

ホ　利用者の身体的理由により１人の看護師等による訪問看護が困難と認められる者（訪問看護基本療養費の注12のハに規定する場合に限る）

ヘ　その他利用者の状況等から判断して，イからホまでのいずれかに準ずると認められる者（訪問看護基本療養費の注12のハに規定する場合に限る）

(2)　訪問看護基本療養費の注12のハ及びニに規定する厚生労働大臣が定める場合

１人の看護師等による指定訪問看護が困難な利用者であって，次のいずれかに該当するものに対し，指定訪問看護を行った場合

イ　特掲診療料の施設基準等別表第７に掲げる疾病等の者

ロ　特掲診療料の施設基準等別表第８に掲げる者

ハ　特別訪問看護指示書に係る指定訪問看護を受けている者

６　訪問看護管理療養費の注３本文に規定する厚生労働大臣が定める状態等にある利用者

特掲診療料の施設基準等別表第８に掲げる者

７　訪問看護管理療養費の注３ただし書に規定する厚生労働大臣が定める状態等にある利用者

特掲診療料の施設基準等別表第８第１号に掲げる者

８　訪問看護管理療養費の注７に規定する退院支援指導加算に係る厚生労働大臣が定める退院支援指導を要する者

退院日に療養上の退院支援指導が必要な利用者であって，次のいずれかに該当するもの

(1)　特掲診療料の施設基準等別表第７に掲げる疾病等の者

(2)　特掲診療料の施設基準等別表第８に掲げる者

(3)　退院日の訪問看護が必要であると認められた者

９　訪問看護管理療養費の注11に規定する厚生労働大臣が定める者

訪問看護管理療養費の注２に規定する24時間対応体制加算の届出を行っている訪問看護ステーションの利用者であって，口腔内の喀痰吸引，鼻腔内の喀痰吸引，気管カニューレ内部の喀痰吸引，胃瘻若しくは腸瘻による経管栄養又は経鼻経管栄養を必要とする者

10　訪問看護情報提供療養費の注１に規定する厚生労働大臣が定める疾病等の利用者

(1)　特掲診療料の施設基準等別表第７に掲げる疾病等の者

(2)　特掲診療料の施設基準等別表第８に掲げる者

(3)　精神障害を有する者又はその家族等

(4)　18歳未満の児童

11　訪問看護情報提供療養費の注２に規定する厚生労働大臣が定める疾病等の利用者

(1)　18歳未満の超重症児又は準超重症児

(2)　18歳未満の児童であって，特掲診療料の施設基準等別表第７に掲げる疾病等の者

(3)　18歳未満の児童であって，特掲診療料の施設基準等別表第８に掲げる者

第３　訪問看護基本療養費の注８及び精神科訪問看護基本療養費の注５に規定する特別地域訪問看護加算並びに訪問看護ターミナルケア療養費の注４に規定する遠隔死亡診断補助加算に係る厚生労働大臣の定める地域

１　離島振興法第２条第１項の規定により離島振興対策実施地域として指定された離島の地域

２　奄美群島振興開発特別措置法第１条に規定する奄美群島の地域

３　山村振興法第７条第１項の規定により振興山村として指定された山村の地域

４　小笠原諸島振興開発特別措置法第４条第１項に規定する小笠原諸島の地域

５　沖縄振興特別措置法第３条第３号に規定する離島

６　過疎地域自立促進特別措置法第２条第１項に規定する過疎地域

第４　指定訪問看護に係る厚生労働大臣が定める場合

１　要介護被保険者等である利用者について指定訪問看護の費用に要する額を算定できる場合

(1)　特別訪問看護指示書に係る指定訪問看護を行う場合

(2)　特掲診療料の施設基準等別表第７に掲げる疾病等の者に対する指定訪問看護を行う場合

(3)　精神科訪問看護基本療養費が算定される指定訪問看護を行う場合

２　訪問看護基本療養費の注14ただし書及び精神科訪問看護基本療養費の注11ただし書に規定する所定額を算定できる場合

(1)　介護保険法第８条第11項に規定する特定施設入居者生活介護又は同条第20項に規定する認知症対応型共同生活介護の提供を受けている利用者に対し，前号(1)から(3)までに掲げるいずれかの指定訪問看護を行う場合

(2)　介護保険法第８条第27項に規定する介護老人福祉施設の入所者等であって，末期の悪性腫瘍であるものに対し，その主治医から交付を受けた訪問看護指示書及び訪問看護計画書に基づき，指定訪問看護を行う場合

(3)　病院又は診療所に入院している者で，在宅療養に備えて一時的に外泊している者（次のいずれかに該当する者に限る）

イ　特掲診療料の施設基準等別表第７に掲げる疾病等の者

ロ　特掲診療料の施設基準等別表第８に掲げる者

ハ　その他在宅療養に備えた一時的な外泊に当たり，訪問看護が必要であると認められた者

第５　経過措置

１　令和６年３月31日において現に機能強化型訪問看護管理療養費１に係る届出を行っている訪問看護ステーションについては，令和８年５月31日までの間に限り，第１の６の(1)のトに該当するものとみなす。

２　令和６年３月31日において現に指定訪問看護事業者が，当該指定に係る訪問看護事業を行う事業所については，令和６年９月30日までの間に限り，第１の６の(4)の基準に該当するものとみなす。

３　令和６年３月31日において現に指定訪問看護事業者が，当該指定に係る訪問看護事業を行う事業所については，令和７年５月31日までの間に限り，第１の６の(10)のニの基準に該当するものとみなす。

訪問看護ステーションQ&A（医療保険）

Q1　医療保険における訪問看護療養費の支給対象

どのような場合に訪問看護療養費の支給が認められますか。

A：訪問看護療養費の支給対象は，在宅での療養を行っている通院困難な患者が対象となります。寝たきりまたはこれに準ずる状態にある方で，介護保険給付対象外の病状が安定期にあって訪問看護を要すると認められる場合です。

Q2　厚生労働大臣の定める疾患等⑴

医科点数表のC107在宅人工呼吸指導管理料の留意事項通知には，SASに対するASVが除外されていますが，「別表第７」（訪問看護療養費を週４日以上算定できる「別に厚生労働大臣が定める疾病等の利用者」に該当，p.212参照）の「人工呼吸」にはSASに対するASVやCPAPは含まれますか。

A：含まれません。〈厚平26.3.31〉

※SAS：睡眠時無呼吸症候群
CPAP：持続式陽圧呼吸療法
ASV：サーボ制御圧感知型人工呼吸器

Q3　厚生労働大臣の定める疾患等⑵

SASに対するASVやCPAPは，「別表７」の「人工呼吸器」には含まれませんが，慢性心不全の患者の場合は，「人工呼吸器」に含まれますか。

A：「C107在宅人工呼吸指導管理料」，「C164人工呼吸器加算の２」を算定している場合は，「別表７」に掲げる疾病等の者の「人工呼吸器」に含まれることとします。

なお，この取り扱いにより，保険種別が変更となる場合は，次回の介護保険のケアプラン見直し（１カ月間）までの間に変更することとします。

〈厚平26.7.10〉

Q4　厚生労働大臣の定める疾患等⑶

C107-2在宅持続陽圧呼吸療法指導管理料の要件に該当する患者に対してＡＳＶを使用した場合は在宅持続陽圧呼吸療法用治療器加算を算定できますが，この場合の患者について，特掲診療料の施設基準等「別表７」に掲げる疾病等の者の「人工呼吸器を使用している状態」に含まれますか。

A：含まれません。〈厚平28.6.14〉

Q5　要介護認定を受けている患者の外泊⑴

すでに要介護認定を受けている患者が医療機関に入院していた場合，退院前の外泊時に医療保険による訪問看護を受けられるのですか。

A：要介護被保険者であるか否かにかかわらず，入院期間の外泊中の訪問看護については，医療保険による訪問看護が提供可能です。〈厚平24.3.30〉

Q6　要介護認定を受けている患者の外泊⑵

Ｑ５の場合，入院中の患者が外泊する際には，訪問看護ステーションなどに対して訪問看護指示書を発行することになります。訪問看護指示書の算定要件として「退院時に１回算定できるほか，在宅での療養を行っている患者については１月に１回を限度として算定できる」とありますが，入院中に訪問看護指示書を出したうえで患者を外泊させることは「在宅療養を行っている場合」に該当するものとして，入院中の算定ができますか。

A：外泊時の訪問看護に対する当該患者の入院医療機関の主治医の指示は必須ですが，その費用は留意事項通知「訪問看護指示料は，退院時に１回算定できる」の記載のとおり，入院中の患者については入院中の指示も含めて，退院時に１回のみ算定できます。〈厚平24.8.9，一部修正〉

Q7　外泊中の訪問看護⑴

退院後に訪問看護を受けようとする者が在宅療養に備えて，外泊中に訪問看護を受け，その後，状態の変化等で退院が出来なくなった場合については，訪問看護基本療養費（Ⅲ）は算定できないのですか。

A：在宅療養に備えて外泊中に訪問看護が必要と認められた者であれば，算定可能です。

〈厚平24.3.30，一部修正〉

Q8　外泊中の訪問看護⑵

１泊２日の外泊時に訪問看護を１回提供する場合，外泊１日目，２日目のどちらに実施すれば，費用の徴収が可能なのですか。

A：外泊１日目，２日目のどちらに行っても徴収可能です。〈厚平24.3.30〉

Q9　訪問看護療養費の支給対象

介護保険の給付対象外で訪問看護療養費の支給が認められるのはどんな場合ですか。

A：訪問看護療養費の支給対象は，①要介護・要支援認定を受けていない患者，②要介護・要支援の認定を受けているが，急性増悪の状態で頻回訪問が必要で訪問看護特別指示が出された患者，③難病患者，末期癌の患者等の厚生労働大臣の定める疾患等の患者であり，かつ，在宅または居住系施設において看護師等が行う療養上の世話および必要な診療の補助を要する者と認められる場合です。

Q10　通院可能な要支援者について

通院ができる要支援者は訪問看護が利用できないのですか。

A：要支援者であっても訪問看護は利用できます。訪問看護費は「通院が困難な利用者」に対して給付されることとされていますが，通院の可否にかかわらず，療養生活を送る上で居宅での支援が不可欠なものに対して，ケアマネジメントの結果，訪問看護が必要と判断された場合は訪問看護費が算定できます。また，介護給付費分科会資料の「要支援者に係るサービス標準利用例案」では，要支援１で慢性的な医療ニーズがある場合は２週に１回，要支援２の場合は週１回訪問看護を利用する例が挙げられています。

Q11　訪問看護療養費の額

訪問看護療養費の額はどのように求めるのですか。

A：訪問看護基本療養費の額および訪問看護管理療養費の額に訪問看護ターミナルケア療養費の額または訪問看護情報提供療養費の額，訪問看護ベースアップ評価料の額を加えた額から基本利用料を控除した額です。

Q12　届出受理後の措置

届出受理後において，届出内容と異なった事情が生じ，当該届出基準を満たさなくなった場合又は当該届出基準の届出区分が変更となった場合には，変更の届出を行うこととされていますが，
①機能強化型訪問看護療養費に係る届出に記載した看護職員数等について，当該届出基準に影響がない範囲で変更が生じた場合
②専門管理加算に係る届出に記載した専門の研修を受けた看護師が退職し，新たに同様の専門の研修を受けた看護師を雇用した場合について，変更の届出を行う必要はありますか。

A：①の場合については不要です。
②の場合については，専門管理加算の算定要件に影響する変更であるため，変更の届出が必要です。
〈厚令4.3.31〉

Q13　明細書の交付⑴ 新

指定訪問看護の事業の人員及び運営に関する基準（平成12年厚生省令第80号）（以下「基準省令」という）第13条及び13条の２において，明細書の交付が義務化され，「明細書については，公費負担医療の対象である利用者等，一部負担金等の支払いがない利用者（当該患者の療養に要する費用の負担の全額が公費により行われるものを除く）についても，無償で発行しなければならないこと」とされましたが，例えば，生活保護受給者や自立支援医療（精神通院医療）の利用者は対象となるのですか。

A：費用負担が全額公費により行われる場合を除き対象となります。例えば，生活保護については，健康保険と公費併用のものは対象となり，自立支援医療（精神通院医療）についても対象となります。
〈厚令6.3.28〉

Q14　明細書の交付⑵ 新

明細書の交付について，一部負担金等の支払いがない利用者（当該患者の療養に要する費用の負担の全額が公費により行われるものに限る）には明細書を交付しなくてもよいと解してよいですか。

A：明細書発行の義務はありませんが，明細書発行の趣旨を踏まえ，可能な限り発行されるのが望ましいです。
〈厚令6.3.28〉

Q15　領収書と明細書の交付 新

基準省令第13条及び13条の２において，明細書の交付が義務化され，「指定訪問看護事業者においては，領収証兼明細書を無償で交付すること。領収証兼明細書の様式は別紙様式４を参考とするものであること」とされましたが，領収証と明細書を分けてそれぞれ交付してもよいですか。

A：領収証と明細書を分けて交付しても差し支えありません。
〈厚令6.3.28〉

Q16　身体的拘束の要件 新

基準省令第15条第４項において，「身体的拘束等を行う場合には，その態様及び時間，その際の利用者の心身の状況並びに緊急やむを得ない理由を記録しなければならない」とされ，「緊急やむを得ない理由については，切迫性，非代替性及び一時性の３つの要件を満たすことについて，組織等としてこれらの要件の確認等の手続きを極めて慎重に行うこととし，その具体的な内容について記録しておくことが必要である」とされましたが，切迫性，非代替性及び一時性はどのようなことを指しているのですか。

A：切迫性，非代替性及び一時性とは，それぞれ以下のことを指します。

・「切迫性」とは，利用者本人又は他の利用者の生命又は身体が危険にさらされる可能性が著しく高いこと
・「非代替性」とは，身体的拘束等を行う以外に代替する方法がないこと
・「一時性」とは，身体拘束その他の行動制限が一時的なものであること　〈厚令6.3.28〉

Q17　虐待防止措置 新

基準省令第21条において虐待の防止のための措置に関する事項を講じることとされましたが，介護保険法の規定による指定訪問看護事業者として指定訪問看護ステーションごとに，当該措置を既に講じている場合であっても，医療保険の規定による指定訪問看護事業者として新たに当該措置を講じる必要はありますか。

A：介護保険における運営に関する基準により虐待の防止に関する措置を講じている場合には，新たに当該措置を講じる必要はありませんが，小児や精神疾患を有する者への訪問看護を行う事業所にあっては，これらの利用者に対応できるよう，虐待等に対する相談体制や市町村等の通報窓口の周知などの必要な措置がとられていることが望ましいです。　〈厚令6.3.28〉

Q18　基準省令の掲載 新

基準省令第24条第2項において，重要事項については，原則として，ウェブサイトに掲載しなければならないこととされましたが，介護サービス情報公表システムに重要事項を掲載している場合はウェブサイトに掲載されていることになりますか。

A：そのとおりです。　〈厚令6.3.28〉

Q19　届出受理後の措置 新

届出受理後において，届出内容と異なった事情が生じ，当該届出基準を満たさなくなった場合又は当該届出基準の届出区分が変更となった場合には，変更の届出を行うこととされていますが，精神科訪問看護基本療養費に係る届出書に記載した，当該届出に係る指定訪問看護を行う看護師等が退職し，新たに当該指定訪問看護を行うために必要な経験を有する看護師等を雇用した場合について，変更の届出を行う必要がありますか。

A：届出内容に変更がある場合は，速やかに変更の届出をしてください。　〈厚令6.3.28〉

Q20　特掲診療料の施設基準等の別表第8 新

特掲診療料の施設基準等（平成20年厚生労働省告示第63号）の別表第8に新たに規定された在宅強心剤持続投与指導管理を受けている状態にある者とは，どのような者が該当するのですか。

A：現に医科点数表C108-3在宅強心剤持続投与指導管理料を算定している利用者が該当するものであり，当該管理料を算定せずに単に強心剤の持続投与が行われている利用者は該当しません。　〈厚令6.3.28〉

訪問看護基本療養費

Q21　1人にしか訪問看護を行わなかった場合

指定訪問看護の対象となる施設の種類に限らず，その日に指定訪問看護を行う利用者が1人しかいない場合は訪問看護基本療養費（Ⅰ）を算定することになるのですか。

A：そのとおりです。　〈厚平22.3.29〉

Q22　褥瘡ケアに係る専門の研修

医科点数表C005在宅患者訪問看護・指導料の「3」，C005-1-2同一建物居住者訪問看護・指導料の「3」，訪問看護基本療養費（Ⅰ）のハ及び訪問看護基本療養費（Ⅱ）のハの届出基準において求める看護師の「褥瘡ケアに係る専門の研修」には，具体的にはどのようなものがあるのですか。

A：現時点では，従前の研修に加えて，特定行為に係る看護師の研修制度により厚生労働大臣が指定する指定研修機関において行われる「創傷管理関連」の区分の研修が該当します。　〈厚令4.3.31〉

Q23　専門の研修を受けた看護師による訪問看護(1)

緩和ケアに関する専門の研修を受けた看護師による訪問看護を行う訪問看護ステーションは，1人の利用者に対して訪問が可能な訪問看護ステーションの数として取り扱うのですか。

A：緩和ケア，褥瘡ケア又は人工肛門ケア及び人工膀胱ケアに係る専門の研修を受けた看護師による訪問看護を行うステーションは，訪問可能なステーションの数に含めません。　〈厚平24.3.30，一部修正〉

Q24　専門の研修を受けた看護師による訪問看護(2)

専門性の高い看護師による訪問看護の要件として緩和ケア，褥瘡ケア又は人工肛門ケア及び人工膀胱ケアに関する専門の研修を受けた看護師とありますが，専門の研修とはそれぞれ具体的にはどのような研修があるのですか。

A：現時点では，褥瘡ケアは，以下のいずれかの研修です。

① 日本看護協会の認定看護師教育課程「皮膚・排泄ケア」

現時点では，緩和ケアは，以下のいずれかの研修です。

① 日本看護協会の認定看護師教育課程「緩和ケア」，「がん性疼痛看護」，「がん化学療法看護」，「乳がん看護」又は「がん放射線療法看護」の研修

② 日本看護協会が認定している看護系大学院の「がん看護」の専門看護師教育課程

現時点では，人工肛門ケア及び人工膀胱ケアは，以下の研修です。

① 日本看護協会の認定看護師教育課程「皮膚・排泄ケア」　〈厚平24.3.30，最終更新平30.3.30〉

Q25 専門の研修を受けた看護師による訪問看護(3)

特別の関係にある医療機関と訪問看護ステーションにおいて，外泊時や退院当日又は緩和ケア，褥瘡ケア又は人工肛門ケア及び人工膀胱ケアに係る専門の研修を受けた看護師による訪問看護が実施された場合においても，それぞれに要する各費用は算定できないのですか。

A：いずれにおいても算定可能です。

〈厚平24.3.30，一部修正〉

Q26 専門の研修を受けた看護師による訪問看護(4)

専門性の高い看護師による訪問看護を行う場合，医師の指示書に記載は必要ですか。

A：同行する他の訪問看護ステーションの看護師又は当該利用者の在宅療養を担う医療機関の看護師等に対する指示に基づき共同して行うため，当該看護師に対する指示は必要ありません。緩和ケア，褥瘡ケア又は人工肛門ケア及び人工膀胱ケアに係る専門の研修を受けた看護師による訪問看護の内容については，訪問看護報告書等により主治医に報告してください。

Q27 専門の研修を受けた看護師による訪問看護(5)

専門性の高い看護師による訪問看護について，「人工肛門若しくは人工膀胱のその他の合併症」にはどのようなものが含まれますか。

A：ストーマ装具の工夫によって排泄物の漏出を解消することが可能な，ストーマ陥凹，ストーマ脱出，傍ストーマヘルニア，ストーマ粘膜皮膚離開等が含まれます。　〈厚令2.3.31〉

Q28 専門の研修を受けた看護師による訪問看護(6)

専門性の高い看護師による訪問看護について，「それぞれ月１回を限度として算定」とは，１人の利用者に対して，緩和ケア，褥瘡ケア，人工肛門・人工膀胱ケアをそれぞれ月１回ずつ，最大計３回算定できるということですか。

A：そのとおりです。ただし，専門性の高い看護師が同一の場合は，当該看護師による算定は月１回までとします。　〈厚令2.3.31〉

Q29 専門の研修を受けた看護師による訪問看護(7)

複数の訪問看護ステーション等から指定訪問看護を受けている利用者に対して，現に指定訪問看護〔訪問看護基本療養費（Ⅰ）のハ及び訪問看護基本療養費（Ⅱ）のハを除く〕を実施している訪問看護ステーションの専門の研修を受けた看護師が，他の訪問看護ステーション等の専門の研修を受けていない看護師又は准看護師と共同して同一日に指定訪問看護を実施した場合，訪問看護基本療養費（Ⅰ）のハ及び訪問看護基本療養費（Ⅱ）のハは算定できますか。

A：算定できません。なお，医科点数表C005在宅患者訪問看護・指導料の「３」及びC005-1-2同一建物居住者訪問看護・指導料の「３」についても同様です。　〈厚令4.3.31〉

Q30 皮膚障害が継続・反復している状態とは

訪問看護基本料療養費（Ⅰ）ハ及び訪問看護基本料療養費（Ⅱ）ハの算定対象となる患者における，人工肛門若しくは人工膀胱周囲の皮膚にびらん等の皮膚障害が継続又は反復して生じている状態とはどのようなものですか。

A：ABCD-Stoma（ストーマ周囲皮膚障害の重症度評価スケール）において，A（近接部），B（皮膚保護剤部），C（皮膚保護剤外部）の３つの部位のうち１部位でも びらん，水疱・膿疱又は潰瘍・組織増大の状態が１週間以上継続している，もしくは２か月以内に反復して生じている状態をいいます。　〈厚平30.3.30〉

Q31 訪問看護基本療養費（Ⅱ）

要介護（支援）者が（Ⅱ）の算定対象となる施設等を利用している場合，（Ⅱ）が算定できるのは，厚生労働大臣が定める疾病等の利用者または特別訪問看護指示書が交付された利用者になると考えてよいのですか。

A：その通りです。ただし，特別養護老人ホーム（短期入所生活介護含む）の場合はがん末期の利用者に限ります。

Q32 同一建物居住者への訪問看護

指定訪問看護の対象となる施設等の種類に限らず，同一日に，同一建物の複数名に同一の指定訪問看護ステーションより訪問看護を行う場合，「同一建物居住者」として訪問看護基本療養費（Ⅱ）を算定することになるのですか。

A：そのとおりです。 〈厚平22.3.29，一部修正〉

Q33 児童養護施設への訪問看護

例えば，同一日に児童養護施設に入所している複数名の利用者に対し同一の指定訪問看護ステーションより訪問看護を行う場合には訪問看護基本療養費（Ⅱ）を算定するということになるのですか。

A：そのとおりです。 〈厚平22.3.29，一部修正〉

Q34 他のステーションの訪問と重なった場合

訪問看護基本療養費（Ⅱ）が算定されるのは，あくまでも同一訪問看護ステーション内での利用であって，他の訪問看護ステーションの訪問と重なる場合は該当しないと解釈してよいのでしょうか。また，介護保険の利用者と重なる場合も該当しないと解釈してよいのでしょうか。

A：いずれもそのとおりです。

〈厚平22.3.29，一部修正〉

Q35 定期訪問時に，緊急で別の利用者の訪問看護も行った場合

1人又は複数の同一建物居住者である利用者に対して指定訪問看護を実施した後，当該利用者と同一の建物に居住する他の利用者に対して，利用者等の求めに応じて緊急に指定訪問看護を実施した場合であっても，訪問看護基本療養費（Ⅱ）を算定するのでしょうか。

A：利用者等の求めに応じて緊急に指定訪問看護を行った場合には，結果として複数の同一建物居住者への指定訪問看護になったとしても，訪問看護基本療養費（Ⅰ）を算定できます。当該緊急に行われた指定訪問看護は，同日に既に行われている又は予定されている指定訪問看護の算定方法に影響を及ばさないものでなければいけません。また，緊急に訪問する必要があった理由について，訪問看護療養費明細書の特記事項に記載する必要があります。 〈厚平22.3.29，一部修正〉

Q36 「注7」難病等複数回訪問加算(1)

難病等複数回訪問加算又は精神科複数回訪問加算の算定対象である利用者に対して，90分を超えて連続して訪問看護を行った場合は，当該加算を算定することができますか。

A：1回の訪問であるため，当該加算の算定はできません。ただし，要件を満たせば，長時間訪問看護加算又は長時間精神科訪問看護加算は算定可能です。 〈厚令2.3.31〉

Q37 難病等複数回訪問加算(2)

難病等複数回訪問加算及び精神科複数回訪問加算について，同一建物に居住するA，B，C3人の利用者に，同一の訪問看護ステーションが，以下の①から③の例のような訪問を行った場合には，同一建物居住者に係るいずれの区分を算定することとなりますか。

①A：1日に2回の訪問看護
B：1日に2回の訪問看護
C：1日に2回の訪問看護
②A：1日に2回の訪問看護
B：1日に2回の訪問看護
C：1日に3回の訪問看護
③A：1日に2回の訪問看護
B：1日に2回の訪問看護
C：1日に2回の精神科訪問看護

A：それぞれ以下のとおりです。

① A，B，Cいずれも，難病等複数回訪問加算の「1日に2回の場合」「同一建物内3人以上」を算定。

② A及びBは，難病等複数回訪問加算の「1日に2回の場合」「同一建物内2人」を算定。Cは，難病等複数回訪問加算の「1日に3回以上の場合」「同一建物内1人」を算定。

③ A及びBは，難病等複数回訪問加算の「1日に2回の場合」「同一建物内3人以上」を算定。Cは，精神科複数回訪問加算の「1日に2回の場合」「同一建物内3人以上」を算定。

〈厚令2.3.31〉

Q38 「注8」特別地域訪問看護加算(1)

患家への到着に要する時間が1時間以上ならば特別地域訪問看護加算が算定できるのですか。

A：「厚生労働大臣が定める地域」に所在する訪問看護ステーションの看護師等が，ステーションの所在地から利用者の家庭までの訪問看護の目的に照らし，もっとも合理的な通常の経路および方法で片道1時間以上要する利用者に対して訪問看護を行った場合に，特別地域訪問看護加算を算定できます。交通事情等によりたまたま片道1時間以上かかってしまった場合は算定できません。

【厚生労働大臣が定める地域とは】

① 離島振興法第2条第1項の規定により，離島振興対策実施地域として指定された離島の地域

② 奄美群島振興開発特別措置法第1条に規定する奄美群島の地域

③ 山村振興法第7条第1項の規定により振興山村として指定された山村の区域

訪問看護Q&A

④　小笠原諸島振興開発特別措置法第２条第１項に規定する小笠原諸島の地域
⑤　沖縄振興特別措置法第３条第３項に規定する離島
⑥　過疎地域自立促進特別措置法第２条第１項に規定する過疎地域

Q39　特別地域訪問看護加算(2)

「訪問看護の目的に照らしもっとも合理的な通常の経路および方法」の意味は。

A：通常一般的な経路および方法としては，徒歩か乗り合いバスを使う場合でも，訪問看護に行くためには器具器材等があるので，自動車を使用するということ等を意味します。

Q40　特別地域訪問看護加算(3)

特別地域訪問看護加算の算定に関し，利用者の住所や訪問看護ステーションの所在地に変更があり，当該加算が算定できたり，できなくなったりする場合の算定方法を教えてください。

A：住所の変更については，転入または住所変更した日，訪問看護ステーションの所在地の変更については，変更の届出が受理された日から算定可否を変更します。

Q41　特別地域訪問看護加算(4)

特別地域訪問看護加算において，訪問看護ステーションの主たる事業所は特別地域外に所在するが，従たる事業所は特別地域に所在し，従たる事業所から特別地域外に居住する利用者に指定訪問看護を行った場合においては算定できるのですか。

A：算定できません。ただし，利用者の居宅が特別地域に所在する場合は，訪問看護ステーションの主たる事業所又は従たる事業所の双方が特別地域外に所在する場合にも算定可能です。

〈厚平30.3.30〉

Q42　「注９」緊急訪問看護加算(1)

訪問看護基本療養費の緊急訪問看護加算又は精神科訪問看護基本療養費の精神科緊急訪問看護加算について，複数の訪問看護ステーションのいずれかが定期的な指定訪問看護を行った日に，当該複数の訪問看護ステーションのうちその他のステーションが緊急の指定訪問看護を行った場合に限り，当該加算のみを算定することができるとありますが，定期的な指定訪問看護を行う前にその他のステーションが緊急に指定訪問看護を行った場合は当該加算を算定できるでしょうか。

A：このような場合には，緊急に訪問した際に，当該日に実施予定の訪問看護を併せて実施することが原則ですが，やむを得ず実施できなかった場合に限り算定できます。また，やむを得ず実施できなかった状況について，訪問看護記録書に記録する必要があります。

〈厚平28.6.14〉

Q43　緊急訪問看護加算(2)

複数の訪問看護ステーションから現に指定訪問看護を受けている利用者に対し，当該複数の訪問看護ステーションのいずれかが計画に基づく指定訪問看護を行った日に，当該複数の訪問看護ステーションのうち，その他の訪問看護ステーションが緊急の指定訪問看護を行った場合においては，緊急の指定訪問看護を行った訪問看護ステーションは緊急訪問看護加算のみの算定となるのでしょうか。

A：そのとおりです。この場合，訪問看護基本療養費及び訪問看護管理療養費等を算定する計画に基づく指定訪問看護を行った訪問看護ステーションとの間で合議のうえ，費用の精算を行うものとします。

〈厚平30.3.30〉

Q44　「注10」長時間訪問看護加算(1)

難病等複数回訪問加算の対象となる患者については，複数回の実施時間を合わせて２時間を超えた場合も算定できるのですか。

A：通知のとおり，１回の訪問看護の時間が90分を超えた場合に，週１回に限り算定できます。

〈厚平20.3.28〉

Q45　長時間訪問看護加算(2)

長時間訪問看護加算は，２時間を超える時間が何時間であっても5,200円の加算ですか。

A：その通りです（長時間訪問看護加算を算定した日以外の日に，指定訪問看護に要する平均的な時間を超える訪問看護を行った場合は，利用料を受け取ることができます）。

〈厚平20.3.28〉

Q46　長時間訪問看護加算(3)

２カ所の訪問看護ステーションが訪問看護を行っている場合は，それぞれで週１回算定できると考えてよいですか。

A：どちらか一方のみの訪問看護ステーションの算定になります。ただし，週により算定する訪問看護ステーションが異なっても差し支えありません。

Q47　長時間訪問看護加算(4)

「人工呼吸器を使用している状態にある者」（「別表第８」）とは，NIPPVを使用している場合も含むのですか。また，使用時間に制限はありますか。

A：使用機器や使用時間は限定されていません。

Q48 長時間訪問看護加算(5)

15歳未満の超重症児又は準超重症児における当該加算の回数制限は3回ですが，2カ所の訪問看護ステーションが入っている場合，従来はどちらか1カ所のステーションのみでしたが，同様の取扱いとなるのですか。

A：1カ所もしくは2カ所の訪問看護ステーションで合わせて週に3回までであれば算定可能です。

Q49 6歳の誕生日の「注11」乳幼児加算

6歳の誕生日に指定訪問看護を行った場合には，乳幼児加算は算定できないと解してよいでしょうか。

A：そのとおりです。乳幼児加算は6歳未満の利用者に算定します。〈厚平22.3.29，一部修正〉

Q50 「注12」複数名訪問看護加算(1)

複数名訪問看護加算は同時に複数名で訪問看護を行う場合とされていますが，指定訪問看護の実施時間の全体すべてに同時に複数で行う必要があるのでしょうか。

A：同時に複数の看護師等が必要な時間帯に複数名で対応しても大丈夫です。ただし，同時に複数名で訪問看護を実施する時間は訪問看護の標準的な時間としている30分程度を超えていなければいけません。〈厚平22.3.29〉

Q51 複数名訪問看護加算(2)

複数名訪問看護加算は1人の利用者に対して週1回に限り所定額に加算することとなっていますが，複数の訪問看護ステーションが訪問看護を行っている場合はそれぞれのステーションで算定できますか。

A：1人の利用者に対して週1回に限り算定できるものであり，同じ週に複数のステーションそれぞれで算定することはできません。ただし，各週で算定する訪問看護ステーションが異なってもかまいません。〈厚平22.3.29〉

Q52 複数名訪問看護加算(3)

同時に3名で訪問看護を行った場合においても，複数名訪問看護加算の算定は週1回のみでしょうか。

A：そのとおりです。〈厚平22.3.29〉

Q53 複数名訪問看護加算(4)

複数名訪問看護加算の要件として，「同時に複数の看護師等による指定訪問看護を行うことについて，利用者又はその家族等の同意を得ること」とありますが，口頭で同意を取ってもよいのでしょうか。

A：口頭でもよいですが，同意を得た旨を記録等に残す必要があります。〈厚平22.3.29〉

Q54 複数名訪問看護加算(5)

厚生労働大臣が定める疾患等の患者については，看護補助者との同行による訪問看護が回数制限なく行えますが，1日に複数回訪問看護ができる患者については，複数名看護加算についても複数回算定できるのですか。

A：要件に該当すれば算定可能です。〈厚平24.3.30〉

Q55 複数名訪問看護加算(6)

複数名訪問看護加算において評価されている看護補助者には，業務の定義や資格要件はあるのですか。また，訪問看護ステーションに雇用されていない看護補助者でもよいのですか。

A：看護補助者については，訪問看護を担当する看護師の指導の下に，療養生活上の世話（食事，清潔，排泄，入浴，移動等）のほか，居室内の環境整備，看護用品及び消耗品の整理整頓等といった看護業務の補助を行う者のことを想定しており，資格は問いません。秘密保持や医療安全等の観点から，当該訪問看護ステーションに雇用されている必要がありますが，指定基準の人員に含まれないことから，従事者の変更届の提出は必要ありません。〈厚平24.4.20〉

Q56 複数名訪問看護加算(7)

複数名訪問看護加算を算定する際，看護職員を看護補助者として計上してもよいですか。

A：不可です。〈厚平24.4.20〉

Q57 複数名訪問看護加算(8)

複数名訪問看護加算及び複数名精神科訪問看護加算について，同一建物に居住するA，B，C 3人の利用者に，同一の訪問看護ステーションが，以下のような訪問を行った場合には，同一建物居住者に係るいずれの区分を算定することとなりますか。

①A：他の看護師との訪問看護
B：他の看護師との訪問看護
C：他の理学療法士との訪問看護
②A：他の看護師との訪問看護
B：他の看護師との訪問看護
C：他の看護補助者との訪問看護（「ニ」の1日に1回）
③A：他の看護補助者との訪問看護（「ニ」の1日に1回）
B：他の看護補助者との訪問看護（「ニ」の1日に1回）
C：他の看護補助者との精神科訪問看護

④A：他の看護補助者との訪問看護（「ニ」の１日に２回）
B：他の看護補助者との訪問看護（「ニ」の１日に２回）
C：他の看護補助者との精神科訪問看護

A：それぞれ以下のとおりです。

① A，B，Cいずれも，複数名訪問看護加算の「看護師等」「同一建物内３人以上」を算定。

② A及びBは，複数名訪問看護加算の「看護師等」「同一建物内２人」を算定。Cは，複数名訪問看護加算の「看護補助者（ニ）」「１日に１回の場合」「同一建物内１人」を算定。

③ A及びBは，複数名訪問看護加算の「看護補助者（ニ）」「１日に１回の場合」「同一建物内３人以上」を算定。Cは，複数名精神科訪問看護加算の「看護補助者」「同一建物内３人以上」を算定。

④ A及びBは，複数名訪問看護加算の「看護補助者（ニ）」「１日に２回の場合」「同一建物内２人」を算定。Cは，複数名精神科訪問看護加算の「看護補助者」「同一建物内１人」を算定。

〈厚令2.3.31〉

Q58 「注13」夜間・早朝訪問看護加算⑴

「注13」夜間・早朝訪問看護加算は，急遽，予定していた定期的な指定訪問看護を訪問看護ステーションの看護職員の病欠により，予定訪問時間の16時を夜間の18時に変更した場合には算定できますか。

A：利用者及びその家族等の求めによるものではなく，訪問看護ステーションの都合によるものについては算定できません。〈厚平24.3.30〉

Q59 夜間・早朝訪問看護加算⑵

定期的な指定訪問看護が午前中に必要な患者の訪問を新たに開始するにあたり，すでに営業時間内は予定が埋まっていたため，営業時間以外の早朝の７時に訪問することになった場合，夜間・早朝訪問看護加算を算定できますか。

A：利用者及びその家族等の求めによるものではなく，訪問看護ステーションの都合による営業時間外の訪問にあたる場合には，夜間・早朝訪問看護加算は算定できません。〈厚平24.3.30〉

Q60 夜間・早朝訪問看護加算⑶

夜間・早朝訪問看護加算若しくは深夜訪問看護加算を算定せずに営業時間以外の差額料金をその他の利用料として徴収することは可能ですか。

A：不可です。訪問看護ステーションが当該加算とその他の利用料のどちらを算定するか選べるわけではなく，告示に示されている夜間（午後６時から午後10時までの時間），早朝（午前６時から午前８時までの時間）又は深夜（午後10時から午前６時までの時間）に利用者又はその家族等の求めに応じて，指定訪問看護を行った場合には当該加算を算定するものであり，訪問看護ステーションの都合により，当該時間に指定訪問看護を行った場合には当該加算もその他の利用料も算定できません。

Q61 夜間・早朝訪問看護加算⑷

夜間・早朝訪問看護加算（2,100円）及び深夜訪問看護加算（4,200円）は，１日何回まで算定できるのですか。また，当該加算は，訪問看護基本療養費を算定できない訪問（他の訪問看護ステーションがすでに訪問した後の同一日訪問等）の場合に，加算のみの算定は可能ですか。

A：夜間・早朝訪問看護加算（2,100円）及び深夜訪問看護加算（4,200円）は，それぞれの加算を１日１回ずつの計２回まで算定可能です。例えば，筋萎縮性側索硬化症（ALS）の利用者に対して，１つの訪問看護ステーションが患家に同一日に３回（夜間，早朝，深夜の時間帯に各１回）訪問を行ったとしても，訪問看護基本療養費及び訪問看護管理療養費を除き，夜間・早朝訪問看護加算（2,100円）と深夜訪問看護加算（4,200円）は各１回ずつの計6,300円しか算定できません。

また，訪問看護基本療養費を算定できない訪問の場合には，この加算は算定できません。

〈厚平24.4.20，一部修正〉

Q62 深夜訪問看護加算や複数名訪問看護加算等の加算

入院中の患者に対して外泊時に訪問看護ステーションから訪問看護を提供して訪問看護基本療養費（Ⅲ）を算定する場合，状況に応じて深夜訪問看護加算や複数名訪問看護加算等の加算の算定は可能ですか。

A：訪問看護基本療養費（Ⅲ）を算定する場合，告示の記載にある通り，特別地域訪問看護加算以外の加算はすべて算定不可です。〈厚平24.4.20〉

Q63 実施時間の目安

訪問看護療養費を算定できる実施時間の目安はありますか。

A：訪問看護基本療養費（Ⅰ）および（Ⅱ）については１回の訪問につき30分から１時間30分程度が標準です。

Q64 移動時間

移動時間は訪問時間に含まれますか。

A：含まれません。

Q65　医療機関と訪問看護ステーションからの訪問看護

医療機関からと訪問看護ステーションから訪問看護を行った場合，双方とも算定ができますか。

A：医療機関と訪問看護ステーションから訪問看護を行った場合，併算定はできませんが，①厚生労働大臣が定める疾病等の患者である場合，②急性増悪等で一時的に週４日以上の訪問看護・指導を行う場合，③当該医療機関から退院後１カ月以内の場合，④研修を受けた看護師が共同して行う場合――は，算定可能です。〔『早見表』p.388，C005在宅患者訪問看護・指導料等に関する保医発通知(13)〕

Q66　訪問開始日

訪問看護ステーションの利用者が１月のうちに入院→退院→再度訪問看護となった場合，レセプトの訪問開始日はいつになりますか。

A：訪問看護療養費は１月単位のため，レセプト上は継続扱いです。開始日は初めて訪問した日となり，その下にカッコ書きで（○日入院，○日退院，○日再訪問）と記載します。

Q67　家事援助の費用は

２時間の訪問時間のうち１時間30分が看護ケアで，あと30分は家事援助を行った場合，訪問看護療養費の請求はどうなりますか。

A：家事援助は訪問看護とは別の業務ですので，訪問看護療養費としては算定せずあらかじめ利用者に説明のうえ，その他利用料として実費相当額を請求することになります。

Q68　住民票が移動した場合

次女と同居するため，住民票のある市町村から別の市町村へ移った人に，訪問看護を提供した場合，療養費はどちらの市町村に請求するのですか。

A：後期高齢者医療の受給者以外の方は，健康保険証を発行した市町村等に請求します。後期高齢者医療の受給者の場合は，保険者は都道府県を単位とする高齢者医療広域連合となりますので，同一都道府県内の移動であれば請求先は変わりません。

Q69　２カ所のステーションから訪問

引っ越しにより，同一月に２カ所の訪問看護ステーションから訪問看護が行われた場合，訪問看護療養費の請求はどのようになりますか。

A：同時に２カ所からの訪問看護を受けて，同時に算定することはできませんが，ＡからＢへの変更であれば算定は可能です。１月の日数が確定後，２カ所のステーションが按分して，保険者に請求します。その際レセプトにその旨を記入する必要があります。なお，訪問看護基本療養費は１日分ずつそれぞれ請求します。

Q70　月の途中でステーションが替わる場合

転居や訪問看護ステーションの廃止等により，１カ月に２カ所の訪問看護ステーションから指定訪問看護を受ける場合（ただし，複数の訪問看護ステーションから療養費を算定できる利用者を除く）に，訪問看護療養費はどのように算定すればよいですか。

A：やむを得ない事情により，月の途中で訪問看護ステーションが変更になる場合は，それぞれの訪問看護ステーションにおいて訪問看護療養費を算定できます。ただし，この場合であっても，訪問看護基本療養費（Ⅰ）又は（Ⅱ）については，１人につき週３日を限度とします。

〈厚平22.3.29，一部修正〉

Q71　２カ所のステーションから訪問した場合の算定

難病等で２カ所の訪問看護ステーションからの訪問看護を行った場合，それぞれ算定できますか。

A：訪問看護基本療養費・訪問看護管理療養費はそれぞれ算定できます。特別管理加算，緊急訪問看護加算，夜間早朝深夜加算，乳幼児加算，在宅患者連携指導加算，在宅患者緊急時等カンファレンス加算はそれぞれ算定できます。

しかし，24時間対応体制加算，退院支援指導加算，訪問看護情報提供療養費，訪問看護ターミナルケア療養費はどちらかのステーションしか算定できません。退院時共同指導加算は原則１カ所のみですが，基準告示第２の１（「別表第７」p.212と「別表第８」p.220）に該当する利用者に対しては複数での算定（計２回まで）が可能です。また，同日に２カ所のステーションによる訪問看護は認められません。

Q72　基準告示第２の１に該当する利用者(1)

基準告示第２の１（「別表第７」p.212と「別表第８」p.220）に該当する利用者であれば，週３日を超える指定訪問看護の提供がなくても，難病等複数回訪問加算の算定や２カ所の訪問看護ステーションから指定訪問看護を提供することは可能ですか。

A：可能です。　〈厚平24.7.3，一部修正〉

Q73　基準告示第２の１に該当する利用者(2)

「在宅患者訪問点滴注射管理指導料を算定している利用者」は，この管理指導が算定できる週において，４日以上の訪問が可能ということになるのですか。

A：そのとおりです。〈厚平24.4.27〉

Q74 複数の施設からの訪問看護(1)

「特別訪問看護指示書の交付を受けた訪問看護ステーションからの指定訪問看護を受けている利用者であって週４日以上の指定訪問看護が計画されている」場合又は「基準告示第２の１に規定する疾病等の利用者であって週７日の指定訪問看護が計画されている」場合は，訪問看護療養費の算定可能な訪問看護ステーションがそれぞれ２カ所又は３カ所までですが，

① ここでいう計画とは訪問看護計画のことでしょうか。

② また，利用者が入院する等により結果的に週４回又は週７回の訪問看護を実施できなかった場合であっても，それぞれの訪問看護ステーションが訪問看護療養費を算定できるのでしょうか。

A：①について：そのとおりです。対象となる利用者への訪問看護について訪問看護計画書に明記されている必要があります。また，いずれの場合においても，１人の利用者に対し，複数の訪問看護ステーションにおいて指定訪問看護を行う場合は，主治医との連携を図り，訪問看護ステーション間においても十分に連携を図らなければいけません。

②について：訪問した実績に応じて算定できます。〈厚平22.3.29〉

Q75 複数の施設からの訪問看護(2)

３カ所の訪問看護ステーションが訪問した場合，従来の２カ所の場合の扱いと同様，それぞれが訪問看護管理療養費12日分と重症者管理加算を算定できると考えてよいでしょうか。

A：それぞれの訪問看護ステーションが要件を満たしていれば，算定できます。〈厚平22.3.29〉

Q76 2カ所のステーションへの指示書

２カ所の訪問看護ステーションへの指示があった場合，医療機関は指示料は２枚分算定できるのでしょうか。

A：患者１人につき月１回に算定は限られますので，１枚分しか算定できません。なお，２つのステーションに指示書を交付する際は，それぞれの指示書に他の訪問看護ステーションに対しても指示書を交付していることを記載してください。

Q77 在宅訪問診療料と訪問看護療養費の併算定

訪問看護指示書を交付した医療機関でC001在宅訪問診療料を算定した日は，訪問看護ステーションが重複して訪問看護をしても訪問看護療養費の算定はできませんか。

A：保険医療機関が訪問診療を行った日に，保険医療機関と特別の関係にある訪問看護ステーションが訪問看護を行った場合は訪問看護療養費は訪問診療と併せて算定できません。〔『早見表』p.352 在宅患者診療・指導料に係る通知〕。特別の関係にない場合は，併せて算定できます。〈オ〉

Q78 医療保険と介護保険の併算定

訪問看護療養費を算定した月及び日について，精神科訪問看護・指導料は一部を除き算定できないとされましたが，精神疾患と精神疾患以外の疾患を有する要介護者は，医療保険の精神障害を有する者に対する訪問看護（精神科訪問看護・指導料又は精神科訪問看護基本療養費）と，介護保険による訪問看護とを同一日又は同一月に受けることができますか。

A：精神疾患とそれ以外の疾患とを併せて訪問看護を受ける利用者については，医療保険の精神障害を有する者に対する訪問看護（精神科訪問看護・指導料又は精神科訪問看護基本療養費）（以下「精神科訪問看護」という）を算定することができます。同利用者が，介護保険で訪問看護費を算定する場合は，主として精神疾患（認知症を除く）に対する訪問看護が行われる利用者でないことから，医療保険の精神科訪問看護を算定することはできません。すなわち，同一日に医療保険と介護保険とを算定することはできません。

なお，月の途中で利用者の状態が変化したことにより，医療保険の精神科訪問看護から介護保険の訪問看護に変更することは可能ですが，こうした事情によらず恣意的に医療保険と介護保険の訪問看護を変更することはできないものであり，例えば数日単位で医療保険と介護保険の訪問看護を交互に利用するといったことは認められません。〈厚平28.6.14〉

Q79 訪問看護指示書について

パーキンソン病の場合，ホーエン・ヤールの重症度分類や生活機能障害度について訪問看護指示書に記載してもらった方がよいですか。

A：ホーエン・ヤールの重症度分類がステージ３以上であって生活機能障害度Ⅱ又はⅢ度のものが厚生労働大臣が定める疾病等に該当するので，訪問看護指示書には明記してもらうことがよいでしょう。

Q80 介護職員によるたんの吸引等

介護職員がたんの吸引等を行えることになりましたが，看護職員が介護職員のたんの吸引等について手技の確認等を行った場合についても訪問看護基本療養費を算定できるのですか。

A：介護職員が患者に対してたんの吸引等を行っているところに，訪問看護を行うとともに，吸引等についての手技の確認等を行った場合は算定できます。なお，患者宅に訪問しない場合については，算定できません。〈厚平24.3.30〉

Q81 介護職員等喀痰吸引等指示書の有効期間

訪問看護指示書の有効期間は６カ月となっていますが，介護職員等喀痰吸引等指示書の有効期間は同じく６カ月ですか。

A：そのとおりです。〈厚平24.5.18〉

Q82 同一患家の２人に訪問看護

同一患家に住む夫婦２人に訪問看護指示書が交付された場合，２人分の療養費が算定できますか。

A：２人とも，医師が訪問看護を必要と認め，２件の指示書を出しているのであれば，療養費は２人分算定できます。

なお，その他の利用料の交通費は同時に訪問するのであれば１回分です。

Q83 頻回の訪問

急性増悪により，週４日以上の頻回な訪問看護が必要な患者さんがいます。週４日以上訪問しても算定できるでしょうか。

A：主治医が「特別訪問看護指示書」により頻回の訪問看護を指示した場合，１月に１回限り，その指示した日から14日以内に行った訪問看護については14日を限度として算定できます。

Q84 1日2回訪問

同一の利用者に１日２回訪問看護を行った場合の基本療養費はいくらですか。

A：１日単位で支給されるので，２回行っても１日分の額です。ただし，難病等複数回訪問加算に該当するのであれば加算が算定できます。

Q85 同一日に看護師と理学療法士が訪問

同一の利用者に，看護師と理学療法士が２人で訪問看護を行った場合，療養費はどのように算定しますか。

A：２人で訪問しても１日分の療養費です。訪問看護療養費は訪問した人数にかかわりなく１日につき算定されます。また，同行したのでなく，同じ日の別の時間帯に別々に訪問しても療養費は１日分です。

Q86 看護師と作業療法士が別日に訪問

看護師と作業療法士が，同一の利用者に対して，別々の日に訪問した場合はそれぞれ算定できますか。

A：別々に算定できます。

Q87 同日にステーションと医療機関から訪問

同じ日に，訪問看護ステーションの看護師と医療機関の医師や栄養士が，同一の利用者を訪問した場合，それぞれ算定できますか。

A：医療機関とステーションが特別の関係であって，指示書を交付している場合（緊急の往診を除く），同日において訪問看護療養費との併算定は往診料・訪問診療料等ともできません。特別の関係にない場合などはそれぞれ算定できますが，できるだけ重ならないように調整することが望ましいでしょう。

精神科訪問看護基本療養費

Q88 専門機関等が主催する精神保健に関する研修(1)

精神科訪問看護基本療養費を算定する場合に，届出基準として求められている「（4）専門機関等が主催する精神保健に関する研修」とは，具体的にどのような研修があるのですか。

A：研修とは社団法人全国訪問看護事業協会等の専門機関が実施している概ね５日間程度で，精神訪問看護の基礎，精神保健（疾病の理解等を含む），精神科看護（統合失調症又は認知症患者への看護のいずれかを含む），精神科リハビリテーション看護及び症例検討等の内容を含むものでなければいけません。〈厚平24.4.20〉

Q89 専門機関等が主催する精神保健に関する研修(2)

精神科訪問看護基本療養費を算定する場合に，届出基準として求められている「⑷専門機関が主催する精神科訪問看護に関する知識・技術の習得を目的とした20時間以上の研修」に，一般社団法人全国訪問看護事業協会が主催している「精神訪問看護集中講座」，「精神科訪問看護基本療養費算定要件研修会」，公益財団法人日本訪問看護財団が主催している「精神障害者の在宅看護セミナー」，一般社団法人日本精神科看護協会が主催している「精神科訪問看護研修会～基礎編～」は，該当しますか。

A：該当します。当該研修は主催者である専門機関から修了証が発行されるものであることに留意してください。〈厚平26.7.10〉

Q90 居宅の精神疾患の利用者への訪問看護

届出基準にある「精神疾患を有する者に対する訪問看護の経験を有する者」とは，平成24年３月

31日以前に行っている訪問看護基本療養費（Ⅱ）の算定対象になる訪問看護だけではなく，居宅の精神疾患の利用者への訪問看護〔訪問看護基本療養費（Ⅰ）〕や１日だけの経験も該当すると考えてよいですか。

A：継続的に精神疾患を有する患者に対する訪問看護を行っており，精神科訪問看護を適切に提供できると判断できる者であれば該当します。具体的には，精神科訪問看護基本療養費の届出基準に示されている(1)～(4)に該当すれば良いと考えられます。〈厚平24.4.20，一部修正〉

Q91　認知症，統合失調症の患者の場合

精神科訪問看護・指導料，精神科訪問看護基本療養費について，介護保険の適用のある患者で主たる傷病名の中に認知症と統合失調症の両者の診断名がある場合には，医療保険給付となるのでしょうか。

A：統合失調症による症状に対して精神科訪問看護が発生している場合は医療保険給付となります。〈厚平26.6.2〉

Q92　GAF尺度による判定(1)

精神科基本療養費（Ⅰ）及び（Ⅲ）におけるGAF尺度による判定について，月の初日の訪問看護が家族に対するものであり，当該月に利用者本人への訪問看護を行わなかった場合には，判定の必要はありますか。

A：GAF尺度による判定は必要ありません。ただし，訪問看護記録書，訪問看護報告書及び訪問看護明細書に，家族への訪問看護でありＧＡＦ尺度による判定が行えなかった旨を記載してください。〈厚令2.3.31〉

Q93　GAF尺度による判定(2)

精神科基本療養費（Ⅰ）及び（Ⅲ）におけるGAF尺度による判定について，月の初日の訪問看護が家族に対するものであり，利用者本人には月の２回目以降に訪問看護を行った場合には，いつの時点でGAF尺度による判定を行えばよいですか。

A：当該月において，利用者本人に訪問看護を行った初日に判定することで差し支えありません。〈厚令2.3.31〉

Q94　指示書に「複数回」の指示がない場合

１日に複数回指定訪問看護を行い，精神科複数回訪問加算を算定するにあたって，医師から交付される精神科訪問看護指示書の「複数回訪問の必要性」の欄に，「あり」と記載されていない場合は算定できませんか。

A：算定できません。〈厚平30.3.30〉

Q95　同一建物に住む親子

訪問看護基本療養費を算定している利用者Ａと精神科訪問看護基本療養費を算定している利用者Ｂは，同一建物に住む親子で同じ訪問看護ステーションを利用していますが，同一日にそれぞれが訪問を受けた場合には，同一建物への訪問費用として，Ａからは訪問看護基本療養費（Ⅱ），Ｂからは精神科訪問看護基本療養費（Ⅲ）を徴収するのですか。

A：そのとおりです。〈厚平24.4.27〉

Q96　「複数名訪問の必要性」の欄

複数の看護師等で指定訪問看護を行い，複数名精神科訪問看護加算を算定する場合は，医師から交付される精神科訪問看護指示書に「複数名訪問の必要性」の欄が追加されたが，当該欄に「あり」と記載されている場合に算定が可能となるという理解でよいのですか。

A：よいです。〈厚平30.3.30〉

Q97　精神科訪問看護指示書

複数名精神科訪問看護加算について，「複数名訪問看護の必要性」について精神科訪問看護指示書に理由を記載するように変更された（2020年）ところですが，すでに交付されている当該指示書について，令和２年４月１日から改めてこの様式の指示書に変更する必要はありますか。

A：令和２年３月31日以前に指示書が交付されている場合については，改定後の様式による指示書の再交付は不要です。〈厚令2.3.31〉

Q98　要介護被保険者等に算定する場合

「医療保険と介護保険の給付調整に関する留意事項及び医療保険と介護保険の相互に関連する事項等について」第５の７では，「精神疾患を有する患者であり，精神科訪問看護指示書が交付された場合は，要介護被保険者等の患者であっても（医科診療報酬のＩ012精神科訪問看護・指導料を）算定できる。ただし，認知症が主傷病である患者（精神科重症患者支援管理料を算定する者を除く）については算定できない」とされましたが，Ｉ012精神科訪問看護・指導料の算定にあたっては，自院の訪問看護を担当する看護師等に精神科訪問看護指示書を交付しなければならないと解することになりますか。

A：当該医療機関の診療録等に，精神科訪問看護指示書に含まれる以下の内容の記載があればよいこととします。

・主たる傷病名，現在の状況，精神科訪問看護に関する留意事項及び指示事項。

〈厚平26.7.10，一部修正〉

訪問看護管理療養費（機能強化型）

Q99　届出要件(1)

機能強化型訪問看護管理療養費１及び２の届出要件となるターミナルケアの件数において，

①「あらかじめ聴取した利用者及びその家族等の意向に基づき，７日以内の入院を経て連携する保険医療機関で死亡した利用者」における「連携する保険局医療機関」とは具体的にはどういうものですか。

②「当該訪問看護ステーションが６月以上の指定訪問看護を実施した利用者」における「６月以上」とは具体的にはいつからいつまでの期間ですか。

③　７日以内の入院に，入院日又は死亡日は含みますか。

A：①　当該利用者に対して死亡直近６月間において訪問診療を実施している機能強化型在宅療養支援診療所又は機能強化型在宅療養支援病院

②　入院した日が属する月（当該月を含まない）から遡って６月の期間。例えば，４月10日に入院し７日以内の入院を経て連携する保険医療機関で死亡した場合は，前年の10月以降の期間となります。また，定期的な指定訪問看護が10月中のいずれかの日より開始されていればよいです。

③　７日以内については，入院日は含まず，死亡日は含みます。例えば，４月１日に入院し４月８日に死亡した利用者はターミナルケアの件数に含まれます。　〈厚平30.3.30〉

Q100　届出要件(2)

機能強化型訪問看護管理療養費３の届出要件に「訪問看護ステーションと同一開設者である保険医療機関が同一敷地内に設置されている場合は，営業時間外の利用者又はその家族等からの電話等による看護に関する相談への対応は，当該保険医療機関の看護師が行うことができる」とありますが，訪問看護ステーションと同一開設者である保険医療機関が敷地の外に設置されている場合には，当該保険医療機関の看護師が夜間の電話対応を行うことはできますか。

A：できません。同一敷地内の保険医療機関に限ります。　〈厚平30.3.30〉

Q101　届出要件(3)

機能強化型訪問看護管理療養費３において，同一敷地内の保険医療機関の看護師による営業時間外の利用者又はその家族等からの電話等による看護に関する相談への対応は，当該保険医療機関の外来で勤務している看護師が行うことができるのですか。

A：できます。また，専ら病院全体の管理に従事している看護部長，管理当直師長等も可能です。　〈厚平30.3.30〉

Q102　届出要件(4)

機能強化型訪問看護管理療養費３の届出要件の「複数の訪問看護ステーションと共同して訪問看護を提供する利用者」とは，具体的にはどのような利用者ですか。

A：特掲診療料の施設基準等「別表第７」若しくは「別表第８」に規定する疾病等の利用者又は特別訪問看護指示書若しくは精神科特別訪問看護指示書の交付の対象となった利用者であり，週４日以上の指定訪問看護が計画されている利用者であって，複数の訪問看護ステーションにより指定訪問看護が実施され，訪問看護療養費が算定されている利用者です。　〈厚平30.3.30〉

Q103　届出要件(5)

機能強化型訪問看護管理療養費３の届出要件の「特掲診療料の施設基準等別表第７に規定する疾病等の利用者，特掲診療料の施設基準等別表第８に掲げる者又は診療報酬の算定方法別表第一に規定する精神科在宅患者支援管理料１（ハを除く）若しくは２を算定する利用者が月に10人以上いること又は複数の訪問看護ステーションで共同して訪問看護を提供する利用者が月に10人以上いること」については，以下の①と②を合わせて10人以上であればよいのでしょうか。

①「特掲診療料の施設基準等別表第７に規定する疾病等の利用者」，「特掲診療料の施設基準等別表第８に掲げる者」及び「診療報酬の算定方法別表第１に規定する精神科在宅患者支援管理料１（ハを除く）若しくは２を算定する利用者」の合計

②　複数の訪問看護ステーションで共同して訪問看護を提供する利用者

A：①又は②のいずれかにおいて，月に10人以上を満たしていればよいです。　〈厚平30.3.30〉

Q104　届出要件(6)

機能強化型訪問看護管理療養費３の届出要件の「精神科在宅患者支援管理料１（ハを除く）若しくは２を算定する利用者」については，精神科重症患者支援管理連携加算を算定していない利用者でもよいのですか。

A：精神科重症患者支援管理連携加算を算定している利用者のみです。　〈厚平30.3.30〉

Q105　届出要件(7)

機能強化型訪問看護管理療養費３の届出要件における「地域の保険医療機関の看護職員が，指定訪問看護の提供を行う従業者として一定期間の勤

務について実績がある」について，「地域の保険医療機関の看護職員」が訪問看護ステーションと同一の開設者の医療機関の看護職員でもよいですか。

A：よいです。人事交流を行う地域の医療機関は，開設者や敷地が訪問看護ステーションと同一であるか否かは問いません。〈厚平30.3.30〉

Q106 届出要件⑻

機能強化型訪問看護管理療養費３の届出要件の「オ」で示している「キにおける地域の保険医療機関以外の保険医療機関と共同して実施した退院時の共同指導による退院時共同指導加算の算定の実績」とは，
① 人事交流を行った保険医療機関以外の保険医療機関と退院時共同指導を行い，訪問看護ステーションが退院時共同指導加算を算定した件数の実績ということでよいですか。
② 実績が１件でも要件を満たしますか。

A：①よいです。②満たします。件数は特に規定していませんが，届出においては，直近３カ月の該当する退院時共同指導加算の算定件数を届出してください。〈厚平30.3.30〉

Q107 届出要件⑼

機能強化型訪問看護管理療養費３の届出要件における，「同一敷地内に訪問看護ステーションと同一開設者の保険医療機関が設置されている場合は，当該保険医療機関以外の医師を主治医とする利用者の割合が訪問看護ステーションの利用者の１割以上であること」においては，同一敷地内に訪問看護ステーションと同一開設者の保険医療機関が設置されていない場合は，当該要件を満たす必要はありませんか。

A：必要はありません。当該要件を除いて届出してください。〈厚平30.3.30〉

Q108 届出要件⑽

機能強化型訪問看護管理療養費３の届出要件における，「地域の保険医療機関や訪問看護ステーションを対象とした研修」として認められる研修には，期間や内容など規定はありますか。

A：要件となる研修期間や内容は特に規定していません。例えば，他の訪問看護ステーションとの困難事例に係る研修会の主催，病院の看護師の同行訪問による訪問看護研修等も実績として届出可能です。〈厚平30.3.30〉

Q109 届出要件⑾

機能強化型訪問看護管理療養費１及び２の届出基準における「人材育成のための研修等」には，期間や内容の基準はありますか。

A：期間や内容について一律の基準は設けていませんが，内容については，例えば，地域の訪問看護ステーションと連携した業務継続計画の策定，研修及び訓練の主催，地域の医療従事者等に対する同行訪問による訪問看護研修等が想定されます。なお，当該研修等については，ビデオ通話が可能な機器を用いて実施しても差し支えありません。〈厚令4.3.31〉

Q110 届出要件⑿ 新

機能強化型訪問看護管理療養費１の届出基準における「専門の研修等」には，具体的にはどのようなものがありますか。

A：現時点では，以下の研修が該当します。
①日本看護協会の認定看護師教育課程
②日本看護協会が認定している看護系大学院の専門看護師教育課程
③日本精神科看護協会の精神科認定看護師教育課程
④特定行為に係る看護師の研修制度により厚生労働大臣が指定する指定研修機関において行われる研修

なお，①，②及び④については，それぞれいずれの分野及び区分（領域別パッケージ研修を含む）の研修を受けた場合であっても差し支えありません。〈厚令6.3.28〉

Q111 「イ」から「ロ」への変更届け

「１」の「イ」「ロ」機能強化型訪問看護管理療養費について，ターミナル件数のみで実績要件を満たしていたステーションが，「イ」ターミナル件数は満たさなくなったが，「ロ」ターミナル件数かつ超・準超重症児の利用者数の実績要件は満たす場合は，届出の変更が必要ですか。

A：「イ」ターミナル件数，「ロ」ターミナル件数かつ超・準超重症児の利用者数又は「ハ」超・準超重症児の利用者数の実績要件のうちいずれかを満たしている間は，変更の届出は必要ありません。〈厚平28.3.31〉

Q112 電子的方法による計画書の提出

電子署名が行われていないメールやSNSを利用した，訪問看護指示書の交付や訪問看護計画書等の提出は認められないということでしょうか。

A：そのとおりです。〈厚平28.3.31〉

Q113 サテライトに事業所を設置した場合

主たる事業所ではなく，サテライトに居宅介護支援事業所が設置されている場合も要件を満たしていることになるのでしょうか。

A：なりません。主たる事業所の同一敷地内に設

置されていることが必要です。〈厚平26.3.31〉

Q114　サテライトに職員を多く配置した場合

主たる事業所よりサテライトに多く看護職員が配置されていても，常勤の看護職員が合計で７人以上配置されていれば，要件をみたすことになるのでしょうか。

A：サテライトより主たる事業所に看護職員が同数以上配置されていることを原則とします。なお，指定訪問看護の提供状況の把握，技術指導，職員管理等が主たる事業所において一元的に行われていることは，従来どおりです。〈厚平26.3.31〉

Q115　主たる事業所とサテライトの所在地

看護職員の常勤数の要件はサテライトに配置している看護職員数も含んだ人数となっていますが，例えば，主たる事業所とサテライトの所在地が異なる市町村でもかまわないのでしょうか。

A：二次医療圏内に設置されていることを基本とし，隣接する医療圏にサテライトが存在する場合は，主たる事業所とサテライトの所在地について，地域の人口や医療資源等を踏まえて個別に判断する必要があります。〈厚平26.4.10〉

Q116　居宅介護支援事業所の経営主体

同一敷地内に設置される居宅介護支援事業所は，同一法人でなくてもいいのでしょうか。

A：よいこととします。〈厚平26.3.31〉

Q117　事業所を同一敷地内に設置することの趣旨

指定訪問看護事業所と居宅介護支援事業所が同一敷地内に設置され，かつ，当該訪問看護事業所の介護サービス計画又は介護予防サービス計画の作成が必要な利用者のうち，例えば，特に医療的な管理が必要な利用者１割程度について，当該居宅介護支援事業所により介護サービス計画又は介護予防サービス計画を作成していることという要件は，どのような趣旨でしょうか。

A：当該要件については，患者の囲込みを助長することは本旨でなく，医療と介護の連携，調整等を進め，医療と介護の一体的な提供を推進する趣旨のものです。〈厚平26.3.31〉

Q118　同一敷地内の事業所で計画を作成する規定

当該訪問看護事業所の介護サービス計画又は介護予防サービス計画の作成が必要な利用者のうち，例えば，特に医療的な管理が必要な利用者１割程度について，当該居宅介護支援事業所により介護サービス計画又は介護予防サービス計画を作成していることという要件は，具体的にどのような内容なのでしょうか。

A：当該要件については，指定訪問看護事業所と同一敷地内に設置している居宅介護支援事業所において，当該指定訪問看護事業所の訪問看護利用者（要介護・要支援者に限る）のうち，例えば，特に医療的な管理が必要な利用者（特別訪問看護指示書が頻回に交付されている者，点滴等の医療処置が多く行われている者等）等について，介護サービス計画又は介護予防サービス計画を作成していることを求めるものです。

なお，「１割程度」については，訪問看護利用者（要介護・要支援者に限る）のうち，概ね１割程度の者に介護サービス計画又は介護予防サービス計画を作成していることを目安とする趣旨です。

〈厚平26.3.31〉

訪問看護管理療養費

Q119　施設基準の届出(1) 新

令和６年３月31日時点において，指定訪問看護を行う訪問看護ステーションについては，訪問看護管理療養費２の届出を行った場合も，令和６年９月30日までは訪問看護管理療養費１を算定できますか。

A：算定できません。訪問看護管理療養費２の届出を行った訪問看護ステーションは，届出以降は訪問看護管理療養費２を算定します。〈厚令6.5.28〉

Q120　施設基準の届出(2) 新

令和６年３月31日時点において指定訪問看護を行う訪問看護ステーションであって，訪問看護管理療養費１の基準を満たしていない事業所が，「訪問看護管理療養費１の基準については，令和６年３月31日時点において現に指定訪問看護事業者が，当該指定に係る訪問看護事業を行う事業所については，令和６年９月30日までの間に限り，訪問看護管理療養費１の基準に該当するものとみなす」との経過措置により訪問看護管理療養費１の届出を行っている場合において，経過措置終了（令和６年９月30日）までに，訪問看護管理療養費１の基準を満たすこととなった場合，令和６年10月以降に引き続き訪問看護管理療養費１を算定するに当たり，改めて届出を行う必要はありますか。

A：届出時点で訪問看護管理療養費１の基準を満たしていなかったが，経過措置終了までに基準を満たすこととなった場合は，令和６年10月１日までに改めて，訪問看護管理療養費１の基準を満たした届出を行う必要があります。〈厚令6.6.18〉

Q121　施設基準の届出(3) 新

令和6年3月31日時点において指定訪問看護を行う訪問看護ステーションであって，訪問看護管理療養費1の基準を満たしている事業所が，経過措置期間中に訪問看護管理療養費1の届出を行っている場合において，令和6年10月以降に引き続き訪問看護管理療養費1を算定するに当たり，改めて届出を行う必要はありますか。

A：改めて届出を行う必要はありません。

〈厚令6.6.18〉

Q122　施設基準の届出(4) 新

訪問看護管理療養費1又は訪問看護管理療養費2の届出を令和6年9月17日までに行っている場合における，令和6年6月1日以降の指定訪問看護実施分の訪問看護管理療養費1及び訪問看護管理療養費2の取扱いはどうなりますか。

A：令和6年6月1日から算定可能となります。

また，施設基準の届出がないものとして審査支払機関から返戻等された訪問看護管理療養費については，再請求を行うことが可能です。

なお，これに伴い，「令和6年度診療報酬改定で新設された「訪問看護管理療養費1」及び「訪問看護管理療養費2」に係る届出について」（令和6年5月28日事務連絡）別添の問1，問2，問4及び問5は廃止します。〈厚令6.8.23〉

Q123　施設基準の届出(5) 新

令和6年3月31日時点において指定訪問看護を行う訪問看護ステーションであって，訪問看護管理療養費1の施設基準を満たしていない事業所が，「訪問看護管理療養費1の基準については，令和6年3月31日時点において現に指定訪問看護事業者が，当該指定に係る訪問看護事業を行う事業所については，令和6年9月30日までの間に限り，訪問看護管理療養費1の基準に該当するものとみなす」との経過措置により訪問看護管理療養費1を算定しようとする場合，どのような届出を行う必要がありますか。

A：令和6年6月訪問看護実施分から算定する場合には，令和6年9月17日までに訪問看護管理療養費1の届出を行う必要があります。〈厚令6.8.23〉

Q124　施設基準の届出(6) 新

訪問看護管理療養費1又は2の届出を，令和6年9月17日までに行っている場合であっても，令和6年10月1日までに改めて地方厚生（支）局長に届出を行う必要はありますか。

A：届出内容に変更がない場合には，改めて届出を行う必要はありません。

なお，令和6年9月17日までに訪問看護管理療養費1の届出を行った訪問看護ステーションのうち，経過措置終了時点で施設基準を満たさない訪問看護ステーションについては，令和6年10月1日までに訪問看護管理療養費2の届出を行う必要があります。

〈厚令6.8.23〉

Q125　施設基準の届出(7) 新

令和6年4月1日以降に，新たに指定を受けた訪問看護ステーションが，令和6年6月1日から訪問看護管理療養費1又は2の算定を行う場合は，令和6年9月17日までに訪問看護管理療養費1又は2の届出を行う必要がありますか。

A：そのとおりです。〈厚令6.8.23〉

Q126　施設基準の届出(8) 新

本事務連絡〔Q122～125〕の取扱いは，令和6年4月1日以降に，新たに指定を受けた訪問看護ステーションも対象となりますか。

A：対象となります。〈厚令6.8.23〉

Q127　施設基準の届出(9) 新

令和6年7月1日までに訪問看護管理療養費1又は訪問看護管理療養費2を届け出ていなかった訪問看護ステーションにおいて，令和6年6月訪問看護実施分の当該療養費を請求していなかった場合，再請求を行うことが可能となりますか。

A：訪問看護管理療養費1又は訪問看護管理療養費2の届出受理通知を受け取った後に再請求が可能です。

なお，再請求に伴い，利用者に対して追加で費用を徴収する場合は，十分に説明を行ってください。

〈厚令6.8.23〉

Q128　施設基準の届出(10) 新

令和6年7月1日以降に訪問看護管理療養費1又は2の算定可能として届出を行っている訪問看護ステーションにおいて，令和6年6月1日から算定開始とされた日までの期間の訪問看護管理療養費1又は2の算定も可能となりますか。

A：令和6年6月1日から訪問看護管理療養費1又は2を算定するとして，届出直しがあった場合には算定可能となります。

なお，届出直しに伴い，利用者に対して追加で費用を徴収する場合は，十分に説明を行ってください。〈厚令6.8.23〉

Q129　施設基準の届出(11) 新

訪問看護管理療養費1又は訪問看護管理療養費2の届出後，当該療養費はいつから請求が可能となりますか。

A：訪問看護管理療養費1又は訪問看護管理療養

費２の届出受理通知を受け取った後に請求可能となります。〈厚令6.8.23〉

Q130 施設基準の届出⑿ 新

訪問看護管理療養費１又は訪問看護管理療養費２を届け出ている訪問看護ステーションにおいて，令和６年９月１日以降の算定区分の変更を行う場合も令和６年９月17日までに届出を行えばよいのですか。

A：変更の届出を行う場合は，算定を開始する月の最初の開庁日までに届出を行う必要があります。〈厚令6.8.23〉

Q131 施設基準の届出⒀ 新

訪問看護管理療養費１を届出後に，訪問看護管理療養費２への変更の届出を新たに行っている訪問看護ステーションにおいて，再度訪問看護管理療養費１の届出を行った場合，訪問看護管理療養費２を算定していた期間について，訪問看護管理療養費１に訂正して再請求できますか。

A：変更の届出を行っている場合は，本事務連絡の取扱いの対象となりません。〈厚令6.8.23〉

Q132 土日，祝日の訪問看護

訪問看護管理療養費の留意事項通知に「祝日休日を含めた管理」とありますが，どのような意味でしょうか。

A：訪問看護の必要性を踏まえ，土日，祝日についても訪問看護を実施するということです。〈厚平26.3.31〉

Q133 褥瘡のリスク評価

褥瘡のリスク評価はいつ行うのでしょうか。

A：訪問看護の利用開始時及び褥瘡発生時に行います。日常生活の自立度が低い利用者につき，褥瘡に関する危険因子の評価を行い，褥瘡に関する危険因子のある患者及び既に褥瘡を有する患者については，適切な褥瘡対策の看護計画を作成，実施及び評価を行うこととします。〈厚平26.3.31〉

Q134 同一建物居住者 新

訪問看護管理療養費について，別紙様式９において「『同一建物居住者』は，訪問看護基本療養費（Ⅱ）又は精神科訪問看護基本療養費（Ⅲ）を算定した利用者の実人数を計上すること」とされていますが，同一月内に訪問看護基本療養費（Ⅰ）又は精神科訪問看護基本療養費（Ⅰ）についても算定している利用者は同一建物居住者に含めますか。

A：含めます。〈厚令6.3.28〉

Q135 GAF尺度による判定 新

訪問看護管理療養費について，「GAF尺度による判定が40以下の利用者の数が月に５人以上であること」とされていますが，当該月の訪問看護が利用者の家族に対するものであり，GAF尺度による判定が行えていない利用者の取扱はどうなりますか。

A：当該月にGAF尺度による判定を行えていない利用者は，当該利用者の数には含めません。なお，可能な限り当該月に利用者本人への訪問看護を行い，GAF尺度による判定を行うことが望ましいです。〈厚令6.3.28〉

Q136 実利用者数 新

訪問看護管理療養費の届出について，「同一建物居住者であるものの占める割合については，直近１年間における訪問看護ステーションの実利用者数の合計から，直近１年間における同一建物居住者に該当する実利用者数の合計で除した値をもって当該割合とする」とありますが，「実利用者数」は，「医療保険と介護保険両方を利用した利用者」，「医療保険のみの利用者」及び「介護保険のみの利用者」の合計でよいのですか。

A：「医療保険と介護保険両方を利用した利用者」及び「医療保険のみの利用者」の合計であり，「介護保険のみの利用者」は含みません。〈厚令6.4.12〉

Q137 「注２」24時間対応体制加算

利用開始または利用終了が月の途中である場合，24時間対応体制加算の算定は日割り計算になるのでしょうか。

A：24時間対応体制加算は，訪問看護ステーションが当該体制を実施することを評価したもので，月の途中からの開始でも，月途中の終了でも１月につき24時間対応体制加算であれば6,400円が加算できます。

Q138 医療保険から訪問看護を利用した場合の対応体制加算

緊急時訪問看護加算を介護保険の居宅サービス計画に入れていない利用者の急性増悪等によって主治医の特別な指示書が交付され，医療保険からの訪問看護を利用した場合，利用者の同意に基づき医療保険で24時間対応体制加算を算定できますか。

A：算定できます。

Q139 「注２」24時間対応体制加算⑴

複数の訪問看護ステーションにおいて，指定訪問看護を計画的に行っている場合，複数の訪問看護ステーションで訪問看護管理療養費が算定でき

ますが，訪問看護管理療養費の加算である24時間対応体制加算を複数の訪問看護ステーションで算定することはできますか。

A：同一月に複数の訪問看護ステーションが当該加算を算定することはできませんが，同一月に他の訪問看護ステーションが当該加算を算定していなければ算定は可能です。〈厚平22.7.28〉

Q140　24時間対応体制加算(2)

特別地域に所在する２つの訪問看護ステーションが，連携して24時間対応体制加算に係る体制にあるものとして届出ている場合においては，24時間対応体制加算は，１人の利用者に対して一方の訪問看護ステーションが一括して算定し，合議により按分するということでよいですか。

A：そのとおりです。〈厚平30.3.31〉

Q141　24時間対応体制加算(3)

特別地域に所在する２つの訪問看護ステーションが，連携して24時間対応体制加算に係る体制にあるものとして届出を行う場合において，

①　２つの訪問看護ステーションが，両方とも特別地域に所在している必要がありますか。

②　特別地域に所在する３つの訪問看護ステーションが連携して24時間対応体制加算に係る体制にあるものとして届出を行うことは可能ですか。

A：①　両方とも特別地域に所在している必要があります。

②　不可です。２つの訪問看護ステーションで24時間対応体制加算に係る体制を満たす場合に届出を行うことができます。〈厚平30.3.30〉

Q142　24時間対応体制加算(4)

特別地域又は医療を提供しているが医療資源の少ない地域に所在する２つの訪問看護ステーションが，連携して24時間対応体制加算に係る体制にあるものとして届出を行う場合において，一方のステーションが特別地域に所在し，もう一方のステーションが医療資源の少ない地域に所在する場合も届出可能ですか。

A：届出可能です。〈厚令2.3.31〉

Q143　24時間対応体制加算(5)

在宅患者訪問看護・指導料の「注15」に掲げる訪問看護・指導体制充実加算（同一建物居住者訪問看護・指導料の「注６」の規定により準用する場合を含む）の施設基準で求める「24時間訪問看護の提供が可能な体制」の確保について，当該保険医療機関が訪問看護ステーションと連携することにより体制を確保する場合，連携する訪問看護ステーションは，訪問看護管理療養費における24時間対応体制加算の届出を行っている必要がありますか。

A：連携する訪問看護ステーションについて，24時間対応体制加算の届出は不要です。〈厚令2.3.31〉

Q144　24時間対応体制加算(6)

特別地域若しくは医療を提供しているが医療資源の少ない地域に所在する訪問看護ステーション又は業務継続計画を策定した上で自然災害等の発生に備えた地域の相互支援ネットワークに参画している訪問看護ステーションが，連携して24時間対応体制加算に係る体制にあるものとして届出を行う場合において，一方のステーションが医療資源の少ない地域に所在し，もう一方のステーションが地域の相互支援ネットワークに参画している場合も届出可能ですか。

A：届出可能です。〈厚令4.3.31〉

Q145　24時間対応体制加算(7) 新

24時間対応体制に係る連絡相談に支障がない体制を構築している場合における，電話等による連絡及び相談に対応する際のマニュアルについて，①相談内容に応じた電話対応の方法及び流れ，②利用者の体調や看護・ケアの方法など看護に関する意見を求められた場合の看護師等への連絡方法，③連絡相談に関する記録方法，看護師等以外の職員への情報共有方法等を記載することとされていますが，この３点のみ記載すればよいのですか。

A：「訪問看護療養費に係る指定訪問看護の費用の額の算定方法の一部改正に伴う実施上の留意事項について」（令和６年３月５日保発0305第12号）で示した①から③までは，マニュアルに最低限記載すべき事項であり，訪問看護ステーションにおいて必要な事項を適宜記載してください。〈厚令6.3.28〉

Q146　24時間対応体制加算(8) 新

24時間対応体制における看護業務の負担軽減の取組の「夜間対応」について，利用者又はその家族等からの訪問日時の変更に係る連絡や利用者負担額の支払いに関する問合せ等の事務的な内容の電話連絡は含まれますか。

A：含まれません。〈厚令6.3.28〉

Q147　24時間対応体制加算(9) 新

24時間対応体制における看護業務の負担軽減の取組のうち「ア　夜間対応した翌日の勤務間隔の確保」とは，具体的にはどのような取組が該当しますか。

A：例えば，夜間対応した職員の翌日の勤務開始時刻の調整を行うこと等が考えられます。

勤務間隔の確保にあたっては，「労働時間等見直しガイドライン」（労働時間等設定改善指針）（平成20年厚生労働省告示第108号）等を参考に，従業者の通勤時間，交替制勤務等の勤務形態や勤務実態等を十分に考慮し，仕事と生活の両立が可能な実行性ある休息が確保されるよう配慮してください。 〈厚令6.3.28〉

Q148　24時間対応体制加算⑽ 新

24時間対応体制における看護業務の負担軽減の取組の「夜間対応」は，「当該訪問看護ステーションの運営規程に定める営業日及び営業時間以外における必要時の緊急時訪問看護や，利用者や家族等からの電話連絡を受けて当該者への指導を行った場合」とされており，また，「翌日とは，営業日及び営業時間外の対応の終了時刻を含む日をいう」とされていますが，例えば，勤務時間割表等では営業時間外から翌日の営業開始時間までの対応に備えている場合であって，「夜間対応」をしたが当該夜間対応が日付を越えずに終了し，その後夜間対応がなかった場合は，どのように取り扱えばよいですか。

A：夜間（午後６時から午後10時まで），深夜（午後10時から午前６時まで）の時間帯に夜間対応を行った場合は，対応が終了した時間にかかわらず，営業時間外の業務を開始した日の翌日の勤務間隔の調整を行う必要があります。 〈厚令6.3.28〉

Q149　24時間対応体制加算⑾ 新

24時間対応体制における看護業務の負担軽減の取組の「夜間対応」について，「翌日とは，営業日及び営業時間外の対応の終了時刻を含む日をいう」とされていますが，対応の終了時刻は残業時間を含めた終了時刻を指すのですか。それとも残業時間に関わらず勤務表に掲げる終了時刻を指すのですか。

A：残業時間を含めた終了時刻を指します。

〈厚令6.3.28〉

Q150　24時間対応体制加算⑿ 新

24時間対応体制における看護業務の負担軽減の取組のうち，「エ　訪問看護師の夜間勤務のニーズを踏まえた勤務体制の工夫」とは，具体的にどのような取組が該当するのですか。

A：例えば，夜勤交代制，早出や遅出等を組み合わせた勤務体制の導入などが考えられます。

〈厚令6.3.28〉

Q151　24時間対応体制加算⒀ 新

24時間対応体制における看護業務の負担軽減の取組の「夜間対応」について，「原則として当該訪問事業所の運営規程に定める営業日及び営業時間以外における必要時の緊急時訪問看護や，利用者や家族等からの電話連絡及び当該者への指導等を行った場合等」とされていますが，運営規程において24時間365日を営業日及び営業時間として定めている場合はどのように取り扱えばよいですか。

A：24時間対応体制における看護業務の負担軽減の取組を行っている場合については，持続可能な24時間対応体制の確保を推進するために，看護業務の負担の軽減に資する十分な業務管理等の体制が整備されていることを評価するものです。

夜間・早朝の訪問や深夜の訪問に係る加算における夜間（午後６時から午後10時まで），深夜（午後10時から午前６時まで），早朝（午前６時から午前８時）に計画的な訪問看護等の提供をしている場合を夜間対応とみなした上で，24時間対応体制における看護業務の負担軽減の取組を行っている場合には当該加算を算定して差し支えありません。

〈厚令6.3.28〉

Q152　24時間対応体制加算⒁ 新

24時間対応体制における看護業務の負担軽減の取組のうち，「イ　夜間対応に係る勤務の連続回数が２連続（２回）まで」について，連絡相談を担当する者の急病等により，やむを得ず夜間対応が３連続以上となってしまった場合，直ちに厚生（支）局に届出をし直す必要はありますか。

A：夜間対応に係る連続勤務が３連続以上となった日を含む，１か月間の勤務時間割表等上の営業時間外に従事する連絡相談を担当する者の各勤務のうち，やむを得ない理由により当該項目を満たさない勤務が５％以内の場合は，当該項目の要件を満たしているものとみなします。

なお，当該勤務時間割表等上の営業時間外について，運営規程において24時間365日を営業日及び営業時間として定めている訪問看護ステーションにおける取扱いは問７（Q19）を参照されたい。

〈厚令6.3.28〉

Q153　ドレーンの評価

特別な管理の中の「ドレーン」という表記が削除されていますが，ドレーンの評価が無くなってしまったのですか。

A：ドレーンは，留置カテーテルに含まれます。なお，留置カテーテルは排液の性状，量などの観察，薬剤の注入，水分バランスの計測等計画的な管理を行っている場合のみとします。 〈厚平24.3.30〉

Q154　「注３」特別管理加算⑴

「注３」特別管理加算は留置カテーテルが挿入されていれば，算定可能ですか。

A：単に留置カテーテルが挿入されている状態だけでは算定できません。ドレーン又は留置カテーテル等からの排液の性状，量などの観察，薬剤の注入，水分バランスの計測等計画的な管理を行っている場合は算定可能です。また，輸液用のポート等が挿入されている場合であっても，在宅において一度もポートを用いた薬剤の注入を行っていない場合等は，計画的な管理を行っているとは想定しがたいため算定できません。処置等のため短時間，一時的に挿入されたドレーンチューブである場合を除き，例えば経皮経肝胆管（PTCD）ドレナージチューブなど留置されているドレーンチューブについては，留置カテーテルと同様に計画的な管理を行っている場合は算定できます。

〈厚平24.3.30〉

Q155 特別管理加算(2)

特別管理加算は「指定訪問看護に関し特別な管理を必要とする利用者」の場合に算定可能とされていますが，BIPAPやCPAPを装着している患者の場合，特掲診療料の施設基準等「別表第８」の各号に掲げる者として当該加算を算定してもよいですか。

A：そのとおりです。 〈厚平24.4.27〉

Q156 特別管理加算(3)

「真皮を越える褥瘡の状態にある者」の特別管理加算の算定要件として，「定期的に褥瘡の状態の観察・アセスメント・評価を行い～褥瘡の発生部位および実施したケアについて訪問看護記録書に記録すること」とありますが，具体的な様式は定められていますか。

A：通知に示されている観察・アセスメント・評価の項目としている褥瘡の深さ，滲出液，大きさ，炎症・感染，肉芽組織，壊死組織及びポケットや褥瘡の発生部位及び実施したケア等について定期的（１週間に１回以上）に記録されていれば様式は問いません。 〈厚平22.3.29，一部修正〉

Q157 特別管理加算(4)

基準告示第２の５に規定する特掲診療料の施設基準等別表８に示されている「真皮を越える褥瘡の状態」とはどういうものですか。

A：以下のいずれかに該当する場合をいいます。

① NPUAP（The National Pressure Ulcer Advisory Panel）分類Ⅲ度又はⅣ度

④ DESIGN-R 分類（日本褥瘡学会によるもの）D３，D４又はD５ 〈厚平30.3.31〉

Q158 「注4」退院時共同指導加算(1)

「主治医が所属する保険医療機関に入院中…」と通知にありますが，あくまでも主治医は入院中の主治医であって，退院後は地域のかかりつけ医が主治医として訪問看護指示書を交付する場合も算定は可能ですか。

A：算定できます。 〈訪〉

Q159 退院時共同指導加算(2)

訪問看護ステーションと利用者が入院中の医療機関とは特別の関係ではありませんが，退院後に在宅療養を担う医師の所属医療機関と特別の関係にあります。この場合，当該在宅医療を担う医師と共同で利用者が入院している医療機関に赴き，入院中の医療機関の主治医と退院時共同指導を行った場合，退院時共同指導加算の算定は可能ですか。

A：算定できます。 〈訪〉

Q160 退院時共同指導加算(3)

訪問看護管理療養費の「注４」退院時共同指導加算は，どのような場合に算定するのですか。

A：主治医の所属する保険医療機関等また老人保健施設若しくは介護医療院に入院・入所中の患者の退院・退所にあたって，訪問看護ステーションの看護師等（准看護師を除く）が，主治医またはその所属する保険医療機関もしくは老人保健施設又は介護医療院の職員と共同し，訪問看護を受けようとする者やその家族等（看護にあたっている者）に対して居宅における療養上必要な指導を行い，その内容を文書により提出した場合には，初回の訪問看護が行われたときに，退院時共同指導加算として退院または退所につき１回に限り8,000円を訪問看護管理療養費に加算します。

Q161 退院時共同指導加算(4)

訪問看護管理療養費を算定する月の前月に退院時共同指導を行った場合は算定できますか。

A：算定できます。

Q162 退院時共同指導加算(5)

訪問看護ステーションと開設主体が同一の保険医療機関または老人保健施設若しくは介護医療院において退院時共同指導加算は算定できますか。

A：2018年改定で算定可能になりました。

〈厚平30.3.31〉

Q163 退院時共同指導加算(6)

退院時共同指導加算は，訪問看護ステーションが訪問看護管理療養費を算定する訪問日数に算入できますか。

A：算入できません。

Q164 退院時共同指導加算(7)

退院時共同指導加算，在宅患者緊急時等カンファレンス加算，精神科重症患者支援管理連携加算

における，カンファレンスや共同指導について，やむを得ない事情により対面が難しい場合，「リアルタイムでの画像を介したコミュニケーション（ビデオ通話）が可能な機器を用いた場合，とあるが，①やむを得ない事情とはどのような場合ですか。②携帯電話による画像通信でもよいのですか。

A：①　天候不良により会場への手段がない場合や，急な利用者への対応により間に合わなかった場合，患者の退院予定日等の対応が必要となる日までに関係者全員の予定確保が難しい場合などです。

②　リアルタイムで画像を含めたやり取りが可能であれば機器の種類は問いませんが，個人情報を画面上で取り扱う場合は，「医療情報システムの安全管理に関するガイドライン」に準拠した機器を用いてください。〈厚平30.3.30〉

Q165　「注5」特別管理指導加算

退院時共同指導加算の特別管理指導加算は，理学療法士等のリハビリ職種が行った場合にも算定できるのですか。

A：そのとおりです。〈厚平24.4.20〉

Q166　「注7」退院支援指導加算(1)

退院時に訪問看護指示書の交付を受けていることが要件ですが，当該指示書は入院中の医療機関より交付されないと加算できないのですか。退院後の在宅医療を担う地域のかかりつけ医が主治医として訪問看護指示書を交付しても算定できますか。

A：いずれも算定できます。

Q167　退院支援指導加算(2)

入院中の医療機関とは特別の関係にありませんが，退院時の訪問看護指示書の交付が特別の関係にある地域のかかりつけ医の場合，算定できますか。

A：算定できます。

Q168　退院支援指導加算(3)

算定対象者はどのような状態の利用者ですか。

A：厚生労働大臣が定める疾病等の利用者と特別管理加算の算定対象者です。

Q169　退院支援指導加算(4)

「利用者の退院時に訪問看護指示書の交付を受けている場合に算定する」とありますが，入院していた保険医療機関の医師ではなく，在宅における診療を担う主治医が，退院後に指示書を交付した場合でも算定可能ですか。

A：利用者の退院後に訪問看護指示書が交付された場合であっても算定可能ですが，退院支援指導を実施する前に指示書が交付されている必要があります。〈厚令2.3.31〉

Q170　「注8」在宅患者連携指導加算

利用者の同意は，口頭でもよいですか。書面で確認する必要がありますか。

A：必ずしも書面である必要はありませんが，同意したことを記録しておくことをすすめます。

Q171　「注9」在宅患者緊急時等カンファレンス加算(1)

カンファレンスの結果により療養上必要な指導をする対象者は，家族でもよいですか。

A：かまいません。利用者またはその家族等へ指導します。

Q172　在宅患者緊急時等カンファレンス加算(2)

同一法人の医療機関の医師と訪問看護ステーションの看護師と，別法人の居宅介護支援事業者の介護支援専門員の３者でカンファレンスを行った場合は，算定できますか。

A：算定できます。

Q173　「注10」精神科重症者支援管理連携加算(1)

「注10」の精神科重症者支援管理連携加算は，チームメンバーとなる職員が常勤職員でないといけないのでしょうか。

A：常勤である必要があります。〈厚平26.3.31〉

Q174　精神科重症者支援管理連携加算(2)

「注10」の精神科重症者支援管理連携加算は，医療機関が複数の訪問看護ステーションと連携した場合，それぞれの訪問看護ステーションで当該加算を算定してよいのでしょうか。

A：算定することができません。〈厚平26.3.31〉

Q175　「注11」看護・介護職員連携強化加算(1)

看護・介護職員連携強化加算における介護職員との連携に関する医師からの指示は，訪問看護指示書に明記されている必要があるのですか。

A：必ずしも訪問看護指示書に明記する必要はありませんが，医師からの指示については訪問看護記録書へ記録しておくこととします。
〈厚平30.3.30〉

Q176　看護・介護職員連携強化加算(2)

介護保険の訪問看護から医療保険の訪問看護に

月の途中で変更になった利用者において，介護保険における看護・介護職員連携強化加算を算定している場合，同月内に医療保険の看護・介護職員連携強化加算を算定することは可能ですか。

A：算定できません。〈厚平30.3.30〉

Q177 「注12」専門管理加算に係る研修(1)

専門管理加算のイの場合において求める看護師の「緩和ケア，褥瘡ケア又は人工肛門及び人工膀胱ケアに係る専門の研修」には，具体的にはそれぞれどのようなものがあるのですか。

A：現時点では，以下の研修が該当します。

①褥瘡ケアについては，日本看護協会の認定看護師教育課程「皮膚・排泄ケア」

②緩和ケアについては，

・日本看護協会の認定看護師教育課程「緩和ケア※」，「乳がん看護」，「がん放射線療法看護」及び「がん薬物療法看護※」

・日本看護協会が認定している看護系大学院の「がん看護」の専門看護師教育課程

③人工肛門及び人工膀胱ケアについては，日本看護協会の認定看護師教育課程「皮膚・排泄ケア」

※　平成30年度の認定看護師制度改正前の教育内容による研修を含みます。〈厚令4.3.31〉

Q178 専門管理加算に係る研修(2)

専門管理加算のロの場合において求める看護師の「特定行為のうち訪問看護において専門の管理を必要とするものに係る研修」には，具体的にはどのようなものがあるのですか。

A：現時点では，特定行為に係る看護師の研修制度により厚生労働大臣が指定する指定研修機関において行われる以下の研修が該当します。

①「呼吸器（長期呼吸療法に係るもの）関連」，「ろう孔管理関連」，「創傷管理関連」及び「栄養及び水分管理に係る薬剤投与関連」のいずれかの区分の研修

②「在宅・慢性期領域パッケージ研修」

〈厚令4.3.31〉

Q179 指定訪問看護時の看護師の組合せ

専門管理加算を算定する利用者について，専門性の高い看護師による訪問と他の看護師等による訪問を組み合わせて指定訪問看護を実施してよいのですか。

A：よいです。ただし，専門管理加算を算定する月に，専門性の高い看護師が１回以上指定訪問看護を実施してください。〈厚令4.3.31〉

Q180 同一月に異なる管理を実施した際の算定

専門管理加算について，例えば，褥瘡ケアに係る専門の研修を受けた看護師と，特定行為研修を修了した看護師が，同一月に同一利用者に対して，褥瘡ケアに係る管理と特定行為に係る管理をそれぞれ実施した場合であっても，月１回に限り算定するのですか。

A：そのとおりです。イ又はロのいずれかを月１回に限り算定してください。〈厚令4.3.31〉

Q181 「注13」訪問看護医療ＤＸ情報活用加算(1) 新

訪問看護医療ＤＸ情報活用加算の施設基準において，「居宅同意取得型のオンライン資格確認等システムの活用により，看護師等が利用者の診療情報等を取得及び活用できる体制を有していること」とありますが，具体的にどのような体制を有していればよいのですか。

A：オンライン資格確認等システムを通じて取得された診療情報等について，電子カルテシステム等により看護師等が閲覧又は活用できる体制あるいはその他の方法により訪問看護ステーション等において看護師等が訪問看護計画書の作成等において診療情報等を閲覧又は活用できる体制を有している必要があり，単にオンライン資格確認等システムにより診療情報等を取得できる体制のみを有している場合は該当しません。〈厚令6.5.31〉

Q182 訪問看護医療ＤＸ情報活用加算(2) 新

訪問看護医療ＤＸ情報活用加算の施設基準において，「医療ＤＸ推進の体制に関する事項及び質の高い訪問看護を実施するための十分な情報を取得・活用して訪問看護を行うことについて，当該訪問看護ステーションの見やすい場所に掲示していること」とされており，「ア」及び「イ」の事項が示されていますが，「ア」及び「イ」の事項は別々に掲示する必要があるのですか。また，掲示内容について，参考にするものはありますか。

A：訪問看護ステーション内の事務室（利用申込みの受付，相談等に対応する場所）等にまとめて掲示しても差し支えありません。掲示内容については，以下のURLに示す様式を参考にしてください。

◎オンライン資格確認に関する周知素材について

｜施設内での掲示ポスター

これらのポスターは「在宅医療ＤＸ情報活用加算」，「在宅医療ＤＸ情報活用加算（歯科）」及び「訪問看護医療ＤＸ情報活用加算」の掲示に関する施設基準を満たします。

https://www.mhlw.go.jp/stf/index_16745.html

〈厚令6.5.31〉

Q183　訪問看護医療ＤＸ情報活用加算(3) 新

訪問看護医療ＤＸ情報活用加算の施設基準において，「マイナ保険証を促進する等，医療ＤＸを通じて質の高い医療を提供できるよう取り組んでいる訪問看護ステーションであること」を当該訪問看護ステーションの見やすい場所に掲示することとしていますが，「マイナ保険証を促進する等，医療ＤＸを通じて質の高い医療を提供できるよう取り組んでいる」については，具体的にどのような取組を行い，また，どのような掲示を行えばよいのですか。

A：訪問看護ステーション又は利用者の居宅等において「マイナ保険証をお出しください」等，マイナ保険証の提示を求める案内や掲示（Q182に示す掲示の例を含む）を行う必要があり，「保険証をお出しください」等，単に従来の保険証の提示のみを求める案内や掲示を行うことは該当しません。

また，訪問看護を行う際に，Q182に示す掲示内容を含む書面を持参して利用者等に提示するといった対応がとられていることが望ましいとされます。

〈厚令6.5.31〉

Q184　訪問看護医療ＤＸ情報活用加算(4) 新

居宅同意取得型のオンライン資格確認等において，マイナンバーカードを読み取れない場合や利用者が４桁の暗証番号を忘れた場合はどのように対応すればよいのですか。

A：医療機関等向け総合ポータルサイトのオンライン資格確認・オンライン請求ページに掲載されている訪問診療等に関するよくある質問（FAQ）を参照し対応してください。

（参考）

https://iryohokenjyoho.servicenow.com/csm?id=kb_article_view&sys_kb_id=ceddb596c3a142506e19fd777a0131d5

〈厚令6.5.31〉

Q185　訪問看護医療ＤＸ情報活用加算(5) 新

訪問看護医療ＤＸ情報活用加算の施設基準において，「訪問看護療養費及び公費負担医療に関する費用の請求に関する命令（平成４年厚生省令第５号）第１条に規定する電子情報処理組織の使用による請求を行っている訪問看護ステーションであること」とありますが，「電子情報処理組織の使用による請求を行っている」とはどのような状況を指すのか。

A：当該訪問看護実施月の訪問看護療養費の請求を，電子情報処理組織の使用により請求を行うことを指します。

例えば，令和６年６月実施分について当該加算を算定する場合は，令和６年７月の請求を電子情報処理組織の使用により行うことを指します。

〈厚令6.5.31〉

Q186　理学療法士等による指定訪問看護(1)

理学療法士，作業療法士及び言語聴覚士（以下，理学療法士等という）が指定訪問看護を提供している利用者について，訪問看護計画書及び訪問看護報告書は，看護職員（准看護師を除く）と理学療法士等が連携し作成することが示されたが，具体的にはどのように作成すればよいのですか。

A：「訪問看護計画書等の記載要領等について」（令和６年３月27日保医発0327第６号）の別紙様式に準じたうえで，看護職員（准看護師を除く）と理学療法士等で異なる様式によりそれぞれで作成すること等は差し支えありませんが，この場合であっても他の職種により記載された様式の内容を双方で踏まえたうえで作成します。

〈厚平30.3.30，一部修正〉

Q187　理学療法士等による指定訪問看護(2)

理学療法士等が指定訪問看護を提供している利用者について，「訪問看護計画書，訪問看護報告書の作成にあたっては，指定訪問看護の利用開始時及び利用者の状態の変化等に合わせ看護職員による定期的な訪問により，利用者の病状及びその変化に応じた適切な評価を行うこと」とされたが，看護職員による定期的な訪問とは具体的にはどのようなものですか。

A：定期的な訪問とは，利用者の心身状態や家族等の環境の変化があった場合や主治医から交付される訪問看護指示書の内容に変更があった場合等に訪問することをいいます。なお，当該訪問看護ステーションの看護職員による訪問については，利用者の状態の評価のみを行った場合においては，訪問看護療養費は算定できません。訪問看護療養費を算定しない場合には，訪問日，訪問内容等を記録してください。

〈厚平30.3.30〉

Q188　理学療法士等による指定訪問看護(3)

理学療法士等が指定訪問看護を提供している利用者について，例えば，Ａ訪問看護ステーションからは理学療法士が，Ｂ訪問看護ステーションからは看護師がそれぞれ指定訪問看護を実施している利用者についても，Ａ訪問看護ステーションの看護職員による定期的な訪問が必要となるのですか。

A：必要です。

〈厚平30.3.30〉

訪問看護情報提供療養費

Q189　開設者への情報提供(1)

訪問看護ステーションの訪問看護情報提供療養費は，市町村等へ提供した場合に算定できますが，市町村の長が訪問看護ステーションを開設してい

る場合は情報提供しても算定できませんか。

A：訪問看護情報提供療養費（1500円）は指定訪問看護を行っている訪問看護ステーションが利用者の居住地を管轄する市町村等に対して，保健福祉サービスを提供するために必要な情報を提供した場合に算定できます。通知により，市町村等が指定訪問看護事業者である場合は，当該市町村等に居住する利用者に係る訪問看護情報提供療養費は算定できません。〈オ〉

Q190　開設者への情報提供(2)

市町村等が開設主体である訪問看護事業者の場合，その市町村等に居住する利用者にかかる訪問看護情報提供療養費はどうなりますか。

A：算定できません。

Q191　市町村への情報提供

市町村への情報提供はいつまでにどのように行えばいいのですか。

A：訪問看護ステーションが，利用者の同意を得て（口頭でよい），指定訪問看護を行った日から2週間以内に，利用者の居住する市町村，保健所，精神保健福祉センターに対して，訪問看護の状況を示す文書〔訪問看護情報提供書〕を添えて，所定の様式（略）等によって行います。

Q192　2カ所への情報提供

情報提供先が市町村，保健所等の2カ所だった場合，2回算定できますか。

A：両方とも市町村に該当する情報提供先であり，2カ所以上に情報提供しても，算定できるのは1月1回限りです。

Q193　情報提供の頻度

情報提供書は毎月提出しなければなりませんか。

A：毎月1回提出する義務はありません。

Q194　提供後の利用者死亡

情報提供後に利用者が死亡した場合，情報提供療養費は請求できますか。

A：利用者の生前に情報提供しており，請求が死亡後である場合は，情報提供療養費を請求することができます。

Q195　別紙様式以外の様式の使用

訪問看護情報提供療養費において，別紙様式以外の様式で情報提供した場合には算定できますか。

A：原則として別紙様式を用いて情報提供した場合に算定することとなりますが，情報提供先の自治体で共通様式が規定されている場合等，別紙様式に示している事項が全て記載されている様式であれば他の様式を用いることも可能であり，その場合当該別紙様式でなくても差し支えありません。〈厚平30.3.30〉

Q196　訪問看護報告書への記入事項

訪問看護情報提供療養費において，関係機関に情報提供を行い，訪問看護情報提供療養費を算定した場合は，主治医に提出する訪問看護報告書にその情報提供先と情報提供日を記入するということでよいのでしょうか。

A：そのとおりです。また，必要に応じて，情報提供内容についても報告してください。

〈厚平30.3.30〉

Q197　同一利用者に対する複数項目の算定

1人の利用者について，同月に訪問看護情報提供療養費1，2及び3を全て算定することは可能ですか。

A：算定要件を満たしていれば算定可能です。

〈厚平30.3.30〉

Q198　電話や口頭での依頼

訪問看護情報提供療養費1においては「市町村等からの求めに応じて」，訪問看護情報提供療養費2においては「義務教育諸学校からの求めに応じて」とあるが，文書での依頼ではなく電話や口頭での依頼でも算定できますか。

A：算定できます。ただし，依頼日と依頼者を訪問看護記録書に記載しておいてください。

〈厚平30.3.30〉

Q199　小学生が転校した月の算定

訪問看護情報提供療養費2は，例えば小学校の高学年で転校し，当該学校に初めて在籍することになった月に情報提供した場合も算定可能ですか。

A：算定できます。〈厚平30.3.30〉

Q200　「前6月の期間」の考え方

訪問看護情報提供療養費2の算定要件に「文書を提供する前6月の期間において，定期的に当該利用者に指定訪問看護を行っている訪問看護ステーションが算定できる」とあるが，「前6月の期間」とは，具体的にはいつからいつの期間ですか。

A：文書を提供する日が属する月（当該月を含まない）から遡って6月の期間です。例えば，4月10日に文書を提供する場合は，前年の10月以降の期間となります。また，定期的な訪問看護が10月中のいずれかの日より開始されていればよいです。

〈厚平30.3.30〉

Q201 訪問による教育を受けている児童

訪問看護情報提供療養費2について，退院後，在宅で訪問籍として学校に在籍し，訪問による教育を受けている小児が初めて当該学校に通学を開始した月に，学校における円滑な学校生活に移行できるよう情報提供を行った場合においては算定できますか。

A：算定できます。〈厚平30.3.30〉

Q202 学校への情報提供(1)

訪問看護情報提供療養費2を算定する学校への情報提供は，当該学校の看護職員と連携するための情報を提供するということでよいですか。

A：よいです。訪問看護情報提供療養費2を算定する情報提供においては，看護職員が勤務している学校を情報提供先としてください。〈厚平30.3.30〉

Q203 学校への情報提供(2)

当該月に利用者の居宅において指定訪問看護を行っている訪問看護ステーションが，学校等から委託を受けて，当該学校等において利用者の医療的ケアを行っている場合は，当該訪問看護ステーションからの当該学校等に対する情報提供は，訪問看護情報提供療養費2の算定対象となりますか。

A：算定不可です。〈厚令2.3.31〉

Q204 18歳の利用者に関する情報提供

18歳の誕生日を迎えた利用者について，医療的ケアの変更等により学校等からの求めに応じて情報提供を行う必要がある場合は，訪問看護情報提供療養費2の算定についてどのように考えればよいですか。

A：当該利用者が18歳に達する日以後最初の3月31日までは算定できます。〈厚令4.3.31〉

Q205 特別な関係の訪問看護ステーション

訪問看護情報提供療養費3において，主治医が所属する医療機関と訪問看護ステーションが特別の関係である場合においても算定できますか。

A：算定できます。ただし，利用者が入院・入所する医療機関と訪問看護ステーションが特別の関係である場合は算定できません。〈厚平30.3.30〉

Q206 情報提供の時期が同時になる場合

訪問看護情報提供療養費3において，緊急入院により入院までの時間が短い場合等に，訪問看護ステーションが主治医へ指定訪問看護に係る文書を提供するのと同時に，求めに応じて，入院又は入所先の保険医療機関等と共有することは可能と考えてよいでしょうか。

A：よいです。〈厚平30.3.30〉

Q207 訪問看護報告書を使った情報提供

訪問看護情報提供療養費3において，主治医への情報提供を訪問看護報告書で行った場合には算定可能ですか。

A：算定できません。訪問看護報告書で記載されている内容だけではなく，継続した看護の実施に向けて必要となる，「ケア時の具体的な方法や留意点」や「継続すべき看護」等の指定訪問看護に係る情報が必要です。〈厚平30.3.30〉

Q208 入院後の情報提供

訪問看護情報提供療養費3において，緊急入院等，事前に利用者が入院することを把握できなかった場合に，入院した後に情報提供した場合も算定可能ですか。

A：算定できますが，切れ目のない支援と継続した看護の実施を目的とするものであるため，入院又は入所を把握した時点で速やかに情報提供してください。〈厚平30.3.30〉

Q209 訪問看護と情報提供の実施月が異なる場合

訪問看護情報提供療養費3について，入院又は入所前に指定訪問看護が行われた日の属する月と保険医療機関に指定訪問看護に係る情報を提供した月が異なる場合，情報を提供した月に当該療養費のみを算定してよいのですか。

A：差し支えありません。なお，この場合においては，訪問看護療養費明細書の「備考」欄に入院又は入所前の最後に指定訪問看護を行った日付を記載してください。〈厚令4.7.26〉

訪問看護ターミナルケア療養費

Q210 訪問看護ターミナルケア療養費

どのような場合に算定できますか。

A：主治医との連携のもとに，訪問看護ステーションの看護師等（保健師，看護師，准看護師）が在宅での終末期の看護の提供を行った場合に算定できます。

訪問看護ステーションが，在宅で死亡した利用者について，その死亡日及び死亡日前14日以内の計15日間に2回以上在宅患者訪問看護を行い，かつ，訪問看護におけるターミナルケアに係る支援体制について利用者およびその家族等に対して説明したうえで，ターミナルケアを行った場合に算定します。〈厚平22.3.29〉

Q211 死亡日の前日に2回訪問していた場合

ターミナルケア療養費は，死亡日及び死亡日前14日以内の計15日間に２回以上訪問看護基本療養費を算定した場合に算定できるとされていますが，死亡日の前日に２回訪問していた場合にも算定が可能なのですか。

A：同一日の複数回訪問は，１回としてカウントするため，この場合においてはターミナルケア療養費は算定できません。死亡日及び死亡日前14日の計15日以内に２日以上訪問している必要があります。〈厚平24.3.30〉

Q212 介護保険で１回，医療保険で１回ターミナルケアを実施している場合

死亡日及び死亡日前14日以内の計15日間に介護保険で１回，医療保険で１回それぞれターミナルケアを実施している場合にターミナルケア療養費は算定可能ですか。

A：合算して２回の訪問と考え，最後に利用した保険での加算の請求が可能です。〈厚平24.3.30〉

Q213 介護保険適応の患者に対するターミナルケア

もともとは介護保険適応の患者だが，急性増悪等により特別訪問看護指示書の交付を受け，死亡前14日間の間に２回医療保険による訪問看護を行った後，15日目に死亡した場合，15日目は本来介護保険適応となっていますが，ターミナルケア療養費はどちらの保険で請求すればよいのですか。

A：介護保険による死亡前の訪問看護は１回も行われていないため，最後に訪問看護を行った医療保険での請求となります。〈厚平24.3.30〉

Q214 最後の訪問看護実施月と死亡月が異なる場合

訪問看護ターミナル療養費を算定する利用者について，指定訪問看護が最後に行われた日の属する月と死亡月が異なる場合，死亡月に当該療養費のみを算定してよいのですか。

A：差し支えありません。なお，この場合においては，訪問看護療養費明細書の「備考」欄に死亡日及び死亡前14日以内に指定訪問看護を行った日付を２日分記載してください。〈厚令4.7.26〉

Q215 「注４」遠隔死亡診断補助加算に係る研修

遠隔死亡診断補助加算の届出基準において求める看護師の「情報通信機器を用いた在宅での看取りに係る研修」には，具体的にはどのようなものがあるのです。

A：現時点では，厚生労働省「在宅看取りに関する研修事業」（平成29～31年度）及び「ICTを活用した在宅看取りに関する研修推進事業」（令和２年度～）により実施されている研修が該当します。〈厚令4.3.31〉

ベースアップ評価料

Q216 ベースアップ評価料による収入⑴ 新

「診療報酬の算定方法」別表第一医科診療報酬点数表（以下「医科点数表」という）におけるO100外来・在宅ベースアップ評価料（Ⅰ），O101外来・在宅ベースアップ評価料（Ⅱ）及びO102入院ベースアップ評価料，「診療報酬の算定方法」別表第二歯科診療報酬点数表（以下「歯科点数表」という）におけるP100歯科外来・在宅ベースアップ評価料（Ⅰ），P101歯科外来・在宅ベースアップ評価料（Ⅱ）及びP102入院ベースアップ評価料並びに「訪問看護療養費に係る指定訪問看護の費用の額の算定方法」における06訪問看護ベースアップ評価料（以下単に「ベースアップ評価料」という）の施設基準において，「令和６年度及び令和７年度において対象職員の賃金（役員報酬を除く）の改善（定期昇給によるものを除く）を実施しなければならない」とありますが，ベースアップ評価料による収入について，人事院勧告に伴う給与の増加分に用いてよいですか。

A：差し支えありません。〈厚令6.3.28〉

Q217 ベースアップ評価料による収入⑵ 新

「疑義解釈資料の送付について（その１）」（令和６年３月28日事務連絡）別添２の問１（上記Q216）において，ベースアップ評価料による収入について，人事院勧告に伴う給与の増加分に用いて差し支えない旨がありますが，当該評価料による収入が人事院勧告に伴う引き上げ水準を上回る場合であっても，人事院勧告のベア水準を理由として当該評価料の算定を見送るのではなく，当該評価料を算定した上でその収入による賃上げを実施することは可能ですか。

A：自治体病院の職員の給与については，関係法令に定める均衡の原則等の給与決定原則に基づき，人事委員会勧告等を踏まえ，各地方公共団体において適切に対応することとなります。〈厚令6.6.20〉

Q218 基本給等の増加分 新

「看護職員処遇改善評価料の取扱いに関する疑義解釈資料の送付について（その１）」（令和４年９月５日事務連絡）別添の問18において，A500看護職員処遇改善評価料について，賃金改善に伴い増加する賞与，時間外勤務手当等，法定福利費等の事業者負担分及び退職手当については，「基本給等

の引き上げにより増加した分については，賃金改善の実績額に含めてよい。ただし，ベア等には含めないこと」とされていますが，ベースアップ評価料についても同様ですか。

A：ベースアップ評価料は，対象職員のベア等及びそれに伴う賞与，時間外手当，法定福利費（事業者負担分等を含む）等の増加分に用います。

〈厚令6.3.28〉

Q219　賃上げの方法⑴ 新

ベースアップ評価料の施設基準において，「対象職員のベア等及びそれに伴う賞与，時間外手当，法定福利費(事業者負担分等を含む)等の増加分に用いること」とありますが，時給制で労働する対象職員について，時給の引き上げによって賃上げを実施してもよいですか。

A：差し支えありません。また，この場合において，労働時間が短縮したことにより月の給与総額が減少していても，差し支えありません。

ただし，届出等に係る「対象職員の給与総額」の記入においては，実際に対象職員に対し支払った給与総額を用いてください。〈厚令6.4.12〉

Q220　賃上げの方法⑵ 新

ベースアップ評価料による収入を対象職員の賃上げに用いる場合，例えば現行の賃金水準が低い職員・職種に重点的に配分するなど，対象職員ごとに賃金改善額に差をつけてよいですか。

A：差し支えありません。〈厚令6.4.26〉

Q221　新型コロナ手当ての減額・廃止 新

ベースアップ評価料の施設基準における「賃金の改善を実施する項目以外の賃金項目（業績等に応じて変動するものを除く）の水準を低下させてはならないこと」について，新型コロナウイルス感染症対応を行った場合における手当について，感染状況を踏まえて減額・廃止する場合は，業績等に応じて変動するものとして賃金項目の水準低下には当たらないものと考えてよいですか。

A：差し支えありません。〈厚令6.4.12〉

Q222　政府目標との関係 新

ベースアップ評価料と政府目標（令和６年度＋2.5%，令和７年度＋2.0%のベースアップ）の関係はどのようなものですか。

A：当該評価料の算定にあたっては，施設基準において，その収入の全額を対象職員のベースアップ等及びそれに伴う賞与，時間外手当，法定福利費（事業者負担分等を含む）等の増加分に用いることが要件とされています。その上で，さらに当該評価料以外の収入や，賃上げ促進税制などの活用により，政府目標の達成を目指すことが望ましいです。

〈厚令6.4.26〉

Q223　決まって毎月支払われる手当 新

医科点数表におけるO000及び歯科点数表におけるP000看護職員処遇改善評価料（以下単に「看護職員処遇改善評価料」という）並びにベースアップ評価料の施設基準において，「決まって毎月支払われる手当」を支払う場合に，その金額を割増賃金（超過勤務手当）や賞与に反映させる必要はありますか。

A：労働基準法第37条第５項及び労働基準法施行規則第21条で列挙されている手当に該当しない限り，割増賃金の基礎となる賃金に算入して割増賃金を支払う必要があります。当該評価料に係る「決まって毎月支払われる手当」については，その性質上，上記手当には該当しないことから，割増賃金の基礎となる賃金に算入して割増賃金を支払う必要があります。

なお，「決まって毎月支払われる手当」をいわゆる賞与の算定に際して反映させるか否かは，各医療機関の定めによります。〈厚令6.3.28〉

Q224　賃金の改善措置の区分 新

看護職員処遇改善評価料及びベースアップ評価料において，対象職員の賃金の改善措置を実施する具体的方法（金額・割合等）について，職員に応じて区分することは可能ですか。

A：可能です。各保険医療機関又は訪問看護ステーションの実情に応じて，賃金の改善措置の方法を決定してください。〈厚令6.3.28〉

Q225　賃金の実績額及び改善実施期間 新

看護職員処遇改善評価料及びベースアップ評価料において，基本給等について，常勤職員へは当月払いし，非常勤職員へは翌月払いしている場合，賃金の実績額及び改善実施期間はどのように判断すべきですか。

A：いずれについても，基本給等の支払われた月ではなく，対象となった月で判断します。

〈厚令6.3.28〉

Q226　賃金の改善実施期間 新

ベースアップ評価料において，賃金の改善については，算定開始月から実施する必要がありますか。

A：原則算定開始月から賃金改善を実施し，算定する月においては実施する必要があります。なお，令和６年４月より賃金の改善を行った保険医療機関又は訪問看護ステーションについては，令和６年４月以降の賃金の改善分についても，当該評価料による賃金改善の実績の対象に含めてよいです。

ただし，届出時点において「賃金改善計画書」の作成を行っているものの，条例の改正が必要であること等やむを得ない理由により算定開始月からの賃金改善が実施困難な場合は，令和６年12月までに算定開始月まで遡及して賃金改善を実施する場合に限り，算定開始月から賃金改善を実施したものとみなすことができます。〈厚令6.3.28〉

Q227 賃金改善計画書の修正 新

「疑義解釈資料の送付について（その１）」（令和６年３月28日事務連絡）別添２の問１（Q216）において，ベースアップ評価料による収入について，人事院勧告に伴う給与の増加分に用いて差し支えない旨があり，さらに同問６（Q226）において，「届出時点において『賃金改善計画書』の作成を行っているものの，条例の改正が必要であること等やむを得ない理由により算定開始月からの賃金改善が実施困難な場合は，令和６年12月までに算定開始月まで遡及して賃金改善を実施する場合に限り，算定開始月から賃金改善を実施したものとみなすことができる」とありますが，ベースアップ評価料の届出及び算定を開始した後，算定開始月まで遡及して賃金改善を実施する以前に，人事院勧告を踏まえ，ベースアップ評価料による収入の一部を令和７年度の賃金の改善等に繰り越すために，賃金改善計画書を修正してもよいですか。

A：差し支えありません。この場合において，修正した「賃金改善計画書」を速やかに地方厚生（支）局長に届け出てください。〈厚令6.4.12〉

Q228 賃金改善の周知 新

ベースアップ評価料の施設基準において，対象職員に対して，賃金改善を実施する方法等について，『賃金改善計画書』の内容を用いて周知するとともに，就業規則等の内容についても周知することとされていますが，周知の具体的方法はどういったものになりますか。

A：例えば，「賃金改善計画書」及び就業規則等を書面で配布する方法や職員が確認できる箇所に掲示する方法が挙げられます。〈厚令6.3.28〉

Q229 届出の方法(1) 新

ベースアップ評価料の届出についてはどのように行えばよいですか。

A：ベースアップ評価料に係る届出については，医療機関等の所在地を管轄する地方厚生（支）局都道府県事務所ごとに設定されたメールアドレスに，エクセルファイルを提出することにより行います。ただし，自ら管理するメールアドレスを有しない等の場合には，書面による提出を妨げません。なお，メールアドレスについては各地方厚生（支）局のホームページを参照してください。〈厚令6.4.12〉

Q230 届出の方法(2) 新

新設した医療機関又は訪問看護ステーションにおいて，ベースアップ評価料の届出を行うに当たって，対象職員に対する給与の支払い実績は必要ですか。

A：必要です。ベースアップ評価料の種類に応じて，給与の支払い実績として必要な期間は以下のとおりとします。

- ○　外来・在宅ベースアップ評価料（Ⅰ），歯科外来・在宅ベースアップ評価料（Ⅰ），訪問看護ベースアップ評価料（Ⅰ）については届出前の最低１月における給与の支払い実績が必要です。
- ○　外来・在宅ベースアップ評価料（Ⅱ），歯科外来・在宅ベースアップ評価料（Ⅱ），入院ベースアップ評価料，訪問看護ベースアップ評価料（Ⅱ）については，届出様式における「前年３月～２月」，「前年６月～５月」，「前年９月～８月」，「前年12月～11月」とあるのは，それぞれ「前年12月～２月」，「３月～５月」，「６月～８月」，「９月～11月」と読み替え，当該期間の給与の支払い実績が必要になります。〈厚令6.4.26〉

Q231 届出の方法(3) 新

ベースアップ評価料について，区分変更を行う場合はどのような届出が必要ですか。

A：それぞれ以下のとおりとなります。

- ○　保険医療機関（医科）については，「特掲診療料の施設基準等に係る届出書」及び「外来・在宅ベースアップ評価料（Ⅱ）に係る届出書添付書類」又は「入院ベースアップ評価料に係る届出書添付書類」の届出が必要
- ○　保険医療機関（歯科）については，「特掲診療料の施設基準等に係る届出書」及び「歯科外来・在宅ベースアップ評価料（Ⅱ）に係る届出書添付書類」又は「入院ベースアップ評価料に係る届出書添付書類」の届出が必要
- ○　訪問看護ステーションについては，「訪問看護ベースアップ評価料（Ⅱ）の施設基準に係る届出書添付書類」が必要

なお，いずれの場合についても「賃金改善計画書」については，更新する必要はありません。〈厚令6.3.28〉

Q232 基本給等の引き上げ率(1) 新

O100外来・在宅ベースアップ評価料（Ⅰ），P100歯科外来・在宅ベースアップ評価料（Ⅰ），06訪問看護ベースアップ評価料（Ⅰ）の施設基準において，令和６年度に対象職員の基本給等を令和５年度と比較して２分５厘以上引き上げ，令和７年度に対象職員の基本給等を令和５年度と比較し

訪問看護Q&A

て4分5厘以上引き上げた場合については，40歳未満の勤務医，勤務歯科医，事務職員等の当該保険医療機関又は当該訪問看護ステーションに勤務する職員の賃金（役員報酬を除く）の改善（定期昇給によるものを除く）を実績に含めることができることとされていますが，基本給等の引き上げ率についてどのように考えればよいですか。

A：引き上げ率の確認については，次のいずれかの方法で行ってください。

① 給与表等に定める対象職員の基本給等について，令和5年度と比較し，令和6年度に2.5％又は令和7年度に4.5％の引き上げになっているかを確認する。

② 以下の計算式により基本給等の改善率を算出する。

（当該年度において基本給等が引き上げられた後の対象職員の1月当たりの基本給等の総額 － 令和5年度における1月当たりの対象職員の基本給等の総額 － 定期昇給がある場合にあっては1月あたりの対象職員の基本給等の引き上げ額のうち定期昇給相当額の総額）÷ 令和5年度における1月当たりの基本給等の総額 ×100（％）

〈厚令6.3.28〉

Q233 基本給等の引き上げ率(2) 新

問9（Q232）について，給与表等の存在しない医療機関又は訪問看護ステーションにおいて，令和5年度と令和6年度及び令和7年度を比較して対象職員の変動がある場合，計算式中の対象職員の基本給等の総額について，どのように考えたらよいですか。

A：令和5年度及び令和6年度又は令和7年度のいずれの年度においても在籍している対象職員について，計算式に則り算出を行います。

ただし，いずれの年度においても在籍している対象職員が存在しない等の理由でこの方法による算出が困難な場合においては，各年度における全ての対象職員の基本給等の総額を用いて算出を行ってもよいとされます。〈厚令6.3.28〉

Q234 40歳未満の職員の賃金改善 新

O100外来・在宅ベースアップ評価料（Ⅰ），P100歯科外来・在宅ベースアップ評価料（Ⅰ），06訪問看護ベースアップ評価料（Ⅰ）の施設基準において，令和6年度に対象職員の基本給等を令和5年度と比較して2分5厘以上引き上げ，令和7年度に対象職員の基本給等を令和5年度と比較して4分5厘以上引き上げた場合については，40歳未満の勤務医，勤務歯科医，事務職員等の当該医療機関又は当該訪問看護ステーションに勤務する職員の賃金（役員報酬を除く）の改善（定期昇給によるものを除く）を実績に含めることができることとされていますが，どの時点から40歳未満の勤務医，勤務歯科医，事務職員等の賃金の改善を行うことができるのですか。

A：令和6年度に対象職員の基本給等を令和5年度と比較して2.5％以上引き上げた月又は令和7年度に対象職員の基本給等を令和5年度と比較して4.5％以上引き上げた月以降に可能となります。具体的には，以下の時点以降から40歳未満の勤務医，勤務歯科医，事務職員等の賃金の改善を行うことが考えられます。

① 令和6年度において，「賃金改善計画書」の「Ⅳ．対象職員（全体）の基本給等に係る事項」に示す「(19) ベア等による賃金増率」で算出される値を2.5％以上として，当該計画書を地方厚生（支）局長に届け出た上で，算定を開始した月。

② 患者数等の変動等により当該評価料による収入が，「賃金改善計画書」において予定していた額を上回った場合において，ベースアップ評価料を算定した月まで遡及して，対象職員の基本給等を令和5年度と比較して令和6年度に2.5％以上引き上げ，令和7年度に4.5％以上引き上げた時点。

なお，令和6年4月より賃金の改善を行った保険医療機関又は訪問看護ステーションについては，令和6年4月以降の賃金の改善分についても，当該評価料による賃金改善の実績の対象に含めてよい。〈厚令6.5.10〉

Q235 対象職員及び給与総額 新

「ベースアップ評価料」を算定する医療機関又は訪問看護ステーションに勤務する職員が，介護報酬における「介護職員等処遇改善加算」又は障害福祉サービス等報酬における「福祉・介護職員等処遇改善加算」を算定する介護サービス事業所等の従事者を兼務している場合であって，当該加算を原資とする賃金改善の対象となっている場合について，ベースアップ評価料における対象職員及び給与総額はどのように考えればよいですか。

A：当該医療機関又は訪問看護ステーションにおける業務実態として，主として医療に従事しているものについて，対象職員として含めて差し支えありません。

ただし，対象職員ごとの給与総額について，業務実態に応じて常勤換算方法等により按分して計算することを想定しています。

また，「介護職員等処遇改善加算」及び「福祉・介護職員等処遇改善加算」による賃上げ分については，外来・在宅ベースアップ評価料（Ⅱ），歯科外来・在宅ベースアップ評価料（Ⅱ），入院ベースアップ評価料及び訪問看護ベースアップ評価料（Ⅱ）の算出の際に用いる「対象職員の給与総額」の計算にあたり，含めないものとします。

なお，当該「介護職員等処遇改善加算」及び「福祉・介護職員等処遇改善加算」による賃上げ分については，ベースアップ評価料に係る「賃金改善計画書」及び「賃金改善実績報告書」における賃金改善の見込み額及び実績額の記載において，ベースアップ評価料による算定金額以外の適切な欄に記載することとします。

なお，令和６年４月及び５月分の「介護職員処遇改善加算」,「介護職員等特定処遇改善加算」,「介護職員等ベースアップ等加算」,「福祉・介護職員処遇改善加算」,「福祉・介護職員等特定処遇改善加算」及び「福祉・介護職員等ベースアップ等加算」についても，同様の取扱いとします。

これに伴い,「疑義解釈資料の送付について（その３）」（令和６年４月26日事務連絡）別添２の問６は廃止します（本書では削除済）。〈厚令6.5.10〉

Q236 対象職員(1) 新

ベースアップ評価料において,「特掲診療料の施設基準等及びその届出に関する手続きの取扱いについて」（令和６年３月５日保医発0305第６号）の別表４のミ及び「訪問看護ステーションの基準に係る届出に関する手続きの取扱いについて」（令和６年３月５日保医発0305第７号）の別表１のミ「その他医療に従事する職員（医師及び歯科医師を除く)」とは，具体的にどのような職員ですか。

A：別表４又は別表１のア～マに該当しない職種の職員であって，医療機関又は訪問看護ステーションにおける業務実態として，主として医療に従事しているものを指します。ただし，専ら事務作業（医師事務作業補助者，歯科業務補助者，看護補助者等が医療を専門とする職員の補助として行う事務作業を除く）を行うものは含まれません。

〈厚令6.3.28〉

Q237 対象職員(2) 新

看護職員処遇改善評価料，ベースアップ評価料についての施設基準における対象職員には,「特掲診療料の施設基準等及びその届出に関する手続きの取扱いについて」別表４又は「訪問看護ステーションの基準に係る届出に関する手続きの取扱いについて」別表１に含まれる職種であって，派遣職員など，当該保険医療機関又は当該訪問看護ステーションに直接雇用されていないものも含むのですか。

A：対象とすることは可能です。

ただし，賃金改善を行う方法等について派遣元と相談した上で,「賃金改善計画書」や「賃金改善実績報告書」について，対象とする派遣労働者を含めて作成してください。〈厚令6.3.28〉

Q238 直接雇用されていない職員の賃上げ方法 新

「疑義解釈資料の送付について（その１)」（令和６年３月28日事務連絡）別添２の問12（Q237）において，看護職員処遇改善評価料及びベースアップ評価料の対象職員として派遣職員など，医療機関又は訪問看護ステーションに直接雇用されていないものを含むとしていますが，どのような方法で当該職員の賃上げを行えばよいですか。

A：例えば派遣職員については，保険医療機関から派遣会社に支払う派遣料金の増額等により，派遣会社が派遣職員へ支払う給与を増額してください。

〈厚令6.4.26〉

Q239 【B】に基づく区分 新

外来・在宅ベースアップ評価料（Ⅱ）及び歯科外来・在宅ベースアップ評価料（Ⅱ）の施設基準において,「【B】に基づき，別表５に従い該当するいずれかの区分を届け出ること」とありますが,「該当するいずれかの区分」について，どのように考えればよいですか。

A：例えば,【B】の値が3.0である場合については，保険医療機関（医科）は「外来・在宅ベースアップ評価料（Ⅱ）１」,「外来・在宅ベースアップ評価料（Ⅱ）２」又は「外来・在宅ベースアップ評価料（Ⅱ）３」のいずれか，保険医療機関（歯科）は「歯科外来・在宅ベースアップ評価料（Ⅱ）１」,「歯科外来・在宅ベースアップ評価料（Ⅱ）２」又は「歯科外来・在宅ベースアップ評価料（Ⅱ）３」のいずれかを届け出ることができます。

なお，訪問看護ベースアップ評価料（Ⅱ）についても同様の取扱いとなります。〈厚令6.3.28〉

Q240 国，地方公共団体及び保険者等が交付する補助金等に係る収入金額 新

外来・在宅ベースアップ評価料（Ⅱ），歯科外来・在宅ベースアップ評価料（Ⅱ），入院ベースアップ評価料及び訪問看護ベースアップ評価料（Ⅱ）の施設基準における「国，地方公共団体及び保険者等が交付する補助金等に係る収入金額」について，具体的な範囲如何。

A：国，地方公共団体及び保険者等が交付する収入金額であって，保険医療機関等に交付されているものを指します。例えば，地方自治体による単独の補助事業，保険者が委託する健診，病院の運営に当てられる地方自治体からの繰入金等が含まれます。

〈厚令6.3.28〉

Q241　職員の人数要件(1) 新

外来・在宅ベースアップ評価料（Ⅱ），歯科外来・在宅ベースアップ評価料（Ⅱ），入院ベースアップ評価料及び訪問看護ベースアップ評価料（Ⅱ）の施設基準において，「常勤換算２名以上の対象職員が勤務していること」とされていますが，当該保険医療機関又は当該訪問看護ステーションの職員の退職又は休職等により，要件を満たさなくなった場合についてどのように考えればよいですか。

A：常勤換算の職員が２名を下回った場合は，速やかに地方厚生（支）局長に届出の変更を行い，当該変更の届出を行った日の属する月の翌月から算定を行わないようにしてください。ただし，暦月で３か月を超えない期間の一時的な変動の場合はこの限りではありません。　〈厚令6.3.28〉

Q242　職員の人数要件(2) 新

看護職員処遇改善評価料，外来・在宅ベースアップ評価料（Ⅱ），歯科外来・在宅ベースアップ評価料）（Ⅱ），入院ベースアップ評価料及び訪問看護ベースアップ評価料（Ⅱ）の対象となる職員には，労働基準法（昭和22年法律第49号）第65条に規定する休業，育児休業，介護休業等育児又は家族介護を行う労働者の福祉に関する法律（平成３年法律第76号。以下「育児・介護休業法」という）第２条第１号に規定する育児休業，同条第２号に規定する介護休業又は育児・介護休業法第23条第２項に規定する育児休業に関する制度に準ずる措置若しくは育児・介護休業法第24条第１項の規定により同項第２号に規定する育児休業に関する制度に準じて講ずる措置による休業を取得中の職員等も含むのですか。

A：含みません。　〈厚令6.3.28〉

Q243　職員の人数要件(3) 新

O101外来・在宅ベースアップ評価料（Ⅱ），P101歯科外来・在宅ベースアップ評価料（Ⅱ），P102入院ベースアップ評価料及び「訪問看護療養費に係る指定訪問看護の費用の額の算定方法」における06訪問看護ベースアップ評価料（Ⅱ）の施設基準において「常勤換算２名以上の対象職員が勤務していること」とありますが，育児休業，介護休業等育児又は家族介護を行う労働者の福祉に関する法律（平成３年法律第76号）第23条第１項若しくは第３項又は第24条の規定による措置が講じられ，当該労働者の所定労働時間が短縮された者の場合，常勤とみなしてよいですか。

A：週30時間以上勤務している者であれば，常勤とみなします。　〈厚令6.4.12〉

Q244　職員の人数要件(4) 新

保険医療機関又は指定訪問看護ステーションが合併又は分割等を行ったために，ベースアップ評価料の届出に当たって対象職員の人数及び給与総額が実態と大きく異なる場合について，どのように考えたらよいですか。

A：ベースアップ評価料の届出に当たっては，原則として合併又は分割等を行った後の保険医療機関又は指定訪問看護ステーションにおける対象職員の人数及び給与総額に基づいてください。ただし，合併又は分割する前の対象職員の人数及び給与総額を合算又は按分することにより，当該保険医療機関又は指定訪問看護ステーションの実態に応じた人数及び給与総額を計算できる場合には，当該人数及び給与総額を用いて差し支えありません。　〈厚令6.4.26〉

Q245　法定福利費(1) 新

看護職員処遇改善評価料及びベースアップ評価料において，賃金改善に伴い増加する法定福利費等について，どのような範囲を指すのですか。

A：次の①及び②を想定しています。

① 健康保険料，介護保険料，厚生年金保険料，児童手当拠出金，雇用保険料，労災保険料等における，賃金改善に応じた増加分（事業者負担分を含む）

② 退職手当共済制度等における掛金等が増加する場合の増加分（事業者負担分を含む）

〈厚令6.3.28〉

Q246　法定福利費(2) 新

ベースアップ評価料の届出及び賃金改善計画書若しくは賃金改善実績報告書の作成を行うに当たり，対象職員の給与総額に法定福利費等の事業主負担分を含めて計上するに当たって，O000看護職員処遇改善評価料と同様に，法定福利費が必要な対象職員の給与総額に16.5％（事業主負担相当額）を含めて計上してもよいですか。

A：差し支えありません。　〈厚令6.4.26〉

Q247　労働基準法の対策 新

看護職員処遇改善評価料及びベースアップ評価料の施設基準において，「対象医療機関は，当該評価料の趣旨を踏まえ，労働基準法等を遵守すること」とありますが，具体的にどのような対応が必要ですか。

A：当該評価料による賃金改善を行うための就業規則等の変更について労働者の過半数を代表する者の意見を聴くことや，賃金改善に当たって正当な理由なく差別的な取扱いをしないことなど，労働基準法やその他関係法令を遵守した対応が必要です。

その他，賃金改善を行うための具体的な方法については，労使で適切に話し合った上で決定する

ことが望ましいとされます。　〈厚令6.3.28〉

その他

Q248 指定訪問看護事業者

看護小規模多機能型居宅介護事業者が訪問看護事業者の指定を併せて受け，かつ，複合型サービスの事業と訪問看護の事業とが同一の事業所において一体的に運営されている場合，当該訪問看護事業所は健康保険法第８９条第２項に基づく指定訪問看護事業者としてもみなされることになるのですか。

A：管理者が保健師又は看護師である場合に限り，みなされます。　〈厚平24.3.30，一部修正〉

Q249 訪問看護で使用する薬剤・医療材料(1)

訪問看護で使用する医薬品の請求はどうするのですか。

A：主治医の医療機関から請求することになります。

Q250 訪問看護で使用する薬剤・医療材料(2)

訪問看護ステーションからのケアを受けている利用者に，膀胱洗浄等で使用する薬剤を院外処方せんで発行し，処方せん料を保険請求することは可能ですか。

A：訪問看護時に行う処置に使用する薬剤は，医療機関が患者に支給すべきものとされています。主治医の医療機関が在宅寝たきり患者処置指導管理料を算定し，訪問看護時に必要な薬剤も医療機関から支給します。また，主治医の医療機関では在宅療養指導管理料に伴う在宅療養用薬剤は，在宅医療の部の薬剤として扱います。なお院外処方せんにより投与することも可能ですが，その際，処方せん料は算定できません。

Q251 訪問看護で使用する薬剤・医療材料(3)

訪問看護時に行う褥瘡処置のガーゼ代金は，訪問看護基本療養費に含まれるのですか。

A：ガーゼ代金は，基本療養費には含まれていません。患者の創傷処置等に使う衛生材料は，保険医療機関が請求できる「在宅寝たきり患者処置指導管理料」の中に含まれていますので，主治医から患者に必要な量を支給されることになっています。訪問看護では，この支給された衛生材料等を使って，医師の指示による褥瘡のケアの指導を行います。

Q252 訪問看護で使用する薬剤・医療材料(4)

訪問看護時の処置に用いられるカテーテル，チューブなどは訪問看護療養費で請求できるのですか。

A：できません。材料は主治医の医療機関において在宅寝たきり患者処置指導管理料等に伴う特定保険医療材料代として算定します。

Q253 訪問看護で使用する薬剤・医療材料(5)

消毒用の「イソジン」「エタノール」等の代金は基本療養費に含まれるのですか。

A：基本療養費には，患者を継続的に治療する処置材料費や薬品費は含まれていません。

在宅療養上の処置に係る診療報酬には，在宅寝たきり患者処置指導管理料（1,050点）がありますので，これらを算定していれば消毒薬は主治医により支給されます。

Q254 1週間分の紙おむつ

利用者の希望により，紙おむつを１週間分わたす場合，実費徴収は可能ですか。

A：可能です。医療費控除の適用を考慮して，領収明細書の交付が必要です。

Q255 その他の利用料徴収の規定

その他の利用料に係るサービス内容を，利用者から徴収する場合の規定はありますか。

A：訪問看護の提供の開始に際して，あらかじめ利用者や家族等に，基本利用料ならびにその他の利用料の内容・金額に関する説明を行い，理解を得ること。また，利用者から利用料の支払いを受ける際は，費用の細目を記載した領収書を交付しなければなりません。

Q256 家事援助とは

その他の利用料の「家事援助に要する費用」とはどのようなものですか。

A：食事介助で食品を温める，汚物で汚れた衣類を洗濯するなど，看護ケア中に必要となった家事援助に要する費用をいいます。家事全般にわたる援助を必要とする場合は，市町村に情報提供し，ホームヘルパーを要請することになります。

Q257 その他の利用料の実費徴収

褥瘡処置のガーゼ，薬代は「その他利用料」として利用者から実費徴収できますか。

A：原則として「在宅寝たきり患者処置指導管理料」などの中で医師から支給されるべきものなので，

実費徴収はできません。

Q258　週4日訪問

利用者の希望により週４日訪問看護を行った場合，４日目の費用をその他の利用料として徴収することはできますか。

A：できません。

Q259　2回目の訪問の交通費

訪問看護療養費のその他利用料について，回数制限を超えて週４日以上の訪問看護を行った場合，訪問看護療養費を算定することはできませんが，交通費等のその他の利用料のみを徴収することはできますか，また，１日２回以上訪問した場合，２回目以降の交通費等は徴収できますか。

A：癌末期または厚生労働大臣の定める疾病等の連日訪問できる疾病等ではない場合，週４日目以降の訪問看護に係るその他の利用料は交通費を含め徴収できません。

訪問日の２回目以降の訪問については，そのつど実費相当の交通費は徴収できます。

Q260　徒歩で訪問した場合の交通費

徒歩で利用者の家まで行った場合も交通費を徴収できますか。

A：基本的には，実費相当額の徴収なので徒歩の場合は徴収できないことになりますが，他の交通機関の利用やバイク等の利用の日もあり，平均して１回の交通費の額が決定されているような場合は徴収可能と考えられます。

Q261　生活保護の場合

利用者が生活保護を受けている（生保単独）場合，その他の利用料はどこから支払われるのですか。

A：医療券を発行した福祉事務所長に請求し，審査のうえ支払われます。なお，おむつ代は生活費に含まれるため請求できません。

Q262　死後の処置

死後の処置は具体的にどのようなことを指すのでしょうか。

A：消毒液での清拭，遺体の排出物・分泌物等の処置等を行うことです。

Q263　訪問看護ステーションと保険医療機関

訪問看護ステーションと「特別な関係」（医療保険でいう）にある保険医療機関が介護保険の居宅療養管理指導費を算定した日と同じ日に，訪問看護ステーションでも介護保険サービスの訪問看護を行った場合，訪問看護費は算定できますか。

A：別の時間帯に別のサービスとして行われた場合は，算定できます。

Q264　特別な関係の整理

退院時共同指導料，特別管理指導加算，退院支援指導加算，退院時共同指導加算，訪問看護基本療養費（Ⅲ）は特別な関係の医療機関から退院する患者の場合でも算定できますか。

A：平成24年３月30日発出の疑義解釈（その１）別添５の問６〔**編注：訪問看護基本療養費の「Q25」，p.229**〕に合致している外泊時の訪問看護基本療養費（Ⅲ）及び退院当日の退院支援指導加算については算定可能です。

また，退院時共同指導料，退院時共同指導加算は2018年改定で特別の関係でも算定できるようになりました。

Q265　月途中で訪問看護の主体変更

月の途中で訪問看護を行う主体が変わった場合，たとえば医療機関から訪問看護ステーションへの変更などの場合どのような算定になるのでしょうか。

A：保険医療機関と訪問看護ステーションについては（特別な関係等の有無にかかわらず），訪問看護にかかる費用を併算定することはできません。

その他の場合にあっては，変更前，変更後についてそれぞれの請求を行うことになりますが，その場合でも，計画的な在宅医療を実施する観点から適切な運用が望まれます。

Q266　介護保険の訪問看護利用者の急性増悪等による利用料

介護保険の給付対象である訪問看護を利用している高齢者が，急性増悪等により特別訪問看護指示書が交付された場合は，その間の訪問看護にかかる利用料等はどうなりますか。

A：医療保険の算定基準によります。

Q267　訪問看護指示書の様式変更

医科点数表Ｃ007訪問看護指示料における訪問看護指示書について，「留意事項及び指示事項」のⅡの１の記載が変更されましたが，既に交付している訪問看護指示書については，令和４年４月１日以降に改めて変更後の様式により再交付する必要はあるのですか。

A：令和４年３月31日以前に交付している訪問看護指示書については，変更後の様式による再交付は不要です。　〈厚令4.3.31〉

《編集協力》

栗林　令子〔医社〕永高会蒲田クリニック顧問〕
中林　梓　（株式会社ASK梓診療報酬研究所所長）

訪問診療・訪問看護のための
在宅診療報酬Q＆A 2024-25年版

＊定価は裏表紙に表示してあります

1997年1月10日　第1版第1刷発行
2024年11月21日　第16版第1刷発行

©編　集　医学通信社編集部
発行者　小　野　章
発行所　医学通信社

〒101-0051 東京都千代田区神田神保町2-6十歩ビル
電話 03-3512-0251（代表）
FAX 03-3512-0250（注文）
03-3512-0254（書籍の記述についてのお問い合わせ）

https://www.igakutushin.co.jp
※ 弊社発行書籍の内容に関する追加情報・訂正等を掲載しています。

表紙：荒井美樹

印刷／製本・TOPPANクロレ株式会社

ISBN978-4-87058-957-5

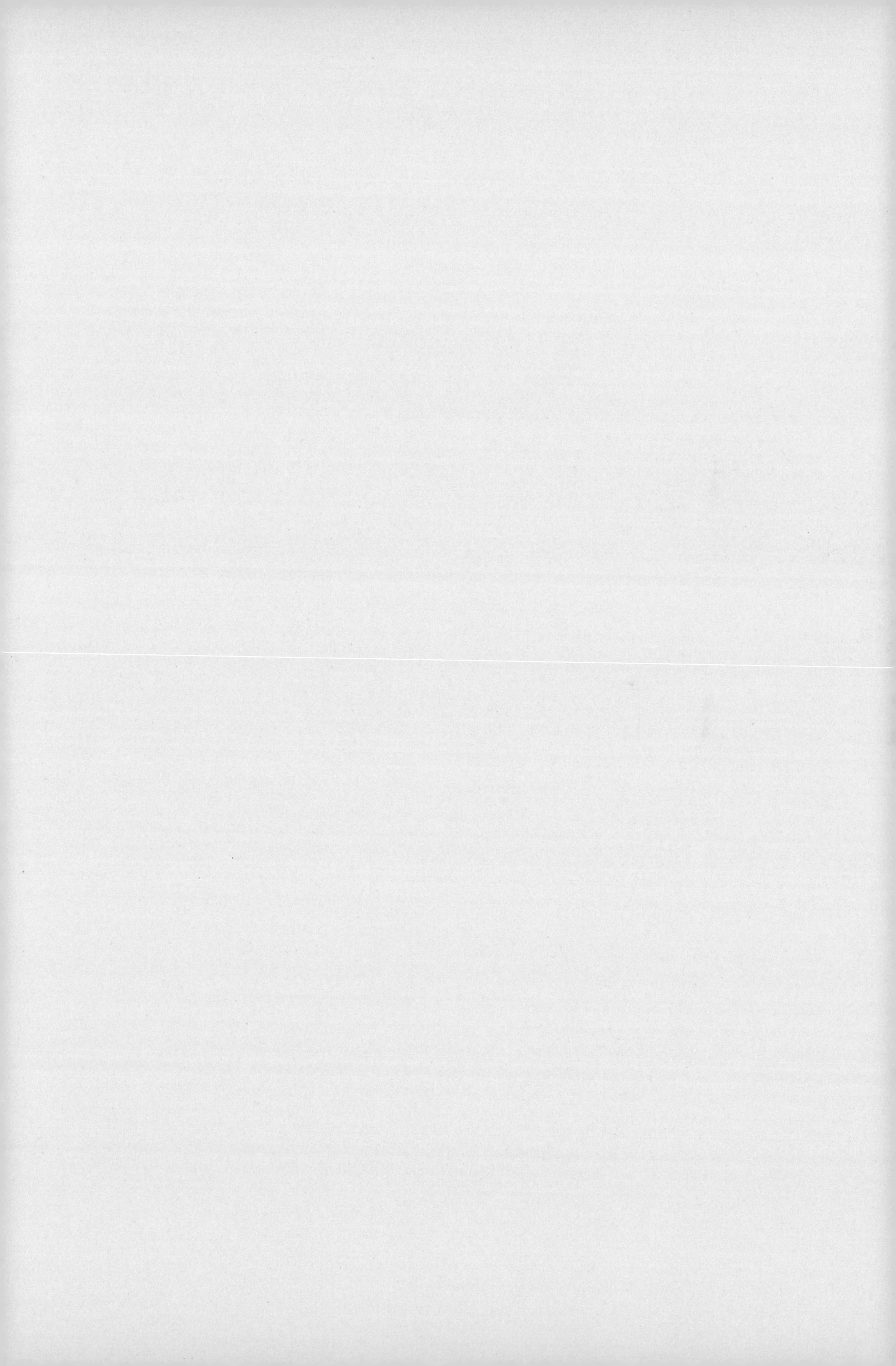